COLLECTION
FOLIO CLASSIQUE

James Joyce

Portrait de l'artiste en jeune homme

Traduction de Ludmila Savitzky
révisée par Jacques Aubert

PRÉCÉDÉ DE

Portrait de l'artiste
(1904)

Traduction de Jacques Aubert

Préface de Jacques Aubert
Professeur à l'Université Lumière (Lyon-II)

Gallimard

PRÉFACE

Pour Laurent

Préambule

Il est incontestable que le Portrait de l'artiste en jeune homme *est dans une très large mesure autobiographique. Nombre de personnages, souvent à peine déguisés, ont une existence historiquement vérifiée, nombre d'événements, d'allusions aux lieux et aux choses sont fondés en réalité, au point que biographes et critiques sont constamment menacés de glisser de l'ordre de la fiction à celui des faits. Une partie de nos notes vise à satisfaire le lecteur curieux sur ce chapitre, et ainsi à faire place nette pour d'autres intérêts. Car ces faits évidemment importent moins que la parole, les inflexions de cette voix qui les porte jusqu'à nous et témoigne précisément d'une articulation singulière entre l'auteur, le monde et le langage.*

Et en définitive, s'il est quelque peu sensible à la chose littéraire, l'intérêt que notre lecteur portera à ce roman échappera très vite à l'anecdotique. Même si sa forme n'est plus aujourd'hui frappante au point de susciter les rejets dont il fut l'objet à sa parution, son importance esthétique propre en fait un monument, mineur peut-être, mais incontestable, des lettres occidentales.

Cependant, en dépit de cette place éminente, sa généalogie tient difficilement dans les limites de l'histoire littéraire : les échos sont le plus souvent verbaux et superficiels qui poussent à rapprocher l'œuvre, par exemple, du Portrait de Dorian Gray *d'Oscar Wilde ou des* Confessions *d'un jeune homme de cet autre compatriote de James Joyce que fut George Moore. Et l'œuvre apparaît bien éloignée des productions du mouvement esthétique et décadent qui domina la fin du siècle en Grande-Bretagne. Si l'on envisage un cadre culturel plus vaste, la gêne est à peine moindre. L'influence des lettres françaises du temps est perceptible, sans être décisive. Celle du symbolisme est sensible dans sa poésie, et sans doute jusqu'à un certain point dans l'ordre théorique à travers l'ouvrage d'Arthur Symons,* The Symbolist Movement in Literature. *Celle du naturalisme et de ses divers héritiers peut se lire dans les premiers textes en prose qui nous occupent ici à travers divers échos de Zola, Maupassant ou Huysmans. Cependant, si la recherche des influences aboutit à des résultats peu convaincants, elle nous amène à constater une convergence des intérêts de James Joyce avec ceux de quelques prédécesseurs immédiats et des mouvements qu'ils avaient créés ou qui les avaient recueillis. Il reprend d'une façon que l'on peut qualifier de radicale les questions auxquelles ils pensaient apporter une réponse : il se préoccupe d'esthétique plutôt que d'esthétisme, du symbolique plutôt que du symbolisme, de la science et de la nature (humaine particulièrement) plutôt que de naturalisme.*

*L'importance spécifique d'*Ulysse *et de* Finnegans Wake *et, si l'on considère l'ensemble de l'œuvre, la place* *qu'y tiennent par exemple, de* Dublinois *à* Ulysse, *des thèmes comme celui de la ville, tendent à laisser dans l'ombre tout un pan de ses premières recherches, celles qui aboutirent en 1915 à la publication du* Portrait de l'artiste en jeune homme. *Commencé en 1904, l'année même, ou presque, où il est censé prendre fin, l'ouvrage ne fut achevé qu'à la veille de sa publication en livraisons dans la revue* The Egoist *dix ans plus tard. Le lecteur aura tendance à perdre de vue cette déhiscence. Et pourtant ces dix années furent pour James Joyce d'une importance décisive. Elles virent la publication de son premier recueil de poèmes,* Musique de chambre, *et l'achèvement et la publication des nouvelles de* Dublinois. *Elles furent celles d'une lente maturation de ses choix, à laquelle participèrent lectures, rencontres, travail d'écriture. Elles furent celles d'une* traversée *des formes littéraires reçues : le poème lyrique, la* short story, *et même, on va le comprendre, le* Bildungsroman ; *autant de formes qu'il écarte l'une après l'autre après y avoir démontré son talent.*

*C'est de cette décantation qu'est sorti notre roman, lui-même précurseur, et comme échafaudage préliminaire à la composition d'*Ulysse, *qui sera abordée dans la foulée, composition qui constitue à elle seule une autre aventure dans l'écriture. L'image qui vient à l'esprit, s'agissant de ces années, est celle d'un terreau d'où émergent quelques œuvres de qualité, mais où surtout fermentent les éléments d'expériences extraordinairement diverses liées aussi bien à sa vie intime*[1] *et à ses activités professionnelles. Il faut saisir James Joyce comme un homme total, complet, tel qu'il a lui-même défini le héros de son*

---

1. Tel est le cas de l'admirable « Giacomo Joyce » (Pléiade, p. 785-800), relation sous forme d' « épiphanies » d'une aventure toute platonique avec l'une de ses élèves de Trieste.

Ulysse[1]. *Autant que le dossier critique de notre roman, celui de* Stephen le Héros, *la correspondance et la biographie en témoignent abondamment. Signalons l'intérêt tout particulier des « Notes conjointes » au « Portrait de l'artiste », et des deux « Carnet de Pola » et « Carnet de Trieste », le second parfois appelé par la critique anglo-saxonne « Alphabetical Notebook[2] ».*

C'est là pourtant, dans un parcours brisé mais cohérent, que tout, ou presque, s'est décidé dans le secret. Ce secret est à la mesure d'une crise intérieure profonde dont l'aveu affleure dès les premières pages du « Portrait de l'artiste » : « il lui fallait débrouiller ses affaires en secret », d'où les « manières énigmatiques destinées à couvrir une crise ». Cet aspect de l'œuvre correspond à ses traits autobiographiques les plus patents. Il la rapproche d'autres témoignages, comme le Sébastien Roch *d'Octave Mirbeau ou* La Maison du péché *de Marcelle Tynaire (le compte rendu que Joyce fit de ce roman est révélateur[3]), et plus encore des* Souvenirs d'enfance et de jeunesse *d'Ernest Renan. Mais il convient là encore de ne pas se satisfaire d'analogies. Les interrogations de Joyce sont à la fois celles d'un sujet singulier à la recherche de lui-même et une enquête « scientifique » sur le sujet humain et sa nature, « l'esprit moderne », comme il le précise dans* Stephen le Héros. *Dès le début du « Portrait de l'artiste » un cadre plus large est posé : il nous y parle de « sensibilité naturelle », de « sentiment très vif des obligations spirituelles », et, lorsqu'il est question de pénitence ou de péché, la première est qualifiée de « nécessaire », la seconde d' « efficace ». L'évolution de*

1. Voir Willard Potts, *Portraits of the Artist in Exile*, University of Washington Press, 1979, p. 69-70.
2. Ces documents seront procurés dans l'édition Folio classique de *Stephen le Héros*, à paraître.
3. Voir p. 181, n. 2.

James Joyce le conduira à majorer de plus en plus ces prédicats aux dépens des substantifs auxquels ils sont accrochés, à les approfondir, à les travailler et les faire travailler. On peut aller jusqu'à dire que tout tourne, pour ce James Joyce-là, autour de la prédication : *de ce qui peut être dit, mis en discours, dans les limites de la parole et de son efficace. Les sermons du* Portrait de l'artiste en jeune homme *et leurs effets sur le sujet, leur message touchant la grâce et les sacrements, ne sont que la figuration d'un processus dans lequel il est dès l'orée de son écriture engagé. On le voit, se profile déjà la proposition, non point tellement d'un nouveau style littéraire que l'épure d'un autre discours, structuré selon une autre logique.*

Cependant, avant d'en arriver là, avant de produire pour ses lecteurs, en 1915, le Portrait de l'artiste en jeune homme, *puis de s'engager presque simultanément dans* Ulysse, *Joyce va envisager une solution plus traditionnelle dans laquelle il s'empêtrera des années, celle qui consiste à mener de front plusieurs écritures : poésie, drame, proses, théorie esthétique, cette dernière visant à dominer les autres, tel un métalangage. Le projet d'esthétique, certes, eut une vie des plus brèves (au plus, approximativement, de 1902 à 1905), mais sa valeur de symptôme, sa raison d'être et ses effets, sont d'une importance qui ne saurait être sous-estimée. Cette première phase, en fait première tentative de réponse à ses interrogations, pourrait être caractérisée, à première vue, par l'affirmation d'un mode lyrique, qui revêt plusieurs formes. Les poèmes recueillis en 1907 sous le titre de* Musique de chambre *en fournissent la preuve achevée : ils commémorent des moments du « voyage de l'âme », pour reprendre une notation qui ponctue l'un des manuscrits olographes. On sait l'attachement ambigu que Joyce leur portait : à la fois objets fétiches offerts à Nora*

Barnacle, et manuscrit unique présenté à la contempla-
tion des visiteurs, et d'autre part reliques d'une tentative
poétique sans lendemain ou presque : la publication des
Poèmes *d'api en 1927 témoigne de la continuité d'une*
veine très personnelle, et traditionnelle, mais reste d'une
valeur marginale au regard de la création qui leur est
contemporaine. Le choix du lyrique au sens strict avait
été proclamé d'emblée : il écrivait « un recueil de chan-
sons », disait-il à sa mère en 1903. Et tel est bien le point
de départ, la base de la théorie esthétique à laquelle il
songe à la même époque et dont les traces subsistent
jusque dans le Portrait.

Autour de l'épiphanie

   C'est là en fait un cas particulier d'un problème plus
général qui s'impose à lui, celui de l'expression, auquel il
tente de donner réponse sur ces deux plans poétique et
théorique. La diversité de ses réponses, et pour finir leur
échec, dissimulent autant qu'elles révèlent un embarras
radical, en dernier ressort existentiel : celui qui transpa-
raît plus directement encore dans ce qu'il a baptisé
« épiphanie ».
   Ce terme dont il a forgé une définition toute personnelle
devait être l'alpha et l'oméga d'une « Esthétique » : son
point de départ subjectif, et en même temps le cœur de sa
définition du Beau. Mais cette position ne devait sa
suréminence qu'à sa pratique, son expérience d'écrivain.
Il s'agit en effet de courts textes en prose, fragments de
dialogues surpris en société, brèves évocations poétiques,
et en plus d'un cas récits de rêves [1]. *Certaines épiphanies*

1. Voir Pléiade, p. 87-104.

formeront une sorte de récit dans « Giacomo Joyce ».
Quelques-unes seront reprises dans le Portrait *de*
l'artiste en jeune homme, en des points souvent stratégi-
ques de l'œuvre. Elles sont marquées du sceau de la
Nécessité : l'épiphanie pour lui est avant tout, disons
même avant toute théorisation consciente, un petit texte
qui lui tombe du ciel, s'impose à lui de la façon la plus
implacable, sans pour autant perdre totalement, du
moins dans la plupart des cas, sa qualité énigmatique.
Son paradoxe et la difficulté extrême qu'il y a à en saisir
l'enjeu tiennent à ceci : c'est une écriture qui « se veut »
déchiffrement, qui, en d'autres termes, est à la recherche
elle-même d'une écriture disparue, une écriture qui vise à
redonner (de) la parole et (de) la vie à une écriture
fantomatique, mais bien réelle. En effet, tel le Mené,
Theqel, Oupharsin, *ce déchiffrement qui s'impose*
comme la tâche mystérieuse et redoutable reçue en
partage par l'écrivain, suppose bel et bien une autre
écriture : une autre « main », hand, *dit la langue*
anglaise, main venue de nulle part, antérieure et enfouie,
surgissant d'un autre lieu, du lieu de l'Autre, pour
signifier à un sujet le destin de « compter, peser, divi-
ser »... Joyce ne fait que déplier le dit de saint Matthieu :
« Voici que des mages venus d'Orient arrivèrent à Jérusa-
lem en disant : " Où est le roi des Juifs qui vient de
naître ? Nous avons vu, en effet, son astre à son lever et
sommes venus lui rendre hommage. " L'ayant appris, le
roi Hérode s'émut, et tout Jérusalem avec lui. Il assembla
tous les grands prêtres avec les scribes du peuple, et il
s'enquérait auprès d'eux du lieu où devait naître le Christ.
" À Bethléem de Judée, lui dirent-ils ; ainsi, en effet, est-il
écrit par le prophète... " » C'est bien par rapport à une
écriture de jadis, mais à relire, *que l'événement* récrit
peut se vérifier. Accomplissement *des Écritures :* « Noli
putare, quoniam veni solvere legem at prophetas ; non

veni solvere, sed adimplere[1]. » *Écriture, répétons-le,
enfouie au plus profond de lui-même.*

*Si cet accomplissement est une tâche, implique un
travail, une transformation des données de l'écriture, sa
remise en jeu au point même où son sens s'évanouit, dans
l'a-sémantisme, le non-sens, l'illisible de la lettre (c'est
bien ce qui nous est présenté avec le dialogue réduit à des
points de suspension de l'épiphanie paradigmatique de*
Stephen le Héros[2]*), c'est que cette épiphanie est intrusion d'un désordre insupportable dans le réel. Joyce le dit
à mots couverts, et comme par inadvertance : elle est dans
l'ordre de l'espace, se situe dans un lieu, mais se définit
dans le temps, et constitue aussi bien un « moment »,
nous dit-il[3]. Ce désordre, ce brouillage des repères de
l'espace et du temps caractérise cette expérience singulière : le mot qui s'impose à lui est « esprit »,* spirit,
spiritual manifestation, *mais un esprit, insiste-t-il, qui
peut aussi animer la matière : un objet des plus quelconques peut avoir une âme[4]...*

*On comprend que Joyce ait pu chercher de l'aide, ou
cru un temps rencontrer une pensée adéquate à ses
spéculations, et propre à résoudre ses contradictions,
dans la pensée hégélienne et sa dialectique. Il lut certes
quelques traductions du philosophe. Mais ce qui l'aida à
faire le point, par erreurs autant que par essais, ce fut*
l'Histoire de l'esthétique (A History of Aesthetics, *1892)
du néo-hégélien Bernard Bosanquet. Celle-ci en effet
contribua à replacer son investigation dans un cadre plus
large que celui de la pure philosophie, fût-elle orientée
vers, ou par, la théologie. Bosanquet en effet prend en
compte à la fois les crises qui scandent l'histoire de la*

1. Évangile selon saint Matthieu, V, 17.
2. Pléiade, p. 511-512.
3. *Ibid.*
4. *Ibid.*

culture occidentale depuis les Grecs (le néo-platonisme, Alexandrie, les diverses Renaissances...), mais encore les questions *que posent à ses contemporains l'avenir de la science et de la technique, et la* position du sujet *qui en découle à l'époque moderne. Un fil rouge en effet parcourt son discours : l'interrogation du sujet par lui-même, depuis saint Augustin et son* cogito, *jusqu'aux recherches modernes de la psychologie (au moment où l'*Histoire *de Bosanquet paraît, les théories de l'inconscient se cherchent encore, mais Joyce sera attentif, dès les premières années du siècle, à ce qu'il appelle, dans* Ulysse, *« la nouvelle école viennoise »), à travers la révolution cartésienne.*

Ordination

Ainsi, Joyce cherche la méthode d'un discours *qui s'ébauche en lui comme par défaut, dans les intermittences et les effets de rupture de ses chères « épiphanies », un discours qui s'impose comme étant de son être même, de sa vie et, comme il le dit dans son premier « Portrait de l'artiste », de l'éblouissement vécu de « la beauté de la condition mortelle ». Il va s'agir de trouver le* rythme du discours *qui le fait être. Dès le début de ce premier texte autobiographique, les choses sont claires : non seulement l'art est un « processus de l'esprit dont il reste à dresser le tableau », qu'il est nécessaire de mettre en ordre, mais le travail de l'artiste va être de « dégager des masses de matière personnalisées ce qui constitue leur rythme individuant ». Derrière la phraséologie absconse, il faut bien comprendre que les catégories décisives vont être le* rythme et l'éthos, *le caractère,* character.

Soulignons tout de suite une évidence : ce texte est programmatique autant que rétrospectif. Certes, il s'agit bien, déjà, chez ce créateur de vingt-deux ans, d'un

« *portrait de l'artiste adolescent* » *et de la reconstitution d'un parcours psychique. Les indications biographiques, facilement déchiffrables en autobiographie, sont nombreuses. Mais le passé invoqué, la mémoire convoquée, sont tout le contraire d'un fourre-tout. Il s'agit bel et bien d'un* lieu *de mémoire, d'une mémoire se mettant en tableau, un* ars memoriæ *nouvelle manière, où l'espace dûment* scandé *vient au secours des intermittences, des rythmes élusifs du temps subjectif. Le maître mot, jamais prononcé mais agissant, est ici celui d'*ordination, *dont la question de la prêtrise envisagée par Stephen Dedalus comme par Joyce lui-même n'est, là encore, que la figuration : Aristote est passé par là, en même temps que la* ratio studiorum *des jésuites et que les* Exercices spirituels *de saint Ignace. L'imaginaire, loin d'être ce qu'il a vocation à être, à savoir, pour reprendre une formule de Gaston Bachelard,* « *ce que l'on pourrait croire* », *c'est-à-dire l'espace de désagrégation du sujet, en est la condition première, et comme le passage obligé vers son repérage symbolique, son* acte *d'inscription en une langue communicable, son* énonciation. *Condition nécessaire, mais non point suffisante.*

L'épiphanie, donc, contrairement aux apparences, est questionnement et non point révélation. Questionnement du sujet *de l'écriture, du lieu d'où il prend son origine. Et les tentatives, que l'on peut grossièrement qualifier après Joyce lui-même, d'* « *autographiques* », *constituées par le* « *Portrait de l'artiste* », Stephen le Héros *et le* Portrait de l'artiste en jeune homme *doivent être abordées en ces termes. Elles constituent une sorte de progression dialectique dont le premier moment est ce bref texte de 1904 où Joyce tente de poser les exigences de l'expression aux dépens des contenus, en particulier idéologiques. Cette exigence est en lutte avec les contraintes du symbolique, structure nécessaire de médiation dans tout rapport aux autres, et en définitive à l'Autre, mais également source de contrainte intérieure : l'expérience religieuse de Joyce le lui avait montré chaque jour, jusqu'à l'insupportable. Il lui faut ressaisir sa propre nécessité existentielle, parce qu'il a fait l'expérience de son propre évanouissement, de son élision, de son* fading *comme diraient certains psychologues, ou pour reprendre le mot fétiche du héros des « Morts »,* swooning.

Il y a chez lui cette urgence dans l'affirmation d'une nécessité de l'écriture, d'une écriture, contre la suffisance. *En effet, le jeune écrivain s'en prend à tout ce qui se donne, s'offre, mais en réalité s'impose, comme satisfaction préalable, déjà là, des besoins, et surtout des désirs du sujet : le « monstre », le Léviathan social, mais aussi l'ordre moral et religieux qui non seulement a réponse, par avance, à toute question, mais encore place, replace, tout désir nouveau surgi dans son horizon, dans le sein de « notre Sainte Mère », la seule véritable Église, qu'il distingue mal, et pour cause, de l'Alma Mater, l'Université récupératrice de tous les savoirs et désirs de savoir, fussent-ils insus, et qui en l'espèce, dans le Dublin du début du siècle, est gérée par les Pères...*

Contre cette suffisance, le sujet ne peut que se rebeller. Non point abstraitement, théoriquement, mais à travers cette nécessité vécue intensément d'inscription, d'écriture. À la dénonciation de l'ordre extérieur, social, qui l'enserre succède la rupture du « Nego[1] », première personne d'un singulier performatif volé à une autre langue, le latin d'Église, et retourné contre elle. Point tout à fait autre, cette langue, justement : au ressentiment possible, intérieur et passif, se substitue le retournement de la langue, le retour à l'envoyeur de ces signifiants, à la

---

1. Voir p. 40.

fois maternels et paternels, et du coup chargé d'une
opacité, d'une ambiguïté énigmatiques.

Ce retournement, *étant un acte, faisant acte, introduit*
une dimension éthique. *Dans ce* Nego *s'entend certes*
un ego, *mais un* ego *en quelque sorte bridé par le* n-
qui en conteste la plénitude, l'autosuffisance héroïque,
mais est aussi le n, *exposant de la puissance indéter-*
minée, autant dire infinie... Joyce devra passer par la
contre-épreuve, l'épreuve de vérité de Stephen le Héros
pour le comprendre vraiment. Une autre image limi-
naire de ce « Portrait de l'artiste » *est révélatrice, qui*
oppose le portrait à la statue (« un mémorial ayant la
rigidité du métal »). On sait que James Joyce avait lu
Lessing, le début de l'épisode « Protée » *d'*Ulysse *le*
prouve. Dans le Portrait de l'artiste en jeune homme,
cependant, le Laocoon, *évoqué devant Stephen Dedalus*[1]*,*
d'ordinaire prolixe sur les questions d'esthétique, n'ap-
pelle de sa part aucun commentaire précis. C'est bien
que l'ouvrage le laisse devant ses propres contradictions,
qui sont aussi celles de l'art : comment concilier l'immo-
bilité, la stabilité créée par l'art, cette « stase » *qu'il met*
en relief dans ses fragments d'esthétique, avec le mouve-
ment de la vie qui anime l'œuvre autant que l'artiste ? La
réponse, une première réponse du moins, tiendra en un
nom, qu'il fera sien : Dédale.

C'est qu' « il y a de l'Autre », *qu'il rencontre d'abord*
*avec l'amour de Dieu, puis sous l'espèce d'*Une autre, *la*
Femme, qui vient soigner, sinon guérir une blessure
irréparable. À travers elle résonne l'énonciation lyrique,
créatrice et évocatoire, telle une pure Nécessité.

*

1. Voir p. 307.

Le Portrait de l'artiste en jeune homme *est l'achèvement d'une recherche, celle d'une forme symbolique qui ne serait pas* a priori, *mais résulterait d'une nécessité interne au sujet, du moins coïnciderait avec celle-ci.*

C'est pourquoi, nous l'avons dit, sa genèse est indissociable des autres productions de la même époque, c'est-à-dire des années 1903-1914. C'est par rapport à ces autres textes, et par une méthode en quelque sorte géométrique, que Joyce construit sa position. Il faut ici prendre en compte diverses composantes. Dublinois *est l'une d'entre elles, qui s'écrit, s'organise et se conclut selon une logique interne, sur une sorte d'autoportrait en négatif. Après une série de portraits critiques de Dublinois jeunes et moins jeunes considérés comme représentatifs de la « paralysie » et de la corruption morale de la ville, Gabriel Conroy, le héros paradoxal de la dernière nouvelle, « Les Morts », est un peu à l'image de Joyce, tel que Dublin aurait pu le faire devenir : une image critique. On pourrait en dire autant de « Giacomo Joyce », ou des* Exilés, *en dépit des différences, esthétiques et éthiques, qui séparent ces textes.*

Cette construction est donc celle d'un autoportrait, d'une image qui n'est pas donnée d'avance, qui n'est pas inspirée par un modèle de caractère idéologique ; et Dieu sait si le XIXe siècle finissant n'était pas avare de tels stéréotypes. Les Carnets de travail *(de Pola, de Trieste), tout comme les épiphanies, le montrent à merveille, Joyce construit sa position à partir des points singuliers du réel qui se sont imposés à lui dans l'expérience[1]. Il n'oublie pas, ou découvre grâce à l'échec de* Stephen le Héros, *que si l'autoportrait nécessite un miroir, celui-ci est forcément décalé et introduit une construction dans*

---

1. C'est dans cet esprit, pour mieux faire saisir cette réalité, que nous procurons en note un grand nombre de « sources » de caractère réaliste.

laquelle l'œil doit se déplacer, échappant à la fascination sidérante du pur face-à-face narcissique. Du coup, qui dit autoportrait dans l'ordre des lettres dit ruptures, intermittences, et par conséquent rappels, répétitions, échos, résonances. Et en définitive montage, construction (nous sommes bien à l'enseigne de Dédale[1]), non pas anamnèse des *Idées*, mais remémoration, jeu de l'oubli et de la mémoire se déployant dans le langage même. Telle est bien l'expérience à laquelle le Portrait de l'artiste en jeune homme *nous convie à chaque page*.

C'est en ce sens que l'on peut dire du Portrait de l'artiste en jeune homme *qu'il est, fondamentalement, une* forme symbolique. *Si nous empruntons délibérément l'expression à Erwin Panofsky, ce n'est pas seulement pour souligner la coïncidence dans le temps, avec notre roman, des recherches sur la perspective (la mise en autoportrait d'un récit est avant tout intrusion de la perspective) auxquelles son nom est attaché, et pas seulement le sien[2], c'est surtout pour marquer, avec le concept de « symbolique », cette troisième mise en cause du « narcissisme universel » dont l'Occident est alors le théâtre, et qui fait suite à celles de Copernic et de Darwin, celle de Freud[3]. Il s'agit très précisément de la découverte des rapports étroits qui lient le langage et l'inconscient. Peu importe que James Joyce ait été introduit à la*

---

1. Et, sur un autre plan, du classicisme, dont Joyce se réclame avec force dès ses premiers textes critiques. Et lorsqu'il se lance dans la récriture de *Stephen le Héros* en 1907, ce disciple d'Aristote, qui a, dit-il, « interprété à l'intention des hellénistes orthodoxes la doctrine vivante de la *Poétique* », ce sera pour construire délibérément son roman, en cinq chapitres, à l'image de la tragédie classique.

2. Voir *La Perspective comme forme symbolique*, Éditions de Minuit, 1975, et en particulier l'essai liminaire de Marisa Dalai Emiliani, « La question de la perspective ».

3. « Une difficulté de la psychanalyse », in *L'Inquiétante étrangeté et autres essais*, Gallimard, 1985, p. 181-187.

découverte freudienne par Ettore Schmitz (« Italo Svevo ») vers 1910, que cette période corresponde à son propre cycle de conférences sur Hamlet, en même temps qu'à la rupture décisive entre Freud et Jung et à la création de la revue Imago [1]. *L'important, et la chose n'allait pas de soi, est moins dans les causes que dans les effets. Effets de* rencontre *d'une expérience de l'écriture et d'une théorie de la lecture.*

Car tel est bien l'enseignement de sa première recherche. Comment lire ? Et comment se relire ? Bernard Bosanquet lui faisait relire l'histoire de l'expérience esthétique depuis l'aube des temps modernes, relire après Aristote, Plotin, saint Thomas, Lessing, sans que ce fût aux dépens de saint Ignace, de Suarez, de saint Alphonse de Liguori, de Pascal, de Spinoza, sans compter Épictète, et bien d'autres. Comment lire, aussi bien, les Mystères de la seule véritable Église : la Trinité, l'Incarnation, la Rédemption ? Et comment déchiffrer l'image de la Madone ?

Dans cet apprentissage de la lecture symbolique, Joyce se rencontre, à défaut de se retrouver : il rencontre ce qui l'a interrogé dans le réel le plus abrupt de son expérience. Simplifions. Avec la Trinité, c'est la question du Père, mais aussi de l'Amour. Avec la Rédemption, celle du Fils. Mais aussi, avec la Vierge, cette « madone que l'astuce italienne jeta en pâture aux foules d'Occident [2] », la Femme. Sa singularité, cependant, c'est qu'il découvre cela dans le procès même de son écriture. Les « épiphanies » le disent tout crûment la composition de Dublinois, cette interminable série de post-scriptum, l'illustre ; et la lente et

---

1. Dans le monde anglo-saxon, Virginia Woolf l'a fait remarquer, c'est le moment où « human character changed ».

2. *Ulysse*, Gallimard, « Du Monde Entier », p. 204. Voir ci-dessous p. 227, n. 2.

mystérieuse genèse du Portrait de l'artiste en jeune homme *n'a pas d'autre explication : comment écrire cette jouissance* [1] *entr'aperçue ?*

Éthique

La forme symbolique de l'ouvrage emporte un choix éthique, et James Joyce est incontestablement dans la mouvance à la fois de Spinoza et de Nietzsche. Qu'il ait lu le second un peu vite, et un peu trop facilement se soit emparé de l'idée de Surhomme (il signe ainsi plusieurs lettres de ses jeunes années) en apparence en harmonie avec la perspective de Stephen le Héros, ne signifie pas qu'il ait saisi la connivence qui le lie au grand moraliste des temps modernes : celle d'une méthode généalogique enquêtant sur les antécédents de la Parole supposée fondatrice de nos valeurs. Le choix est éthique, c'est-à-dire qu'en définitive c'est celui d'un sujet responsable vis-à-vis de son désir, plutôt que celui d'un être convoqué devant le tribunal d'une morale établie. La ligne de conduite du héros du* Portrait de l'artiste en jeune homme *est de cet ordre. Entre l'hérésie décelée par le professeur de lettres chez le jeune écolier et le choix final d'un départ éminemment symbolique d'une Irlande qui s'est confondue avec l'Église, la continuité est certaine. Il faut bien voir la nature de ce choix de l'hérésie, qui lui fait très tôt dans sa vie invoquer Giordano Bruno comme une figure tutélaire, qui se révélera dominer tout un pan de l'œuvre à venir. Là encore, Joyce retourne contre elle-même l'Église et sa théologie, bien plutôt qu'il ne rompt avec elle. Il assume la faute comme un principe : comme au principe de cette Chute sans laquelle il n'eût point été de Rédempteur, c'est-à-dire, tout d'abord, d'Incarnation, et d'inscription dans le réel de l'Histoire. Felix culpa !*

1. Voir p. 307, n. 2.

affirmait saint Augustin, dont Joyce avait bien relevé l'analyse paradoxale de la corruption[1]. *Répétons-le, toujours le héros de Joyce (et que fut Joyce) s'appuie sur le réel le plus immédiat. L'odeur de choux pourris le fait en effet sourire à la pensée « que c'était ce désordre, l'anarchie et la confusion régnant dans la maison paternelle, et la stagnation de la vie végétale, qui allaient emporter la victoire dans son âme*[2] ».

Aristote confirmait son intuition. Mais à la différence de saint Augustin, il inscrivait la création, en tant que production perpétuelle *dans l'ordre du* nécessaire : « *La perpétuité de la succession ne devient-elle pas nécessaire par cela seul que la destruction d'une chose est la production d'une autre, et que, réciproquement, la production de celle-ci est la mort et la destruction de celle-là*[3] ? »

Science et Nature

Cette production a donc un ressort : la mort, l'absence radicale, et toutes les contestations essentielles de l'ordre humain, folie aussi bien que maladie. L'interrogation, l'énigme porte sur la nature humaine. Le Portrait de l'artiste en jeune homme *comporte cette dimension-là, de la nature et du corps humain, dans leurs intermittences, leurs malaises, les terreurs et les angoisses qu'ils engendrent. Joyce n'y parle guère que de ce qui transpire dans d'autres écrits, essais ou lettres : son désir d'y voir plus clair et surtout d'en savoir plus long sur cette affaire.*

*Il ne manquait pas de prédécesseurs. On pense moins ici au Huysmans d'*À Rebours, *qui se profile pourtant çà*

1. Voir p. 37.
2. Voir p. 244.
3. Voir p. 332 et n. 3.

et là, qu'au discours à ambition scientifique du Dégénérescence *de Max Nordau, dont on sent bien l'influence
dans d'autres pages de la même époque. N'est-ce pas
aussi en 1902, au moment même où il tente de s'inscrire
à la Faculté de médecine de Paris, que Victor-Joseph-
Ambroise-Désiré Segalen soutient sa thèse de doctorat
en médecine sur « L'Observation médicale chez les
écrivains naturalistes », en vue, dit-il dans son avant-
propos, d'une « Esthétique des Idées-malades* [1] *» ? La
démarche de Joyce fut sans lendemain. Mais, de même
que le rapprochement avec Segalen, elle rappelle opportu-
nément que le désir, courant en ces années, de soumettre
l'art à l'examen de la science, était partagé par lui, ainsi
que son frère en témoigne en plusieurs endroits. Il
pourrait même expliquer son intérêt, certes passager, pour
l'occultisme, qu'il a en commun avec certains des meilleurs esprits scientifiques de son temps, à l'écoute eux
aussi de ces étranges corps parlants que sont les
médiums, et de leur jouissance.*

*C'est ainsi que le labyrinthe de Dédale, on le sait, est
construit sur un fond obscur, bouche d'ombre donnant
accès, sans retour concevable, au monstrueux* [2]. *La
science, il faudrait même dire la technologie, dont l'ingé-
nieur crétois est le saint patron laïc, s'y révèle dialoguer
avec la Vérité dans le Réel. L'intellect qui devait servir de
guide à Joyce en un temps où il subissait les séductions
d'une science quelque peu positiviste, c'était celui de
Lucifer face à la Divinité : « Il tombe tout étincelant,
orgueilleux éclair de l'intellect* [3] *», dialoguant avec Dieu,*

---

1. Y Cadoret, Bordeaux, 1902. Segalen y présente une étude des
« observations » cliniques de Jules de Goncourt par son frère, de
Flaubert, de Huysmans et, en des termes assez critiques, de Zola.

2. Voir Hubert Damisch, « La danse de Thésée », in *Ruptures-
Cultures*, Éditions de Minuit, 1976.

3. *Ulysse*, éd. cit., p. 53.

un Lucifer mal-aimé, souffrant d'un amor intellectualis
Dei *inaccessible et pourtant intensément désiré*[1].

Une écriture du cas

Dans Stephen le Héros, *ce n'est pas un hasard si
Stephen Dedalus fait du volume : il est dans l'ordre du
narratif, du déroulement monologique, du* volumen. *Avec
le* Portrait de l'artiste en jeune homme, *Joyce retrouve et
exploite la problématique du premier « Portrait de
l'artiste », celle d'une interrogation de l'Autre de tout
sujet, dans son découpage de* codex *en pages à tourner,
confronter et retourner, dans la recherche du chiffre d'une
destinée. C'est ce chiffre énigmatique que porte sur sa
cuisse la fille entrevue par Stephen Dedalus sur la plage. Il
ne s'agit plus ici d'un maniement pervers de la lettre,
pratiqué dans l'obscurité et la honte*[2]. *Figure de la Vierge
dans son inaccessibilité, elle en est aussi l'envers, tout
comme Ève, en bonne théologie, appelle et justifie la
Madone ; déjà présente dans le premier texte,* elle figure la
Femme, *c'est-à-dire sur son corps sans manque donné à
lire, la fonction hiéroglyphique du langage, intrication de
l'image et de la lettre : elle est pour Joyce l'emblème même,
lumineux, littéralement épiphanique*[3], *de l'écriture.*

*À rebours, donc, mais autrement que Huysmans...
C'est par une sorte de sublimation inverse que Joyce fait
évoluer son style initial, sous le signe de l'« épiphanie » et
du fragment. Il s'installe dans la brisure que porte en lui,
irréparable, le* symbolon, *paradigme de tout langage. Il se*

---

1. Il y aurait beaucoup à dire sur les antécédents spinozistes de
Joyce.
2. Voir p. 183.
3. S'étonnera-t-on qu'il ait baptisé Lucia cette fille surgie dans sa
vie de son union avec Nora en un moment de scansion décisif de sa vie
littéraire (voir chronologie) ?

dirige donc vers une écriture de l'écart, du lapsus, du déchet, de l' « espèce infime ». *Les aspects en sont variés Par ailleurs, la science médicale, élargie par lui au champ social dans* Dublinois, *fournit un temps la notion de paralysie, de symptôme, et avec elle toute une problématique des rapports de l'esprit et du corps. Le développement et le déplacement que constitue le* Portrait de l'artiste en jeune homme *permettent de mieux saisir ce qui était là en jeu : la question de l'*éthos, *du* character. *Si* Dublinois *en restait à la mise en scène de personnages, sa dernière nouvelle, « Les Morts », par une opération de dissection, interrogeait le sujet de l'énonciation scripturaire : Gabriel Conroy y est une première figuration de l'artiste : en tant que raté, dans ses faux pas producteurs d'une démarche. Mais toujours il va s'appuyer sur ce qui fait chute, chute rattrapée par son art des lettres. Le concept de rythme, qu'il rumina longtemps, formula très tôt pour lui, à sa manière, son expérience originaire, dans le jeu des temps forts et faibles qu'appellent la langue et la prosodie anglaises*[1]. *L'usage du mot « cadence » dans notre roman le confirme*[2]. *On y saisit que cette cadence n'a pas sa source dans la théorie, fût-elle celle de la* Poétique *d'Aristote. Plutôt, il avait rencontré chez le Stagyrite une formulation de sa propre expérience. Pour lui, ici, le rythme, la chute et sa résolution étaient ce qu'*une voix *avait porté vers lui et fait résonner jusque dans son corps : une voix de femme harmonisant de l'Église la liturgie et les écrits qui s'y déploient, avec les élans et élancements du cœur, réconciliant le sujet et ses angoisses avec la passion, soit : la mort et la résurrection espérée du corps.*

C'est ce sujet de l'écriture qui est mis à l'œuvre dans le

---

1. Voir p. 35. On en trouvera le souvenir, et comme la commémoration, au début du troisième épisode d'*Ulysse*, « Protée ».
2. Voir p. 248, 267, 311-312, 350.

Portrait de l'artiste en jeune homme. *Du coup les formes de la chute et de la coupure y sont moins présentées qu'*interrogées : *l'ordre religieux y est pris par le biais de ses failles, de ses défauts, de la faute, et aussi du cas et de la casuistique ; la poésie y tombe en cadences fragmentaires et toujours imprévues ; et le journal, tout à coup, dans les pages finales, nous impose son rythme inattendu, le rythme en définitive naturel des jours. On peut avancer que la rencontre de Joyce avec le journalisme* (Irish Homestead, Piccolo della Sera) *était prédestinée. C'est que ce journal bel et bien interroge l'écrivain : le découpage qu'il introduit, temporel, et aussi spatial dans la mise en page, affecte l'écrivain et à sa manière lui sert de révélateur en ce qu'il fait écho à une expérience personnelle profonde et pour une large part insue, c'est-à-dire à déchiffrer. L'artiste y est lu par cette écriture où les rencontres de fortune,* tuchès, *font la loi. Cette physique de l'écriture vient faire pendant, achève et dépasse la métaphysique de la rencontre que proposait l' « épiphanie » Déjà l'articulet serti dans « Un cas douloureux » introduisait le fait divers, intrusion du réel, comme matrice d'une écriture où l'énoncé interrogeait l'énonciation. Ce travail, on le voit, se poursuit dans le* Portrait de l'artiste en jeune homme, *où s'affirme la nécessité radicale de cette écriture, si tant est, comme le dit Jacques Lacan, que « le nécessaire est ce qui ne cesse pas, de quoi ? — de s'écrire ». Il restait à en assumer la dissémination dans le jour, et le journal, en quelque sorte, d'une ville.* Solvitur ambulando. *Ce sera* Ulysse.

Jacques Aubert

Portrait de l'artiste

(1904)

Les traits de l'enfance ne sont pas communément reproduits dans le portrait de l'adolescence, car nous sommes si fantasques que nous ne pouvons ou ne voulons concevoir le passé sous une autre forme que celle d'un mémorial ayant la rigidité du métal. Et pourtant le passé implique assurément une succession fluide de présents[1], le développement d'une entité dont notre présent actuel n'est qu'une phase. Notre siècle, de plus, identifie ses connaissances surtout par ces signes que constituent barbes ou pouces de taille, et il est, dans la plupart des cas, étranger à ceux de ses membres qui cherchent, au moyen de quelque art, par quelque processus de l'esprit dont il reste à dresser le tableau, à dégager des masses de matière personnalisées ce qui constitue leur rythme individuant, la relation première ou formelle existant entre leurs parties[2]. Mais pour de tels esprits un portrait n'est pas un papier d'identité, mais bien plutôt la courbe d'une émotion.

L'usage de la raison, selon le jugement populaire, est antidaté de quelque sept années, de sorte qu'il n'est point aisé de fixer l'âge exact auquel la sensibilité naturelle du sujet de ce portrait s'éveilla aux idées de damnation éternelle, de pénitence nécessaire et de prière efficace. Sa formation avait tôt développé chez lui un sentiment très vif des obligations spirituelles, aux dépens de ce que l'on appelle le « sens commun ». Il donna sa mesure, tel un saint prodigue, étonnant bien des gens par ses ferveurs jaculatoires, scandalisant bien des gens par des mines inspirées empruntées au cloître. Un jour, dans un bois, près de Malahide, un ouvrier agricole s'était émerveillé de voir un enfant de quinze ans en train de prier, dans une posture d'extase orientale [1]. Il fallut en vérité longtemps à cet adolescent pour comprendre la nature de cette vertu toute marchande — celle qui permet de donner un assentiment [2] commode à certaines propositions sans y conformer le moins du monde son existence. La valeur digestive de la religion [3], il ne l'apprécia jamais, et il choisit, comme plus adaptés à son cas, ces ordres plus humbles, plus pauvres, dans lesquels un confesseur ne paraissait pas soucieux de se montrer homme du monde, ne fût-ce qu'en théorie [4]. Cependant, en dépit de chocs continuels qui le faisaient passer d'envolées de zèle exalté à la honte intérieure, les exercices de dévotion avaient encore sur lui un effet apaisant au moment où il entra à l'Université.

Vers cette période furent affichées à tous venants des manières énigmatiques [5] destinées à couvrir une crise. Il s'était vite rendu compte qu'il lui fallait débrouiller ses affaires en secret, et la réserve avait toujours été pour lui pénitence légère. Sa répugnance à débattre de commérages, à paraître curieux d'autrui, l'aidait à dresser son acte d'accusation véritable, et prenait même fort à propos une vague odeur d'héroïsme [6]. Cet égoïsme indéracinable, que plus tard il devait qualifier de rédempteur, voulait qu'il envisageât les actes et les pensées de son microcosme comme convergeant vers sa personne. L'esprit de l'adolescent est-il médiéval, qu'il ait une telle divination de l'intrigue ? Les sports de plein air (ou ce qui leur correspond dans le monde mental [1])sont peut-être la plus efficace des cures ; mais pour cet idéaliste fantasque, qui esquivait d'un bond l'apparition bottée et ses grognements, cette chasse mimée n'était pas moins ridicule qu'inégale, sur un terrain choisi à son désavantage. Mais derrière le bouclier qui durcissait rapidement, le sensitif [2] répondait. Que la meute des inimitiés vienne débouler, reniflante, sur les hautes terres, à la poursuite de leur gibier ; c'était là son terrain : et il leur lançait le dédain de ses andouillers étincelants [3]. L'image, flatteuse pour le moi de toute évidence, recelait le danger de la complaisance. C'est pourquoi, négligeant les aboiements les plus essoufflés de ce chœur qu'aucune distance, fût-elle calculée en lieues, ne pouvait rendre musical, il se mit à diagnostiquer avec hauteur le mal dont souffraient les plus jeunes. Son jugement fut exquis, calculé, tranchant ; sa sentence, sculpturale. Ces jeunes gens voyaient dans la mort soudaine d'un terne romancier français la main d'Emmanuel Dieu sur nous [4] ; ils admiraient Gladstone [5], la science physique et les tragédies de Shakespeare ; et ils croyaient que l'enseignement catholique devait être ajusté aux besoins quotidiens, ils croyaient en l'Église diplomatique [6]. Et entre eux et dans leurs rapports avec leurs supérieurs, ils faisaient montre d'un libéralisme craintif et (chaque fois qu'il s'agissait d'autorité) très anglais [7]. Il remarquait l'attitude mi-admirative, mi-réprobatrice, d'une classe implicitement vouée aux abstinences, envers d'autres hommes parmi lesquels (selon la rumeur publique) la débauche n'était pas chose inconnue [8]. Bien que l'union de la foi et de la patrie fût toujours sacrée dans ce monde d'enthousiasmes faciles à enflammer, deux vers de Davis[1], accusant les tempéraments les moins dociles, ne manquaient jamais d'être applaudis, et la mémoire de McManus n'était guère moins vénérée que celle du cardinal Cullen[2]. Ils avaient bien des raisons de respecter l'autorité ; et même si un étudiant se voyait interdire d'assister à *Othello* (« Il y a quelques expressions grossières dans cette œuvre », lui disait-on), n'était-ce pas une croix bien légère à porter[3] ? N'était-ce pas plutôt un témoignage de sollicitude et d'intérêt vigilants, et n'étaient-ils pas certains qu'au cours de leur existence future cette sollicitude persisterait, cet intérêt se maintiendrait ? L'exercice de l'autorité pouvait être parfois (rarement) contestable, son intention, jamais. Qui donc, par conséquent, était plus disposé que ces jeunes gens à saluer avec gratitude les saillies de quelque professeur jovial ou les manières bourrues de quelque portier, qui donc était plus soucieux d'entourer de toutes sortes de tendres soins, et de rehausser en personne, l'honneur de l'*Alma Mater* ? Il était quant à lui à l'âge difficile, dépossédé[4] et nécessiteux, conscient de tout ce que ces mœurs avaient d'ignoble, lui qui, en songe du moins, avait connu la noblesse[5]. Un jésuite avait prescrit sérieusement une place de commis chez Guinness[6] ; et sans doute le commis désigné[7] d'une brasserie n'aurait pas éprouvé uniquement du mépris et de la pitié pour une communauté admirable, si ce n'était qu'il désirait ce que les scolastiques appellent un bien ardu[8]. Il était impossible qu'il pût trouver une consolation dans les sociétés pour l'encouragement de la pensée chez les laïcs, ou un réconfort autre que physique dans la douillette[9]confrérie, parmi tant de virginités folles ou grotesques[10]. De plus, il était impossible pour un tempérament[11] sans cesse tremblant au bord de l'extase de se soumettre et d'acquiescer, pour une âme de décréter que la servitude était son lot, sur qui l'image de la beauté était tombée telle une chape[1]. Un soir, au début du printemps, au pied de l'escalier de la bibliothèque, il dit à son ami « J'ai quitté l'Église. » Et tandis qu'ils retournaient chez eux par les rues, bras dessus, bras dessous, il raconta comment il l'avait quittée par les portes d'Assise[2], en des mots qui étaient comme l'écho de leur fermeture.

Suivirent les extravagances. Il cessa bientôt de penser à l'histoire simple du Poverello et s'installa dans la plus folle des compagnies. Joachim Abbas, Bruno le Nolain, Michel Sendivogius[3], tous les hiérarques de l'initiation jetèrent sur lui leurs sortilèges. Il descendit dans les enfers de Swedenborg et s'humilia dans les ténèbres de saint Jean de la Croix. Ses cieux furent soudain illuminés par une horde d'étoiles, les signatures de toute la nature, l'âme gardant souvenance des anciens jours[4]. Tel un alchimiste, il se pencha sur son œuvre, rassemblant les mystérieux éléments, séparant ce qui est subtil de ce qui est grossier[5]. Pour l'artiste, les rythmes de la phrase et de la période, les symboles du mot et de l'allusion étaient choses suprêmes. Et fallait-il s'étonner que de cette vie merveilleuse, en laquelle il avait annihilé et reconstruit l'expérience, peiné et désespéré, il sortît enfin avec un dessein unique — réunir les enfants de l'esprit, jaloux et longtemps divisés, les réunir contre l'imposture et la domination du Prince. Mille éternités devaient être réaffirmées, la connaissance divine devait être rétablie. Ô sottise ! Il eût été aussi facile de rassembler une cohorte de vents. Ils invoquaient leurs piétés naturelles — limitations imposées par la société, apathie héréditaire de la race, une mère en adoration, la fable chrétienne. Leurs trahisons n'étaient que

vénielles. Dans les lieux où le monstre social le permet-
tait, ils risquaient des propos hétérodoxes à l'extrême,
argumentaient sur l'existence de déterminations
d'ordre imaginaire en matière éthique, sur l'anarchie
(le peuple), sur les triangles bleus[1], sur les dieux-
poissons[2], proclamant, dans un moment de ferveur, la
nécessité de l'action. Sa vengeance ? une formule, et
l'isolement. Il mettait les émancipés dans le même sac
— Beurre venimeux — et quittait ces parages où l'on se
laissait trop aller.

L'isolement, avait-il jadis écrit, est le principe premier de l'économie artistique[3], mais des révélations
traditionnelles aussi bien qu'individuelles faisaient à
ce moment-là valoir leurs droits, et le recueillement
n'avait été accepté qu'avec timidité. Mais dans les
intermittences des amitiés (car il en avait distancé
trois) il avait connu la communauté fraternelle
d'heures méditatives, et maintenant commençait à
grandir en lui l'espoir de trouver là cette émotion
sereine, cette certitude que parmi les hommes il
n'avait point trouvée. Au cours de la saison sombre,
une impulsion l'avait conduit vers des lieux silencieux
et solitaires où les brumes étaient suspendues, telles
des banderoles, parmi les arbres ; et lorsqu'il était
passé là, au sein de cette nuit qui adoucissait tout,
parmi la chute secrète des feuilles, la pluie odorante, le
réseau de vapeurs transpercé par la lune, il avait cru
entendre une admonition touchant la fragilité de
toutes choses. L'été, cette impulsion l'avait conduit
vers la mer. Errant sur les collines arides, herbeuses,
ou le long de la grève, dans le dessein avoué de
ramasser des coquillages, il s'était presque pris
d'impatience à l'égard du jour. Les promeneurs de la
marée basse, dont les chevelures d'enfant ou de fillette,
les vêtements de fillette ou d'enfant, étaient pénétrés

de l'opiniâtreté même de la mer — même eux ne l'avaient point fasciné. Mais à mesure que le jour avait baissé, il avait été agréable d'observer les quelques silhouettes qui restaient, isolées au milieu de bâches lointaines ; et, tandis que le soir assombrissait, au-dessus de la mer, la lumière grise, il s'en était allé, là-bas, dans les eaux basses, soulevé par la joie sacrée de la solitude, chantant avec passion pour le flot qui montait[1]. Sceptique, cynique, mystique, il avait recherché une satisfaction absolue, et maintenant, petit à petit, il commençait à prendre conscience de la beauté de la condition mortelle. Il se rappelait une phrase d'Augustin — « Il m'est clairement apparu que les choses qui se corrompent sont bonnes. Si elles étaient souverainement bonnes, ou si elles n'étaient nullement bonnes, ni dans un cas, ni dans l'autre elles ne pourraient se corrompre ; car souverainement bonnes, elles seraient incorruptibles ; mais nullement bonnes, elles n'auraient pas en elles de quoi se corrompre[2] ». Une philosophie de la réconciliation... possible... *[lacune de deux lignes]* éclairé de lumières versicolores, mais, dans les chambres du cœur[3], les lumières n'étaient point éteintes : elles brûlaient, au contraire, comme pour des noces.

Ô toi, la plus chère des mortelles ! En dépit des vers offerts en tribut et de la comédie des rencontres, ici même et dans la folle compagnie du sommeil, la fontaine de l'être (semblait-il) avait eu ses eaux mêlées[4]. Des années auparavant, dans son enfance, la force du péché ouvrant devant lui tout un monde, il avait pris conscience de toi. Les becs de gaz jaunes se levant dans sa vision troublée, contre un ciel automnal, luisant mystérieusement là-bas, devant cet autel violet — les groupes rassemblés devant les portes, disposés comme pour quelque rite — les visions fugitives d'orgies et d'allégresse fantasmatique[1] — le vague visage d'un être accueillant qui semblait s'éveiller, sous son regard, d'un sommeil séculaire[2] — la confusion aveugle (Iniquité! iniquité!) qui soudain l'envahit — dans toute cette ardente aventure de l'appétit charnel n'as-tu point alors même communié? Être bienfaisant! (la sagacité de l'amour était dans ce titre), tu es venu au moment opportun, sorcière venue assister à l'agonie de celui qui se dévore lui-même, ambassadrice des splendides cours de la vie[3]. Comment pourrait-il te remercier pour cet enrichissement de l'âme par toi consommé? La maîtrise de l'art avait été atteinte dans l'ironie; l'ascétisme de l'intellect avait été une humeur parmi d'autres, d'orgueil indigné: mais qui donc l'avait révélé à lui-même, si ce n'est toi seule? Par les voies de la tendresse, de la tendresse simple, intuitive, ton amour avait fait surgir en lui les torrents qui sont au centre de la vie. Tu avais mis tes bras autour de lui[4] et, dans cette prison si intime, dans ce sein doucement agité, les silences extatiques, les mots murmurés, ton cœur avait parlé à son cœur. Ta disposition put raffiner et diriger sa passion, tenant la simple beauté sous l'angle le plus subtil[5]. Tu fus sacramentelle, imprimant ta marque indélébile, d'une grâce très visible. Il faut qu'une litanie t'honore: Dame des Pommiers[6], Aimable Sagesse, Douce Fleur du Crépuscule. Dans une autre phase, il n'avait point été inhabituel d'inventer des dîners en blanc et pourpre à partir d'un porridge bien réel, mais ici est donnée une nourriture robuste ou bien délicate; point n'est besoin d'inventer. Son chemin (abrupte créature!) est tracé maintenant vers le monde mesurable et les vastes espaces de l'action. Le sang se hâte, galope dans ses veines; ses veines

accumulent une énergie électrique; il est chaussé de
flammes. Un baiser : et ils bondissent ensemble, indi-
visibles, s'élèvent, les lèvres et les yeux radieux, le
corps vibrant, harpes triomphantes. Encore! Bien-
aimée! Encore! Ô toi mon épouse! Encore! La vie est à
nous.

Dans les moments d'humeur plus sereine le critique
qui était en lui ne pouvait manquer de remarquer dans
une saison de mélancolie et d'inquiétude un étrange
prélude au nouvel avènement. Il fit le compte de ses
pertes — conte assez décourageant, même en l'absence
de tout commentaire[1]. Cet air de faux Christ était
manifestement le masque d'une décrépitude physique,
elle-même le stigmate et le signe d'ardeurs vulgaires[2],
d'où la franchise, l'indulgence, l'aimable cordialité, et
toute la tribu des vertus domestiques. S'attendant
tristement au pire, la vision de ses morts, la vision
(bien plus pitoyable) d'existences congénitales se traînant entre un bâillement et un hurlement[3], faméliques
de corps et d'esprit, dont la vision venait lui signifier
l'échec temporaire de son attitude rigoureuse de jadis,
l'obsédaient sombrement[4]. La nuée de difficultés qui
l'enveloppait ne laissait passer qu'une lumière fugi-
tive; même sa rhétorique proclamait qu'une transition[5] était en cours. Il pouvait se déclarer coupable au
moins d'une incapacité naturelle à tout prouver d'un
seul coup, et certaines tentatives faites au petit bonheur suggéraient la nécessité d'un plan de campagne
en règle. Sa foi augmenta. Elle l'enhardit au point de
lui faire dire à un mécène des beaux-arts[6] : « Quelle
avance faites-vous sur les biens spirituels? » et à un
capitaliste[7] : « J'ai besoin de deux mille livres pour un
projet. » Il avait interprété à l'intention des hellénistes
orthodoxes la doctrine vivante de la *Poétique* et, du
fond du buisson ardent des excès, avait adressé à un

agent en service de nuit une harangue sur le statut
véritable des femmes publiques : mais il n'avait point
fait bouger ces montagnes, il n'y avait pas eu de
périlleuse cérébration[1]. Dans un moment d'égarement,
il fit appel aux Elfes[2]. De nos jours, nombreux sont
ceux, semble-t-il, qui ne peuvent éviter de choisir entre
la sensibilité et la pesanteur d'esprit ; ils se recomman-
dent, grâce à une culture dûment prouvée, à une
minorité de même esprit, ou bien, musclés, dominent
le vaste monde. Mais, entre les camps, il apercevait son
terrain, et des occasions offertes au démon railleur,
dans une île doublement éloignée du continent, soumise au gouvernement conjoint de leurs Intensités et
de leurs Bovinités[3]. Son Nego[4], par conséquent, écrit
au milieu d'un chœur où s'unissaient le baragouin de
colporteurs juifs et les clameurs des Gentils, fut rédigé
vaillamment, tandis que les vrais croyants prophéti-
saient que l'athéisme serait frit, et fut lancé contre les
enfers obscènes[5] de notre Sainte Mère ; mais, cet éclat
passé, ce fut l'urbanité dans la guerre. Peut-être son
État mettrait-il à la retraite l'ancienne tyrannie —
faveur qui n'apparaissait plus maintenant désespéré-
ment lointaine, par la grâce de cette civilisation
arrivée à maturité, à laquelle (tout compte fait) elle
avait d'une certaine façon contribué. Déjà les messages
des citoyens parcouraient comme l'éclair les câbles du
monde entier, déjà l'idée généreuse avait surgi après
une guerre de trente ans en Allemagne[6] et dirigeait les
conciles des Latins[7]. À ces multitudes, qui n'étaient
pas encore dans les matrices de l'humanité, mais
pouvaient assurément y être engendrées, il donnerait
le mot : Homme et Femme, de vous procède la nation
qui doit venir, l'éclair de vos masses en travail : l'ordre
de la concurrence est employé contre lui-même ; les

aristocraties sont supplantées ; et, au milieu de la paralysie générale d'une société démente [1], la volonté des confédérés se manifeste dans l'action.

JAS. A. JOYCE.

7-1-1904

Portrait de l'artiste en jeune homme

Et ignotas animum dimittit in artes [1]
Ovide, *Métamorphoses*, **VIII**, 188.

CHAPITRE PREMIER

Il était une fois[1], et c'était une très bonne fois, une meuh-meuh[2] qui descendait le long de la route, et cette meuh-meuh qui descendait le long de la route rencontra un mignon petit garçon nommé bébé-coucouche[3]...

C'était son père qui lui racontait cette histoire[4] son père le regardait à travers un verre[5] ; il avait un visage poilu.

Bébé-coucouche, c'était lui. La meuh-meuh descendait le long de la route où vivait Betty Byrne[6] : elle vendait des nattes de sucre au citron[7].

> *Oh la rose sauvage fleurit*
> *Sur le petit endroit vert*[8]...

Il chantait cette chanson. C'était sa chanson.

> *Oh la hôse vêhte fleuhit*[9].

Quand vous mouillez votre lit, d'abord c'est tiède, et puis ça devient froid. Sa mère lui mettait une toile cirée. C'est de là que venait la drôle d'odeur.

Sa mère avait une odeur plus agréable que son père.

Elle jouait au piano la gigue des matelots pour le faire danser. Il dansait :

> *Tralala lala*
> *Tralala lalaire,*
> *Tralala lala*
> *Tralala lala.*

Oncle Charles[1] et Dante[2] battaient des mains. Ils étaient plus âgés que son père et sa mère, mais oncle Charles était plus âgé que Dante.

Dante avait deux brosses dans son armoire. La brosse avec le dos en velours violine était pour Michael Davitt[3] et la brosse avec le dos en velours vert était pour Parnell[4]. Dante lui donnait un cachou chaque fois qu'il lui apportait un morceau de papier de soie.

Les Vance habitaient au numéro sept. Ils avaient un père et une mère différents ; c'étaient le père et la mère d'Eileen[5]. Quand ils seraient grands, il allait se marier avec Eileen. Il se cacha sous la table. Sa mère dit :

« Oh, Stephen, va demander pardon[6]. »

Dante dit :

« Oh, sans cela, les aigles viendront et lui crèveront les yeux[7]... »

> *Ses yeux ils crèveront,*
> *Demander pardon,*
> *Demander pardon,*
> *Ses yeux ils crèveront.*
>
> *Demander pardon,*
> *Ses yeux ils crèveront,*
> *Ses yeux ils crèveront,*
> *Demander pardon[8].*

*

Les vastes terrains de jeu fourmillaient de garçons. Tous criaient et les préfets les excitaient à grands cris. L'air du soir était pâle et glacé, et après chaque attaque et chaque coup sourd des joueurs, le globe de cuir graisseux [1] volait comme un oiseau lourd à travers la lumière grise. Stephen se maintenait au bord extrême de sa division [2], hors de la vue de son préfet, hors de portée des pieds brutaux, faisant mine de courir de temps en temps. Il sentait son corps petit et faible dans la cohue des joueurs et ses yeux étaient faibles et humides. Rody Kickham [3] n'était pas comme ça ; il serait capitaine de la troisième division, tous les camarades le disaient.

Rody Kickham était un chic type ; mais Roche-la-Rosse était une peste. Rody Kickham avait des rillons [4] dans son casier et une bourriche au réfectoire. Roche-la-Rosse avait de grosses mains. Il appelait le pudding du vendredi « chien dans une couverture » ; et un jour il avait demandé :

« Comment t'appelles-tu ? »

Stephen avait répondu :

« Stephen Dedalus [5]. »

Alors la Rosse avait dit :

« Qu'est-ce que c'est que ce nom-là [6] ? »

Et comme Stephen n'avait pas su quoi répondre, la Rosse avait demandé :

« Qu'est-ce qu'il est, ton père ? »

Stephen avait répondu :

« Un monsieur. »

Alors la Rosse avait demandé :

« Est-ce qu'il est magistrat ? »

Il se glissait d'un point à l'autre, au bord extrême de sa division, esquissant de petites courses de temps en temps, mais ses mains étaient bleuies par le froid. Il les enfonçait dans les poches de son costume gris à ceinture. C'était une ceinture qui allait d'une poche à l'autre. Et « une ceinture », c'est aussi un coup donné avec une ceinture.

Un jour, un garçon avait dit à Cantwell :

« Attends un peu, et tu vas recevoir une de ces ceintures ! »

Cantwell avait répondu :

« Va toujours ! Essaie un peu d'envoyer une ceinture à Cecil Thunder ! Je voudrais te voir. Il t'en flanquerait, un coup de pied aux fesses ! »

Ça n'était pas joli de dire ça. Sa mère lui avait dit de ne pas parler avec les garçons mal élevés du collège. Quelle jolie mère ! Le premier jour[1], dans le vestibule du château[2], en lui disant au revoir, elle avait replié sa voilette sur son nez pour l'embrasser ; et son nez et ses yeux étaient rouges. Mais il avait fait semblant de ne pas voir qu'elle allait pleurer. C'était une jolie mère, mais elle était pas aussi jolie quand elle pleurait. Son père lui avait donné deux pièces de cinq shillings comme argent de poche. Et puis il lui avait dit de lui écrire s'il avait besoin de quelque chose, et de ne jamais cafarder un camarade, sous aucun prétexte. Puis, à la porte du château, le recteur[3] avait serré les mains de ses parents, sa soutane palpitant dans la brise, et la voiture était partie avec son père et sa mère dedans.

Ils lui avaient crié, de la voiture, en agitant les mains :

« Au revoir, Stephen, au revoir !

— Au revoir, Stephen, au revoir ! »

Il fut pris dans le tourbillon d'une mêlée, et, redoutant les yeux étincelants et les bottes boueuses, il se pencha pour regarder entre les jambes. Les camarades luttaient et poussaient des grognements, leurs jambes frottaient et cognaient et tapaient. Puis les bottes

jaunes de Jack Lawton dégagèrent le ballon, et toutes
les autres bottes et jambes coururent après. Il courut
après eux un petit peu, et puis s'arrêta. C'était inutile
de continuer à courir. Bientôt on s'en irait à la maison
pour les vacances. Après le souper, dans la salle
d'études, il allait changer le chiffre collé à l'intérieur
de son pupitre : septante-six au lieu de septante-sept.

On serait mieux dans la salle d'études que dehors, au
froid. Le ciel était pâle et froid, mais il y avait des
lumières au château. Il se demandait par quelle fenêtre
Hamilton Rowan[1] avait jeté son chapeau sur le haha,
et s'il y avait des plates-bandes, en ce temps-là, sous les
fenêtres. Un jour que Stephen avait été appelé au
château, le maître d'hôtel lui avait montré les marques
des lingots des soldats dans le bois de la porte et lui
avait donné un morceau du biscuit que mangeait la
communauté. C'était bon et chaud, de voir les lumières
du château. C'était comme quelque chose dans un
livre. Peut-être que l'abbaye de Leicester était comme
ça. Il y avait de jolies phrases dans le manuel d'orthographe du docteur Cornwell[2]. Cela faisait comme de la
poésie mais c'était seulement des phrases pour apprendre l'orthographe.

> *Wolsey[3] mourut à l'Abbaye de Leicester,*
> *Où il fut enterré par les abbés.*
> *Le chancre est une maladie des plantes.*
> *Le cancer en est une des animaux.*

Ce serait bon, d'être couché sur le tapis devant la
cheminée, la tête appuyée sur les mains et de penser à
ces phrases. Il frissonna comme s'il avait senti contre
sa peau une eau froide et visqueuse. C'était pas chic de
la part de Wells, de le pousser dans le fossé des
cabinets[4], sous prétexte qu'il n'avait pas voulu troquer

sa petite tabatière[1] contre le marron sec de Wells, vainqueur de quarante parties. Comme l'eau était froide et visqueuse ! Un camarade avait vu un jour un gros rat sauter dans l'écume... Mère était assise devant la cheminée avec Dante, attendant que Brigitte[2] apportât le thé. Elle avait ses pieds sur le garde-feu, et ses pantoufles embijoutées étaient si chaudes, elles avaient une odeur si tiède et si merveilleuse ! Dante savait une foule de choses. Elle lui avait appris où était le détroit de Mozambique, et quel était le plus grand fleuve de l'Amérique, et le nom de la plus haute montagne de la lune[3]. Le père Arnall[4] savait plus de choses que Dante parce qu'il était prêtre ; mais le père de Stephen et oncle Charles disaient tous deux que Dante était une femme bien intelligente et qu'elle avait beaucoup lu. Et lorsque Dante faisait ce bruit après dîner et portait ensuite la main à sa bouche, c'étaient des aigreurs[5].

Une voix cria au loin sur le terrain :

« On rentre ! »

Puis dans la division des moyens et dans la troisième[6] d'autres voix crièrent :

« On rentre ! On rentre ! »

Les joueurs se rassemblèrent, rouges et couverts de boue ; il s'achemina parmi eux, content de rentrer. Rody Kickham tenait le ballon par son lacet graisseux. Un camarade lui demanda de l'envoyer une dernière fois, mais Kickham avança sans même répondre. Simon Moonan[7] lui avait dit de ne pas le faire, parce que le préfet les regardait. Le camarade se tourna vers Simon Moonan et dit :

« Nous savons tous pourquoi tu dis ça. Tu es le chouchou[8] de Mac Glade. »

Chouchou, c'était un drôle de mot. Le camarade avait appelé Simon Moonan comme ça parce que

Simon Moonan avait l'habitude d'attacher les fausses manches du préfet derrière son dos, et le préfet faisait semblant de se fâcher. Mais le son de ce mot était laid. Un jour Stephen était allé se laver les mains aux lavabos de l'hôtel de Wicklow[1] ; son père avait retiré ensuite le bouchon avec la chaîne et l'eau sale était descendue par le trou de la cuvette. Et quand elle fut toute descendue lentement, le trou de la cuvette avait rendu un son comme celui-là : chou. Seulement plus fort.

Lorsqu'il se rappelait ça, et l'aspect blanc du lavabo, il éprouvait une sensation de froid, puis de chaleur. Il y avait deux robinets que l'on tournait, et l'eau en sortait, froide et chaude. Il avait froid et puis un peu chaud ; et il revoyait les mots gravés sur les robinets. C'était une chose vraiment drôle.

Et l'air du corridor le glaçait de même. Il était drôle et comme humide. Mais bientôt le gaz serait allumé et en brûlant il faisait un bruit léger, comme une petite chanson. Toujours la même : et lorsque les garçons s'arrêtaient de parler dans la salle de récréation, on pouvait l'entendre.

C'était l'heure du calcul[2]. Le père Arnall écrivait au tableau un problème difficile et disait :

« Allons, à qui la victoire ? En avant, York ! En avant, Lancaster ! »

Stephen s'appliquait de son mieux, mais le problème était trop difficile et il était en pleine confusion. Le petit insigne de soie, avec la rose blanche, épinglé sur le devant de sa veste, se mit à palpiter. Stephen n'était pas fort en calcul, mais il faisait de son mieux pour que York ne fût pas battu[3]. Le visage du père Arnall avait l'air très noir, mais il n'était pas en rogne ; il riait. Alors Jack Lawton claqua des doigts, le père Arnall regarda son cahier et dit :

« Bon. Bravo, Lancaster ! La rose rouge a gagné. Maintenant, en avant, York ! Rattrapez-les[1] !

Jack Lawton, du milieu de son camp, lança un coup d'œil à Stephen. Son petit insigne de soie, avec la rose rouge, faisait beaucoup d'effet parce qu'il avait une vareuse bleue. Stephen sentit son visage rougir de même à la pensée de tous les paris engagés sur celui qui serait le premier de la classe élémentaire : Jack Lawton ou lui-même. Certaines semaines c'était Jack Lawton qui avait la carte de premier, d'autres semaines c'était Stephen. Son insigne de soie blanche palpitait et palpitait, tandis qu'il peinait sur le problème suivant en écoutant la voix du père Arnall. Puis tout son zèle s'évanouit et il sentit son visage tout frais. Il pensa que son visage devait être blanc, puisqu'il était si frais.

Il n'arrivait pas à sortir la solution du problème, mais ça n'avait pas d'importance. Roses blanches, roses rouges ; c'étaient de belles couleurs à penser. Les cartes qu'on donnait au premier de la classe, au second et au troisième, avaient aussi de belles couleurs : rose ou crème, ou bleu lavande. C'était beau, de penser à des roses bleu lavande, ou crème, ou rose. Peut-être qu'une rose sauvage pouvait avoir des couleurs comme celles-là ; il se rappelait la chanson de la rose sauvage sur le petit endroit vert. Seulement on ne pouvait pas avoir de rose verte[2]. Mais peut-être y en avait-il, quelque part dans le monde ?

La cloche sonna et alors les élèves commencèrent à défiler, sortant des classes et suivant les corridors dans la direction du réfectoire. Il s'assit, regardant les deux coquilles de beurre sur son assiette, mais il ne pouvait pas manger le pain humide. La nappe était humide et molle. Cependant il avala le thé faible et brûlant que versa dans sa tasse le marmiton lourdaud, ceint d'un tablier blanc. Il se demandait si ce tablier était humide aussi et si toutes les choses blanches étaient froides et humides. La Rosse et Saurin[1] buvaient du cacao ; leurs familles leur en envoyaient dans des boîtes de fer-blanc. Ils prétendaient qu'ils ne pouvaient pas boire de ce thé, que c'était de la lavasse pour les cochons. Leurs pères étaient magistrats, disaient les camarades.

Tous les garçons lui paraissaient très étranges. Ils avaient tous des pères et des mères, et des habits différents, et des voix différentes. Il avait envie d'être chez lui et de poser sa tête sur les genoux de sa mère. Mais il ne pouvait pas et c'est pourquoi il souhaitait voir finir les jeux, les classes et les prières, et être au lit.

Il but encore une tasse de thé brûlant, et Fleming dit :

« Qu'est-ce qu'il y a ? Tu as mal ? ça ne va pas ?

— Je ne sais pas, dit Stephen.

— Tu as mal dans ton sac à pain, dit Fleming ; tu es tout blanc. Ça va passer.

— Oh oui », dit Stephen.

Mais ce n'était pas là qu'il avait mal. Il pensait qu'il avait mal dans son cœur, si on pouvait avoir mal à cet endroit. Fleming était gentil de lui demander ça. Il avait envie de pleurer. Il posa les coudes sur la table et se mit à rabattre et à rouvrir les lobes de ses oreilles. Alors il entendait le bruit du réfectoire chaque fois qu'il ouvrait ses oreilles. Ça grondait comme un train la nuit. Et quand il les refermait, le grondement était coupé, comme quand un train entre dans un tunnel. Cette nuit-là, à Dalkey[2], le train avait grondé comme ça, et puis, quand il est entré dans le tunnel, le grondement s'est arrêté. Il ferma les yeux et le train continuait, grondant et puis s'arrêtant, grondant encore, s'arrêtant. C'était bon de l'entendre gronder et s'arrêter et puis gronder encore hors du tunnel et puis s'arrêter.

Alors les élèves de la division des grands commencèrent à avancer sur le tapis de nattes au milieu du réfectoire. Paddy Rath et Jimmy Magee, et l'Espagnol qui avait la permission de fumer des cigares, et le petit Portugais qui portait ce béret laineux. Puis les garçons de la division moyenne, et ceux de la troisième division. Et chacun des garçons avait une façon différente de marcher [1].

Il était assis dans un coin de la salle de récréation, faisant semblant de suivre une partie de dominos, et une fois ou deux il avait pu entendre un instant la petite chanson du gaz. Le préfet était à la porte avec quelques garçons et Simon Moonan attachait ses fausses manches. Il leur racontait quelque chose sur l'école de Tullabeg [2].

Puis il quitta la porte. Wells s'approcha de Stephen et dit :

« Dis donc, Dedalus, est-ce que tu embrasses ta mère avant d'aller au lit ? »

Stephen répondit :

« Oui, je l'embrasse. »

Wells se tourna vers les autres et dit :

« Dites donc, voilà un garçon qui dit qu'il embrasse sa mère tous les soirs avant d'aller au lit. »

Les autres camarades arrêtèrent leurs jeux et se retournèrent en riant. Stephen rougit sous leurs regards et dit :

« Non, je ne l'embrasse pas. »

Wells dit :

« Dites donc, voilà un garçon qui dit qu'il n'embrasse pas sa mère avant d'aller au lit. »

Ils se mirent tous à rire de nouveau. Stephen essaya de rire avec eux. En un instant, son corps entier était devenu tout chaud et plein de confusion. Quelle était la bonne réponse à cette question ? Il en avait donné

deux, et pourtant Wells riait. Mais Wells devait savoir
la bonne réponse, puisqu'il était en grammaire trois. Il
essaya de penser à la mère de Wells, mais il n'osait pas
lever les yeux sur la figure qu'il avait. Il n'aimait pas la
figure de Wells. C'était Wells qui l'avait poussé, la
veille, d'un coup d'épaule, dans le fossé des cabinets,
parce qu'il n'avait pas voulu échanger sa petite tabatière contre le marron sec de Wells, vainqueur de
quarante parties. C'était pas chic. Tous les camarades
le disaient. Et comme l'eau était froide et visqueuse !
Et puis, un garçon avait vu un jour un gros rat faire
plouf dans la vase.

La vase froide de la fosse couvrait entièrement le
corps de Stephen ; et lorsque la cloche de l'étude sonna
et que les divisions quittèrent en file les salles de
récréation, il sentit l'air froid du corridor et de l'escalier pénétrer à l'intérieur de ses vêtements. Il essayait
toujours de penser à ce qu'était la bonne réponse. Est-
ce que c'était bien ou mal, d'embrasser sa mère[1] ?
Qu'est-ce que ça voulait dire, embrasser ? On levait sa
figure comme ça, pour dire bonne nuit, et alors sa mère
penchait sa figure. C'était ça, embrasser. Sa mère
posait ses lèvres sur sa joue ; ses lèvres étaient douces
et mouillaient sa joue, et elles faisaient un tout petit
bruit ; bai-ser. Pourquoi est-ce que les gens faisaient ça
avec leurs deux figures ?

Assis dans l'étude, il ouvrit le couvercle de son pupitre
et remplaça le chiffre collé à l'intérieur : septante-six au
lieu de septante-sept. Mais les vacances de Noël étaient
encore très loin : mais elles finiraient par arriver une
fois, parce que la terre tourne tout le temps.

Il y avait une image de la terre, à la première page de
sa géographie : une grosse boule au milieu des nuages.
Fleming avait une boîte de pastels et un soir, pendant
l'étude libre, il avait colorié la terre en vert et les

nuages en violine. C'était comme les deux brosses dans
l'armoire de Dante, la brosse avec le dos de velours
vert pour Parnell et la brosse avec le dos de velours
violine pour Michael Davitt. Mais il n'avait pas dit à
Fleming de les colorier avec ces couleurs-là, Fleming
l'avait fait tout seul.

Il ouvrit la géographie pour étudier sa leçon ; mais il
ne pouvait pas retenir les noms des endroits en
Amérique ; pourtant c'étaient tous des endroits différents qui avaient des noms différents. Ils étaient tous
dans des pays différents et les pays étaient sur des
continents et les continents étaient dans le monde et le
monde était dans l'univers.

Il ouvrit la géographie à la page de garde et lut ce
qu'il avait écrit là lui-même : son nom, et où il était.

> *Stephen Dedalus*
> *Classe élémentaire*
> *Collège de Clongowes Wood*
> *Sallins*
> *Comté de Kildare*[1]
> *Irlande*
> *Europe*
> *Monde*
> *Univers*

C'était de son écriture à lui ; et Fleming, un soir, pour
rire, avait écrit sur la page en face :

> *Stephen Dedalus est mon nom*
> *L'Irlande est ma nation*
> *Clongowes est ma résidence*
> *Et le ciel est mon espérance.*

Il lut les vers en commençant par la fin, mais alors ça n'était pas de la poésie. Puis il lut la page de garde de bas en haut, jusqu'à ce qu'il arrivât à son nom. Cela, c'était lui[1] ; et il relut la page en descendant. Qu'est-ce qu'il y avait après l'univers ? Rien. Mais est-ce qu'il y avait quelque chose autour de l'univers, pour montrer où il s'arrête, avant l'endroit où commence le rien ? Ça ne pouvait pas être un mur, mais il pouvait y avoir une fine, fine ligne tout autour de toutes les choses. C'était très grand, de penser à tout et à partout. Seulement Dieu pouvait faire ça. Il essaya de se représenter quelle grande pensée ça devait être, mais il ne put penser qu'à Dieu. Dieu, c'était le nom de Dieu, tout comme son nom à lui était Stephen. En français, on disait *Dieu* au lieu de God, et c'était aussi le nom de Dieu ; et lorsque quelqu'un, en priant, disait *Dieu* au lieu de God, Dieu comprenait aussitôt que c'était un Français qui priait. Mais, bien qu'il y eût des noms différents dans toutes les différentes langues du monde et bien que Dieu comprît ce que disaient tous les hommes qui priaient dans leurs langues différentes, pourtant Dieu restait toujours le même, et le vrai nom de Dieu c'était Dieu.

Ça le fatiguait beaucoup, de penser de cette façon. Il lui semblait que sa tête devenait très grosse. Il tourna la page de garde et contempla avec lassitude la terre ronde et verte au milieu des nuages violine. Il se demandait ce qui était bien, d'être pour le vert ou pour le violine, parce que Dante avait un jour arraché avec ses ciseaux le velours vert de la brosse qui était pour Parnell et lui avait dit que Parnell était un vilain personnage. Il se demandait si on était en train de discuter cela dans sa famille. Ça s'appelait de la politique. Il y avait deux côtés là-dedans : Dante était d'un parti, son père et M. Casey[2] de l'autre ; mais sa

mère et oncle Charles n'étaient d'aucun côté. Chaque
jour il y avait, dans le journal, quelque chose à ce sujet.

Ça lui faisait mal, de ne pas bien avoir ce que
signifiait la politique et de ne pas savoir où finissait
l'univers. Il se sentait petit et faible. Quand donc
serait-il comme les camarades de Poésie et de Rhétorique ? Ceux-là avaient de grosses voix, de gros souliers
et ils étudiaient la trigonométrie[1]. C'était encore très
loin. D'abord il y avait les vacances et puis le prochain
trimestre, et puis de nouveau les vacances, et puis
encore un trimestre, et puis encore des vacances.
C'était comme un train entrant dans des tunnels et en
sortant, et le train était comme le bruit des élèves
mangeant au réfectoire lorsqu'on ouvre et referme les
lobes de ses oreilles. Trimestre, vacances ; tunnel,
sortie ; bruit, arrêt. Comme c'était loin ! Il valait mieux
aller se coucher et dormir. Seulement les prières dans
la chapelle et puis le lit. Il frissonna et bâilla. Il ferait
délicieux au lit, après que les draps se seraient
réchauffés un peu. D'abord ils étaient si froids quand
on y entrait ! Il frissonna en pensant comme ils
étaient froids d'abord. Mais ensuite ils se réchauffaient
et alors il pouvait s'endormir. C'était délicieux, d'être
fatigué. Il bâilla de nouveau. Les prières du soir, et puis
le lit. Il frissonnait et avait envie de bâiller. Ce serait
délicieux, dans quelques minutes. Il sentait une tiédeur enveloppante glisser le long des draps froids, de
plus en plus chaude jusqu'à ce qu'il se sentît tout entier
réchauffé, si bien réchauffé ; si bien réchauffé et pourtant il grelottait un peu et il avait toujours envie de
bâiller.

La cloche sonna pour les prières du soir ; il suivit la
file des autres, de la salle d'études par l'escalier, et le
long des corridors jusqu'à la chapelle. Les corridors
étaient sombrement éclairés et la chapelle était som-

brement éclairée. Bientôt tout serait sombre et
endormi. Il y avait un air de nuit froid dans la chapelle
et les marbres avaient la même couleur que la mer la
nuit[1]. La mer était froide jour et nuit ; mais la nuit, elle
était plus froide. Elle était froide et sombre sous la
digue, près de la maison de son père[2]. Mais la bouil-
loire serait sur le coin du feu, pour faire du punch.

Le préfet de la chapelle priait au-dessus de sa tête et
sa mémoire connaissait les répons :

> *Ô Seigneur, ouvre nos lèvres*
> *Et nos bouches publieront tes louanges.*
> *Daigne nous assister, ô Dieu !*
> *Ô Seigneur, hâte-toi de nous secourir !*

Il y avait une odeur de froid et de nuit dans la
chapelle, mais c'était une odeur pieuse. Elle ne ressemblait pas à l'odeur des vieux paysans agenouillés au
fond de la chapelle, à la messe du dimanche[3]. Celle-là,
c'était une odeur d'air, de pluie, de tourbe et de gros
velours. Mais c'étaient de très pieux paysans. Ils
respiraient derrière lui et soufflaient sur sa nuque et
soupiraient en priant[4]. Ils habitaient Clane, disait un
camarade : il y avait là de petites chaumières, Stephen
avait vu une femme, debout à la porte coupée d'une
chaumière, avec un enfant dans ses bras[5], lorsque les
voitures étaient passées, venant de Sallins. Ça serait
délicieux de passer une nuit dans cette chaumière,
devant le feu de tourbe fumante, dans l'obscurité
illuminée par le feu, dans la chaude obscurité, respirant l'odeur des paysans, air et pluie, et tourbe et gros
velours. Mais oh ! que la route, là-bas, entre les arbres,
était obscure ! On se perdrait dans l'obscurité. Ça lui
faisait peur d'imaginer comment c'était.

Il entendit la voix du préfet de la chapelle récitant la

dernière prière. Il la récita aussi pour se protéger
contre l'obscurité du dehors sous les arbres :

*Visite, nous t'en supplions, Seigneur, cette demeure et
éloigne d'elle toutes les embûches de l'ennemi. Que tes
saints anges l'habitent afin de nous conserver en paix, et
que ta bénédiction soit toujours sur nous, au nom de
Jésus-Christ Notre-Seigneur. Amen.*

Ses doigts tremblaient tandis qu'il se déshabillait
dans le dortoir. Il leur commanda de se dépêcher. Il
fallait se déshabiller, puis s'agenouiller pour dire sa
prière individuelle et se trouver au lit avant qu'on
baissât le gaz, pour ne pas aller en enfer lorsqu'il
mourrait. Il retira ses chaussettes et mit rapidement sa
chemise de nuit et s'agenouilla tout tremblant à côté
du lit et répéta vite vite sa prière, craignant que le gaz
ne baisse. Il sentait ses épaules grelotter tandis qu'il
murmurait :
« *Mon Dieu, bénis mon père et ma mère et conserve-les-
moi. Mon Dieu, bénis mes petits frères et mes petites
sœurs et conserve-les-moi.*
« *Mon Dieu, bénis Dante et oncle Charles et conserve-
les-moi.* »
Il fit le signe de la croix, grimpa vivement dans le lit,
replia sa chemise sous ses pieds, se recroquevilla dans
les draps blancs et froids, tout tremblant et grelottant.
Mais il n'irait pas en enfer quand il mourrait, et le
tremblement finirait bien par s'arrêter. Une voix sou-
haita bonne nuit aux garçons du dortoir[1]. Il jeta un
regard par-dessus le couvre-pied et vit les rideaux
jaunes autour de son lit et devant, qui l'isolaient de
toutes parts. On baissa la lumière doucement.
Les chaussures du préfet s'en allèrent. Dans quelle
direction ? En descendant l'escalier et le long des

corridors, ou bien vers sa chambre, au fond ? Il voyait
l'obscurité. Est-ce que c'était vrai, qu'un chien noir
rôdait par là, dans la nuit, avec des yeux aussi gros que
des lanternes de voiture ? On disait que c'était le
fantôme d'un assassin. Un long frisson de frayeur
afflua à la surface de son corps. Il vit le vestibule
obscur du château. De vieux domestiques, en costumes
anciens, se tenaient dans la lingerie, en haut de
l'escalier. C'était il y a longtemps. Les vieux domestiques étaient silencieux. Il y avait du feu dans la pièce,
mais le vestibule était encore obscur. Une figure
humaine monta du vestibule par l'escalier[1]. Il portait
un manteau blanc de maréchal ; son visage était pâle et
étrange, sa main était pressée contre son côté, il fixait
les vieux serviteurs de ses yeux étranges. Ils le regardèrent, ils reconnurent le visage et le manteau de leur
maître, et comprirent qu'il venait d'être blessé à mort.
Mais là où ils regardaient, il n'y avait que l'obscurité,
que de l'air obscur et du silence. Leur maître avait été
blessé à mort sur le champ de bataille de Prague, très
loin au-delà des mers. Il se tenait debout sur le terrain ;
sa main pressait son côté ; son visage était pâle et
étrange et il portait un manteau blanc de maréchal.

Oh, comme c'était froid et étrange de penser à ça !
Toute l'obscurité était froide et étrange. Il y avait là
des faces pâles et étranges, des yeux grands comme des
lanternes de voiture, c'étaient des esprits d'assassins,
des figures de maréchaux blessés à mort sur des
champs de bataille bien loin au-delà des mers. Que
voulaient-ils donc dire, pour que leurs visages soient
si étranges ?

*Visite, nous t'en supplions, ô Seigneur, cette demeure et
éloigne d'elle toutes les*[2]...

Rentrer à la maison pour les vacances ! C'est ça qui serait délicieux : ses camarades le lui avaient dit. On montait dans les voitures[1] par une matinée d'hiver, devant la porte du château. Les voitures roulaient sur le gravier. On acclamait le recteur !

Hourrah ! Hourrah ! Hourrah !

Les voitures passaient devant la chapelle, chacun soulevait son chapeau. On roulait gaiement le long des routes champêtres. Les cochers montraient Bodenstown[2] du bout de leurs fouets. Les camarades poussaient des acclamations. Ils dépassaient la ferme du Joyeux Fermier. Les acclamations redoublaient. Ils traversaient Clane, acclamant et acclamés. Les paysannes se tenaient devant les portes coupées[3], les hommes un peu partout. Il y avait une odeur délicieuse dans l'air d'hiver, l'odeur de Clane : pluie, et air d'hiver, et braise de tourbe et gros velours.

Le train était plein de camarades, un long, long train chocolat[4] avec des panneaux crème. Les employés allaient et venaient, ouvrant et fermant les portières, verrouillant, déverrouillant. C'étaient des hommes habillés en bleu foncé et argent. Ils avaient des sifflets d'argent et leurs clefs faisaient une vive musique : clic-clic, clic-clic.

Et le train courait sur la plaine et dépassait la colline d'Allen[5]. Les poteaux télégraphiques passaient, passaient. Le train avançait toujours. Il savait. Il y avait des lanternes colorées dans le vestibule de la maison de son père, et des guirlandes de branches vertes. Il y avait du houx et du lierre autour du trumeau, du houx et du lierre[6], vert et rouge, entortillés autour des lustres. Il y avait du houx rouge et du lierre vert autour des vieux portraits sur les murs. Du houx et du lierre pour lui et pour Noël.

Délicieux...

Tout le monde est là. Sois le bienvenu, Stephen ! Des bruits de bienvenue. Sa mère l'embrassait. Est-ce bien ? Son père était maréchal : plus haut qu'un magistrat[1]. Sois le bienvenu à la maison, Stephen ! maintenant.

Des bruits...

Il y eut un bruit d'anneaux courant sur les tringles des rideaux, un bruit d'eau jetée dans les cuvettes. Il y eut, dans le dortoir, un bruit de gens qui se lèvent et s'habillent et se lavent : un claquement de mains tandis que le préfet allait et venait, pressant les camarades. Un pâle rayon de soleil montrait les rideaux jaunes écartés, les lits en désordre. Son lit à lui était très chaud, et son visage et son corps étaient très chauds.

Il se leva et s'assit au bord du lit. Il était faible. Il essaya d'enfiler sa chaussette. Ce contact lui parut affreusement rêche. La lumière du soleil était drôle et froide.

Fleming dit :

« Tu n'es pas bien ? »

Il n'en savait rien ; et Fleming dit encore :

« Recouche-toi. Je vais dire à McGlade que tu n'es pas bien.

— Il est malade.

— Qui ça ?

— Dis-le à McGlade.

— Recouche-toi donc !

— Il est malade ? »

Un des élèves lui soutenait les bras pendant qu'il se débarrassait de la chaussette accrochée à son pied et grimpait de nouveau dans le lit chaud.

Il se blottit entre les draps, heureux de leur tiédeur enveloppante. Il entendait ses camarades parler de lui entre eux tout en s'habillant pour la messe. C'était pas chic, de l'avoir poussé dans le fossé des cabinets, disaient-ils.

Puis leurs voix se turent. Ils étaient partis. Une voix près de son lit disait :

« Dedalus, tu ne rapporteras pas, dis ? »

C'était la figure de Wells. Il la regarda et vit que Wells avait peur.

« Je l'ai pas fait exprès. Tu ne rapporteras pas ? Sûr ? »

Son père lui avait dit de ne jamais cafarder un camarade, sous aucun prétexte. Il secoua la tête, dit non et se sentit content.

Wells dit :

« Je l'ai pas fait exprès, parole d'honneur. C'était pour rire. Je suis désolé. »

La figure et la voix disparurent. Désolé parce qu'il avait peur. Peur que ça ne soit une maladie. Le chancre, maladie des plantes, le cancer, maladie des animaux, ou bien une autre différente. Cela se passait donc il y a longtemps, sur le terrain de jeu, sous la lumière du soir, quand il se glissait d'un point à un autre, à l'extrémité de sa division, tandis qu'un oiseau lourd volait bas à travers la lumière grise. L'abbaye des Leicester s'illuminait. C'est là que Wolsey est mort. Les abbés l'ont enterré eux-mêmes.

Ce n'était pas la figure de Wells, mais celle du préfet. Il ne faisait pas semblant. Non, non, il était vraiment malade. Il ne faisait pas semblant [1]. Il sentit la main du préfet sur son front ; il sentit son front chaud et humide contre la main froide et humide du préfet. C'était comme ça au toucher, un rat : visqueux, humide et froid. Chaque rat avait deux yeux pour regarder avec. Un pelage lisse et visqueux, de toutes petites pattes ramassées pour sauter, de petits yeux luisants pour regarder avec. Ils comprenaient comment il faut sauter. Mais l'esprit des rats ne pouvait comprendre la trigonométrie. Une fois morts, ils étaient couchés sur le côté. Alors leur pelage se desséchait. Ils n'étaient plus que des choses mortes.

Le préfet était là de nouveau et c'était sa voix qui disait qu'il devait se lever ; le vice-recteur[1] lui faisait dire de s'habiller et d'aller à l'infirmerie. Tandis qu'il s'habillait le plus vite qu'il pouvait, le préfet disait :

« Il faut que nous déménagions chez le frère Michael[2], puisque nous sommes patraque ! C'est affreux d'être patraque ! Quand ça se détraque, on est tout patatraque ! »

C'était très chic de dire cela. Tout ça, c'était pour le faire rire. Mais il ne pouvait pas rire parce que ses joues et ses lèvres étaient toutes tremblantes ; et alors il a fallu que le prefet rie tout seul.

Le préfet cria :

« En avant, marche ! Paille ! foin ! Paille, foin ! »

Ils descendirent l'escalier ensemble, suivirent le corridor, passèrent devant la salle de bains. En revoyant cette porte, il se rappela, avec une vague frayeur, l'eau tiède, couleur de tourbe, l'air tiède et humide, le bruit des plongeons, l'odeur des serviettes, une odeur de pharmacie.

Le frère Michael se tenait à la porte de l'infirmerie, et de la porte du cabinet noir, à sa droite, venait une odeur de pharmacie. Cela venait des bouteilles rangées sur les rayons. Le préfet parla au frère Michael et le frère Michael répondait en appelant le préfet : Monsieur. Il avait des cheveux roussâtres mêlés de gris et un drôle d'air. C'était drôle de penser qu'il resterait toujours un frère. C'était drôle aussi de ne pas pouvoir lui dire Monsieur parce qu'il était un frère et qu'il avait un air différent des autres. Est-ce qu'il n'était pas assez pieux, ou bien qu'est-ce qui l'empêchait de rattraper les autres ?

Il y avait deux lits dans la chambre, et dans l'un des deux, il y avait un camarade ; lorsqu'ils entrèrent, celui-ci cria :

« Hé ! c'est le petit Dedalus ! Qu'est-ce qui se passe ?

— Le temps se passe », dit le frère Michael.

C'était un élève de grammaire trois, pendant que Stephen se déshabillait, il demanda au frère Michael de lui apporter une tartine de pain grillé.

« Je vous en prie ! disait-il.

— Tu peux te tartiner[1] ! dit le frère Michael. Tu auras ton billet de sortie ce matin, aussitôt que le docteur sera là.

— Mon billet de sortie ? dit le garçon. Je ne suis pas encore bien. »

Le frère Michael répéta :

« Tu auras ton billet de sortie. C'est moi qui te le dis. »

Il se baissa pour tisonner le feu[2]. Son dos était très long, comme le dos très long d'un cheval de tramway. Il remuait le tisonnier gravement et hochait la tête vers l'élève de grammaire trois.

Puis le frère Michael s'en alla et quelques instants après, l'élève de grammaire trois se tourna vers le mur et s'endormit.

C'était ça, l'infirmerie. Donc, il était malade. Avait-on écrit chez lui pour prévenir sa mère et son père ? Ce serait plus vite fait si l'un des prêtres allait les prévenir lui-même. Ou bien il écrirait une lettre que le prêtre leur porterait :

« Chère Maman,
« Je suis malade. Je voudrais rentrer à la maison.

Viens s'il te plaît m'emmener à la maison. Je suis à l'infirmerie.

« Ton fils qui t'aime,

STEPHEN. »

Comme ils étaient loin ! Il y avait un soleil froid derrière la fenêtre. Il se demandait s'il allait mourir. On pouvait mourir aussi bien par un jour de soleil [1]. Il pouvait mourir avant l'arrivée de sa mère. Alors il aurait une messe des morts dans la chapelle, pour lui, comme ses camarades lui avaient dit que c'était quand Little était mort. Tous les camarades seraient à la messe, vêtus de noir, tous avec des figures tristes. Wells serait là aussi, mais personne ne voudrait le regarder. Le recteur serait là, avec une chape noir et or ; il y aurait de grands cierges jaunes sur l'autel et autour du catafalque. Et on emporterait le cercueil hors de la chapelle, lentement, et on l'enterrerait dans le petit cimetière de la communauté, derrière la grande avenue de tilleuls [2]. Et alors Wells regretterait ce qu'il avait fait. Et la cloche sonnerait lentement le glas.

Il entendait ce glas. Il se répétait la chanson que Brigitte lui avait apprise :

> *Ding-dong, la cloche du château !*
> *Adieu, ma mère !*
> *Enterrez-moi dans le vieux cimetière,*
> *Près de l'aîné de mes frères.*
> *Que mon cercueil soit noir,*
> *Six anges venant derrière,*
> *Deux pour chanter, et deux pour prier,*
> *Et deux pour emporter mon âme.*

Que c'était beau et triste ! Que les paroles étaient belles, là où ça disait : *Enterrez-moi dans le vieux cimetière!* Un frisson passa sur son corps. Que c'était triste et que c'était beau. Il avait envie de pleurer en silence, mais pas à cause de lui-même, à cause de ces paroles, si belles et si tristes, comme de la musique. Ding-dong! Ding-dong! Adieu! Oh! adieu!

Le soleil froid était plus faible et le frère Michael était devant son lit avec un bol de bouillon. Il en fut heureux, parce que sa bouche était brûlante et sèche. Il les entendait jouer sur les terrains, la journée continuait au collège tout comme s'il était là-bas. Et puis le frère Michael se disposa à sortir, et l'élève de grammaire trois lui recommanda de revenir sans faute pour lui rapporter toutes les nouvelles du journal. Il dit à Stephen qu'il s'appelait Athy [1] et que son père avait des tas de chevaux de course, des sauteurs épatants, et que son père donnerait un bon tuyau au frère Michael dès qu'il le voudrait, parce que le frère Michael était très gentil et lui racontait les nouvelles parues dans le journal qu'on recevait tous les jours au château. Il y avait toutes sortes de nouvelles dans le journal : des accidents, des naufrages, des sports et de la politique.

« En ce moment, il n'y a que de la politique, dans les journaux, dit-il. Est-ce que tes parents en parlent aussi ?

— Oui, dit Stephen.

— Les miens aussi », dit l'autre.

Alors il réfléchit un instant et dit :

« Tu as un drôle de nom : Dedalus ; et moi j'ai un drôle de nom : Athy. Mon nom, c'est le nom d'une ville. Le tien, c'est comme du latin. »

Puis il demanda :

« Es-tu fort en devinettes ? »

Stephen répondit :

« Pas très fort. »

Alors l'autre dit :

« Peux-tu me donner la réponse de celle-ci : pourquoi est-ce que le comté de Kildare ressemble à une jambe de pantalon ? »

Stephen réfléchit, cherchant la réponse, et puis dit :

« Je donne ma langue au chat.

— Parce qu'il contient une cuisse [1], dit l'autre. Tu vois l'astuce ? Athy, c'est la ville du comté de Kildare, et c'est aussi une cuisse.

— Ah ! je vois, dit Stephen.

— C'est une vieille devinette », dit l'autre.

Au bout d'un moment, il reprit :

« Dis donc !

— Quoi ? demanda Stephen.

— Tu sais, on peut poser cette devinette d'une autre manière.

— Oui ? dit Stephen.

— La même devinette. Tu sais l'autre façon de la poser ?

— Non, dit Stephen.

— Tu ne peux pas trouver l'autre façon ? »

Il parlait en regardant Stephen par-dessus les couvertures. Puis il se recoucha sur l'oreiller et dit :

« Il y a une autre façon, mais je ne te dirai pas ce que c'est. »

Pourquoi ne le disait-il pas ? Son père, qui avait des chevaux de course, devait être magistrat, comme le père de Saurin et celui de La Rosse. Il pensa à son propre père, et comment celui-ci chantait des chansons pendant que sa mère jouait et comment il lui donnait toujours un shilling lorsqu'il lui demandait six pence et il était désolé pour lui qu'il ne soit pas magistrat comme les pères des autres garçons [2]. Alors pourquoi l'avait-on envoyé dans cet endroit avec eux ? Mais son père lui avait dit qu'il n'y serait pas un étranger, parce que son grand-oncle y avait présenté une adresse au

Libérateur cinquante ans auparavant[1]. On pouvait reconnaître les gens de cette époque à leurs costumes anciens. Cette époque lui paraissait très solennelle ; et il se demandait si c'était le temps où les élèves de Clongowes portaient des habits bleus avec des boutons de cuivre, des gilets jaunes et des bonnets en peau de lapin[2], le temps où ils buvaient de la bière comme les grandes personnes et avaient des lévriers pour chasser le lièvre.

Il regarda la fenêtre et vit que le jour avait faibli. Il devait y avoir une lumière brumeuse et grise sur les terrains de sport. Il n'y avait pas de bruit sur les terrains de sport. Sa classe devait être en train de faire des thèmes, ou peut-être le père Arnall lisait-il une légende dans le livre.

C'était drôle qu'on ne lui ait pas donné de médicament. Peut-être que le frère Michael en rapporterait à son retour. Il avait entendu dire qu'à l'infirmerie on vous donnait à boire des choses puantes. Mais il se sentait mieux qu'avant. Ce serait bon de se remettre petit à petit. Alors, on pouvait avoir un livre. À la bibliothèque il y avait un livre sur la Hollande[3]. Il y avait de merveilleux noms d'autres pays, là-dedans, des images de cités et de bateaux étranges. Cela vous rendait si heureux !

Comme la lumière était pâle, à la fenêtre ! Mais c'était joli. Le reflet du feu montait et retombait sur le mur. C'était comme des vagues. Quelqu'un avait remis du charbon et Stephen entendit des voix. On parlait. C'était le bruit des vagues ou bien les vagues parlaient entre elles, tout en montant et retombant.

Il vit une mer de vagues, de longues vagues sombres, montant et retombant, sombres sous la nuit sans lune. Une toute petite lumière scintillait au bout de la jetée, où arrivait le bateau ; et il discerna une multitude de gens, rassemblés au bord de l'eau pour voir le bateau qui entrait dans leur port. Un homme de haute taille se dressait sur le pont, regardant vers la terre plate et sombre : et à la lumière de la jetée, il vit son visage ; le triste visage du frère Michael.

Il le vit lever la main vers le peuple et l'entendit clamer avec la voix de l'affliction, par-dessus les vagues :

« Il est mort. Nous l'avons vu couché sur le catafalque. »

Une lamentation affligée monta du peuple :

« Parnell ! Parnell ! Il est mort[1] ! »

Tous se jetèrent à genoux, gémissant d'affliction. Et il vit Dante, en robe de velours violine, avec un manteau de velours vert tombant de ses épaules, qui marchait, fière et silencieuse[2], s'éloignant de la foule agenouillée au bord des vagues.

*

Un grand feu, rouge et haut dressé, flambait dans la grille et sous les branches du lustre, enguirlandées de lierre, la table de Noël était mise. Ils étaient rentrés assez tard, et pourtant le dîner n'était pas encore prêt. Mais il allait être prêt en un clin d'œil, avait dit mère. On attendait que la porte s'ouvrît et que les servantes entrassent, portant les grands plats coiffés de leurs lourds couvercles de métal.

Tous attendaient : oncle Charles, assis là-bas dans l'ombre de la fenêtre ; Dante et M. Casey, assis dans les bergères de chaque côté de l'âtre ; Stephen, assis sur une chaise entre eux deux, les pieds sur le tabouret capitonné[3]. M. Dedalus se regarda dans la glace du trumeau au-dessus de la cheminée, effila les bouts de sa moustache, puis, écartant les pans de sa jaquette, tourna le dos au feu ardent ; et pourtant de temps à autre il sortait une main de dessous les pans de sa jaquette pour effiler une fois de plus un des bouts de sa moustache. M. Casey penchait la tête de côté, souriait et tapotait des doigts la glande de son cou. Stephen souriait aussi : il savait maintenant que ce n'était pas vrai que M. Casey eût une bourse d'argent dans la gorge. Il souriait en pensant combien il avait été trompé par le bruit argentin que faisait M. Casey. Et en essayant d'ouvrir la main de M. Casey pour voir si la bourse d'argent n'y était pas cachée, il avait vu que les doigts ne pouvaient pas se déplier, et M. Casey lui avait expliqué qu'il avait attrapé une crampe à ces trois doigts en préparant un cadeau d'anniversaire pour la Reine Victoria [1].

M. Casey tapotait la glande de son cou et souriait à Stephen avec des yeux ensommeillés ; et M. Dedalus lui dit :

« Oui. Bon, voilà qui est bien. Ah, nous avons fait une bonne promenade, n'est-ce pas, John ? Oui... Je me demande s'il y a quelque espoir de dîner ce soir ? Oui... Bon, nous avons fait une bonne provision d'ozone aujourd'hui en faisant le tour du Cap [2]. Ma foi, oui. »

Il se tourna vers Dante :

« Vous n'avez pas bougé, madame Riordan ? »

Dante fronça les sourcils et répondit d'un ton bref : « Non. »

M. Dedalus laissa retomber les pans de sa jaquette et alla vers le buffet. Il sortit du placard une grande cruche de grès contenant du whisky et remplit lentement la carafe, se penchant de temps en temps pour voir combien il en avait versé. Puis, après avoir remis la cruche dans le placard, il versa un peu de whisky dans deux verres, ajouta un peu d'eau et revint avec cela vers la cheminée.

« Un dé de whisky, John ? dit-il : juste de quoi vous aiguiser l'appétit ! »

M. Casey prit le verre, y goûta, et le plaça près de lui sur la cheminée. Puis il dit :

« Eh bien, je ne peux m'empêcher de penser à notre ami Christophe qui fabrique... »

Il eut un accès de rire et de toux, puis acheva :

« ... qui fabrique ce champagne pour ces gaillards-là ! »

M. Dedalus rit bruyamment.

« Christy ? dit-il : il y a plus de ruse dans une seule verrue de sa tête chauve que dans toute une bande de renards ! »

Il pencha la tête, ferma les yeux, et, après avoir abondamment humecté ses lèvres, se mit à parler avec la voix de l'hôtelier :

« Et il a une bouche si suave quand il vous parle, n'est-ce pas ? Il en a les babines toutes dégoulinantes, que Dieu le bénisse ! »

M. Casey luttait toujours contre son accès de toux et de rire. Stephen riait, voyant et entendant l'hôtelier, à travers le visage et la voix de son père.

M. Dedalus remit son monocle et, abaissant son regard sur Stephen, dit avec une tranquille affabilité :

« De quoi ris-tu, petit drôle ? »

Les servantes entrèrent et déposèrent les plats sur la table. Mme Dedalus vint ensuite, et les places furent désignées.

« À table », dit-elle.

M. Dedalus se plaça au bout de la table, et dit :

« Asseyez-vous donc, madame Riordan ! John, asseyez-vous, mon vieux. »

Il jeta un coup d'œil vers la place d'oncle Charles et dit :

« Tenez, monsieur, voici un oiseau qui vous attend. »

Lorsque tout le monde eut pris place, il posa la main sur le couvercle du plat, puis la retira et dit vivement :

« Allons, Stephen ! »

Stephen se leva pour dire le bénédicité :

« *Bénis-nous, Seigneur, et bénis les dons que nous allons recevoir de ta bonté, au nom de notre Seigneur Jésus-Christ. Amen.* »

Tous se signèrent et M. Dedalus, avec un soupir de satisfaction, enleva du plat le lourd couvercle emperlé de gouttelettes étincelantes.

Stephen regarda la dinde dodue, qu'il avait vue posée sur la table de cuisine, troussée et embrochée. Il savait que son père l'avait payée une guinée chez Dunn, D'Olier Street[1], et que le marchand avait à plusieurs reprises tâté le bréchet de la volaille pour montrer combien elle était excellente et il se rappelait la voix de l'homme disant :

« Prenez celle-ci, monsieur, c'est de la camelote de premier choix[2] ! »

Pourquoi M. Barrett, à Clongowes, appelait-il sa férule[3] une dinde ? Mais Clongowes était loin et le tiède et lourd fumet de la dinde, du jambon, du céleri montait des assiettes et des plats et le grand feu était haut dressé et rouge dans la grille et le lierre vert et le houx rouge réjouissaient l'âme ; et à la fin du dîner, on apporterait le grand plum-pudding garni d'amandes décortiquées et de brindilles de houx, une flamme bleuâtre courant autour et un petit drapeau vert flottant au sommet.

C'était son premier dîner de Noël ; il songea à ses petits frères et sœurs qui attendaient dans la nursery, comme il l'avait lui-même attendu si souvent, l'arrivée du pudding. À cause de son large col rabattu et de sa jaquette d'écolier, il se sentait tout drôle et vieillot et le matin où sa mère l'avait amené au salon, habillé pour la messe, son père s'était mis à pleurer. C'était parce qu'il pensait à son propre père. C'était ce qu'oncle Charles avait dit aussi.

M. Dedalus recouvrit le plat et commença à manger d'un air affamé. Puis il dit :

« Ce pauvre Christy ! le voilà presque bancal sous le poids de sa coquinerie.

— Simon, dit Mme Dedalus, tu n'as pas offert de sauce à Mme Riordan. »

M. Dedalus saisit la saucière.

« Vraiment ? s'écria-t-il. Madame Riordan, excusez le pauvre aveugle. »

Dante couvrit son assiette avec ses mains et dit :

« Non, merci. »

M. Dedalus se tourna vers oncle Charles.

« Êtes-vous en règle, monsieur ?

— Comme un papier à musique, Simon !

— Et vous, John ?

— J'ai tout ce qu'il faut. Mais vous-même ?

— Mary ? Tiens, Stephen, voilà de quoi te faire friser les cheveux ! »

Il versa largement de la sauce sur l'assiette de Stephen et reposa la saucière sur la table. Puis il demanda à oncle Charles si c'était tendre. Oncle Charles ne pouvait parler parce qu'il avait la bouche pleine, mais il fit signe que oui.

« Il en a fait, une bonne réponse au chanoine, notre ami, hein ? dit M. Dedalus.

— Je ne l'en aurais pas cru capable, fit M. Casey.

— " *Je paierai ce qui vous est dû, mon Père, lorsque vous cesserez de transformer la maison de Dieu en un bureau de vote.* "

— Jolie réponse à faire à son curé, fit Dante, de la part de quelqu'un qui se dit catholique !

— Ils ne doivent s'en prendre qu'à eux-mêmes, dit

M. Dedalus avec suavité. S'ils suivaient l'avis du premier imbécile venu, ils limiteraient leur zèle à la religion.

— C'est de la religion, dit Dante. Ils font leur devoir en avertissant le peuple.

— Nous allons à la maison de Dieu, dit M. Casey, pour prier en toute humilité notre Créateur et non pour écouter des discours électoraux.

— C'est de la religion, répéta Dante. Ils ont raison. Ils ont le devoir de diriger leurs ouailles.

— Et de prêcher la politique devant l'autel, n'est-ce pas ? demanda M. Dedalus.

— Certainement, dit Dante. C'est une question de moralité publique. Un prêtre ne serait pas un prêtre s'il ne montrait pas à ses ouailles ce qui est bien et ce qui est mal. »

Mme Dedalus déposa son couteau et sa fourchette, disant :

« Pour l'amour de Dieu, ne soulevons pas de discussion politique en ce jour entre tous les jours de l'année !

— Vous avez parfaitement raison, m'ame, dit oncle Charles ; allons, Simon, cela suffit. Plus un mot, maintenant.

— Bon, bon », dit M. Dedalus vivement.

Il découvrit le plat d'un geste crâne, et dit :

« Eh bien, qui veut encore de cette dinde ? »

Personne ne répondait. Dante dit :

« Un joli langage de la part d'un catholique !

— Madame Riordan, je vous en supplie, dit Mme Dedalus, laissons ce sujet ! »

Dante se tournant contre elle, dit :

« Alors, dois-je rester là à les écouter bafouer les prêtres de mon église ?

— Personne ne dit rien contre eux, répliqua M. Dedalus, tant qu'ils ne se mêlent pas de politique.

— Les évêques et les prêtres d'Irlande ont parlé, dit Dante, il faut qu'on leur obéisse.

— Qu'ils abandonnent la politique, dit M. Casey ou bien le peuple risque d'abandonner leur église.

— Vous entendez ? fit Dante en se tournant vers Mme Dedalus.

— Monsieur Casey ! Simon ! dit Mme Dedalus : laissez cela maintenant !

— C'est trop fort ! dit oncle Charles.

— Quoi ? s'écria M. Dedalus. Devions-nous le lâcher sur l'ordre des Anglais[1] ?

— Il n'était plus digne de commander, dit Dante. C'était un pécheur avéré.

— Nous sommes tous des pécheurs, et de sombres pécheurs, trancha M. Casey.

— " Malheur à l'homme par qui le scandale arrive ", dit Mme Riordan : " Il vaudrait mieux pour lui avoir une meule attachée autour du cou et être jeté au fond de la mer plutôt que de scandaliser un seul de ces petits[2]. " Voilà le langage de l'Esprit-Saint.

— Un bien mauvais langage, à mon avis, dit M. Dedalus avec froideur.

— Simon ! Simon ! dit oncle Charles : songe à l'enfant.

— Oui, oui, dit M. Dedalus. Je voulais dire le... Je parlais du mauvais langage de cet employé de chemin de fer. Allons, ça va bien. Stephen, laisse-moi voir ton assiette, mon vieux. Mange donc, allons ! »

Il remplit l'assiette de Stephen et servit à oncle Charles et à M. Casey de gros morceaux de dinde copieusement arrosés de sauce. Mme Dedalus mangeait peu et Dante tenait les mains sur ses genoux. Son visage était rouge. M. Dedalus piocha avec le couvert à découper à l'extrémité du plat et dit :

« Voici un morceau succulent qu'on appelle le nez du pape[1]. Si un de ces messieurs et dames ?... »

Il brandissait le morceau de volaille au bout de sa fourchette. Personne ne dit mot. Il le posa sur sa propre assiette, disant :

« Allons, vous ne pourrez pas dire que je ne vous l'ai pas offert. Je crois que je ferais mieux de le manger moi-même ; car ma santé laisse à désirer depuis quelque temps. »

Il regarda Stephen du coin de l'œil, rajusta le couvercle du plat et se remit à manger. Il y eut un silence. Puis il dit :

« Il a fait une belle journée, tout de même. Il y avait beaucoup de promeneurs. »

Personne ne parla. Il reprit :

« Plus de promeneurs que l'an dernier, il me semble. »

Il jeta un coup d'œil circulaire sur les autres. Leurs visages étaient penchés sur leurs assiettes. Puis, ne recevant pas de réponse, il dit avec dépit :

« C'est égal, mon dîner de Noël est raté !

— Il ne saurait y avoir de prospérité, ni de grâce, dit Dante, sur une maison où il n'y a point de respect envers les pasteurs de l'Église. »

M. Dedalus jeta bruyamment son couvert sur son assiette.

« Du respect ? dit-il. Pour qui donc ? Pour Billy-le-Lippu[2] ou pour ce tonneau de tripes, là-bas, à Armagh[3] ? Du respect !

— Princes de l'Église, dit M. Casey avec une lenteur méprisante.

— Le cocher de Lord Leitrim[4], oui ! dit M. Dedalus.

— Ce sont les oints du Seigneur, dit Dante. Ils représentent l'honneur de leur pays.

— Un vrai tonneau de tripes, dit brutalement M. De-

dalus. Et remarquez qu'il a une belle figure, au repos.
Il faut voir ce gaillard-là engloutir ses choux au lard
par un jour d'hiver. Eh, Johnny ! »

Il tordit ses traits en une grimace de lourde bestialité
et fit un bruit glouton avec ses lèvres.

« Vraiment, Simon, tu ne devrais pas parler ainsi
devant Stephen. Ce n'est pas bien.

— Oh ! il se rappellera tout cela quand il sera grand,
fit Dante avec chaleur. Il se rappellera les propos qu'il
a entendus contre Dieu, contre la religion et contre les
prêtres, dans sa propre maison.

— Et qu'il se rappelle aussi, lui cria M. Casey par-
dessus la table, les propos par lesquels les prêtres et
leur clique ont achevé Parnell et l'ont pourchassé
jusqu'au tombeau ! Qu'il se rappelle cela aussi, lorsqu'il sera grand !

— Les salauds ! cria M. Dedalus. Dès qu'il a eu le
dessous, ils se sont retournés pour le trahir, pour le
déchirer comme des rats d'égout. Sales roquets ! Et ils
en ont bien l'air ! Par le Christ, ils en ont bien l'air !

— Ils ont bien agi, cria Dante. Ils ont obéi à leurs
évêques et à leurs prêtres. Honneur à eux !

— Eh bien, c'est vraiment terrible à dire, que nous ne
puissions pas, même pour un seul jour dans l'année, dit
Mme Dedalus, être à l'abri de ces terribles disputes. »

Oncle Charles leva les mains avec douceur et dit :

« Allons ! allons ! allons ! Ne pouvons-nous garder
nos opinions, quelles qu'elles soient, sans cette mauvaise humeur et ce mauvais langage ? C'est malheureux, vraiment ! »

Mme Dedalus parla tout bas à Dante, mais Dante
répondit tout haut :

« Je ne veux pas me taire. Je veux défendre mon
Église et ma religion lorsque des catholiques renégats
les insultent et crachent sur elles. »

M. Casey poussa brusquement son assiette vers le milieu de la table, et, appuyant ses coudes devant lui, dit d'une voix rude en s'adressant à son hôte :

« Dites-moi, vous ai-je raconté l'histoire de ce fameux crachat ?

— Non, John, dit M. Dedalus.

— Eh bien, dit M. Casey, c'est une histoire très édifiante. Elle arriva il n'y a pas longtemps, dans ce comté de Wicklow où nous sommes présentement [1]. »

Il s'interrompit, se tourna vers Dante et ajouta avec une calme indignation :

« Et je me permets de vous dire, m'ame, — si c'est à moi que vous faites allusion, — que je ne suis pas un catholique renégat. Je suis un catholique, comme l'était mon père et son père à lui, et le père de son père, au temps où nous faisions le sacrifice de nos vies plutôt que de trahir notre foi.

— Il est d'autant plus honteux, à présent, dit Dante, de parler comme vous le faites.

— L'histoire, John ! dit M. Dedalus en souriant. Contez-nous l'histoire, coûte que coûte.

— Catholique, vraiment ! répétait Dante avec ironie. Le plus endurci des protestants dans tout le pays ne parlerait pas le langage que j'ai entendu ce soir. »

M. Dedalus commença à balancer la tête en roucoulant comme un chanteur de village.

« Je ne suis pas un protestant, je vous le répète », dit M. Casey qui s'échauffait.

M. Dedalus, toujours roucoulant et dodelinant de la tête, se mit à chanter avec des grognements nasillards :

> *Ô vous tous, catholiques romains* [2]
> *Qui n'allâtes jamais à la messe...*

Il reprit son couteau et sa fourchette, avec bonne humeur, et se disposa à manger, disant à M. Casey :

« Contez-nous l'histoire, John ! cela va nous aider à digérer. »

Stephen jeta un coup d'œil affectueux sur le visage de M. Casey qui regardait fixement de l'autre côté de la table, par-dessus ses mains jointes. Il aimait à rester près de lui au coin du feu, à regarder ce visage sombre et farouche. Pourtant ses yeux sombres n'étaient jamais farouches, et sa voix lente était bonne à écouter. Alors pourquoi était-il contre les prêtres ? Alors, Dante devait avoir raison. Pourtant il avait entendu son père dire que c'était une nonne défroquée et qu'elle avait quitté son couvent des Alleghanys, lorsque son frère avait gagné de l'argent chez les sauvages avec ses colifichets de pacotille[1]. Peut-être était-ce ça qui la rendait sévère à l'égard de Parnell ? Elle n'aimait pas que Stephen jouât avec Eileen parce que Eileen était protestante et que Dante, dans sa jeunesse, avait connu des enfants qui jouaient avec des protestants et les protestants tournaient en dérision les litanies de la Sainte Vierge. *Tour d'Ivoire*, disaient-ils ; *Maison d'or !* Comment une femme serait-elle une tour d'ivoire ou une maison d'or ? Qui donc avait raison ? Il se rappela le soir à l'infirmerie de Clongowes, les vagues sombres, la lumière au bout de la jetée et les lamentations de la foule lorsqu'elle eut appris la nouvelle.

Eileen avait de longues mains blanches. Un soir, en jouant au chat, elle lui avait mis les mains sur les yeux : elles étaient longues et blanches et fines et froides et douces. C'était cela de l'ivoire : une chose froide et blanche. C'était cela, le sens de *Tour d'Ivoire*[2].

« L'histoire est courte et bonne, disait M. Casey.

Cela se passait un jour à Arklow[1], un jour de gros froid, peu de temps avant la mort du chef, — que Dieu l'ait en sa miséricorde. »

Il ferma les yeux d'un air las, et fit une pause. M. Dedalus prit un os dans son assiette, en arracha un peu de chair avec ses dents, et fit :

« Avant qu'on l'ait tué, vous voulez dire. »

M. Casey rouvrit les yeux, soupira et reprit :

« Cela se passait un jour à Arklow. Nous étions là pour une réunion, et après la réunion nous avons dû nous frayer un chemin jusqu'à la gare à travers la foule. Des cris d'animaux et des huées comme vous n'en avez jamais entendu, mon vieux ! Ils nous traitaient de tous les noms imaginables. Il y avait là une vieille bonne femme, saoule comme une bourrique, ma parole, qui concentra toute son attention sur moi. Elle ne faisait que danser à mes côtés dans la boue, braillant et me hurlant au nez : " *Persécuteur de prêtres ! Les fonds de Paris*[2] *! M. Fox*[3] *! Kitty O'Shea ! "*

— Alors, qu'avez-vous fait, John ? demanda M. Dedalus.

— Je la laissai brailler, dit M. Casey. Il faisait froid et pour me maintenir en forme j'avais — (sauf votre respect, m'ame) — une chique de Tullamore dans la bouche ; et, naturellement, j'étais dans l'impossibilité de dire un seul mot vu que ma bouche était pleine de jus de tabac.

— Et alors, John ?

— Et alors, je la laissai brailler tout à son aise — Kitty O'Shea et tout le reste —, jusqu'à ce qu'à la fin elle appelât cette dame d'un nom que je ne répéterai point pour ne pas souiller ce repas de fête, ni vos oreilles, m'ame, ni mes propres lèvres. »

Il fit une pause. M. Dedalus, levant la tête de dessus l'os de dinde, demanda :

« Alors, qu'avez-vous fait, John ?

— Ce que j'ai fait ? dit M. Casey. Elle avait fourré sa vilaine vieille figure contre la mienne en disant cela, et ma bouche était pleine de jus de tabac. Je me penche et je lui dis : *Pflt !* — comme ça. »

Il se tourna de côté et fit semblant de cracher.

« Je lui dis : *Pflt*, comme ça, droit dans l'œil. »

Il appliqua sa main à son œil et poussa un cri rauque de douleur.

« *Ô Jésus, Marie, Joseph !* fait-elle. *Me v'là aveugle ! aveugle, et* néyée ! »

Il s'interrompit dans un accès de toux et de rire, répétant :

« *Je suis complètement aveugle !* »

M. Dedalus riait bruyamment et se rejetait en arrière sur sa chaise, tandis qu'oncle Charles hochait la tête.

Dante avait l'air terriblement fâchée et répétait pendant qu'ils riaient :

« Charmant ! Ha ! charmant ! »

Ce n'était pas charmant de cracher dans l'œil de la femme. Mais quel était le nom dont cette femme avait appelé Kitty O'Shea et que M. Casey ne voulait pas répéter ? Stephen imagina M. Casey marchant à travers la foule et faisant des discours du haut d'un camion. C'était pour cela qu'il avait été en prison. Stephen se rappelait qu'un soir le gendarme O'Neill était venu chez eux et se tenait dans le vestibule, parlant à voix basse avec son père et mâchant nerveusement la jugulaire de son képi. Ce soir-là, M. Casey n'alla pas à Dublin par le train ; une voiture était venue jusqu'à leur porte et Stephen avait entendu son père qui expliquait quelque chose au sujet de la route de Cabinteely [1].

Il était partisan de l'Irlande et de Parnell, et son père aussi. Dante aussi, puisqu'un soir, à la musique de l'esplanade, elle avait frappé un monsieur sur la tête avec son parapluie, sous prétexte qu'il avait enlevé son chapeau au moment où l'orchestre s'était mis à jouer *God save the Queen*, à la fin du concert [1].

M. Dedalus proféra un grognement de mépris.

« Ah ! John, dit-il : ils sont dans le vrai. Nous sommes une malheureuse race opprimée par les prêtres, nous l'avons toujours été et nous le resterons jusqu'à la fin de l'histoire. »

Oncle Charles secouait la tête, disant :

« Vilaine affaire ! vilaine affaire ! »

M. Dedalus répéta :

« Une race opprimée par les prêtres et abandonnée de Dieu. »

Il montra le portrait de son grand-père sur le mur à sa droite.

« Voyez-vous ce vieux gaillard-là, John ? dit-il. C'était un bon Irlandais du temps où ça ne rapportait pas. Il a été condamné à mort comme blanc [2], mais au sujet de nos braves cléricaux, il avait coutume de dire qu'il ne laisserait jamais un seul d'entre eux fourrer les pieds sous la table de sa salle à manger [3]. »

Dante interrompit avec colère :

« Si nous sommes une race opprimée par les prêtres, nous devrions en être fiers ! Les prêtres sont la prunelle de Dieu. " *Ne les touchez pas, dit le Christ, car ils sont la prunelle de mes yeux* [4]. " »

— Alors, faut-il cesser d'aimer notre patrie ? demanda M. Casey. Faut-il renoncer à suivre l'homme qui est fait pour nous diriger ?

— Un traître à sa patrie ! répliqua Dante. Un traître ! un adultère ! Les prêtres ont eu raison de l'abandonner. Les prêtres ont toujours été les fidèles amis de l'Irlande.

— Ah, vraiment ? » dit M. Casey.

Il laissa tomber son poing sur la table et, fronçant les sourcils avec colère, se mit à lever ses doigts l'un après l'autre.

« Est-ce que les évêques d'Irlande ne nous ont pas trahis à l'époque de l'Union, lorsque l'évêque Lanigan est allé faire acte de soumission devant le marquis Cornwallis[1] ? Est-ce que les évêques et les prêtres n'ont pas vendu les revendications de leur pays en 1829, en échange de l'émancipation catholique[2] ? Est-ce qu'ils n'ont pas dénoncé le mouvement des féniens du haut de leur chaire et du fond des confessionnaux[3] ? Et n'ont-ils pas profané les cendres de Terence Bellew MacManus[4] ? »

Son visage flambait de courroux et Stephen sentait le feu monter à ses propres joues sous l'excitation de ces paroles. M. Dedalus fit entendre un gros rire méprisant :

« Eh, par Dieu ! cria-t-il, j'oubliais ce petit vieux Paul Cullen. Encore une prunelle des yeux du Seigneur ! »

Dante se pencha par-dessus la table et cria à M. Casey :

« Ils ont raison ! ils ont raison ! Ils ont toujours eu raison ! Dieu, la morale et la religion avant tout ! »

Mme Dedalus lui dit, en voyant son agitation :

« Madame Riordan, ne vous échauffez pas à leur répondre !

— Dieu et la religion avant tout le reste ! criait Dante. Dieu et la religion avant le monde ! »

M. Casey leva son poing serré et le laissa retomber sur la table avec fracas.

« Fort bien, cria-t-il d'une voix rauque, si nous en sommes là, alors pas de Dieu pour l'Irlande !

— John ! John ! » s'écria M. Dedalus saisissant son ami par la manche de sa jaquette.

Le regard de Dante passait par-dessus la table ; ses

joues tremblaient. M. Casey se leva péniblement de sa chaise et se pencha vers elle, écartant l'air de devant ses yeux avec une main, comme s'il arrachait une toile d'araignée.

« Pas de Dieu pour l'Irlande ! criait-il. Nous n'avons eu que trop de Dieu en Irlande ! Hors d'ici, Dieu !

— Blasphémateur ! démon ! » glapit Dante, bondissant sur ses pieds et presque crachant dans la figure de M. Casey.

Oncle Charles et M. Dedalus forcèrent M. Casey à se rasseoir, en le raisonnant de chaque côté. Il fixait devant lui le regard de ses yeux sombres et ardents, en répétant :

« Hors d'ici, je vous dis ! »

Dante repoussa violemment sa chaise et quitta la table, laissant tomber son rond de serviette qui roula lentement le long du tapis et vint s'arrêter contre le pied d'une bergère. M. Dedalus se leva vivement et la suivit vers la porte À la porte, Dante se retourna brusquement et cria à travers la pièce, les joues écarlates et tremblant de rage :

« Démon de l'enfer ! Nous l'avons vaincu ! Nous l'avons écrasé ! Satan ! »

La porte claqua derrière elle. M. Casey, dégageant ses bras de ceux qui le tenaient, laissa soudain tomber sa tête dans ses mains avec un sanglot de douleur.

« Pauvre Parnell ! cria-t-il : mon roi défunt ! »

Il sanglotait bruyamment, amèrement. Stephen leva son visage terrifié et vit que les yeux de son père étaient pleins de larmes.

*

Les élèves causaient par petits groupes.
L'un d'eux dit :

« On les a attrapés près du mont de Lyons[1].

— Qui ça ?

— M. Gleeson et le vice-recteur. Ils étaient en voiture. »

Le même élève ajouta :

« C'est un des grands qui me l'a dit. »

Fleming demanda :

« Dis donc, pourquoi s'étaient-ils sauvés ?

— Je sais bien pourquoi, dit Cecil Thunder ; ils avaient chipé de l'argent dans la chambre du recteur.

— Qui c'est qui l'a chipé ?

— Le frère de Kickham. Et puis ils ont partagé. »

Mais alors, c'était un vol. Comment avaient-ils pu faire cela ?

« Tu m'as l'air joliment renseigné, Thunder ! dit Wells. Moi je sais pourquoi ils ont filé.

— Dis-le alors.

— On me l'a défendu, dit Wells.

— Allons, Wells, firent-ils tous ensemble. Tu peux bien nous le raconter ! On ne le dira pas. »

Stephen avança la tête pour écouter. Wells regarda s'il ne venait personne. Puis il dit sur un ton confidentiel :

« Vous savez, le vin pour la communion, qu'on garde dans l'armoire de la sacristie ?

— Oui !

— Eh bien, ils l'ont bu, et on a découvert ceux qui l'ont fait, à cause de l'odeur. C'est pour ça qu'ils se sont sauvés, si vous tenez à le savoir. »

L'élève qui avait parlé le premier dit :

« Oui, c'est bien ce que m'avait dit le grand. »

Tous les garçons gardaient le silence. Stephen restait parmi eux, craignant de parler, écoutant. Un vague malaise de terreur lui enlevait ses forces. Comment avaient-ils pu faire cela ? Il pensa à la sacristie sombre

et silencieuse. Il y avait là des armoires de bois sombre
où les surplis tuyautés reposaient, paisiblement pliés.
Ce n'était pas la chapelle, et cependant on n'y parlait
qu'à mi-voix, c'était un lieu sacré. Il se rappelait le soir
d'été où on l'avait conduit là, pour l'habiller en
thuriféraire, le soir de la procession vers le petit autel
dans la forêt. C'était un lieu étrange et sacré. Le garçon
qui portait l'encensoir l'avait secoué par la chaîne du
milieu pour ranimer le charbon. Cela s'appelait de la
braise ; cela avait flambé doucement lorsque le garçon
l'avait agitée avec précaution, et il s'en était dégagé
une légère odeur acide. Et puis, tout le monde étant
prêt, il avait tendu la navette au recteur, et le recteur
avait jeté une cuillerée d'encens là-dedans et cela
s'était mis à siffler sur les charbons rouges [1].

Les garçons s'entretenaient par petits groupes, de-ci
de-là, dans les cours. Il lui semblait qu'ils avaient tous
rapetissé : c'était parce qu'un cycliste l'avait renversé,
la veille ; un élève de seconde grammaire. Il avait été
repoussé par la bicyclette de ce garçon sur la piste de
cendrée, ses lunettes s'étaient cassées en trois morceaux et un peu de poussière de mâchefer lui était
entré dans la bouche.

C'était pour cela que les garçons lui paraissaient
plus petits, plus éloignés, et les poteaux si fins et si
lointains, et le ciel doux et gris si haut. Mais il n'y avait
pas de partie sur le terrain de football, parce qu'on
allait jouer au cricket [2] : quelques-uns disaient que le
moniteur serait Barnes, d'autres que ce serait Flowers.
Tout le long des terrains on jouait au *rounders* [3] et on
s'entraînait à faire des *twisters*, des *lobs* [4] ; et de tous
côtés arrivait le bruit des battes à travers l'atmosphère
grise et douce. Cela faisait pic, pac, poc, pac, — petites
gouttes d'eau d'une fontaine tombant lentement dans
la vasque débordante.

Athy, qui était resté silencieux, dit avec calme :
« Vous vous trompez tous. »
Tous se retournèrent vers lui, avides.
« Pourquoi ?
— Tu sais ?
— Qui te l'a dit ?
— Raconte, Athy ! »
Athy leva le doigt dans la direction du terrain où
Simon Moonan marchait tout seul, lançant du pied un
caillou devant lui.
« Demandez à celui-là », dit Athy.
Les autres regardèrent de ce côté, puis ils dirent :
« Pourquoi à lui ?
— Il en est ? »
Athy baissa la voix et dit :
« Vous ne savez pas pourquoi ils ont filé ? Je vais
vous le dire, mais vous ferez semblant de ne rien
savoir.
— Raconte, Athy ! Allons ! Tu peux bien, si tu le
sais ! »
Il se tut un moment, et puis dit d'un air mystérieux :
« On les a surpris avec Simon Moonan et Boyle le
Défenseur[1], un soir dans les cabinets. »
Les autres le regardèrent et demandèrent :
« On les a surpris ?
— Qu'est-ce qu'ils faisaient ? »
Athy dit :
« Ils se touchaient[2]. »
Tous restèrent silencieux, puis Athy ajouta :
« Et c'est pour ça. »
Stephen regarda les visages des autres, mais ils
regardaient tous par-delà le terrain. Il avait besoin
d'interroger quelqu'un. Qu'est-ce que cela voulait dire,
qu'ils se touchaient dans les cabinets ? Pourquoi les
cinq garçons de la grande classe s'étaient-ils sauvés à

cause de cela ? C'était pour rire, pensa-t-il. Simon Moonan avait de beaux habits et un soir il avait montré à Stephen une boule de bonbons fondants que les joueurs de football avaient fait rouler jusqu'à lui sur le tapis au milieu du réfectoire, tandis qu'il se tenait à la porte. C'était le soir du match contre l'équipe de Bective ; la boule était faite exactement comme une pomme rouge et verte, seulement elle s'ouvrait et elle était pleine de bonbons fondants. Et Boyle un jour avait dit que l'éléphant avait deux défenseurs, au lieu de dire deux défenses, c'est pourquoi on l'appelait Boyle le Défenseur ; mais quelques-uns l'appelaient Lady Boyle, parce qu'il était toujours en train de se limer les ongles.

Eileen aussi avait des mains longues, fines, fraîches et blanches, parce qu'elle était une fille. Ses mains étaient comme de l'ivoire, mais tendres. C'était cela que voulait dire *Tour d'Ivoire*, mais les protestants ne comprenaient pas cela et ils s'en moquaient [1]. Un jour il se tenait près d'elle, regardant les jardins de l'hôtel. Un domestique était en train de faire monter des pavillons le long d'un mât, et un fox-terrier courait sur la pelouse ensoleillée. Elle avait mis sa main dans la poche de Stephen, où il tenait sa main à lui, et il avait senti combien la main d'Eileen était fraîche, fine et douce. Elle avait dit que c'était drôle d'avoir des poches, et puis tout à coup elle s'était dégagée et s'était mise à courir sur la pente au tournant de l'allée [2]. Ses cheveux blonds ruisselaient derrière elle comme de l'or au soleil. *Tour d'Ivoire, Maison d'Or*. En réfléchissant aux choses, on arrive à les comprendre.

Mais pourquoi dans les cabinets ? On va là quand on a un besoin. C'est tout en grosses plaques d'ardoise où l'eau s'égoutte toute la journée par de petits trous d'épingle et il y a là une odeur bizarre d'eau croupie.

Derrière la porte d'un des cabinets, il y a un dessin au crayon rouge représentant un homme barbu en costume romain avec une brique dans chaque main et, en bas, la légende :

Balbus construisait un mur[1].

Des élèves ont dessiné cela pour s'amuser. La figure est drôle, mais cela a bien l'air d'un homme à barbe. Sur le mur d'un autre cabinet il y a une inscription en belle écriture ronde :

Jules César est l'auteur de la Belle Calicot[2].

Peut-être était-ce pour cela qu'ils étaient allés là, parce que c'est un endroit où les garçons écrivent des choses pour s'amuser ? C'était drôle, tout de même, ce qu'Athy avait dit, et la façon dont il l'avait dit. Ça n'était pas pour rire, puisqu'ils s'étaient sauvés. Il se mit à regarder, comme les autres, par-delà le terrain, et commença à se sentir effrayé.

Enfin Fleming dit :

« Et nous allons tous être punis à cause de ce que les autres ont fait ?

— Je ne reviendrai plus ici, je vous le garantis ! dit Cecil Thunder. Trois jours de silence au réfectoire et six et huit coups de férule à tout propos[3]...

— Oui, dit Wells. Et puis, ce vieux Barrett a une nouvelle façon de plier son bulletin de punition, de sorte qu'on ne peut pas l'ouvrir et le replier ensuite, quand on veut voir combien de coups de férule on va recevoir. Je ne reviendrai pas, moi non plus.

— Oui, dit Cecil Thunder, et puis le préfet des études était ce matin en grammaire deux.

— Faisons une émeute, dit Fleming. On y va ? »

Tous se taisaient, l'air était calme, on entendait les battes de cricket, mais plus doucement qu'avant : pic-poc.

Wells demanda :

« Qu'est-ce qu'on va leur faire ?

— Simon Moonan et le Défenseur auront le fouet, dit Athy, et les grands devront choisir : fouettés ou expulsés.

— Qu'est-ce qu'ils choisissent ? demanda l'élève qui avait parlé le premier.

— Tous choisissent l'expulsion, excepté Corrigan, répondit Athy. Il sera fouetté par M. Gleeson.

— C'est Corrigan, ce grand costaud ? dit Fleming. Eh bien, il en prendrait deux comme Gleeson[1].

— Je sais bien pourquoi, dit Cecil Thunder. Il a raison et les autres ont tort ; parce que les coups de fouet, ça s'oublie au bout de quelque temps, mais un élève qui a été expulsé du collège reste connu pour ça toute sa vie. Et puis, Gleeson ne va pas le fouetter bien fort.

— C'est son intérêt, de ne pas le faire, dit Fleming.

— Je ne voudrais pas être à la place de Simon Moonan ou du Défenseur, dit Cecil Thunder, mais je ne crois pas qu'ils seront fouettés. Peut-être on les fera monter pour deux fois neuf coups[2].

— Non, non, dit Athy. Ils en auront tous les deux, à l'endroit sensible ! »

Wells se frotta et dit d'une voix larmoyante :

« Lâchez-moi, monsieur, s'il vous plaît ! »

Athy ricana et releva les manches de sa veste en disant :

> Il n'y a rien à faire,
> Tu auras du bâton !
> À bas le pantalon !
> Prépare ton derrière !

Les garçons riaient ; mais Stephen devinait qu'ils avaient un peu peur. Dans le silence de l'air gris et doux, il entendait les battes de cricket, de-ci de-là : poc. Cela, c'était le son qu'on entendait ; mais si on en recevait le coup, on sentirait la douleur. La férule produisait un son aussi, mais pas le même. Les garçons disaient qu'elle était en baleine et en cuir, avec du plomb à l'intérieur ; il se demandait quelle sorte de douleur elle provoquait. Il y avait différentes sortes de douleurs pour différentes sortes de sons. Une baguette longue et mince rendait un son aigu et sifflant, et il se demandait quelle douleur cela pouvait causer... Cette pensée lui donnait un frisson froid, de même que les propos d'Athy. Qu'y avait-il donc de risible là-dedans ? Cela le faisait frémir ; mais c'était là le frisson qu'on sent toujours en enlevant sa culotte. C'est la même chose au bain, quand on se déshabille. Il se demandait qui devait enlever la culotte, le maître ou bien le garçon lui-même ? Oh ! comment pouvaient-ils en rire comme ça ?

Il regarda les manches retroussées d'Athy et ses mains osseuses, tachées d'encre. Athy avait retroussé ses manches pour montrer comment M. Gleeson allait faire. Mais M. Gleeson avait des manchettes rondes et brillantes, des poignets propres et blancs, des mains grassouillettes et blanches avec des ongles longs et pointus. Peut-être les soignait-il comme Lady Boyle. Mais c'étaient des ongles terriblement longs et pointus. Ils étaient si longs, si cruels, et pourtant les mains grassouillettes et blanches n'étaient pas cruelles, mais douces. Bien qu'il tremblât de froid et de peur en pensant aux ongles cruels et longs, au son aigu et sifflant de la baguette et au frisson qu'on sentait au bout de sa chemise en se déshabillant, il éprouvait au-dedans de lui une sensation de plaisir étrange et calme en pensant à ces mains grasses et blanches, propres et fortes et douces. Il pensa à ce que Cecil Thunder avait

dit : « M. Gleeson ne fouettera pas Corrigan bien fort. »
Et Fleming avait ajouté que c'était son propre intérêt
de ne pas le faire. Mais ce n'était pas pour cela.

Une voix cria à l'autre bout du terrain :

« On rentre ! »

D'autres voix reprirent :

« On rentre ! On rentre ! »

Pendant la leçon d'écriture, il resta les bras croisés,
écoutant le léger grattement des plumes. M. Harford
allait et venait, faisant de petites marques au crayon
rouge, s'asseyant parfois à côté d'un élève pour lui
montrer comment il fallait tenir sa plume. Stephen
avait essayé d'épeler la ligne inscrite en tête sur le
tableau, bien qu'elle lui fût familière ; c'était la dernière ligne du livre : « *Le zèle sans prudence est pareil au
navire sans direction.* » Mais les contours des lettres
étaient comme de petits fils imperceptibles, et Stephen
était obligé de fermer son œil droit — fort, fort — et de
fixer avec l'œil gauche pour pouvoir distinguer toutes
les courbes de la majuscule.

M. Harford était très gentil et ne se mettait jamais en
colère. Tous les autres professeurs se mettaient dans
des colères épouvantables. Mais pourquoi Stephen et
ses camarades devaient-ils supporter les conséquences
de ce que les élèves de la division des grands avaient
fait ? Wells disait qu'ils avaient pris du vin dans
l'armoire de la sacristie, et qu'on les avait découverts à
cause de l'odeur. Peut-être avaient-ils volé un ostensoir
et s'étaient-ils sauvés avec, pour le vendre quelque
part ? Cela devait être un terrible péché, d'entrer là
tranquillement, la nuit, d'ouvrir l'armoire sombre et
de voler la chose dorée et étincelante dans laquelle on
exposait Dieu sur l'autel, au milieu des fleurs et des
cierges, à l'heure de la bénédiction, tandis que l'encens
montait en nuages de chaque côté, que l'un des élèves

balançait l'ostensoir et que Dominique Kelly entonnait tout seul le début du chant. Mais, naturellement, Dieu n'était pas dans l'ostensoir au moment où ils l'ont volé. Pourtant c'était un péché étrange et grave, rien que d'y toucher. Il y pensait avec une terreur profonde. Un étrange et terrible péché ; cela le faisait frémir, de penser à cela, dans le silence où les plumes grinçaient doucement. Dérober le vin du sacrement dans l'armoire et se faire prendre à cause de l'odeur, c'était un péché aussi, mais ce n'était ni terrible ni étrange. Cela vous donnait seulement une sensation de nausée à cause de l'odeur du vin. Le jour de sa première communion, dans la chapelle, il avait fermé les yeux, ouvert la bouche et tiré la langue un peu ; et lorsque le recteur s'était penché vers lui pour lui donner la communion, il avait senti une légère odeur vineuse dans l'haleine du recteur. C'était un mot très beau : *vin*. Cela faisait penser à la pourpre sombre, parce que les raisins qui mûrissent en Grèce contre les maisons pareilles à des temples blancs sont couleur de pourpre sombre. Cependant la légère odeur de l'haleine du recteur lui avait fait mal au cœur, ce jour-là... Le jour de la première communion était le plus heureux jour de la vie. Une fois, un tas de généraux avaient demandé à Napoléon quel était le plus heureux jour de sa vie. Ils pensaient qu'il citerait un jour où il avait gagné quelque grande bataille, ou bien le jour où il était devenu empereur. Mais il dit :

« Messieurs, le plus heureux jour de ma vie fut celui de ma première communion. »

Le père Arnall fit son entrée et la leçon de latin commença. Stephen restait toujours penché sur le pupitre, les bras croisés. Le père Arnall rendit les cahiers d'exercices, déclara qu'ils étaient tous scandaleux et qu'on devait les recopier tout de suite, corrigés.

Le plus mauvais de tous était l'exercice de Fleming, parce que les pages étaient collées ensemble par un pâté d'encre. Le père Arnall le souleva par un coin et dit que c'était insulter le professeur que de lui remettre un pareil devoir. Puis il demanda à Jack Lawton de décliner le nom *mare*; Jack Lawton s'arrêta à l'ablatif singulier et ne put continuer au pluriel.

« Vous devriez avoir honte, dit le père Arnall sévèrement, vous, le premier de la classe ! »

Il interrogea le suivant, puis le suivant. Personne ne savait. Le père Arnall devint très calme, de plus en plus calme à mesure que les élèves s'efforçaient de répondre sans y parvenir. Mais il avait l'air sombre et le regard fixe, malgré le calme de sa voix. Puis il interrogea Fleming, et Fleming dit que ce mot n'avait pas de pluriel. Le père Arnall ferma le livre brusquement et cria :

« Mettez-vous à genoux au milieu de la classe. Vous êtes un des plus grands paresseux [1] que j'aie jamais vus. Copiez vos exercices, vous autres ! »

Fleming quitta lourdement sa place et s'agenouilla entre les deux derniers bancs. Les autres élèves se penchèrent sur leurs cahiers d'exercices et se mirent à écrire. Le silence remplit la pièce, et Stephen, jetant un timide coup d'œil sur le visage sombre du père Arnall, vit qu'il avait rougi de colère.

Était-ce un péché de la part du père Arnall, de se mettre en colère, ou bien est-ce que cela lui était permis, lorsque les élèves étaient paresseux, pour les obliger à travailler mieux ? Ou bien faisait-il seulement semblant d'être en colère ? Cela devait lui être permis, car un prêtre sait ce qui est un péché, et ne le fait pas. Mais s'il péchait une fois, par erreur, qu'est-ce qu'il ferait, pour se confesser ? Peut-être irait-il se confesser au vice-recteur ? Et si le vice-recteur commettait un péché, il irait chez le recteur ; et le recteur chez le provincial ; et le provincial chez le général des jésuites. Cela s'appelait l'ordre, et le père de Stephen disait que les jésuites étaient des hommes très intelligents. Ils auraient tous pu avoir de grandes situations dans le monde s'ils n'étaient pas devenus jésuites. Il se demandait ce que seraient devenus le père Arnall et Paddy Barrett, et ce que seraient devenus M. McGlade et M. Gleeson s'ils n'étaient pas devenus jésuites. C'était difficile à imaginer, parce qu'il fallait se les représenter autrement, avec des habits d'une autre couleur, avec des pantalons, avec des barbes et des moustaches, et des chapeaux d'une forme différente.

La porte s'ouvrit doucement et se referma. Un chuchotement rapide parcourut la classe : le préfet des études. Pendant un instant il y eut un silence de mort, puis un bruyant claquement de férule sur le dernier pupitre. Le cœur de Stephen bondit de frayeur.

« Y a-t-il des garçons qui ont besoin d'une correction, par ici père Arnall ? cria le préfet. Des paresseux, des fainéants qui ont besoin d'être fouettés, dans cette classe ? »

Il s'avança vers le milieu de la pièce et vit Fleming à genoux.

« Hoho ! s'écria-t-il. Qui est-ce ? Pourquoi est-il à genoux ? Comment t'appelles-tu ?

— Fleming, monsieur.

— Hoho ! Fleming ! Un paresseux, bien entendu ! Je le vois à tes yeux. Pourquoi est-il à genoux, père Arnall ?

— Il a mal fait son thème latin, dit le père Arnall, et il n'a pu répondre à aucune question de grammaire.

— Bien entendu ! cria le préfet des études. Bien entendu ! Un fainéant de naissance ! Je le vois dans le coin de ses yeux. »

Il fit claquer sa férule sur le pupitre et cria :

« Debout, Fleming ! Debout, mon garçon ! »

Fleming se leva lentement.

« Allons, ta main ! » cria le préfet. Fleming avança la main. La férule s'y abattit en claquant : un, deux, trois, quatre, cinq, six.

« L'autre main ! »

La férule retomba de nouveau en six coups sonores et brefs.

« À genoux ! » cria le préfet.

Fleming s'agenouilla en serrant les mains sous ses aisselles, le visage tordu de douleur, mais Stephen savait comme les mains de Fleming étaient dures, parce qu'il les frottait toujours avec de la résine. Mais peut-être avait-il très mal tout de même, car le bruit de la férule avait été terrible. Le cœur de Stephen battait et palpitait.

« Au travail, vous tous ! vociférait le préfet des études. Nous n'avons pas besoin de fainéants ici, de petits tricheurs paresseux ! Au travail, je vous dis ! le père Dolan [1] passera vous voir tous les jours. Le père Dolan repassera dès demain ! »

Il poussa la férule dans les côtes d'un des élèves, disant :

« Toi, réponds : quand est-ce que le père Dolan repassera ici ?

— Demain, monsieur, répondit la voix de Tom Furlong [2].

— Demain, et demain, et demain [3], dit le préfet. Mettez-vous bien cela dans la tête. Tous les jours le père Dolan. Écrivez. Toi, mon garçon, qui es-tu ? »

Le cœur de Stephen fit un sursaut.

« Dedalus, monsieur.

— Pourquoi n'écris-tu pas comme les autres ?

— Je... mes...

— Pourquoi n'écrit-il pas, père Arnall ?

— Il a cassé ses lunettes, dit le père Arnall, et je l'ai dispensé de travailler.

— Cassé ? Qu'est-ce que j'entends ? Quoi ? Ton nom ? dit le préfet des études.

— Dedalus, monsieur.

— Approche, Dedalus. Vilain petit combinard[1] ! Je vois sur ta figure que tu es un combinard. Où as-tu cassé tes lunettes ? »

Stephen s'avança en titubant jusqu'au milieu de la classe, aveuglé par la peur et la hâte.

« Où as-tu cassé tes lunettes ? répéta le préfet des études.

— Sur la cendrée, monsieur.

— Hoho ! la cendrée ! s'écria le préfet. Je connais le truc ! »

Stephen leva les yeux avec étonnement et vit pendant un instant le visage du père Dolan, son visage grisâtre, vieillot, sa tête chauve, grise, encadrée de duvet, le bord métallique de ses lunettes et ses yeux sans couleur regardant à travers les verres[2]. Pourquoi disait-il qu'il connaissait le truc ?

« Vilain petit fainéant ! cria le préfet. Cassé mes lunettes ? Vieux truc d'écolier ! Allons ! ta main, et tout de suite ! »

Stephen ferma les yeux et tendit en l'air sa main tremblante la paume en haut. Il sentit que le préfet la prenait par les doigts pour la retourner ; il entendit siffler la manche de la soutane, quand la férule se leva pour frapper. Un coup chaud, brûlant, mordant, cuisant, quelque chose comme le craquement sonore d'un bâton qu'on brise — et sa main tremblante se recroquevilla comme une feuille dans la flamme. Ce bruit et cette douleur firent jaillir de ses yeux des larmes brûlantes. Tout son corps tremblait de peur, son bras tremblait et sa main recroquevillée, brûlante, livide, tremblait comme une feuille au vent. Un cri de supplication monta à ses lèvres. Cependant, malgré ses yeux brûlés par les larmes, malgré ses membres agités par la douleur et la crainte, il réprima les larmes chaudes et le cri qui brûlait sa gorge.

« L'autre main ! » cria le préfet des études.

Stephen retira son bras droit, endolori, frémissant, et présenta sa main gauche. La manche de la soutane siffla de nouveau tandis que la férule se levait ; un craquement sonore, et la douleur féroce, affolante, mordante, cuisante, rétrécit sa main, paume et doigts ensemble, en une seule masse livide et tremblante. L'eau bouillonnante jaillit de ses yeux, et, brûlant de honte, d'angoisse et de terreur, il retira son bras tremblant et terrorisé, laissa échapper un gémissement. Son corps était secoué par l'excès de la frayeur ; et, dans sa honte et sa rage, il sentait s'échapper de sa gorge le cri brûlant et les larmes cuisantes tomber de ses yeux, le long de ses joues en feu.

« À genoux ! » cria le préfet des études.

Stephen s'agenouilla bien vite, serrant contre son corps ses mains endolories. De les imaginer endolories et enflées soudain, il les plaignait, comme si elles n'étaient pas à lui, mais à quelqu'un d'autre dont il aurait eu pitié. Et tout en s'agenouillant, en apaisant les derniers sanglots dans sa gorge, et en sentant la douleur cuisante blottie contre son corps, il pensait aux mains qu'il avait tendues en l'air, la paume en haut, au ferme attouchement du préfet quand celui-ci avait redressé les doigts agités, et puis à la masse endolorie, enflée, rougie, paume et doigts ensemble, qui palpitait misérablement en l'air.

« Au travail, vous tous ! cria le préfet du seuil de la porte. Le père Dolan repassera tous les jours pour voir s'il y a quelque paresseux, quelque petit tricheur fainéant qui a besoin d'une correction. Tous les jours, tous les jours ! »

La porte se referma sur lui.

Les élèves continuèrent en silence à copier leurs exercices. Le père Arnall quitta son siège et se mit à marcher au milieu d'eux, les aidant avec des mots gentils, et leur signalant leurs fautes. Sa voix était pleine de bonté et de douceur. Puis il regagna son siège et dit à Fleming et à Stephen :

« Vous pouvez retourner à vos places, vous deux. »

Fleming et Stephen se relevèrent, s'en allèrent vers leurs bancs et s'assirent. Stephen, écarlate de honte, ouvrit vivement un livre d'une main faible, et se pencha, la figure contre la page.

C'était injuste et cruel, puisque le médecin lui avait défendu de lire sans lunettes et qu'il venait d'écrire à son père ce matin même de lui en envoyer d'autres. Et le père Arnall avait dit qu'il n'avait pas besoin de travailler avant d'avoir reçu des lunettes neuves. Et voilà qu'il était traité de combinard devant toute la classe, et battu, lui qui avait toujours été premier ou second, à la tête des Yorkistes. Comment le préfet des études savait-il que c'était un truc ? Il se rappela le contact des doigts du préfet redressant sa main et d'abord il avait cru que le préfet voulait lui donner une poignée de main, tellement ses doigts étaient doux et fermes ; mais l'instant d'après il avait entendu le sifflement de la manche de la soutane et le claquement de la férule. C'était injuste et cruel, de l'avoir fait mettre à genoux, ensuite, au milieu de la classe ; et puis le père Arnall venait de leur dire, à Fleming et à lui, qu'ils pouvaient retourner à leurs places, sans faire aucune distinction entre eux. Il écoutait la voix basse et gentille du père Arnall corrigeant les exercices. Peut-

être il avait du regret maintenant et il essayait de
se montrer gentil? Mais c'était injuste et cruel. Le
préfet des études était un prêtre, mais c'était injuste
et cruel. Son visage gris et les yeux sans couleur,
derrière les lunettes à monture d'acier, avaient l'air
cruel parce qu'il avait d'abord redressé la main de
Stephen avec ses doigts fermes et doux et c'était pour
la frapper mieux et avec plus de bruit.

« C'est vachement moche, ça on peut le dire, dit
Fleming dans le corridor, pendant que les élèves
défilaient vers le réfectoire, — battre un garçon
pour quelque chose qui n'est pas de sa faute!

— C'est vraiment par accident que tu as cassé
tes lunettes? » demanda La Rosse.

Stephen sentait les paroles de Fleming remplir
son cœur et ne répondit pas.

« Bien sûr que c'est par accident! dit Fleming.
Moi, je ne supporterais pas ça. Je monterais trouver le recteur et je dénoncerais le préfet des
études.

— Oui, dit avec ardeur Cecil Thunder, et puis je
l'ai vu lever la férule par-dessus son épaule, et il
n'a pas le droit de le faire.

— Est-ce que cela t'a fait bien mal? demanda
La Rosse.

— Très mal, dit Stephen.

— Moi, je ne supporterais pas ça, répéta Fleming, ni de la part de Crâne Chauve, ni d'aucun
autre crâne chauve. C'est vachement moche et
dégoûtant, ça, on peut le dire! Moi, je monterais
droit chez le recteur, après le dîner, et je lui
dirais tout.

— Oui, vas-y! Vas-y! dit Cecil Thunder.

— Oui, vas-y! monte chez le recteur et dénoncele, Dedalus ! dit La Rosse, parce qu'il a dit qu'il repasserait demain pour te battre !

— Oui, oui. Dis-le au recteur ! » répétaient les garçons.

Et il y avait quelques élèves de seconde grammaire qui écoutaient, et l'un d'eux dit :

« Le Sénat et le peuple romain déclarèrent que Dedalus avait été puni injustement. »

C'était injuste ; c'était inique et cruel ; assis au réfectoire, il revivait, encore et toujours, par la pensée, la même humiliation, jusqu'à ce qu'il commençât à se demander s'il n'y avait pas réellement sur son visage quelque chose qui lui donnait l'air d'un combinard et il aurait voulu avoir un petit miroir pour regarder. Mais non, ça ne se pouvait pas ; et c'était injuste et cruel et inique.

Il ne pouvait pas manger ces tranches noirâtres de poisson frit qu'on leur donnait le mercredi pendant le carême et l'une de ses pommes de terre portait la trace de la bêche. Oui, il ferait ce que ses camarades lui conseillaient. Il monterait et dirait au recteur qu'il avait été puni injustement. Une chose comme ça, quelqu'un dans l'histoire l'avait déjà faite, un grand personnage dont la tête se trouvait dans les livres d'histoire. Et le recteur déclarerait qu'il avait été puni injustement parce que le Sénat et le peuple romain déclaraient toujours que les hommes qui faisaient cela avaient été punis injustement. C'étaient de grands hommes, dont les noms étaient dans les *Questions* de Richmal Magnal [1]. L'histoire tout entière ne parlait que de ces hommes-là et de ce qu'ils avaient fait, et c'est de cela qu'il s'agissait dans les Récits grecs et romains de Peter Parley [2]. On voyait à la première page Peter Parley lui-même dans une image. Il y avait une route à travers la lande, bordée d'herbe et de petits buissons ; Peter Parley avait un chapeau à larges bords comme un ministre protestant et une grosse canne, et il marchait vite sur la route vers la Grèce et vers Rome.

C'était facile, ce qu'il avait à faire. Tout ce qu'il avait à faire, c'était, une fois sorti du réfectoire, après le dîner, de continuer à marcher pas vers le couloir, mais en montant l'escalier de droite qui menait au château. Il n'avait que ça à faire : tourner à droite et monter rapidement et en une demi-minute il se trouverait dans le corridor bas, étroit et sombre, qui conduisait à travers le château jusqu'au bureau du recteur. Et tous ses camarades avaient dit que c'était injuste, même l'élève de seconde grammaire, qui avait dit cette phrase sur le Sénat et le peuple romain.

Qu'allait-il se passer ? Il entendit les élèves des grandes classes se lever au fond du réfectoire et il entendit leurs pas sur le tapis de nattes ; Paddy Rath et Jimmy Magee, et l'Espagnol et le Portugais et le cinquième était le grand Corrigan, celui qui allait être fouetté par M. Gleeson. Voilà pourquoi le préfet des études avait traité Stephen de combinard et l'avait battu pour rien ; et, faisant un effort avec ses yeux faibles, épuisés par les larmes, il se mit à observer les larges épaules, la grosse tête noire et penchée du grand Corrigan dans la file des élèves. Mais celui-là avait réellement commis quelque chose, et puis M. Gleeson ne le fouetterait pas bien fort ; et il se rappela combien Corrigan paraissait grand au bain. Il avait une peau de la même couleur que l'eau bourbeuse dans la partie peu profonde de la piscine ; lorsqu'il marchait le long du bord ses pieds claquaient bruyamment sur le carrelage humide et à chaque pas ses cuisses tremblaient un peu parce qu'il était gras.

Le réfectoire était à moitié vide, et les élèves défilaient toujours. Il pouvait monter l'escalier, puisqu'il n'y avait jamais aucun prêtre ni préfet devant la porte du réfectoire. Mais non, il ne pouvait pas. Le recteur prendrait le parti du préfet des études et penserait que c'était un truc d'écolier et alors le préfet repasserait tous les jours, et ça serait la même chose, ou plutôt pire, parce qu'il serait dans une rogne terrible qu'un élève soit allé le dénoncer au recteur. Ses camarades lui avaient conseillé d'y aller, mais ils ne l'auraient pas fait eux-mêmes. Ils n'y pensaient plus du tout. Non, il valait mieux ne plus y penser et peut-être le préfet des études avait-il seulement dit qu'il repasserait ? Non, il valait mieux se tenir à l'écart parce que quand vous êtes petit et jeune vous pouvez souvent vous en tirer de cette façon.

Ses camarades de table se levèrent à leur tour. Il se leva et se mit avec les autres dans la file. Il lui fallait prendre une décision. Il s'approchait de la porte. S'il continuait avec les autres, il ne pourrait jamais monter chez le recteur parce qu'il ne pourrait pas quitter le terrain de jeux pour cela. Et s'il y allait, et s'il était battu tout de même ensuite, tous ses camarades se moqueraient de lui et parleraient du petit Dedalus qui était allé chez le recteur pour dénoncer le préfet des études.

Il suivait le tapis et voyait la porte devant lui. C'était impossible ; il ne pouvait pas. Il pensa à la tête chauve du préfet des études qui le regardait avec ses yeux cruels et sans couleur et il entendit la voix du préfet lui demandant son nom deux fois. Pourquoi ne se rappelait-il plus son nom, puisqu'il le lui avait dit une première fois ? Est-ce qu'il n'avait pas écouté la première fois, ou bien était-ce pour se moquer de son nom ? Les grands hommes dans l'histoire avaient des noms comme celui-là et personne ne s'en moquait. Il n'avait qu'à se moquer de son propre nom, s'il avait envie de railler. Dolan : ça ressemblait au nom d'une femme qui lave les vêtements !

Il avait atteint la porte et, tournant rapidement à droite, monta les marches et, avant d'avoir pu décider de rebrousser chemin, il était entré dans le corridor bas, étroit et sombre qui conduisait au château. Et au moment où il franchissait le seuil du corridor, il vit, sans tourner la tête pour regarder, que tous ses camarades le suivaient du regard en défilant.

Il longea le corridor étroit et sombre, dépassant de petites portes, celles des chambres de la communauté. Il jetait des regards en avant, à droite, à gauche, dans l'obscurité et pensait qu'il y avait là des portraits. Le corridor était sombre et silencieux et ses yeux étaient faibles et fatigués par les larmes, de sorte qu'il ne voyait pas bien. Mais il pensait que c'étaient les portraits des saints et des grands hommes de l'ordre qui le toisaient en silence tandis qu'il passait : saint Ignace de Loyola tenant un livre ouvert et désignant les mots : *Ad Majorem Dei Gloriam*[1] ; saint François Xavier montrant sa poitrine ; Lorenzo Ricci avec une barrette sur la tête, comme un des préfets des sections ; les trois patrons de la sainte adolescence : saint Stanislas Kostka, saint Louis de Gonzague, et le bienheureux Jean Berchmans, tous avec de jeunes visages, parce qu'ils moururent jeunes[2] ; et le père Peter Kenny[3] assis dans un fauteuil et enveloppé dans un grand manteau.

Il arriva au palier qui dominait le vestibule et regarda autour de lui. C'était par là que Hamilton Rowan était passé et c'était là que se trouvaient les traces des lingots des soldats[4]. Et c'était là aussi que les vieux domestiques avaient vu le revenant, avec son manteau blanc de maréchal.

Un vieux domestique était en train de balayer au bout du palier. Il lui demanda où se trouvait la chambre du recteur et le vieux domestique indiqua la porte à l'autre bout et le suivit des yeux tandis qu'il s'en approchait et frappait.

Il n'y eut pas de réponse. Il frappa de nouveau, plus fort, et son cœur sursauta quand il entendit une voix assourdie qui disait :

« Entrez ! »

Il tourna la poignée et ouvrit la porte et chercha à tâtons la poignée de la porte intérieure capitonnée de vert. Il la trouva et poussa le battant et entra.

Il vit le recteur qui écrivait, assis devant un pupitre. Il y avait une tête de mort sur ce pupitre et dans la pièce une odeur étrange, solennelle, pareille à celle du vieux cuir des fauteuils.

Son cœur battait vite à cause de la solennité du lieu où il pénétrait et à cause du silence de la pièce ; et il regarda la tête de mort et le visage bienveillant du recteur.

« Eh bien, mon petit bonhomme, dit le recteur, de quoi s'agit-il ? »

Stephen avala la chose qu'il avait dans la gorge et dit :

« J'ai cassé mes lunettes, monsieur. »

Le recteur ouvrit la bouche et fit :

« Oh ! »

Puis il sourit et dit :

« Eh bien, si nous avons cassé nos lunettes, il faut que nous écrivions à la maison pour demander une nouvelle paire.

— J'ai écrit à la maison, monsieur, dit Stephen, et le père Arnall m'a dit de ne pas étudier jusqu'à ce qu'elles arrivent.

— Très juste ! » dit le recteur.

Stephen avala de nouveau la chose, en tâchant de réprimer le tremblement de ses jambes et de sa voix.

« Mais, monsieur...

— Oui ?

— Le père Dolan est venu aujourd'hui et m'a battu parce que je n'écrivais pas mon exercice. »

Le recteur le regarda en silence et il sentit le sang monter à son visage et les larmes prêtes à jaillir de ses yeux.

Le recteur dit :

« Tu t'appelles Dedalus, n'est-ce pas ?

— Oui, monsieur.

— Et où donc as-tu cassé tes lunettes ?

— Sur la cendrée, monsieur. Un camarade sortait du garage des bicyclettes, et je suis tombé, et elles se sont cassées. Je ne sais pas le nom de ce camarade. »

Le recteur le regarda de nouveau en silence. Puis il sourit et dit :

« Eh bien, il y a eu erreur ; je suis sûr que le père Dolan ne savait pas.

— Mais je lui ai dit que je les avais cassées, monsieur, et il m'a battu.

— Lui as-tu dit que tu avais écrit à la maison pour en avoir d'autres ? demanda le recteur.

— Non, monsieur.

— Eh bien alors, fit le recteur, le père Dolan n'a pas compris. Tu peux dire que je te dispense de tes leçons pour quelques jours. »

Stephen dit rapidement, de peur d'être arrêté par son tremblement :

« Oui, monsieur, mais le père Dolan a dit qu'il repasserait demain pour me battre de nouveau pour ça.

— Très bien, dit le recteur, c'est une erreur et je parlerai moi-même au père Dolan. Alors, est-ce que cela ira comme ça ? »

Stephen sentit des larmes mouiller ses yeux et murmura :

« Oh, oui, monsieur ! merci. »

Le recteur tendit la main par-dessus le coin du pupitre où se trouvait la tête de mort et Stephen, y plaçant un instant ses doigts, sentit une paume fraîche et humide.

« Et maintenant, bonsoir, dit le recteur, retirant sa main et s'inclinant.

— Bonsoir, monsieur », dit Stephen.

Il s'inclina et sortit doucement de la pièce, refermant la porte avec précaution et lenteur.

Mais quand il eut dépassé le vieux domestique sur le palier et se trouva de nouveau dans le corridor bas, étroit et sombre, il se mit à marcher de plus en plus vite. De plus en plus vite, il s'élança, dans l'obscurité tout agité. Il se cogna le coude contre la porte du fond, descendit précipitamment l'escalier, franchit en hâte les deux couloirs et sortit au grand air.

Il entendit les cris de ses camarades sur les terrains de jeux. Il se mit à courir et, de plus en plus vite, traversa la cendrée et atteignit, haletant, le terrain de la troisième division.

Ses camarades l'avaient vu accourir. Ils se rassemblèrent en cercle autour de lui, se bousculant pour mieux entendre.

« Raconte ! raconte !

— Qu'est-ce qu'il a dit ?

— Tu es entré ?

— Qu'est-ce qu'il a dit ?

— Raconte ! raconte ! »

Il leur raconta ce qu'il avait dit et ce que le recteur avait dit, et quand il eut fini, tous les élèves lancèrent leurs casquettes en les faisant tourbillonner en l'air et crièrent :

« Hourrah ! »

Ils rattrapèrent leurs casquettes, et les renvoyèrent tournoyer au ciel, et crièrent encore :

« Hourrah ! hourrah ! »

Ils joignirent leurs mains en berceau et le hissèrent au milieu de leur groupe et le promenèrent ainsi jusqu'à ce qu'il se débattît pour reprendre sa liberté. Et quand il se fut échappé, ils se dispersèrent dans toutes les directions, lançant encore leurs casquettes en l'air, sifflant tandis qu'elles montaient en tournoyant et criant :

« Hourrah ! »

Et ils poussèrent trois rugissements pour conspuer Dolan le crâne chauve, et trois bans pour Conmee [1], et le proclamèrent le plus chic recteur qu'on eût jamais vu à Clongowes.

Les acclamations s'évanouirent dans l'air gris et doux. Il était seul. Il était heureux et libre ; mais il n'en serait pas plus fier devant le père Dolan. Il serait très sage et obéissant [2] ; et il aurait voulu pouvoir faire quelque chose de gentil pour le préfet afin de lui montrer qu'il n'était pas orgueilleux.

L'air était doux et gris et tiède, et le soir venait. Il y avait dans l'air l'odeur du soir, l'odeur de ces champs où les garçons arrachaient des navets pour les peler et les manger, lorsqu'ils allaient se promener du côté de chez le major Barton, l'odeur du petit bois derrière le pavillon où il y avait des noix de galle.

Ses camarades s'entraînaient à faire des *long shies*, des *bowling lobs*, des *slow twisters* [3]. Dans le silence doux et gris, il entendait le choc des balles ; et, de-ci delà, à travers l'air tranquille, venait le son des battes de cricket ; pic-pac-poc-puc : comme les gouttes d'eau d'une fontaine tombant doucement dans la vasque débordante.

CHAPITRE II

Oncle Charles[1] faisait usage de carottes d'un tabac si noir, qu'à la longue son neveu lui proposa de se livrer à sa fumerie matinale dans un petit appentis au bout du jardin.

« Très bien, Simon. Beau fixe, Simon, répondit le vieillard d'un air placide. Où il te plaira. L'appentis fera bien mon affaire. Ce sera plus salubre. »

M. Dedalus déclara avec franchise :

« Que le diable m'emporte si je comprends comment vous pouvez fumer du tabac aussi infect ! On dirait de la poudre à canon, ma parole !

— Il est fort agréable, Simon, répliqua le vieux. C'est rafraîchissant, c'est émollient. »

Tous les matins donc, oncle Charles se rendait à son appentis, non sans avoir pris soin de faire sa raie, de lisser les cheveux de sa nuque, de brosser et de poser sur sa tête son chapeau haut de forme. Pendant qu'il fumait, on ne voyait de lui que le bord de ce chapeau et le fourneau de la pipe dépassant, de profil, les montants de la porte. Sa tonnelle, comme il appelait ce lieu empesté qu'il partageait avec le chat et les outils de jardinage, lui servait aussi de caisse de résonance ; chaque matin, d'un air heureux, il fredonnait une de

ses romances préférées : *Tressez-moi une charmille*, ou
bien : *Les Yeux bleus et les Cheveux d'or*, ou bien : *Les
Bosquets de Blarney*, tandis que les spirales de fumée,
grises et bleues, montaient lentement de sa pipe et
s'évanouissaient dans l'air pur.

Pendant la première partie de l'été, à Blackrock[1],
oncle Charles fut le compagnon constant de Stephen.
C'était un vieillard encore vert, à la peau bien tannée,
aux traits rudes, aux favoris blancs. Les jours de
semaine, il faisait le messager entre la maison de
l'avenue Carysfort et les boutiques de la rue principale
auxquelles la famille de Stephen donnait sa pratique.
Stephen aimait à l'accompagner dans ces courses, car
oncle Charles lui offrait libéralement, à pleines mains,
n'importe quelles denrées exposées en caisses ouvertes
ou en tonneaux devant les comptoirs. Il saisissait, par
exemple, une poignée de raisins conservés dans la
sciure, ou bien trois ou quatre pommes, et les fourrait
généreusement dans la main de son petit-neveu, tandis
que le marchand souriait d'un air gêné. Et comme
Stephen feignait de n'accepter qu'à contrecœur, l'oncle
fronçait les sourcils et disait :

« Prenez, monsieur. Vous m'entendez, monsieur ?
C'est bon pour vos intestins. »

La liste des commissions enregistrée, ils s'en allaient
tous deux jusqu'au parc où ils trouvaient un vieil ami
du père de Stephen, Mike Flynn[2], installé sur un banc
à les attendre. Alors commençait la course de Stephen
tout autour du parc. Mike Flynn se postait à la porte du
côté de la gare, sa montre à la main, tandis que
Stephen effectuait son parcours à l'allure préconisée
par ledit Mike Flynn, la tête haute, les genoux bien
soulevés, les mains pendant droit à ses côtés[3]. L'exercice terminé, l'entraîneur faisait ses observations et
parfois les illustrait en clopinant drôlement, l'espace

de quelques mètres, avec sa vieille paire de souliers de toile bleue. Un petit cercle de nourrices et d'enfants ébahis se rassemblait pour les regarder et s'attardait là, même lorsque Mike Flynn et oncle Charles se rasseyaient pour reprendre leur entretien sur les sports et la politique. Bien que son père lui eût raconté que quelques-uns des meilleurs coureurs des temps modernes étaient passés par les mains de Mike Flynn, Stephen levait souvent un regard sceptique vers le visage flasque et mal rasé de son entraîneur, penché sur ses longs doigts maculés qui roulaient une cigarette ; il observait avec compassion ces yeux bleus, doux et ternes, qui soudain, quittant la besogne, contemplaient d'un air vague l'espace bleu, cependant que les longs doigts enflés cessaient de rouler la cigarette et que les débris et les fibres de tabac retombaient dans la blague.

Sur le chemin du retour, oncle Charles faisait souvent une station dans la chapelle ; comme le bénitier n'était pas à la portée de Stephen, le vieillard y plongeait la main, puis aspergeait énergiquement les vêtements de Stephen et le sol du porche. Pour prier, il posait les genoux sur son mouchoir rouge et marmottait en lisant dans un paroissien noirci par le pouce, où les renvois étaient imprimés au bas de chaque page. Stephen s'agenouillait à côté de lui, respectant sa piété sans la partager. Il se demandait souvent ce que son grand-oncle pouvait implorer avec tant de gravité. Peut-être priait-il pour les âmes du purgatoire ou bien pour obtenir la grâce d'une bonne mort, ou peut-être demandait-il à Dieu de lui rendre une partie de la grande fortune qu'il avait gaspillée à Cork [1] ?

Le dimanche, Stephen, son père et son grand-oncle s'en allaient faire leur promenade habituelle. Le vieillard était un marcheur intrépide malgré ses cors, et

souvent on abattait dix ou douze milles. C'est au petit
village de Stillorgan qu'il fallait choisir. Ils prenaient
tantôt à gauche, vers les monts de Dublin, tantôt par la
route de Goatstown et de là vers Dundrum, pour
revenir par Sandyford. Tout en cheminant ou bien en
faisant halte dans quelque cabaret crasseux, ses aînés
devisaient sans cesse sur les sujets qui leur tenaient à
cœur : sur la politique de l'Irlande, sur le Munster[1],
sur les histoires de leur propre famille ; à tout cela
Stephen prêtait une oreille avide. Des mots qu'il ne
comprenait pas, il se les répétait jusqu'à les apprendre
par cœur et, par leur intermédiaire, il entrevoyait ce
qu'était le monde réel qui l'entourait. L'heure où, lui
aussi, il prendrait part à la vie de ce monde semblait
approcher et il commençait en secret à se préparer au
grand rôle qui devait l'attendre, mais dont il ne
devinait que confusément la nature.

Ses soirées lui appartenaient et il se plongeait dans
une traduction dépenaillée du *Comte de Monte-Cristo*.
La figure de ce farouche vengeur personnifiait dans son
esprit tout ce qu'il avait entendu ou pressenti
d'étrange et de terrible durant son enfance. Le soir, il
reproduisait sur la table du salon la fabuleuse caverne
de l'île, à l'aide de décalcomanies, de fleurs en papier,
de papier crépon de couleur, de bandes de papier
d'argent ou d'or provenant des tablettes de chocolat. À
la fin lorsque, fatigué de tout ce clinquant, il avait
détruit le décor, son imagination retrouvait dans tout
leur éclat les visions de Marseille, des treilles ensoleillées et de Mercédès. Aux environs de Blackrock, sur la
route qui menait aux montagnes, il y avait une petite
maison blanchie à la chaux, dans le jardin de laquelle
poussaient de nombreux rosiers ; et dans cette maison,
se disait-il, habitait une autre Mercédès. Sur le chemin
du départ comme sur celui du retour, il mesurait la

distance d'après ce point de repère; et dans son imagination il vivait une longue série d'aventures aussi merveilleuses que celles du livre, vers la fin desquelles apparaissait une image de lui-même, devenu plus âgé et plus triste, debout dans un jardin éclairé par la lune, en compagnie de Mercédès qui avait, tant d'années auparavant, dédaigné son amour et à qui il disait, avec un geste de refus triste et fier :

« Madame, je ne mange jamais de raisin muscat[1]. »

Il s'allia avec un garçon qui s'appelait Aubrey Mills et ils organisèrent une bande d'aventuriers dans l'avenue; Aubrey avait un sifflet brinquebalant à sa boutonnière et une lanterne de bicyclette attachée à la ceinture, tandis que les autres passaient dans leurs ceintures à eux de courtes baguettes en guise de poignards. Stephen, connaissant par ses lectures la simplicité du costume de Napoléon, préféra demeurer sans parure rehaussant de la sorte à ses propres yeux le plaisir qu'il prenait à consulter son lieutenant avant de donner un ordre. La bande faisait des incursions dans des jardins de vieilles filles, ou bien descendait vers le château[2] et livrait bataille sur les rochers envahis de mauvaises herbes; on s'en revenait ensuite, traînards harassés, les narines pleines d'une âcre odeur de marée, les mains et les cheveux imprégnés d'huile d'algues marines.

Aubrey et Stephen avaient le même laitier, et souvent ils se faisaient emmener par lui en voiture à Carrickmines, où les vaches étaient au pâturage. Pendant que les hommes étaient occupés à traire, les deux garçons, à tour de rôle, parcouraient le champ à cheval sur la jument docile. Mais l'automne venu, les vaches furent ramenées du pâturage, et le seul aspect de la vacherie immonde de Stradbrook[3], avec ses flaques vertes et croupies, ses caillots de fumier liquide, ses

auges fumantes, donna la nausée à Stephen. Les bêtes,
qui lui avaient semblé si belles dans la campagne par
les jours de soleil, le dégoûtaient maintenant; il ne
pouvait même plus regarder le lait qu'elles donnaient.

La venue de septembre ne le troubla point cette
année-là, parce qu'il ne devait pas retourner à Clongowes. Les exercices physiques dans le parc prirent fin
lorsque Mike Flynn entra à l'hôpital. Aubrey était à
l'école et n'avait qu'une ou deux heures de liberté dans
la soirée. La bande se dispersa; il n'y eut plus d'expéditions nocturnes ni de batailles sur les rochers. Stephen
s'en allait parfois avec la voiture qui livrait le lait du
soir[1]; ces courses à travers la fraîcheur balayaient le
souvenir des immondices de la vacherie et il regardait
sans répugnance les poils de vache et les débris de foin
qui parsemaient les vêtements du laitier. Chaque fois
que la voiture s'arrêtait devant une maison, il guettait
l'occasion d'apercevoir une cuisine bien astiquée, ou
bien un vestibule doucement éclairé, de voir comment
la servante tendrait sa cruche au laitier et comment
elle fermerait la porte. Il pensait que ce serait une
existence bien agréable, de s'en aller chaque soir en
voiture, le long des routes, livrer le lait, à condition
d'avoir des gants chauds et, dans sa poche, un sac bien
bourré de gâteaux au gingembre. Mais cette même
prescience qui naguère lui enlevait son courage et
faisait fléchir soudain ses jambes lorsqu'il faisait le
tour du parc en courant, cette même intuition qui le
poussait à regarder avec scepticisme le visage flasque
et mal rasé de son entraîneur, lourdement incliné vers
ses longs doigts maculés, dissipait devant lui toute
vision de l'avenir. Il comprenait vaguement que son
père avait des ennuis et que c'était pour cela que lui-
même n'avait plus été envoyé à Clongowes. Depuis
quelque temps il sentait de petits changements à la

maison ; ces changements dans ce qui lui avait toujours paru immuable étaient autant de petits coups
portés à sa conception enfantine du monde. L'ambition
qu'il sentait parfois s'agiter dans les ténèbres de son
âme ne cherchait pas d'issue. Un crépuscule, pareil à
celui du monde extérieur, obscurcissait son esprit
tandis qu'il écoutait les sabots de la jument claquer le
long de la voie du tramway, sur la route de Rock [1], le
grand bidon ballotter et sonner derrière lui.

Il retourna à Mercédès et, tandis qu'il s'attardait à
cette image [2], une étrange inquiétude s'insinua dans
son sang. Parfois une fièvre s'emparait de lui et le
faisait errer seul, le soir, dans la calme avenue. La paix
des jardins, les lumières amicales des fenêtres répandaient leur tendre influence sur son cœur inquiet. Le
bruit des enfants qui jouaient le contrariait, et leurs
voix niaises lui faisaient sentir, avec plus d'acuité
encore qu'à Clongowes, combien il était différent des
autres. Il n'avait pas envie de jouer. Il avait envie de
rencontrer, dans le monde réel, l'image insubstantielle
que son âme contemplait avec une telle constance. Il
ne savait où la chercher ni comment, mais une prescience le conduisait, lui disait que cette image viendrait à sa rencontre, sans aucun acte déclaré de sa part.
Ils se rejoindraient tranquillement, comme s'ils
s'étaient déjà connus et s'étaient donné rendez-vous,
peut-être devant une de ces grilles, ou bien en quelque
endroit plus secret. Ils seraient seuls, entourés d'obscurité et de silence ; et, dans ce moment de suprême
tendresse, il serait transfiguré. Il se fondrait en quelque chose d'impalpable sous ses yeux à elle, et puis, au
bout d'un instant, il reparaîtrait transfiguré. La faiblesse, la timidité, l'inexpérience se détacheraient de
lui en cet instant magique.

*

Un matin, deux grands camions jaunes s'étaient arrêtés devant la porte, et des hommes étaient entrés d'un pas pesant dans la maison, pour la dépouiller. On avait poussé les meubles à travers le jardin, jonché de paille et de bouts de corde, jusque dans les énormes fourgons devant la grille. Le tout solidement arrimé, les fourgons s'étaient mis à descendre l'avenue avec fracas ; par la portière du wagon de chemin de fer, où il se tenait près de sa mère aux yeux rougis, Stephen les avait vus avancer lourdement sur la route de Merrion[1].

Le feu du salon ne voulait pas tirer ce soir-là ; M. Dedalus posa le tisonnier contre les barreaux de la grille pour raviver la flamme. Oncle Charles somnolait dans un coin de la pièce à demi meublée, dépourvue de tapis ; près de lui, des portraits de famille étaient adossés au mur. La lampe posée sur la table éclairait faiblement le plancher sali par les pieds des déménageurs. Stephen était assis sur un escabeau, à côté de son père, prêtant l'oreille au long et incohérent monologue de celui-ci. D'abord il ne comprit presque rien, mais peu à peu il se rendit compte que son père avait des ennemis et qu'un certain combat allait avoir lieu. Il sentit aussi qu'on l'enrôlait lui-même pour ce combat, qu'on plaçait sur ses épaules un certain devoir[2]. La fuite soudaine loin de l'atmosphère confortable et rêveuse de Blackrock, la traversée de la ville sombre et embrumée, l'idée de la maison nue et sans gaieté où ils allaient vivre désormais, alourdissaient son cœur ; et de nouveau il lui vint une intuition, une prescience de l'avenir. Il comprit aussi pourquoi les domestiques avaient souvent chuchoté entre eux dans le vestibule, et pourquoi son père s'était souvent planté sur le tapis du foyer, le dos au feu, parlant à voix haute avec oncle

Charles qui le pressait de s'asseoir et de continuer son repas.

« Je ne suis pas encore au bout de mon rouleau, Stephen, mon vieux, disait M. Dedalus en tisonnant avec une farouche énergie le feu languissant. Nous ne sommes pas morts encore, mon gars ! Non, par le Seigneur Jésus ! (Dieu me pardonne.) Pas même à moitié morts[1] ! »

Dublin offrit à Stephen des sensations nouvelles et complexes[2]. Oncle Charles était devenu si faible d'esprit qu'on ne pouvait plus l'envoyer aux commissions et le désordre de l'emménagement rendit Stephen plus libre qu'il ne l'avait été à Blackrock. D'abord il se contenta de faire timidement le tour de la place voisine[3], ou, tout au plus, de descendre à moitié l'une des rues adjacentes ; mais lorsqu'il eut établi mentalement un plan schématique de la ville[4], il s'aventura dans l'une de ses voies principales jusqu'aux abords de la Douane[5]. Il passa, sans encombre, parmi les docks et le long des quais, rêvant devant la multitude de bouchons qui se balançaient sur l'eau dans une épaisse écume jaune, devant la foule des débardeurs, devant les camions grondants, devant le policeman barbu et mal habillé. Les ballots de marchandises entassés le long des murs ou hissés en l'air du fond des cales des vapeurs lui suggéraient l'idée de la vie immense, étrange, et réveillaient en lui la nostalgie qui naguère le faisait errer le soir, de jardin en jardin, à la recherche de Mercédès. Et parmi cette vie nouvelle et mouvante, il aurait pu se croire dans quelque autre Marseille, s'il ne lui eût manqué le ciel lumineux et les treilles ensoleillées des tavernes. Un vague mécontentement s'élevait en lui tandis qu'il contemplait les quais, le fleuve, le ciel et cependant il continuait à errer, jour après jour, comme s'il cherchait réellement quelqu'un qui lui échappait.

Une ou deux fois il alla avec sa mère faire des visites de famille ; mais, malgré le luxe riant des boutiques, illuminées et décorées pour les fêtes de Noël, son accès de silencieuse amertume ne se dissipa point. Les causes en étaient nombreuses, lointaines et proches. Il s'en voulait à lui-même d'être jeune, d'être en proie à des impulsions incessantes et absurdes ; il en voulait au revers de fortune qui recréait le monde autour de lui en un spectacle sordide et mensonger. Ce n'était pourtant pas son ressentiment qui altérait ainsi la vision. Il enregistrait patiemment ce qu'il voyait, s'en détachant lui-même, éprouvant leur saveur mortifiante en secret.

Il était assis sur la chaise sans dossier, dans la cuisine de sa tante[1]. Une lampe à réflecteur était accrochée au panneau verni, près de l'âtre, et dans cette lumière, sa tante lisait le journal du soir[2] posé sur ses genoux. Après avoir longuement regardé une image souriante reproduite dans ce journal, elle dit d'un air rêveur :

« La belle Mabel Hunter[3] ! »

Une fillette aux cheveux bouclés[4] se dressa sur la pointe des pieds pour voir l'image et dit doucement :

« Dans quoi joue-t-elle, m'man ?

— Dans la pantomime, chérie. »

L'enfant appuya sa tête bouclée contre la manche de sa mère, contempla le portrait et murmura, comme fascinée :

« La belle Mabel Hunter ! »

Comme fascinés, ses yeux demeuraient fixés sur ces autres yeux discrètement railleurs ; elle murmura avec ferveur :

« Quelle exquise créature, n'est-ce pas ? »

Et le garçon qui venait d'entrer, courbé sous une charge de charbon, entendit ces paroles. Il laissa tomber vivement son fardeau à terre et s'élança vers la fillette pour voir le portrait. Mais elle ne leva pas son paisible visage pour le laisser regarder. Il froissait les bords du journal avec ses mains rougies et noircies, il repoussait l'enfant de côté, il se plaignait de ne pas arriver à voir l'image.

Il était assis dans l'étroite salle à manger, tout en haut de la vieille maison aux fenêtres sombres[1]. Le reflet du feu tremblait sur le mur et, par-delà la fenêtre, un crépuscule fantomatique s'amassait au-dessus du fleuve. Devant le feu, une vieille femme s'affairait à préparer le thé et tout en vaquant à sa besogne, elle racontait à voix basse ce que le prêtre et le médecin avaient dit. Elle parlait aussi de certains changements qu'elle avait observés chez « elle » ces temps derniers, de « ses » manières et de « ses » propos bizarres. Il restait assis, prêtant l'oreille aux paroles et suivant les routes de l'aventure qui s'ouvraient parmi les charbons : arches, voûtes, galeries tortueuses, cavernes déchiquetées.

Soudain il sentit que quelque chose se trouvait dans l'encadrement de la porte. Une tête de mort apparut, suspendue sur le fond noir de la porte ouverte. Une créature débile, semblable à un singe, était là, attirée par le son des voix auprès du feu et une voix plaintive demanda :

« Est-ce Joséphine ? »

La vieille femme affairée répondit gaiement, sans quitter sa place devant l'âtre :

« Non, Ellen, c'est Stephen.

— Ah... bonsoir, Stephen. »

Il répondit à ce salut et vit un sourire imbécile se répandre sur le visage encadré par la porte.

« As-tu besoin de quelque chose, Ellen ? » demanda la vieille femme assise près du feu.

Mais l'autre ne répondit pas à la question ; elle dit :

« Je croyais que c'était Joséphine. Je croyais que tu étais Joséphine, Stephen. »

Et, répétant ces mots à plusieurs reprises, elle fut prise d'un rire débile.

Il se trouvait dans une réunion d'enfants à Harold's Cross[1]. Son humeur taciturne et méfiante s'était accentuée ; il prenait peu de part aux jeux. Les enfants, arborant les dépouilles de leurs pétards à surprise, dansaient et jouaient bruyamment ; mais, malgré ses efforts pour partager leur allégresse, il sentait qu'il faisait triste figure parmi leurs gais tricornes et leurs capelines.

Cependant, après qu'il eut chanté sa chanson et se fut retiré dans un coin de la salle, il commença à goûter la joie de son isolement. La gaieté qui, au début de la soirée, lui avait paru fausse et vulgaire, lui devint une atmosphère apaisante ; elle effleurait joyeusement ses sens, elle cachait aux regards des autres l'agitation fébrile de son sang, et dans le tournoiement des danseurs, parmi la musique et les rires, son regard à Elle parvenait jusqu'à sa retraite, caressant, railleur, fouillant, excitant son cœur.

Dans le vestibule, les enfants attardés mettaient leurs affaires : la fête était finie[2]. Elle s'était enveloppée d'un châle ; et, tandis qu'ils s'en allaient ensemble vers le tram, des bouffées de son haleine fraîche et tiède flottaient gaiement autour de sa tête encapuchonnée, et ses souliers tapotaient allégrement le miroir de la route.

C'était le dernier tram. Les maigres chevaux bruns le savaient et secouaient leurs grelots à l'adresse de la nuit claire, en manière d'admonition. Le receveur causait avec le cocher, tous deux hochant fréquemment de la tête dans la lumière verte de la lanterne. Sur les banquettes vides du tram traînaient quelques billets de couleur. Aucun bruit de pas ne venait ni d'un côté de la rue ni de l'autre, aucun bruit ne troublait la paix de la nuit, sauf lorsque les maigres chevaux bruns frottaient leurs museaux l'un contre l'autre et secouaient leurs grelots.

Ils avaient l'air d'écouter, lui en haut du marchepied, elle en bas. Dans les intervalles de leur conversation, elle montait sur sa marche à lui, puis redescendait sur la sienne, et une ou deux fois elle se tint tout contre lui, pendant quelques instants, sur la marche supérieure, oubliant de descendre, puis elle redescendait. Le cœur de Stephen dansait au gré de ces mouvements, comme un bouchon sur les flots de la marée. Il entendait ce que ses yeux lui disaient de dessous le capuchon ; il savait qu'au fond d'un passé brumeux, soit en réalité, soit en songe, il avait déjà entendu leur conte. Il la regardait faire parade de ses frivolités [1], de sa belle robe, de sa ceinture, de ses longs bas noirs, et savait qu'il avait déjà cédé mille fois à ces attraits. Cependant une voix intérieure dominait le bruit de son cœur dansant et lui demandait s'il accepterait d'elle le don vers lequel il n'avait qu'à tendre la main. Et il se souvint du jour où lui et Eileen [2] regardaient, dans les jardins de l'hôtel, les serveurs qui hissaient des pavillons le long du mât, et le fox-terrier qui gambadait sur la pelouse ensoleillée et comment soudain Eileen était partie d'un éclat de rire et s'était mise à courir au tournant de l'allée en pente. Maintenant, comme alors, il demeurait à sa place, l'air indifférent, tranquille spectateur de la scène qui se déroulait devant lui.

« Elle aussi, elle veut que je l'attrape, pensait-il.

C'est pour cela qu'elle est venue au tram avec moi. Je pourrais facilement la saisir, au moment où elle monte sur ma marche ; personne ne regarde. Je pourrais la saisir et l'embrasser. »

Mais il ne fit ni l'un ni l'autre ; et lorsqu'il se trouva seul dans le tram vide, il se mit à déchirer son billet en lambeaux, fixant un regard sombre sur les rainures du plancher.

Le jour suivant, il passa de longues heures assis devant sa table dans une chambre vide de l'étage supérieur. Devant lui, il y avait une plume neuve, une bouteille d'encre neuve, un cahier neuf, couleur d'éme-raude[1]. Par habitude, il avait inscrit en haut de la première page les lettres initiales de la devise des jésuites, A.M.D.G.[2]. Sur la première ligne de la page, il y avait le titre des vers qu'il essayait d'écrire : « A E... C... » Il savait qu'on devait commencer ainsi, parce qu'il avait vu des titres semblables dans le recueil des poèmes de Lord Byron[3]. Après avoir écrit ce titre et tracé, au-dessous, une ligne décorative, il se mit à rêver en faisant des diagrammes sur la couverture du cahier. Il se revit à sa table, à Bray, le lendemain de la discussion au dîner de Noël, essayant d'écrire un poème sur Parnell[4] au dos d'une feuille de contributions de son père[5]. Mais alors son cerveau s'était refusé à traiter ce thème et, abandonnant la tentative, il avait couvert la page avec les noms et les adresses de quelques-uns de ses camarades :

> Roderick Kickham.
> John Lawton.
> Anthony Mac Swiney.
> Simon Moonan.

Aujourd'hui, il prévoyait un nouvel échec, mais à force de ruminer l'épisode[1], il finit par prendre confiance. Au cours de ce procès, tous les éléments qu'il jugeait communs et insignifiants disparurent de la scène. Il ne restait plus trace du tramway, ni des employés, ni des chevaux, et même ni lui ni elle n'apparaissaient distinctement. Les vers parlaient seulement de la nuit, de zéphyr embaumé et de l'éclat virginal de la lune. Une tristesse indéfinie était cachée dans le cœur des protagonistes, tandis qu'ils se tenaient, en silence sous les arbres sans feuilles ; et quand vint l'instant de l'adieu, le baiser que l'un d'eux avait retenu sur ses lèvres fut donné par tous deux à la fois. Après quoi il inscrivit au bas de la page les lettres L. D. S.[2], puis, après avoir caché le cahier, il alla dans la chambre de sa mère et contempla longtemps son visage dans le miroir de la coiffeuse.

Cependant la longue période de loisir et de liberté touchait à sa fin. Un soir, son père rentra débordant de nouvelles qui lui délièrent la langue tant que dura le dîner. Stephen avait attendu ce retour, parce qu'il y avait de l'émincé de mouton ce jour-là, et il savait que son père le laisserait tremper son pain dans la sauce. Mais il ne se régala point, car le mot de Clongowes fut prononcé et aussitôt une écume écœurante recouvrit son palais.

« Je suis tombé sur lui, dit M. Dedalus pour la quatrième fois, juste au coin de la place.

— Alors je pense, dit Mme Dedalus, qu'il sera en mesure d'arranger la chose... pour Belvédère ?

— Bien sûr que oui ! fit M. Dedalus. Puisque je te dis qu'il est provincial de l'ordre, maintenant[3].

— Moi-même, d'ailleurs, je n'ai jamais pu me faire à l'idée d'envoyer Stephen chez les Frères des Écoles chrétiennes, dit Mme Dedalus.

— Au diable les frères ! répliqua M. Dedalus.
L'envoyer chez Paddy Bouse ou Mickey Crotte ? Non !
qu'il reste chez les jésuites, au nom du ciel, puisqu'il a
commencé avec eux. Ils lui seront utiles dans l'avenir.
S'il y a des gaillards capables de vous procurer une
situation, c'est bien eux [1].

— Et puis, leur ordre est très riche, n'est-ce pas,
Simon ?

— Plutôt ! Ils mènent une vie large, tu peux m'en
croire. Tu as vu leur table à Clongowes ? Gavés, ma
parole, comme des coqs de combat ! »

M. Dedalus poussa son assiette vers Stephen et lui
ordonna de finir les restes.

« Eh bien, Stephen, dit-il, il faut que tu pousses à la
roue, mon vieux. Tu as eu de belles et longues vacances !

— Oh, je suis sûre qu'il travaillera ferme à présent,
dit Mme Dedalus, surtout quand il aura Maurice avec
lui !

— Tiens ! par saint Paul, je ne pensais plus à
Maurice [2], dit M. Dedalus. Ici, Maurice ! arrive, bandit,
tête de bois ! Sais-tu que je vais t'envoyer dans un
collège où l'on t'apprendra à lire, b, a, ba ? Et je
t'achèterai un beau petit mouchoir de deux sous pour
garder ton nez au sec. C'est ça qui va être chic, hein ? »

Maurice ricana en regardant son père, puis son frère.
M. Dedalus se vissa le monocle à l'œil et dirigea sur ses
deux fils un regard sévère. Stephen mâchonnait son
pain sans répondre à ce regard.

« À propos, dit M. Dedalus à la fin, le recteur, ou
plutôt le provincial, m'a raconté cette histoire que tu
as eue avec le père Dolan. Tu es un fier coquin, à ce
qu'il paraît.

— Oh ! il n'a pas dit cela, Simon !

— Non, non ! dit M. Dedalus, mais il m'a fait le
compte rendu détaillé de toute l'affaire. Nous bavar-

dions, tu comprends, et un mot en sollicite un autre[1]...
À propos, qui est-ce, crois-tu, qui va avoir ce poste à
l'Hôtel de Ville, d'après lui ? Mais je te raconterai cela
plus tard[2]. Je disais donc que nous bavardions à la
bonne franquette, quand il me demande si notre ami
que voilà porte toujours des lunettes. Et alors il m'a
raconté toute l'histoire.

— Était-il fâché, Simon ?

— Lui ? que non ! "Vaillant petit bonhomme",
disait-il. » M. Dedalus imita l'accent nasillard et
affecté du provincial :

« " Quand je leur ai raconté cela à dîner, le père
Dolan et moi, nous en avons bien ri. Attention à vous,
père Dolan, lui ai-je dit, le petit Dedalus vous enverra
recevoir deux fois neuf coups de férule ! Nous en avons
joliment ri ensemble. Ha ! ha ! ha ! " »

M. Dedalus se tourna vers sa femme et s'écria de sa
voix naturelle :

« Cela vous montre l'esprit dans lequel on traite les
élèves, là-bas. Ah ! parlez-moi des jésuites, quand il
s'agit de diplomatie[3] ! »

Reprenant la voix du provincial, il répéta :

« " J'ai raconté cela à tout le monde, à dîner, et nous
nous sommes payé une bonne partie de rire, le père
Dolan et moi et tous les autres. Ha ! ha ! ha ! " »

*

La soirée du spectacle de la Pentecôte[4] était arrivée,
et par la fenêtre du vestiaire, Stephen regardait le petit
carré de pelouse, au-dessus duquel étaient tendues des
guirlandes de lanternes chinoises. Il observait les
invités qui descendaient les marches du bâtiment
principal et passaient dans la salle de théâtre[5]. Des
commissaires en habit, d'anciens élèves de Belvédère,

se tenaient par groupes flâneurs devant les visiteurs avec cérémonie. À la clarté soudaine d'une lanterne, il reconnut le visage souriant d'un prêtre.

On avait enlevé le Saint Sacrement du tabernacle et poussé les premiers bancs en arrière, de façon à dégager l'espace qui précède l'autel et l'estrade elle-même. Contre les murs se tenaient par bataillons les poids et les massues indiennes ; les haltères s'entassaient dans un coin ; parmi les innombrables monticules de sandales, de chandails, de maillots, empaquetés sommairement dans du papier d'emballage, se dressait le gros cheval de voltige vêtu de cuir, attendant son tour d'être transporté sur la scène. Un grand bouclier de bronze à garnitures d'argent était posé contre l'autel, attendant lui aussi son tour d'être transporté sur la scène et placé au milieu de l'équipe gagnante, à la fin des exercices de gymnastique.

Stephen, bien que nommé secrétaire du gymnase, eu égard à ses compositions littéraires, n'avait pas reçu de rôle dans la première partie du programme ; mais dans la pièce qui constituait la seconde partie il jouait le personnage principal, celui d'un pédagogue burlesque [1]. On lui avait attribué ce rôle à cause de sa taille et de son allure grave, car il finissait maintenant sa deuxième année au collège de Belvédère, en seconde.

Une vingtaine de petits garçons vêtus de maillots et de culottes blanches accoururent, d'un pas tambourinant, de la scène jusqu'à la chapelle, en passant par la sacristie. Celle-ci et la chapelle étaient envahies par les maîtres et les élèves affairés. Le sergent-major replet et chauve [2] vérifiait du pied le tremplin du cheval de voltige. Le maigre jeune homme en pardessus long, qui se préparait à faire une démonstration spéciale d'exercices compliqués, se tenait près de là, attentif, et ses massues argentées montraient leurs têtes au bord de ses poches profondes. On entendait le bruit creux des haltères de bois, tandis qu'une nouvelle équipe s'apprêtait à monter sur la scène ; un instant après, le préfet surexcité poussait les garçons à travers la sacristie comme un troupeau d'oies, agitant nerveusement les ailes de sa soutane, houspillant les traînards. Une petite troupe de paysans napolitains répétait son numéro de danse au fond de la chapelle, les uns arrondissant les bras au-dessus de la tête, les autres balançant leurs corbeilles de violettes en papier et faisant des révérences. Dans un coin obscur de la chapelle, près de l'autel côté évangile, une grosse vieille dame était agenouillée parmi ses amples jupes noires. Lorsqu'elle se releva, on découvrit derrière elle une figure vêtue de rose, portant une perruque de boucles dorées et une capeline de paille à l'ancienne mode ; ses sourcils étaient tracés au crayon noir, ses joues délicatement fardées et poudrées. Un léger murmure de curiosité parcourut la chapelle à l'apparition de cette figure de fillette. Un des préfets s'avança vers ce soin sombre avec des sourires et des hochements de tête. Après avoir salué la grosse vieille dame, il dit sur un ton badin :

« Est-ce une charmante jeune fille, ou bien une poupée que vous avez là, madame Tallon[1] ? »

Puis, se penchant pour examiner le visage souriant et fardé sous le bord du chapeau, il s'écria :

« Non ! ma parole, je crois bien que c'est le petit Bertie Tallon ! »

De son poste à la fenêtre, Stephen entendit rire ensemble la vieille dame et le prêtre ; il perçut derrière son dos le murmure admiratif des élèves lorsqu'ils s'avancèrent pour voir le petit garçon qui devait tout seul exécuter la danse du chapeau. Un mouvement d'impatience lui échappa ; il laissa retomber le store, descendit du banc sur lequel il était monté et quitta la chapelle.

Il traversa le bâtiment de l'école et s'arrêta sous l'appentis qui longeait le jardin. Du théâtre, en face, le bruit assourdi du public et les éclats soudains des cuivres de l'orchestre militaire arrivaient jusqu'à lui. La lumière, projetée en hauteur à travers le toit vitré, donnait au théâtre l'aspect d'une arche en fête, à l'ancre parmi les pontons des maisons, amarrée par ses frêles câbles de lanternes. Une porte latérale du théâtre s'ouvrit soudain, une flèche de lumière vola sur les pelouses. Une explosion de musique jaillit de l'arche : le prélude d'une valse ; quand la porte se fut refermée, l'oreille aux écoutes continua de suivre le rythme affaibli de la musique. Le sentiment de ces premières mesures, leur langueur, leur souple mouvement réveillèrent chez Stephen l'émotion incommunicable qui avait motivé sa nostalgie au long de cette journée et son accès d'impatience de tout à l'heure. Cette nostalgie jaillit hors de lui comme une onde sonore ; sur la vague de la musique ruisselante, l'arche était en partance, entraînant les câbles de lanternes dans son sillage. Mais un bruit, semblable à quelque salve d'une artillerie minuscule, rompit le mouvement. C'étaient les applaudissements qui saluaient l'entrée en scène de l'équipe aux haltères.

Tout au bout de l'appentis, près de la rue, un point de lumière rose se montra dans l'obscurité. Stephen se dirigea de ce côté et perçut une faible odeur aromatique. Deux jeunes gens se tenaient à l'abri sous une porte en train de fumer ; avant de les avoir rejoints, il reconnut Héron[1] à sa voix.

« Voici venir le noble Dedalus ! cria cette forte voix gutturale : salut à notre fidèle ami ! »

Le compliment s'acheva dans un faible éclat de rire

sans gaieté, tandis que Héron faisait des salutations cérémonieuses, puis se mettait à tapoter le sol avec sa canne.

« Oui, me voici », dit Stephen, s'arrêtant et portant ses regards de Héron à son ami.

Ce dernier lui était inconnu, mais malgré l'obscurité, à la lueur des cigarettes, il put discerner un visage pâle de dandy, sur lequel un sourire errait lentement ; une haute silhouette en pardessus et un chapeau haut de forme. Héron ne s'embarrassa point des présentations et se contenta de dire :

« Je parlais justement à mon ami Wallis d'une bonne blague à faire : si tu imitais le recteur, ce soir, dans ton rôle de maître d'école ? Ce serait épatant comme farce ! »

Héron esquissa une médiocre tentative pour contrefaire, à l'intention de son ami Wallis, la basse affectée du recteur ; puis, riant de son propre échec, il pria Stephen de le faire à sa place :

« Allons, Dedalus, insistait-il, tu sais l'imiter d'une façon épatante : " Celui qui n'obéit point à l'égliseuh, considérez-leuh comme un païen-heu et un publicain-heu[1] ! " »

L'imitation fut interrompue par une légère manifestation de contrariété de la part de Wallis, dont la cigarette s'était coincée dans le fume-cigarettes.

« Au diable ce sacré machin ! dit-il, en l'ôtant de sa bouche, souriant et fronçant les sourcils, sans impatience : ça se coince toujours là-dedans. Est-ce que vous vous servez d'un fume-cigarettes ?

— Je ne fume pas, répondit Stephen.

— Non, fit Héron. Dedalus est un jeune homme modèle. Il ne fume pas, il ne fréquente pas les ventes de charité, il ne flirte pas et il n'envoie jamais rien ni personne au diable. »

Stephen hocha la tête et sourit au visage de son rival, visage rougissant et mobile, pourvu d'un bec d'oiseau. Il s'était souvent étonné de ce que Vincent Héron eût une tête d'oiseau, de même qu'il portait un nom d'oiseau. Une touffe de cheveux blondasses était posée sur son front comme une crête ébouriffée ; le front était étroit et osseux, un nez mince et crochu faisait saillie entre les yeux rapprochés et proéminents, pâles et dépourvus d'expression. Les deux rivaux étaient camarades d'études, ils étaient placés côte à côte en classe, s'agenouillaient côte à côte dans la chapelle, causaient ensemble après le chapelet en prenant leur déjeuner. Comme les élèves de première étaient uniformément des cancres, Stephen et Héron avaient été, durant l'année, virtuellement à la tête de l'école entière. C'étaient eux qui montaient ensemble chez le recteur pour demander un jour de congé ou pour obtenir la grâce d'un camarade.

« À propos, fit brusquement Héron, je viens de voir entrer ton paternel. »

Le sourire s'effaça du visage de Stephen. Toute allusion à son père, de la part d'un camarade ou d'un maître, mettait aussitôt son calme en déroute. Alarmé, il attendit en silence ce que Héron allait ajouter. Héron cependant lui donna un coup de coude significatif et dit :

« Tu es un cachottier, Dedalus.

— Pourquoi donc ? fit Stephen.

— On te donnerait le bon Dieu sans confession, dit Héron, mais j'ai bien peur que tu ne sois qu'un vilain cachottier !

— Permets-moi de te demander de quoi il s'agit, dit Stephen avec urbanité.

— Assurément, je te le permets, répondit Héron. Nous venons de la voir, n'est-ce pas, Wallis ? Bougre-

ment jolie, ma foi ! Et pleine de curiosité : " Et quel
rôle Stephen va-t-il jouer, monsieur Dedalus ? Et Stephen va-t-il chanter, monsieur Dedalus ? " Ton paternel la toisait à travers son fameux monocle[1], tant
qu'il pouvait ; aussi me semble-t-il que le vieux a vu
clair dans ton jeu, lui aussi ! Cela me serait bien égal,
ma parole ! Elle est épatante, pas vrai, Wallis ?

— Pas mal du tout », répondit tranquillement
Wallis, introduisant de nouveau son fume-cigarettes
dans le coin de sa bouche.

Un trait de colère traversa l'esprit de Stephen à ces
allusions indélicates en présence d'un étranger. Pour
lui, il n'y avait rien d'amusant dans l'intérêt et la
considération que lui portait une jeune fille. Durant
toute la journée, il n'avait point pensé à autre chose
qu'à leur adieu, sur le marchepied du tram, à
Harold's Cross, au torrent d'émotions changeantes
que cela avait fait ruisseler en lui, au poème qu'il
avait écrit sur ce sujet[2]. Toute la journée, il avait
imaginé la nouvelle rencontre avec elle, sachant
qu'elle devait assister à la représentation. L'ancienne
mélancolie inquiète remplissait de nouveau son
cœur, comme à l'époque de cette soirée-là ; mais,
cette fois, elle ne s'était pas épanchée en un poème.
La maturité et le savoir acquis pendant deux années
d'adolescence s'interposaient entre ce jour-là et le
présent pour lui interdire un épanchement de ce
genre ; et toute la journée, il avait senti le flux de
tendresse obscure monter en lui, se replier sur soi-
même, en courants, en tourbillons ténébreux, jusqu'à
la lassitude et jusqu'au geste d'impatience qui lui fut
arraché enfin par le badinage du préfet avec le petit
garçon maquillé.

« Donc, tu feras bien d'avouer, poursuivait Héron,
que nous t'avons percé à jour, cette fois-ci. Tu ne te

feras plus passer pour un saint à mes yeux, je te le garantis ! »

Un petit ricanement sans gaieté s'échappa de ses lèvres et, se penchant comme tout à l'heure, il frappa légèrement Stephen au mollet avec sa canne, en manière de réprobation facétieuse.

L'élan de colère, chez Stephen, s'était déjà arrêté. Il n'était ni flatté ni confus, il en avait simplement assez de cette plaisanterie. Il n'y voyait qu'une stupide indélicatesse qui ne l'atteignait guère, car son aventure intérieure ne courait aucun danger du fait de ces propos. Il le savait bien et son visage refléta le faux sourire de son rival.

« Avoue ! » répéta Héron, lui frappant de nouveau le mollet avec sa canne.

Ce coup, donné pour rire, était pourtant moins léger que le premier. Stephen sentit sur sa peau un picotement, une brûlure presque indolore ; et, s'inclinant avec soumission, comme pour se prêter aux facéties de son camarade, il se mit à réciter le *Confiteor*. L'incident finit bien, car Héron et Wallis rirent avec indulgence de cet acte irrévérencieux.

La confession ne venait que des lèvres de Stephen ; tandis que sa bouche en murmurait les paroles, une soudaine réminiscence le transporta vers une autre scène, qui venait de surgir comme par enchantement, à l'instant même où il observait les petits plis cruels aux coins des lèvres souriantes de Héron, et où il recevait le coup familier de la canne sur son mollet, pendant que sonnait l'admonition familière :

« Avoue ! »

Cette scène avait eu lieu vers la fin de son premier trimestre au collège, lorsqu'il était en sixième. Sa nature sensitive souffrait encore sous les coups de fouet brûlants d'une existence incomprise et sordide. Son âme était encore troublée et déprimée par ce terne phénomène qui avait nom Dublin. Au sortir de deux années de rêve, il se trouvait au milieu d'un décor nouveau, où chaque événement, chaque forme l'affectait profondément, le décourageait ou l'attirait et, attrayant ou décourageant, l'emplissait toujours de pensées inquiètes et amères. Tous les loisirs que lui laissait l'école, il les passait en compagnie d'écrivains subversifs [1] dont les sarcasmes et les violences verbales introduisaient un ferment dans son cerveau, avant de pénétrer dans ses écrits frustes.

La composition de littérature constituait pour lui la besogne capitale de la semaine [2] ; tous les mardis, pendant le trajet de la maison à l'école, il lisait sa destinée dans les accidents de la route ; il se repérait sur quelque silhouette aperçue devant lui et pressait le pas pour la dépasser avant d'avoir atteint tel point fixé ; ou bien il s'appliquait à ne pas poser les pieds sur les interstices du trottoir dallé, tantôt se disant qu'il serait premier en composition, tantôt qu'il ne le serait pas.

Un certain mardi, le cours de ses triomphes fut rudement interrompu. M. Tate, le professeur d'anglais [3], le montra du doigt et dit à brûle-pourpoint : « La composition de cet élève tient de l'hérésie [4]. »

Un silence tomba sur la classe. M. Tate ne le rompit point, mais enfonça sa main entre ses cuisses croisées, tandis que son linge fortement empesé craquait autour de son cou et de ses poignets. Stephen ne leva pas les yeux. C'était un aigre matin de printemps et ses yeux étaient toujours faibles et douloureux. Il comprit qu'il avait échoué, qu'il était démasqué ; il eut conscience de la médiocrité de son esprit, de son foyer ; il sentit contre sa nuque le bord râpeux de son col retourné et élimé.

Le rire bruyant et bref de M. Tate remit les élèves à l'aise.

« Peut-être ne le saviez-vous pas ? dit le professeur.

— À quel endroit ? » demanda Stephen.

M. Tate retira sa main d'entre ses jambes et déplia la composition.

« Voici. Il s'agit du Créateur et de l'âme. Hem... hem... hem... Ah ! *sans aucune possibilité de s'en approcher jamais*. Ceci est de l'hérésie. »

Stephen murmura :

« Je voulais dire : *sans aucune possibilité d'atteindre jamais.* »

C'était un acte de soumission. M. Tate, apaisé, replia la composition et la lui tendit, disant :

« Oh !... ah ! *d'atteindre jamais...* Ceci est une autre histoire. »

Mais les élèves ne s'apaisèrent pas de sitôt. Bien que personne ne lui parlât de cette affaire après la classe, il sentait partout autour de lui une vague joie maligne.

Un soir, peu après cette réprimande publique, il suivait, une lettre à la main, la route de Drumcondra [1], quand il entendit crier :

« Halte ! »

Il se retourna et vit trois élèves de sa classe venir à lui dans le crépuscule. Celui qui l'avait interpellé était Héron ; marchant entre ses deux acolytes, il pourfendait l'air de sa canne mince, scandant leurs pas. Boland, son ami, s'avançait à côté de lui, la face largement ricanante, tandis que Nash les suivait, essoufflé par la course et balançant sa grosse tête rouge.

Aussitôt après avoir obliqué ensemble vers la route de Clonliffe, les garçons se mirent à parler de livres et d'écrivains, de ce qu'ils étaient en train de lire et des quantités de volumes qu'il y avait chez eux, dans les bibliothèques de leurs pères. Stephen les écoutait non sans étonnement, car Boland était le cancre et Nash le fainéant de la classe. En effet, après quelques propos échangés sur leurs auteurs préférés, Nash se prononça pour le capitaine Marryat[1], qui, selon lui, était le plus grand écrivain.

« Tu dérailles ! dit Héron ; demande à Dedalus. Qui est le plus grand écrivain, Dedalus ? »

Stephen remarqua une raillerie sous cette question, et dit :

« En prose ?

— Oui.

— Newman, je pense[2].

— Newman le cardinal ? demanda Boland.

— Oui », répondit Stephen.

Le ricanement s'élargit sur la figure de Nash, parsemée de taches de rousseur, tandis qu'il se tournait vers Stephen, disant :

« Est-ce que tu aimes le cardinal Newman, Dedalus ?

— Oh, bien des gens trouvent que le style de Newman est le meilleur, en prose, expliqua Héron aux deux autres ; naturellement, ce n'est pas un poète[3].

— Et qui est le meilleur poète, Héron ? demanda Boland.

— Lord Tennyson, naturellement, répondit Héron.

— Ah oui, Lord Tennyson, dit Nash. Nous avons tous ses poèmes à la maison, dans un livre. »

Là-dessus, Stephen, oubliant la promesse tacite qu'il s'était faite, éclata :

« Tennyson poète ! un rimailleur tout au plus !

— Allons donc ! dit Héron. Chacun sait que Tennyson est le plus grand des poètes.

— Et qui donc est le plus grand des poètes, à ton avis ? interrogea Boland, poussant du coude son voisin.

— Byron[4], naturellement », répondit Stephen.

Héron donna le signal et tous trois ensemble partirent d'un éclat de rire méprisant.

« De quoi riez-vous ? demanda Stephen.

— De toi, dit Héron. Byron, le plus grand poète ? poète pour gens sans éducation, voilà tout.

— Joli poète ! fit Boland.

— Tu ferais mieux de fermer ça, dit Stephen se retournant crânement vers lui. Tout ce que tu sais de la poésie, toi, c'est ce que tu as écrit sur les ardoises des cabinets, quand tu as failli te faire corriger par le préfet. »

Boland, en effet, passait pour avoir écrit sur les ardoises des cabinets ce distique sur un camarade de classe qui souvent montait un poney pour rentrer chez lui :

> *Tyson, entrant dans Jérusalem sur sa monture,*
> *Tomba et mit son patapouf en confiture*[1].

Cette botte coupa la parole aux deux lieutenants, mais Héron reprit :

« En tout cas, Byron était un hérétique, et, de plus, un homme immoral[2].

— Ça m'est bien égal, ce qu'il était ! cria Stephen avec chaleur.

— Ça t'est égal qu'il ait été un hérétique ? demanda Nash.

— Qu'est-ce que tu en sais ? hurla Stephen. Tu n'as jamais lu une ligne de quoi que ce soit, sauf des tradals ! Ni Boland non plus.

— Je sais que Byron était un vilain personnage, dit Boland.

— Allons, empoignez-moi cet hérétique », commanda Héron.

Aussitôt, Stephen fut prisonnier.

« Tate t'a fait bisquer, l'autre jour, poursuivit Héron, à propos de l'hérésie de ta composition !

— Je lui raconterai demain, dit Boland.

— Ah! vraiment? dit Stephen. Tu aurais peur d'ouvrir la bouche.

— J'aurais peur?

— Bien sûr. Peur pour ta peau.

— Gare à toi! » cria Héron, cinglant les jambes de Stephen avec sa canne.

Ce fut le signal de l'assaut. Nash lui lia les bras derrière le dos, tandis que Boland saisissait un gros trognon de chou qui traînait dans le ruisseau. Luttant et se débattant sous les volées de la canne et les coups du trognon noueux, Stephen fut acculé contre un grillage de fil de fer barbelé.

« Avoue que Byron ne valait rien.

— Non.

— Avoue.

— Non.

— Avoue.

— Non. Non. »

Enfin, après une série de ruades furieuses, il se dégagea violemment. Ses bourreaux s'enfuirent vers Jones's Road, riant et le narguant, tandis que lui, les vêtements déchirés, le visage en feu, haletant, s'en allait trébuchant derrière eux, à demi aveuglé par les larmes, serrant les poings de rage et sanglotant [1]...

Tandis que Stephen continuait à réciter le *Confiteor* parmi le rire indulgent de ses auditeurs et que les scènes de cet épisode cruel repassaient avec une rapidité aiguë dans sa mémoire, il se demandait pourquoi il ne portait pas malice maintenant à ceux qui l'avaient tourmenté. Il n'avait pas oublié un seul détail de leur lâcheté mauvaise, mais leur souvenir n'éveillait en lui aucune colère. Toutes les descriptions d'amour et de haine farouches, qu'il avait rencontrées dans les livres, lui paraissaient, de ce fait, dépourvues de réalité. Même cette nuit-là, pendant qu'il s'en retournait en titubant par la Jones's Road, il avait senti qu'une certaine puissance le dépouillait de cette colère subitement tissée, aussi aisément qu'un fruit se dépouille de sa peau tendre et mûre[1].

Il demeurait debout près de ses deux compagnons, à l'extrémité de l'appentis, prêtant une oreille distraite à leur conversation et aux salves d'applaudissements du théâtre. Elle était assise là-bas, parmi les autres, impatiente peut-être de le voir. Il essaya d'évoquer son aspect, mais n'y réussit point. Il se rappelait seulement le châle qu'elle avait mis en capuchon sur sa tête et ses yeux sombres qui l'avaient invité et démonté à la fois. Il se demandait s'il avait vécu dans ses pensées, comme elle avait vécu dans les siennes. Puis, dans l'obscurité, sans être vu des deux autres, il posa le bout de ses doigts sur la paume de son autre main, d'un effleurement à peine sensible. Mais la pression de ses doigts à elle avait été plus légère et plus insistante. Et soudain, le souvenir de ce contact traversa son cerveau et son corps comme une onde invisible.

Un élève accourait traversant l'appentis. Il était excité, hors d'haleine.

« Dis donc, Dedalus ! cria-t-il, Doyle[2] est en rage contre toi. Il faut que tu viennes tout de suite t'habiller pour la pièce. Grouille-toi !

— Il ira quand il lui plaira », dit Héron au messager avec un accent traînant et hautain.

Le garçon se tourna vers Héron et répéta :

« C'est que Doyle est dans une de ces rages !

— Veux-tu dire à Doyle, avec mes meilleurs compliments, qu'il peut aller se faire voir[3] ? répondit Héron.

— Il faut bien que j'y aille, dit Stephen, qui attachait peu d'importance aux points d'honneur de cette sorte.

— À ta place, je n'irais pas, je t'en fiche mon billet !
En voilà une façon de faire chercher un élève des
grandes classes ! Il rage, voyez-vous ça ! C'est déjà
bien assez, je pense, que tu joues un rôle dans sa pièce
à la manque. »

L'esprit de camaraderie querelleuse qu'il observait
depuis quelque temps chez son rival n'avait pas
détourné Stephen de ses habitudes de calme obéissance [1]. Il se méfiait de la turbulence et mettait en
doute la sincérité d'une camaraderie qui lui semblait
assez piètrement anticiper sur l'âge viril. La question
d'honneur soulevée ici lui paraissait triviale, comme
toutes les questions de ce genre. Naguère, tandis que
sa pensée poursuivait ses intangibles fantômes, puis
renonçait, irrésolue, à cette poursuite, il avait entendu
constamment autour de lui la voix de son père, celles
de ses maîtres, le pressant d'être avant tout un gentleman, ou le pressant d'être un bon catholique avant
tout. Maintenant ces voix sonnaient creux à ses
oreilles. Lors de l'ouverture du gymnase, il avait
entendu une autre voix qui le pressait d'être fort, viril
et sain ; quand un mouvement de renaissance nationale se fit sentir dans le collège, une autre voix encore
lui ordonna d'être fidèle à sa patrie, de contribuer à
relever son langage et ses traditions déchues. Dans le
monde profane, il prévoyait qu'une voix séculière lui
ordonnerait de rétablir par son travail la condition
déchue de son père [2] ; en attendant, la voix de ses
camarades le pressait d'être un chic type, de protéger
les autres contre le blâme, d'intercéder pour eux, ou
de tâcher d'obtenir des jours de congé pour l'école. Et
c'était le vacarme de toutes ces voix, sonnant creux,
qui le faisait hésiter dans la poursuite des fantômes. Il
n'y prêtait l'oreille qu'un instant, mais il n'était heureux que loin d'elles, hors de leur atteinte, seul, ou

bien en compagnie de ces camarades phantasmati-
ques.

Dans la sacristie, un jésuite dodu à la mine fleurie et
un homme âgé, en costume bleu râpé, fourrageaient
dans une boîte de fards et de crayons. Les élèves déjà
grimés allaient et venaient, ou restaient là, l'air embarrassé, passant avec précaution des doigts furtifs sur
leurs visages. Au milieu de la sacristie, un jeune
jésuite, en visite au collège, se balançait en cadence, de
la pointe des pieds sur les talons, les mains projetées en
avant dans ses poches. Sa petite tête garnie de boucles
rouges et chatoyantes, son visage rasé de frais s'accordaient bien avec la correction immaculée de sa soutane
et de ses chaussures.

Stephen suivait le balancement de cette silhouette,
essayant de déchiffrer la légende du sourire moqueur
de ce prêtre ; il se souvint qu'avant son départ pour
Clongowes, il avait entendu son père répéter que l'on
pouvait toujours reconnaître un jésuite à la coupe de
ses vêtements. Au même instant, il crut discerner une
ressemblance entre l'esprit de son père et celui de ce
prêtre souriant et bien habillé ; il lui sembla qu'il
assistait à une sorte de profanation du ministère
ecclésiastique, à une profanation de la sacristie elle-
même, dont le silence était violé par les conversations
et les plaisanteries bruyantes, et dont l'atmosphère
s'imprégnait d'une âcre odeur de gaz et de graisse.

Pendant que le vieil homme lui dessinait des rides
sur le front et lui peignait les maxillaires en noir et en
bleu, il écoutait distraitement la voix du jeune jésuite
dodu qui lui recommandait de parler fort et de bien
détacher les mots à effet. Il entendait l'orchestre jouer
Le Lys de Killarney[1]. Le rideau allait se lever dans
quelques instants. Il n'éprouvait aucun trac, mais à la
pensée du rôle qu'il allait jouer, il se sentait humilié.

Le souvenir de quelques-unes de ses répliques fit monter une rougeur soudaine à ses joues maquillées. Il imagina ses yeux à elle, graves et pleins d'appels, dans la foule des spectateurs et cette image balaya d'un seul coup ses scrupules, laissant sa volonté bandée. Il eut l'impression de changer de nature ; la contagion de l'animation et de la jeunesse environnantes s'insinuait dans sa méfiance morose et la transformait. L'espace d'un instant exceptionnel, il eut la sensation de revêtir le véritable appareil de l'adolescence ; debout dans la coulisse, en compagnie des autres acteurs, il partagea la gaieté commune, parmi laquelle le rideau, hissé au plafond par deux prêtres agiles, monta avec des saccades violentes, tout de travers.

Peu après, il était en scène, dans l'éblouissement du gaz et le décor indécis, jouant son rôle devant les innombrables visages du vide. Il fut étonné de voir cette pièce, qui avait été pour lui, pendant les répétitions, une chose disparate et inerte, acquérir soudain une vie personnelle. Elle semblait maintenant se dérouler d'elle-même, lui et ses camarades la soutenant de leurs rôles respectifs. Lorsque le rideau tomba sur la dernière scène, il entendit le vide s'emplir d'applaudissements ; par la fente d'un portant, il vit la masse homogène, devant laquelle il avait joué, se décomposer comme par magie, le vide aux mille visages se disjoignant de toutes parts et se divisant en groupes affairés.

Vite, il quitta la scène, se débarrassa de son déguisement et sortit par la chapelle dans le jardin du collège. Maintenant que la pièce était finie, ses nerfs appelaient quelque nouvelle aventure. Il s'élança comme pour la surprendre. Toutes les portes du théâtre étaient ouvertes, la salle s'était vidée. Sur les fils dont son imagination avait fait les amarres d'une arche, quelques lanternes se balançaient à la brise du soir, tristement clignotantes. Il remonta en hâte les marches du jardin, vers le vestibule, craignant de laisser échapper il ne savait quelle proie ; il se fraya un chemin à travers la foule et passa devant deux jésuites qui surveillaient l'exode, saluant et serrant les mains des visiteurs. Il poussa plus avant encore, nerveux, exagérant sa hâte, vaguement conscient des sourires, des regards, des coups de coude que sa tête poudrée laissait dans son sillage.

Du haut de l'escalier, il aperçut sa famille qui l'attendait sous le réverbère proche. D'un coup d'œil, il vit que toutes les silhouettes du groupe lui étaient familières et descendit les marches avec irritation [1].

« J'ai une commission à faire dans George Street [2], dit-il vivement à son père. Je rentrerai après vous. »

Sans attendre les questions de son père, il traversa la chaussée en courant et se mit à descendre la colline à une vitesse vertigineuse. C'est à peine s'il savait où il allait. L'orgueil, l'espoir, le désir, comme des herbes foulées au fond de son cœur, laissaient monter des vapeurs d'un encens affolant devant son regard intérieur. Il descendit la pente à grandes enjambées parmi l'émanation soudaine et chaotique de ces vapeurs d'orgueil blessé, d'espoir déchu, de désir en déroute. Elles s'écoulaient en montant devant ses yeux angoissés, en fumées denses et affolantes et disparaissaient au-dessus de lui jusqu'à ce qu'enfin l'atmosphère redevînt limpide et froide.

Un voile recouvrait encore ses yeux, mais leur brûlure avait cessé. Une puissance, de même nature que celle qui si souvent l'avait dépouillé de sa colère ou de ses ressentiments, arrêta ses pas. Il resta immobile, regardant le porche ténébreux de la Morgue [3], puis la ruelle pavée et sombre qui longeait le bâtiment. Il distingua le mot Lotts[1] sur le mur et aspira lentement l'air âcre et lourd.

« C'est de la pisse de cheval[2] et de la paille pourrie, pensa-t-il. C'est excellent. Cela va me calmer le cœur. Mon cœur est tout à fait calme à présent. Je vais rentrer. »

*

De nouveau, Stephen était assis à côté de son père, dans le coin d'un compartiment de chemin de fer, à Kingsbridge[3]. Ils se rendaient à Cork par le train poste de nuit. Comme le train quittait la gare, il se rappela ses étonnements puérils d'autrefois et tous les événements de sa première journée à Clongowes. Aujourd'hui, il ne s'étonnait plus. Il voyait les paysages de plus en plus obscurcis glisser en arrière, les poteaux muets du télégraphe passer rapidement sur la vitre toutes les quatre secondes, et, gardées par quelques sentinelles silencieuses, les petites gares mal éclairées que le train poste rejetait derrière lui et qui clignotaient un instant dans la nuit, comme des grains de feu qu'un coureur sèmerait sur ses traces.

Il écoutait sans la moindre sympathie le récit de son père évoquant des souvenirs de Cork et des scènes de sa jeunesse, récit coupé de soupirs et de gorgées bues à la gourde de poche, chaque fois que l'image de quelque ami défunt apparaissait dans l'histoire ou que l'évoqueur[4] se rappelait soudain le motif de son voyage actuel. Stephen écoutait, mais n'éprouvait aucune compassion. Les images des morts lui étaient toutes étrangères, sauf celle de son oncle Charles, à moitié effacée déjà. Cependant, il savait que les biens de son père allaient être vendus aux enchères et sentit qu'en le dépossédant[1] lui-même de cette manière, le monde donnait un démenti brutal à ses imaginations.

À Maryborough[2], il s'assoupit. Lorsqu'il s'éveilla, le train avait dépassé Mallow[3] ; son père dormait, étendu sur l'autre banquette. La lumière froide de l'aube se répandait sur la campagne, sur les champs dépeuplés et les chaumières closes. La terreur du sommeil subjuguait son esprit cependant qu'il regardait la campagne silencieuse ou entendait, par instants, la respiration profonde de son père ou bien quelque brusque mouvement du dormeur. Le voisinage d'autres dormeurs invisibles le remplissait d'une étrange frayeur, comme s'ils eussent pu lui faire du mal ; il se mit à prier pour que le jour vînt promptement. Sa prière, qui ne s'adressait ni à Dieu ni à un saint, débuta par un frisson, car la brise glacée du matin s'insinuait par la fente de la portière jusqu'à ses pieds ; elle se termina par une suite de paroles insensées, qu'il adapta au rythme obsédant du train ; cependant, en silence, à quatre secondes d'intervalle, les poteaux télégraphiques retenaient les notes galopantes de la musique entre leurs barres ponctuelles. Cette musique furieuse calma sa frayeur, et, s'appuyant au bord de la fenêtre, il laissa ses paupières se fermer de nouveau.

Ils traversèrent Cork en carriole, avant qu'il fît grand jour, et Stephen acheva son somme dans une chambre de l'hôtel Victoria. Un soleil brillant et chaud ruisselait par la fenêtre ; le tintamarre de la rue parvenait jusqu'à lui. Son père était debout devant la toilette, examinant avec soin ses cheveux, son visage, sa moustache, tendant le cou, à la manière d'un oiseau, par-dessus le pot à eau, puis le ramenant de côté pour mieux voir. Tout en faisant cela, il chantonnait en sourdine avec un accent et une élocution surannés[4] :

C'est la jeunesse et la folie,
Qui veulent que l'on se marie.
Donc ici, mon amour,
Je ne m'attarde point.

Ce qui ne peut guérir, bien sûr,
Doit dépérir, bien sûr,
Et je m'embarque pour
Le sol américain.

Ma mie, elle est belle,
Ma mie est rebelle,
Comme le bon whisky
Quand il est nouveau.

Mais quand il vieillit,
C'en est fait de lui,
Comme de la rosée
Sur les monts là-haut.

La présence de la ville, chaude et ensoleillée, au-dehors, et les tendres trémolos dont la voix de son père festonnait cette mélodie étrange, triste et gaie à la fois, chassèrent de l'esprit de Stephen toutes les brumes de la mauvaise humeur nocturne. Il se leva vivement pour s'habiller et, lorsque la chanson fut terminée, il dit :

« C'est beaucoup plus joli que toutes tes autres come-all-yous [1].

— Tu trouves ? dit M. Dedalus.

— J'aime bien ça, répondit Stephen.

— C'est une jolie vieille romance, dit M. Dedalus roulant les pointes de sa moustache. — Ah ! si tu avais entendu Mick Lacy chanter ça ! Pauvre Mick Lacy ! Il avait de petites façons à lui, de petites fioritures dont je n'ai pas le chic, moi ! En voilà un qui savait vous débiter un come-all-you, tu parles ! »

M. Dedalus avait commandé du boudin blanc [2] pour

le déjeuner ; pendant ce repas, il fit subir au garçon de l'hôtel un véritable interrogatoire sur les nouvelles locales. Le plus souvent, un nom prononcé par l'un d'eux donnait lieu à quiproquo : le garçon parlait du porteur actuel de ce nom, tandis que M. Dedalus entendait le père ou même le grand-père de celui-ci.

« Allons, j'espère tout de même qu'on n'a pas déménagé le collège de la Reine [1], dit M. Dedalus, je tiens à le montrer à mon blanc-bec que voici. »

Le long du Mardyke [2], les arbres étaient en fleurs. Ils entrèrent dans l'enceinte du collège et traversèrent la cour d'honneur en compagnie d'un portier loquace ; mais, à peu près tous les douze pas, leur cheminement sur le gravier était arrêté par quelque réplique de cet homme.

« Que me dites-vous là ? Alors ce pauvre Gros-Bedon, il est mort lui aussi ?

— Oui, monsieur. Mort, monsieur. »

Pendant ces arrêts, Stephen se tenait d'un air gauche derrière les deux hommes, las de ce sujet, impatient de reprendre la lente promenade. Le temps de traverser la cour d'honneur, son impatience s'était transformée en fièvre. Il se demandait comment son père, qu'il savait être un homme fin et peu crédule, pouvait se laisser duper par les manières serviles du portier ; la vivacité du parler méridional, qui l'avait amusé toute la matinée, agaçait maintenant ses oreilles.

Ils pénétrèrent dans l'amphithéâtre d'anatomie où M. Dedalus, avec l'aide du portier, explora les pupitres, à la recherche de ses initiales. Stephen resta dans le fond, plus déprimé que jamais par l'obscurité et le silence de l'amphithéâtre, par son atmosphère d'études desséchées et formelles. Sur le pupitre, il lut le mot *Fœtus* gravé à plusieurs endroits dans le bois noir et maculé. Cette légende tout à coup surgie mit tout son sang en mouvement ; il lui sembla que tous les étudiants absents du collège étaient là, autour de lui, et que son être se rétractait devant leur présence. La vision de leur existence, que les paroles de son père n'avaient pas eu le pouvoir d'évoquer, jaillit devant lui par l'effet du mot gravé sur le pupitre. Un étudiant, large d'épaules, moustachu, gravait ces lettres avec un couteau, d'un air recueilli. D'autres étudiants étaient debout ou assis près de lui, se moquant de son œuvre. L'un d'eux lui poussait le coude. Le grand étudiant se retournait, furieux. Il portait un ample vêtement gris et des bottines jaunes.

On l'appela par son nom. Il descendit précipitamment les marches de l'amphithéâtre pour fuir le plus loin possible de cette vision et, se penchant pour examiner les initiales de son père, il dissimula le feu de son visage.

Mais le mot et la vision dansaient devant ses yeux tandis qu'il s'en revenait à travers la cour d'honneur vers la grille du collège. Il était bouleversé d'avoir rencontré, dans le monde extérieur, un signe de ce qu'il avait pris jusque-là pour quelque ignoble maladie particulière à son propre cerveau. Ses rêveries monstrueuses des derniers temps revinrent en foule à sa mémoire. Elles aussi, elles avaient surgi devant lui avec une soudaine furie, par l'effet de simples mots. Il leur avait vite cédé, il leur avait permis d'envahir, d'avilir son esprit, se demandant toujours d'où ils pouvaient venir, de quel repaire d'images monstrueuses ; et après leur passage, il demeurait toujours humble et faible devant les autres, inquiet et écœuré de sa propre personne.

« Tiens, parbleu ! Voici l'Épicerie, c'est bien elle ! Tu m'as souvent entendu parler de l'Épicerie, n'est-ce pas, Stephen ? Que de fois nous y sommes allés quand nos

noms étaient inscrits [1] ; toute une bande : Harry Peard
et le petit Jack Mountain, et Bob Dyas et Maurice
Moriarty, le Français, et Tom O'Grady et Mick Lacy
dont je te parlais ce matin, et Joey Corbett, et ce
pauvre brave cœur de Johnny Keevers, des Tan-
tiles [2]. »

Les feuilles des arbres du Mardyke remuaient et
murmuraient dans la lumière. Une équipe de joueurs
de cricket passa, jeunes gens alertes en pantalons de
flanelle et chandails de couleur, l'un d'eux portant le
long sac vert. Dans une ruelle tranquille, un orchestre
de cinq musiciens allemands en uniformes déteints,
avec des instruments de cuivre cabossés, jouait
devant un auditoire de gamins et de petits coursiers
désœuvrés. Une bonne en tablier et bonnet blancs
arrosait une caisse de plantes sur l'appui d'une fenêtre brillant comme une dalle de calcaire dans la tiède
clarté. Par une autre fenêtre, grande ouverte, on
entendait des gammes de piano monter l'une après
l'autre jusqu'aux notes aiguës.

Stephen poursuivait son chemin à côté de son père,
écoutant des histoires déjà entendues, entendant à
nouveau les noms des joyeux lurons, dispersés ou
morts, compagnons de jeunesse de son père. Et un
vague malaise soupirait en son cœur. Il se rappela sa
propre situation équivoque à Belvédère [3] : externe
libre, chef de file intimidé par sa propre autorité, fier,
sensitif, soupçonneux, en lutte contre la misère de son
existence et contre les débordements de son esprit.
Les lettres gravées dans le bois maculé du pupitre
semblaient le regarder fixement, raillant la faiblesse
de son corps, ses enthousiasmes futiles, lui inspirant
l'horreur de lui-même, à cause de ses orgies
immondes et folles. La salive devint amère dans sa
gorge, répugnante à avaler et, le vague malaise

remontant à son cerveau, il fut obligé de fermer les yeux un moment et de marcher dans les ténèbres.

Il entendait toujours la voix de son père :

« Quand tu te débrouilleras tout seul, Stephen, comme j'espère que tu le feras un de ces jours, aie soin, quoi que tu entreprennes, de fréquenter des gentlemen. Quand j'étais jeune, je me suis bien amusé, tu peux m'en croire. Je ne fréquentais que de vrais chics types. Chacun de nous avait un talent particulier. L'un avait une belle voix, l'autre jouait bien la comédie, celui-ci chantait des chansons comiques, celui-là était bon rameur ou bon manieur de raquette, un autre encore contait bien les anecdotes, et ainsi de suite. Nous ne perdions pas notre temps, je t'assure, nous nous amusions bien, nous faisions un peu la vie, et cela n'en allait pas plus mal pour ça. Mais nous étions tous des gentlemen, Stephen, je le crois du moins ; et d'honnêtes Irlandais bougrement convaincus, par-dessus le marché. C'est avec des gaillards comme ça que je te recommande de frayer, des gaillards de la bonne trempe. Je te parle en ami, Stephen. Jouer les pères rigides, ça n'est pas mon genre. Je ne crois pas qu'un fils doive craindre son père. Non, je te traite comme ton grand-père me traitait quand j'étais gamin. Nous étions deux frères, plutôt que père et fils. Je n'oublierai jamais la première fois qu'il m'a surpris en train de fumer. Je me trouvais à l'extrémité de la terrasse du Sud, un jour, avec quelques gars de mon espèce ; nous nous prenions, bien entendu, pour de grands personnages, parce que nous avions des pipes au bec. Tout à coup, voilà mon paternel qui passe. Il n'a pas dit un mot, il ne s'est même pas arrêté. Mais le lendemain, un dimanche, nous allons ensemble faire un tour ; en revenant, il sort son porte-cigares et il me dit : " À propos, Simon, je ne savais pas que tu fumais ", ou quelque chose d'approchant. Naturellement, je tâchai de faire bonne contenance. " Si tu veux quelque chose de bon, dit-il, essaie un de ces cigares-là. C'est un capitaine américain qui m'en a fait cadeau hier soir, à Queenstown[1] ". »

Stephen entendit la voix de son père se briser dans un rire qui fut presque un sanglot.

« C'était le plus bel homme de Cork, en ce temps-là ; par Dieu, oui ! Les femmes s'arrêtaient dans la rue pour le regarder[2]. »

Stephen entendit le sanglot s'enfoncer bruyamment dans la gorge de son père et un réflexe nerveux lui fit ouvrir les yeux. L'éclat du soleil, frappant soudain sa vue, transformait le ciel et les nuages en un monde fantastique de masses sombres, avec des espaces pareils à des lacs de lumière d'un rose foncé. Son cerveau lui-même était malade, impuissant. Il pouvait à peine déchiffrer les lettres aux enseignes des boutiques. La monstruosité de sa vie semblait l'avoir transporté hors des limites du réel. Rien dans le monde réel ne le touchait, ne lui parlait, à moins qu'il n'y entendît un écho de ce qui criait furieusement au-dedans de lui. Il ne pouvait répondre à aucun appel terrestre ou humain, il restait muet, insensible devant l'invitation de l'été, de la joie, de la camaraderie ; la voix de son père le lassait et le déprimait. C'est à peine s'il reconnaissait ses propres pensées comme venant de lui-même ; et il se redisait lentement :

« Je suis Stephen Dedalus. Je marche à côté de mon père qui s'appelle Simon Dedalus. Nous sommes à Cork, en Irlande. Cork est une ville. Nous logeons à l'hôtel Victoria. Victoria, Stephen, Simon. Simon, Stephen, Victoria. Des noms. »

Le souvenir de son enfance avait pâli soudain. Il essaya d'évoquer quelques-uns de ses moments mar-

quants, mais n'y réussit point. Il ne se rappelait que
des noms. Dante, Parnell, Clane, Clongowes. Un petit
garçon avait appris la géographie avec une vieille
femme qui gardait deux brosses dans son armoire. Puis
on l'avait envoyé de chez lui dans un collège ; il avait
fait sa première communion, mangé du *slim jim*[1] dans
sa casquette de cricket, regardé la flamme sautiller et
danser sur le mur d'une petite chambre de l'infirmerie,
rêvé qu'il était mort et qu'une messe était célébrée
pour lui par le recteur, revêtu d'une chape noir et or,
et qu'on l'enterrait ensuite dans le petit cimetière de la
communauté, derrière la grande avenue de tilleuls.
Mais il n'était pas mort cette fois-là. C'était Parnell qui
était mort Il n'y avait eu ni messe des morts dans la
chapelle, ni procession. Il n'était pas mort, mais il
s'était effacé, comme une plaque photographique au
soleil. Il s'était perdu, il était sorti de l'existence,
puisqu'il n'existait plus. Comme c'était étrange, de se
le représenter, quittant l'existence de cette façon, non
point en mourant, mais en s'effaçant au soleil ou en
demeurant perdu, oublié quelque part dans l'univers !
C'était étrange de voir son petit corps reparaître un
instant : un petit garçon avec un complet gris à
ceinture. Les mains dans les poches, et la culotte
maintenue aux genoux par des élastiques.

Le soir du jour où la propriété fut vendue, Stephen
suivit docilement son père à travers la ville, de bar en
bar. Aux vendeurs du marché, aux serveurs et serveuses des bars, aux mendiants qui lui demandaient
une thune, M. Dedalus racontait toujours la même
chose : qu'il était un vieux natif de Cork, qu'il avait
essayé pendant trente ans de se débarrasser de son
accent, là-bas, à Dublin, que le jeune Tartempion qui
l'accompagnait était son fils aîné, mais que ce n'était
qu'un gigolo de Dublin.

Ils s'étaient mis en route de grand matin en partant du café de Newcombe, où la tasse de M. Dedalus avait bruyamment tremblé contre sa soucoupe, tandis que Stephen, en remuant sa chaise et en toussant, essayait de couvrir ce signe honteux des excès de boisson auxquels son père s'était livré durant la nuit. Les humiliations s'étaient succédé : les faux sourires des vendeurs, les courbettes et les œillades des serveuses avec lesquelles flirtait son père ; les compliments et les encouragements de ses amis. Ceux-ci avaient dit à Stephen qu'il rappelait beaucoup son grand-père, et M. Dedalus accordait qu'il lui ressemblait affreusement. Ils avaient découvert des traces de l'accent de Cork dans sa façon de parler, et lui avaient fait avouer que la Lee était une rivière plus belle que la Liffey. L'un d'eux, pour mettre à l'épreuve ses connaissances latines, lui avait fait traduire des phrases du Dilectus [1] et demandé s'il fallait dire : *Tempora mutantur nos et mutamur in illis* ou bien : *Tempora mutantur et nos mutamur in illis* [2]. Un autre, un vieillard alerte, que M. Dedalus appelait Johnny Trésorier, le remplit de confusion en lui demandant si les filles de Dublin étaient plus jolies que les filles de Cork.

« Ce n'est pas son genre, dit M. Dedalus, laissez-le tranquille. C'est un garçon pondéré et réfléchi, qui ne s'occupe pas de ces bêtises-là.

— Alors il n'est pas le fils de son père, dit le petit vieillard.

— Je n'en sais rien, vrai de vrai, dit M. Dedalus souriant avec complaisance.

— Ton père, dit le petit vieillard, s'adressant à Stephen, était en son temps le plus hardi des galants de la ville de Cork. Sais-tu cela [3] ? »

Stephen baissa les yeux, examinant le carrelage du bar où ils avaient échoué.

« Allons, ne lui troublez pas les idées, dit M. Dedalus. Laissez-le à son Créateur.

— Ouais[1] ; ce n'est pas moi qui lui troublerai les idées, bien sûr ! Je suis assez vieux pour être son grand-père. Et je suis grand-père, d'ailleurs, dit le petit vieillard à Stephen. Sais-tu cela ?

— Vraiment ? demanda Stephen.

— Fichtre oui ! dit le petit vieillard. J'ai deux gaillards de petits-fils, là-bas, à Sunday's Well[2]. Ainsi, tu vois ! Quel âge me donnes-tu donc ? Et je me rappelle avoir vu ton grand-père en habit rouge, partant à cheval pour la chasse à courre. Tu n'étais pas né, alors !

— Ouiche, ni même envisagé ! dit M. Dedalus.

— Fichtre oui, répéta le petit vieillard. Mieux que ça, je me rappelle ton arrière-grand-père, le vieux John Stephen Dedalus ; c'en était un sacré vieux bagarreur, celui-là ! Eh bien, qu'en dis-tu, d'une mémoire pareille ?

— Cela fait trois générations... quatre générations, dit un autre convive. Dites donc, Johnny Trésorier[3], vous devez approcher de la centaine ?

— Allons, je vais vous dire la vérité, répondit le petit vieillard : j'ai vingt-sept ans tout juste.

— On a l'âge qu'on se sent, Johnny, dit M. Dedalus. Finissez donc ce que vous avez devant vous, nous allons en commander un autre. Hé, Tim ou Tom, ou Machin, donne-nous la même chose ! Ma parole je n'ai pas plus de dix-huit ans, moi non plus ! Tenez, voilà mon fils qui n'a pas la moitié de mon âge, eh bien, je tiens mieux le coup que lui à n'importe quel jour de la semaine !

— Hé, là, doucement, Dedalus. M'est avis qu'il te faut passer à l'arrière, maintenant, dit le monsieur qui venait de parler.

— Non, par Dieu ! déclara M. Dedalus. Je suis son

homme, que ce soit pour chanter un air de ténor, ou passer en voltige une porte à cinq barres, ou bien chasser à courre à travers champs, comme j'ai fait avec le gars de Kerry, en trouvant le moyen de le battre[1].

— Mais lui, il vous battra avec ça, dit le petit vieillard en se tapotant le front et en levant son verre pour le vider.

— Enfin, j'espère qu'il sera aussi brave homme que son père, c'est tout ce que je peux dire, dit M. Dedalus.

— S'il l'est, ça fera l'affaire, dit le petit vieillard.

— Et que Dieu soit loué, Johnny, dit M. Dedalus, de ce que nous avons vécu si longtemps et avons fait si peu de mal.

— Et avons fait tant de bien, Simon, dit gravement le petit vieillard. Dieu soit loué de ce que nous avons vécu si longtemps et avons fait tant de bien ! »

Stephen suivit des yeux les trois verres qui se soulevèrent au-dessus du comptoir, tandis que son père et les deux copains buvaient à la mémoire de leur passé. Destin ou tempérament, un abîme le séparait d'eux. Son esprit semblait plus âgé que les leurs : il brillait d'un éclat froid sur leurs joutes, leurs joies, leurs regrets, comme la lune sur une terre plus jeune. Aucune vie, aucune jeunesse ne remuait en lui comme elle avait remué en eux. Il n'avait connu ni les plaisirs de la camaraderie, ni la vigueur d'une rude et mâle santé, ni la piété filiale. Rien ne remuait en lui, sauf une luxure froide, cruelle et sans amour. Son enfance était morte ou perdue, et avec elle son âme, accueillante aux simples joies ; il errait à travers la vie comme la coque stérile de la lune.

Es-tu pâle de lassitude
Pour avoir escaladé le ciel et contemplé la terre,
Voyageuse sans compagnon... ?

Il se redisait ces vers du fragment de Shelley[1]. Les images alternées de la triste inefficacité humaine et des vastes cycles de l'activité extra-humaine le glacèrent et il oublia sa propre détresse humaine et inefficace.

*

La mère et le frère de Stephen, avec un de leurs cousins, attendaient au coin de la tranquille Foster Place[2], tandis que lui-même et son père montaient les marches et suivaient la colonnade sous laquelle paradait un Highlander en sentinelle. Dans le grand hall, devant les guichets, Stephen sortit ses traites sur la banque d'Irlande pour trente-trois livres sterling. Ces sommes, représentant sa bourse scolaire et son prix de littérature, lui furent aussitôt délivrées par le caissier, en billets et en monnaie[3]. Il les disposa dans ses poches avec une feinte assurance et souffrit que le caissier amical, avec qui son père avait lié conversation, lui serrât la main par-dessus le large comptoir et lui souhaitât une brillante carrière dans la vie à venir. Leurs voix l'impatientaient, ses pieds ne tenaient plus en place. Mais le caissier différait toujours de servir les autres clients, pour raconter que les temps avaient bien changé et qu'il n'y avait rien de tel que de donner à un jeune homme la meilleure éducation possible, coûte que coûte. M. Dedalus s'attardait dans le hall, jetant des regards autour de lui, les levant au plafond et répondant à Stephen, qui le pressait de sortir, qu'ils se trouvaient dans le bâtiment de la Chambre des Communes de l'ancien Parlement irlandais[4].

« Que Dieu nous protège ! fit-il avec piété ; quand on pense aux hommes de ce temps-là, Stephen ! à Hely

Hutchinson, à Flood, à Henry Grattan, à Charles
Kendal Bushe[1], et puis à nos aristocrates d'aujour-
d'hui[2], les chefs de la nation irlandaise, chez nous et à
l'étranger... Par Dieu, même morts, ils n'accepteraient
pas de voisiner avec eux dans un champ de dix arpents.
Non, Stephen, mon vieux, c'est aussi absurde que la
chanson : " J'errais, un beau matin de mai, en plein
mois de juillet si gai ! " »

Un âpre vent d'octobre soufflait aux abords de la
banque. Les trois personnes arrêtées au bord du
trottoir boueux avaient les joues hâves et les yeux
larmoyants. Stephen regarda sa mère légèrement
vêtue et se souvint d'avoir vu, quelques jours auparavant, à la vitrine de Barnado[3], un manteau de vingt
guinées.

« Voilà qui est fait, dit M. Dedalus.

— Il faudrait aller dîner, dit Stephen. Où ?

— Dîner ? dit M. Dedalus. C'est cela, allons dîner,
hein ?

— Quelque part où ce ne soit pas trop cher, dit
Mme Dedalus.

— Chez Underdone[4] ?

— Oui. Un endroit qui ne soit pas tapageur.

— Venez, dit Stephen vivement. Ne vous inquiétez
pas de la dépense. »

Il se mit à marcher, précédant les autres, à pas brefs
et nerveux, en souriant. Ils s'efforçaient de le suivre,
souriant aussi de son empressement.

« Allons ! tout doux, mon garçon, dit le père. Il ne
s'agit pas d'un match de vitesse, n'est-ce pas ? »

Pendant toute une rapide période de réjouissances,
l'argent de ses prix coula entre les doigts de Stephen.
De gros paquets de provisions, de friandises, de fruits
secs arrivaient de la ville. Chaque jour il combinait un
menu pour les siens et chaque soir il les emmenait à

trois ou quatre au théâtre pour voir *Ingomar*[1] ou bien
La Dame de Lyon[2]. Dans les poches de son veston il
avait des tablettes de chocolat viennois pour ses
invités, tandis que les poches de son pantalon étaient
toutes gonflées de pièces d'argent et de cuivre. Il
acheta des cadeaux pour chacun, remit sa chambre en
état, rédigea des projets, rangea ses livres en bon ordre
sur leurs rayons, étudia toutes sortes de prix courants,
élabora le plan d'une espèce de république pour toute
la maisonnée, avec une fonction pour chaque membre,
institua une caisse de prêts pour les siens et contraignit
les clients complaisants à l'emprunt, pour avoir le
plaisir de délivrer des reçus et de calculer les intérêts.
Quand il eut épuisé toutes ces formes d'activité, il se
mit à parcourir la ville d'un bout à l'autre en tramway.
Puis, la période des plaisirs toucha à son terme. Le pot
de ripolin rose tira à sa fin, les boiseries de sa chambre
à coucher restèrent comme elles étaient, avec leur
enduit inachevé et mal étalé[3].

La maison reprit sa vie habituelle. La mère de
Stephen n'eut plus l'occasion de lui reprocher de
gaspiller son argent. De son côté, il reprit son ancienne
existence à l'école et toutes ses entreprises nouvelles
s'écroulèrent. La république[4] périclita, la banque de
prêts ferma ses coffres et ses livres sur un déficit
appréciable, les règles de vie qu'il s'était tracées
tombèrent en désuétude.

Quel but insensé il avait poursuivi ! Il avait essayé de
bâtir une digue d'ordre et d'élégance contre le flux
sordide de la vie extérieure et d'arrêter par des règles
de conduite, des intérêts actifs, de nouveaux rapports
filiaux, l'inlassable retour de ces flux au-dedans de lui-
même. En vain. Du dehors comme du dedans, l'eau
avait débordé par-dessus les barrages ; les vagues
reprenaient leur ruée sauvage sur le mur effondré.

Il vit nettement aussi la futilité de son isolement. Il n'avait pas fait un pas de plus vers les existences dont il avait tenté de se rapprocher, il n'avait pu jeter un pont par-dessus la honte et la rancœur incessantes qui le séparaient de sa mère, de ses frères et sœurs. Il ne se sentait point du même sang qu'eux, mais plutôt lié à eux par la mystique parenté de l'adoption : enfant et frère adoptifs [1].

Il brûlait d'apaiser les désirs effrénés de son cœur, devant lesquels tout le reste lui était vain et étranger. Peu lui importait d'être en état de péché mortel, d'avoir laissé sa vie devenir un tissu de subterfuges et d'hypocrisie. Auprès de ce sauvage désir de réaliser les énormités qu'il ruminait, rien n'était sacré. Il accueillait avec une cynique indulgence les péripéties honteuses de ses secrètes orgies, pendant lesquelles il se complaisait à souiller patiemment toute image qui avait attiré ses regards. Jour et nuit, il vivait parmi les images déformées du monde extérieur. Telle figure qui, au jour, lui avait paru modeste et innocente, revenait vers lui, la nuit, dans le labyrinthe ténébreux du sommeil, le visage transfiguré par une expression de ruse lascive, les yeux étincelants de joie bestiale. Le matin seul l'affectait par le confus souvenir des ténébreux débordements orgiaques, par l'âpre et humiliante sensation de transgression.

Il reprit ses courses vagabondes. Les soirs voilés de l'automne le conduisaient de rue en rue, comme autrefois par les calmes avenues de Blackrock. Mais nulle vision de jardins coquets ou de douces lumières [2] aux fenêtres ne le baignait maintenant de son influence apaisante. Parfois seulement, dans les intervalles de son désir, quand la luxure qui le ravageait cédait la place à une langueur plus tendre, l'image de Mercédès traversait l'arrière-plan de sa mémoire. Il revoyait la

petite maison blanche et le jardin aux buissons de
roses sur la route conduisant vers les montagnes, il se
rappelait le geste de refus triste et fier qu'il devait faire
à cette place, debout près d'elle, dans le jardin, au clair
de lune, après des années d'éloignement et d'aventures[1]. Dans ces moments, les tendres discours de
Claude Melnotte[2] montaient à ses lèvres et soula-
geaient son inquiétude. Il se sentait effleuré par la
douce prescience du rendez-vous qu'il avait escompté
autrefois et, malgré l'horrible réalité amassée entre
son espoir d'alors et l'heure présente, il songeait à la
rencontre bénie qu'il avait imaginée jadis, pendant
laquelle la faiblesse, la timidité et l'inexpérience
devaient se détacher de lui.

Ces instants passaient et les flammes dévastatrices
de la luxure bondissaient à nouveau. Ses lèvres
oubliaient les poèmes, et les cris inarticulés, les mots
grossiers, jusque-là réprimés, se ruaient hors de son
cerveau, se frayaient de force un passage. Son sang
était en révolte. Il arpentait les rues sombres au pavé
gluant, scrutant l'obscurité des venelles et des portes,
prêtant avidement l'oreille à tous les sons. Il geignait
tout seul comme un fauve frustré de sa proie. Il avait
besoin de pécher avec un être de son espèce, de forcer
une autre créature à pécher avec lui, d'exulter avec elle
dans le péché. Il sentait on ne sait quelle sombre
présence qui tombait sur lui irrésistiblement du fond
des ténèbres, une présence subtile et murmurante
comme un flux, et qui s'insinuait en lui jusqu'à le
remplir tout entier. Son murmure obsédait ses oreilles
comme le murmure d'une multitude endormie ; ses
flots subtils pénétraient son être. Ses mains se cris-
paient, convulsivement, et ses dents se serraient tandis
qu'il souffrait la torture de cette pénétration. Dans la
rue, il tendit les bras pour saisir la frêle forme

évanescente qui se dérobait, qui l'attirait, et le cri qu'il avait si longtemps étouffé dans sa gorge sortait de ses lèvres. Ce cri s'arracha de lui comme un hurlement de détresse monte d'un enfer de damnés, il expira dans un gémissement de supplication furieuse : cri arraché par un abandon inique, cri qui n'était que la répétition du griffonnage obscène lu sur la paroi suintante d'un urinoir.

Il s'était égaré dans un labyrinthe de rues étroites et sales[1]. Du fond des passages immondes il entendait les éclats de voix rauques, les disputes, les refrains traînants des chansons d'ivrogne. Il poursuivait son chemin, sans effroi, se demandant s'il ne s'était pas égaré dans le quartier des juifs. Des femmes et des filles en longues robes de couleurs vives traversaient la rue d'une maison à l'autre. Elles étaient indolentes et parfumées. Un tremblement le saisit et sa vue se troubla. Les flammes jaunes du gaz montèrent devant ses yeux voilés contre le ciel vaporeux, brûlant comme devant un autel. Aux portes et dans les vestibules éclairés, des groupes étaient rassemblés, parés comme pour quelque rite. Il était dans un autre monde : il venait de s'éveiller d'un sommeil séculaire[2].

Il restait immobile au milieu de la chaussée, le cœur tambourinant tumultueusement contre sa poitrine. Une jeune femme en longue robe rose posa la main sur son bras pour le retenir et le dévisagea. Elle dit gaiement :

« Bonsoir, mon petit Willie chéri ! »

Sa chambre était tiède et gaie. Une énorme poupée était assise, les jambes écartées, dans un vaste fauteuil près du lit. Il essaya de forcer sa langue à parler pour avoir l'air dégagé, tout en regardant la femme enlever sa robe, et en observant les mouvements fiers et conscients de sa tête parfumée.

Comme il restait en silence au milieu de la chambre, elle vint à lui et le prit dans ses bras, gaie et grave. Ses bras ronds le tenaient serré contre elle, et lui, voyant ce visage levé vers le sien avec un calme réfléchi, sentant sa poitrine tiède animée par sa calme respiration, il fut sur le point de fondre en larmes hystériques. Des pleurs de joie et de délivrance brillaient dans ses yeux ravis, et ses lèvres s'ouvrirent bien qu'il ne pût parler.

Elle passa sa main tintinnabulante dans ses cheveux en le traitant de petit coquin.

« Donne-moi un baiser », dit-elle.

Les lèvres de Stephen refusaient de se pencher pour l'embrasser. Il avait besoin d'être tenu serré par ses bras, d'être caressé lentement, lentement, lentement. Dans ses bras, il se sentait soudain devenu fort et hardi, sûr de lui-même. Mais ses lèvres refusaient de se pencher pour l'embrasser.

D'un mouvement soudain, elle lui inclina la tête, unit ses lèvres aux siennes et il lut le sens de ses mouvements dans ces yeux francs levés vers lui. C'en était trop. Il ferma les yeux, se soumettant à elle, corps et âme, insensible à tout au monde sauf à l'obscure pression de ses lèvres qui s'entrouvraient doucement. C'était son cerveau qu'elles pressaient en même temps que sa bouche, comme si elles étaient le véhicule de quelque vague langage ; et entre ces lèvres il sentit une pression inconnue et timide, plus obscure que le défaillement du péché, plus douce qu'un son ou qu'un parfum.

CHAPITRE III

Le brusque crépuscule de décembre[1] s'était laissé choir pesamment, à la suite de la terne journée, et, tout en regardant le terne carré de la fenêtre de la classe, Stephen sentit son ventre réclamer sa pitance. Il espérait qu'il y aurait du ragoût à dîner : des navets et des carottes, des pommes de terre écrasées et des morceaux de mouton gras que l'on pêche dans une sauce épaisse, poivrée, engraissée de farine. « Bourre-toi avec ça », lui conseillait son ventre.

Ce serait une nuit de ténèbres et de mystère. Après le soir hâtif, les lanternes jaunes éclaireraient, de-ci de-là, le quartier sordide des bordels. Il suivrait un itinéraire tortueux, à travers les rues, en cercles de plus en plus étroits, frémissant de crainte et de joie, jusqu'à ce que ses pieds lui fissent soudain contourner un coin obscur. Les putains sortiraient à ce moment de leurs maisons, se préparant pour la nuit, bâillant paresseusement après leur sieste et rajustant les épingles dans les grappes de leurs cheveux. Il passerait, calme, devant elles, attendant un mouvement soudain de sa propre volonté ou un soudain appel de leur chair douce et odorante vers son âme amoureuse du péché. Cependant, tandis qu'il irait ainsi, rôdant, en quête de cet

appel, ses sens, hébétés seulement par le désir, enregis-
treraient avec intensité tout ce qui les blesse ou les
humilie : ses yeux, un cercle de mousse de bière sur
une table sans nappe, ou bien la photographie de deux
soldats au garde-à-vous, ou bien une affiche de spectacle criarde ; ses oreilles, l'accent faubourien des
appels :

« Bonsoir, Bertie, à quoi tu penses ?

— C'est-y toi, mon pigeon ?

— Numéro dix. Une Nelly toute neuve pour toi !

— Bonsoir, petit mari ! Tu viens passer un
moment ? »

L'équation sur la page de son brouillon commença
à s'élargir en une queue de plus en plus étalée, ta-
chetée d'yeux et d'étoiles comme celle d'un paon ; puis,
lorsque les yeux et les étoiles des exposants furent
éliminés, elle se mit à se replier lentement. Les exposants qui apparaissaient et disparaissaient étaient des
yeux qui s'ouvrent et se referment ; les yeux qui
s'ouvraient et se refermaient étaient des étoiles qui
naissent et s'éteignent. Le vaste cycle de vie étoilée
transportait son esprit las jusqu'à son extrême limite à
l'extérieur et à l'intérieur jusqu'à son centre ; une
lointaine musique[1] l'accompagnait dans ce double
mouvement. Quelle était cette musique ? La musique
se rapprochait, il se rappela les paroles, les paroles du
passage de Shelley sur la lune errant sans compagne,
pâle de lassitude[2]. Les étoiles commencèrent à s'émiet-
ter, un nuage de poussière étoilée tomba à travers
l'espace.

La terne lumière tombait, affaiblie, sur la page où
une nouvelle équation commençait à se déplier lentement, avec sa queue de plus en plus largement étalée.
C'était son âme à lui, allant au-devant de l'expérience,
se dépliant d'un péché à l'autre, élargissant le signal de

détresse de ses étoiles ardentes, puis se repliant sur elle-même, pâlissant lentement, éteignant ses propres lumières et ses flammes. Elles étaient éteintes ; et les ténèbres froides emplirent le chaos.

Une froide et lucide indifférence régnait dans son âme. À son premier péché violent, il avait senti une onde de vitalité s'écouler hors de lui et il avait craint de voir son corps ou son âme mutilés par cet excès. Au lieu de cela, l'onde de vie l'avait porté sur son sein au-delà de lui-même et rapporté avec le reflux ; et aucune partie du corps ou de l'âme n'avait été mutilée, mais une paix ténébreuse s'était établie entre eux. Le chaos où s'éteignait son ardeur était une froide et indifférente connaissance de lui-même. Il avait péché mortellement, non pas une fois, mais à maintes reprises, et il savait que, menacé de damnation éternelle pour le premier de ces péchés, il multipliait par chaque péché nouveau sa culpabilité et sa punition. Ses jours, ses travaux, ses pensées ne pouvaient le racheter, les fontaines de la grâce sanctifiante[1] ayant cessé d'apporter à son âme leur réconfort. Tout au plus pouvait-il, au moyen d'une aumône à un mendiant dont il fuyait la bénédiction, espérer gagner avec lassitude quelque parcelle de grâce actuelle[2]. Sa piété s'en était allée par-dessus bord. À quoi servait de prier, quand il savait que son âme avait un désir luxurieux de sa propre destruction ? Un certain orgueil, une certaine crainte l'empêchaient d'offrir à Dieu la moindre prière du soir, bien qu'il sût que la puissance divine pouvait lui retirer la vie pendant son sommeil et précipiter son âme dans l'enfer sans lui laisser le temps de crier merci. L'attachement orgueilleux à son propre péché, cette crainte devant Dieu, dépourvue de tout amour, lui disaient que son offense était trop grave pour être rachetée, entièrement ou en partie, par un fallacieux hommage à Celui qui voit tout, qui sait tout.

« C'est bon, Ennis, si vous avez une tête, ma trique en a une aussi ! Vous n'êtes donc pas capable de me dire ce que c'est qu'une quantité irrationnelle ? »

La réponse sotte remua les braises de son mépris envers ses camarades. Devant les autres, il ne ressentait ni honte ni peur. Le dimanche matin, en passant devant la porte de l'église, il regardait avec froideur les fidèles, nu-tête, debout, sur quatre rangs d'épaisseur sous le porche, moralement présents à la messe qu'ils ne pouvaient ni voir ni entendre. Leur terne piété, l'odeur écœurante du cosmétique à bon marché dont ils avaient oint leurs têtes l'éloignaient de l'autel devant lequel ils priaient. Il s'abaissa au péché d'hypocrisie avec les autres, sceptique à l'égard de cette innocence qu'il dupait si facilement.

Sur le mur de sa chambre était accroché un parchemin enluminé, sa nomination au poste de préfet du collège dans la confrérie de la Sainte Vierge[1]. Le samedi matin, quand la confrérie se réunissait dans la chapelle pour célébrer le petit office[2], sa place était sur un prie-Dieu capitonné, à la droite de l'autel, d'où il dirigeait son groupe d'élèves pendant les répons. La fausseté de sa situation ne le gênait point. Si, par moments, il avait envie d'abandonner cette place d'honneur, de quitter la chapelle après avoir confessé son indignité devant tous, un regard jeté sur leurs visages le retenait. Les images des psaumes prophétiques[3] apaisaient son stérile orgueil. Les gloires de Marie[4] captivaient son âme ; le nard, la myrrhe, l'encens, symboles des trésors dont Dieu fit présent à son âme, les riches habits, symboles de son royal lignage ; ses emblèmes, la plante et l'arbre aux fleurs tardives, symboles de la croissance progressive, à travers les âges, de son culte parmi l'humanité. Lorsque venait son tour de lire la leçon, vers la fin de l'office, il la lisait d'une voix voilée, berçant sa conscience avec cette musique :

Quasi cedrus exaltata sum in Libanon et quasi cupressus in monte Sion. Quasi palma exaltata sum in Gades et quasi plantatio rosae in Jericho. Quasi uliva speciosa in campis et quasi platanus exaltata sum juxta aquam in plateis. Sicut cinnamomum et balsamum aromatizans odorem dedi et quasi myrrha electa dedi suavitatem odoris [1].

Son péché, qui le dérobait à la vue de Dieu, l'avait rapproché de Celle qui est le Refuge des pécheurs. Elle semblait le considérer avec une douce pitié ; Sa sainteté, cette étrange clarté illuminant doucement Sa chair délicate, n'humiliaient point le pécheur qui venait à Elle. Si parfois il avait envie de chasser son péché et de se repentir, cette impulsion naissait du souhait d'être Son chevalier. Si parfois son âme, regagnant timidement sa demeure après la frénésie du désir charnel, se tournait vers Celle dont l'emblème est l'étoile du matin, « brillante et musicale, parlant du ciel et infusant la paix [2] », c'était lorsque Ses noms étaient prononcés doucement par les lèvres où s'attardaient encore des paroles impures et scandaleuses, la saveur même d'un impudique baiser.

Tout cela était troublant. Il essaya de s'expliquer comment cela pouvait se faire, mais le crépuscule s'épaississant dans la classe recouvrit ses pensées. La cloche sonna. Le maître indiqua les problèmes, les épures à faire pour la prochaine fois, et sortit. Héron, à côté de Stephen, se mit à fredonner d'une voix fausse :

Mon excellent ami Bombados[1].

Ennis, qui était allé aux cabinets, revint en disant :
« Le domestique de chez les Pères vient chercher le recteur. »

Un grand garçon, derrière Stephen, se frotta les mains et dit :
« Ça, c'est de la veine ! On pourra se tirer pendant tout ce temps. Il ne reviendra pas avant une heure et demie. Alors tu pourras lui poser des colles sur le catéchisme, Dedalus. »

Stephen, se penchant en arrière et faisant de vagues dessins sur son cahier de brouillon, écoutait le bavardage qui se poursuivait autour de lui et que Héron arrêtait de temps en temps avec des :
« Fermez donc ça ! Ne faites pas tout ce potin ! »

Ce qui lui semblait étrange aussi, c'était le plaisir stérile qu'il trouvait à suivre jusqu'au bout de leurs lignes rigides les doctrines de l'Église, à pénétrer leurs réticences obscures, pour n'y entendre et sentir que plus profondément sa propre condamnation. La parole de saint Jacques, disant que celui qui enfreint un des commandements se rend coupable à l'égard de tous les autres[2], lui avait paru enflée, jusqu'à ce qu'il commençât à tâtonner dans les ténèbres de son état. De la mauvaise semence de la luxure, tous les autres péchés mortels avaient surgi : orgueil de sa personne et mépris des autres ; convoitise de l'argent à dépenser en plaisirs illicites ; envie envers ceux qu'il ne pouvait égaler dans le vice ; murmure de calomnie contre les gens pieux ; jouissance vorace de la nourriture ; ternes ardeurs d'une colère au milieu de laquelle il couvait son désir, marais de fange spirituelle et corporelle où son être entier avait sombré.

Assis à son banc, regardant avec calme le visage dur

et finaud du recteur, il laissait sa pensée serpenter à travers les questions bizarres qui s'offraient à elle. Si un homme a volé une livre sterling dans sa jeunesse, et l'a employée à amasser une immense fortune, combien sera-t-il obligé de restituer : la livre qu'il a volée seulement, ou bien cette livre accrue des intérêts composés, ou bien toute son immense fortune ? Si un laïque, au cours d'un baptême, verse l'eau avant de prononcer les paroles, l'enfant est-il baptisé ? Le baptême avec de l'eau minérale serait-il valable ? Comment se fait-il que, si la première Béatitude promet le royaume des cieux aux pauvres en esprit, la seconde promette aussi aux débonnaires qu'ils posséderont la terre[1] ? Pourquoi le sacrement de l'eucharistie a-t-il été institué sous les deux espèces du pain et du vin, si vraiment Jésus-Christ est présent en chair et en sang, en âme et en divinité, dans le pain seul, comme dans le vin seul ? Une petite parcelle du pain consacré contient-elle toute la chair et tout le sang de Jésus-Christ, ou bien une partie seulement de cette chair et de ce sang ? Si le vin se change en vinaigre, si l'hostie se corrompt et se décompose après avoir été consacrée, Jésus-Christ demeure-t-il toujours présent sous leurs espèces comme Dieu et comme homme ?

« Le voilà ! le voilà ! »

Un élève posté à la fenêtre avait vu le recteur sortir de la maison principale. Tous les catéchismes s'ouvrirent, toutes les têtes se penchèrent en silence. Le recteur entra et gagna sa chaire. Un petit coup de la part du grand garçon assis derrière Stephen engageait celui-ci à poser une question difficile.

Le recteur ne demanda point qu'on lui passât un catéchisme pour interroger les élèves. Il joignit les mains sur le pupitre et dit :

« Mercredi après-midi commencera la retraite en

l'honneur de saint François-Xavier dont la fête est samedi. La retraite aura lieu de mercredi à vendredi. Vendredi la confession sera reçue durant tout l'après-midi après le chapelet. Si quelques-uns des élèves ont des confesseurs particuliers, il sera sans doute préférable pour eux de n'en pas changer. Le samedi matin à neuf heures, il y aura une messe et une communion générale pour tout le collège. Samedi sera un jour de congé, dimanche bien sûr. Mais, le samedi et le dimanche étant jours de congé, quelques-uns des élèves pourraient être enclins à croire que le lundi sera aussi un jour de congé. Il ne faudrait pas commettre cette erreur. Je pense que vous, Lawless[1], seriez capable de commettre cette erreur.

— Moi, monsieur ? Pourquoi, monsieur ? »

Une petite vague de gaieté silencieuse, venant du sourire sardonique du recteur, se répandit sur la classe. Le cœur de Stephen commençait lentement à se replier, à se flétrir de peur, comme une fleur mourante.

Le recteur poursuivait gravement :

« Vous connaissez tous, je suppose, la vie de saint François-Xavier, patron de votre collège. Il descendait d'une vieille et illustre famille espagnole[2], et vous vous rappelez qu'il fut un des premiers disciples de saint Ignace. Ils s'étaient rencontrés à Paris, où François-Xavier était professeur de philosophie à l'Université[3]. Ce jeune et brillant gentilhomme, cet homme de lettres, se voua de toute son âme aux idées de notre glorieux fondateur et vous savez qu'il fut, sur sa propre demande, envoyé par saint Ignace porter la bonne parole aux Indiens. On l'appelle, comme vous le savez, l'apôtre des Indes. Il parcourut l'Orient, de contrée en contrée, de l'Afrique à l'Inde, de l'Inde au Japon, baptisant le peuple. On dit qu'il a baptisé jusqu'à dix mille idolâtres en un mois. On raconte que son bras droit était devenu infirme à force de se lever sur les têtes de ceux qu'il baptisait. Il eut ensuite le désir de se rendre en Chine pour gagner d'autres âmes encore au Seigneur, mais il succomba à la fièvre dans l'île de Sancian. C'était un grand saint que saint François-Xavier. Un grand soldat de Dieu ! »

Le recteur fit une pause, puis, secouant ses mains jointes devant lui, continua :

« Il avait en lui la foi qui transporte les montagnes. Dix mille âmes gagnées à Dieu en un seul mois ! Voilà un véritable conquérant, fidèle à la devise de notre ordre : *Ad Majorem Dei Gloriam !* Un saint qui possède un grand pouvoir au ciel, retenez-le bien ; le pouvoir d'intercéder pour nous dans nos malheurs, le pouvoir d'obtenir tout ce pour quoi nous prions, si c'est favorable au bien de nos âmes ; le pouvoir, par-dessus tout, d'obtenir pour nous la grâce du repentir si nous sommes en état de péché. C'est un grand saint que saint François-Xavier ! Un grand pêcheur d'âmes ! »

Il cessa de secouer ses mains jointes et, les appuyant contre son front, regardait intensément, de droite et de gauche, son auditoire du fond de ses yeux sombres et austères.

Dans le silence, leur feu sombre embrasait le crépuscule d'une lueur fauve. Le cœur de Stephen venait de se flétrir comme une fleur du désert qui sent l'approche du simoun[1].

*

« Rappelle-toi seulement tes quatre fins dernières et tu ne pécheras plus jamais — ces paroles, mes chers petits frères en Jésus-Christ, sont extraites de l'Ecclésiaste[2], chapitre septième, verset quarantième. Au nom du Père et du Fils et du Saint-Esprit. *Amen.* »

Stephen se trouvait au premier banc de la chapelle. Le père Arnall [1] était assis à une table, à la gauche de l'autel. Un manteau lourd couvrait ses épaules; son visage pâle était tiré et sa voix altérée par le rhume. La figure de son vieux maître, si étrangement reparue, évoquait devant Stephen son existence de Clongowes : les vastes terrains fourmillant d'élèves, la fosse, le petit cimetière au bout de la grande avenue de tilleuls, où il avait rêvé d'être enterré, le reflet des flammes sur le mur de l'infirmerie où il était alité, le triste visage du frère Michael. Son âme, à mesure que reparaissaient ces souvenirs, redevenait une âme d'enfant.

« Nous sommes réunis ici aujourd'hui, mes chers petits frères en Jésus-Christ, éloignés pour un court moment de l'agitation et de l'affairement du monde extérieur, pour célébrer et pour honorer un des plus grands parmi les saints, l'apôtre des Indes, patron également de votre collège, saint François-Xavier. Année après année, depuis bien plus longtemps qu'aucun de vous, mes chers petits, ne peut se rappeler et que je ne peux me rappeler moi-même, les élèves de ce collège se réunissent dans cette même chapelle pour faire leur retraite annuelle avant le jour consacré à leur saint patron. Le temps a passé, apportant avec lui ses changements. Même dans ces quelques dernières années, que de changements présents à la mémoire de la plupart d'entre vous ! Beaucoup d'élèves, assis naguère au premier rang sur ces bancs, sont peut-être en ce moment dans les pays lointains, sous les tropiques brûlants, ou absorbés par des tâches professionnelles, ou bien dans les séminaires, ou bien voguant sur la vaste étendue des mers, ou bien, peut-être, appelés déjà par le Très-Haut à une autre vie et à rendre compte de leur mission. Et cependant, tandis que se déroulent les années, apportant avec elles de bons et de mauvais changements, la mémoire du grand saint est honorée par les élèves de son collège, qui font chaque année leur retraite annuelle dans les journées qui précèdent la date réservée par notre sainte Mère l'Église pour transmettre à tous les âges le nom et la gloire d'un des fils les plus grands de l'Espagne catholique.

« Quel est donc le sens de ce mot : *retraite*, et pourquoi la retraite est-elle généralement considérée comme l'exercice le plus salutaire pour tous ceux qui désirent mener devant Dieu et aux yeux des hommes une existence véritablement chrétienne ? Une retraite, mes chers enfants, consiste à se retirer momentanément loin des soucis de notre existence, des soucis de ce monde quotidien, afin d'examiner l'état de notre conscience, de méditer les mystères de la sainte religion et de mieux comprendre pourquoi nous sommes dans ce monde. Pendant ces quelques jours, j'ai l'intention de vous exposer certaines pensées concernant les quatre fins dernières. Ce sont, comme vous l'avez appris dans votre catéchisme, la mort, le jugement, l'enfer et le ciel. Nous allons tâcher de les comprendre à fond en ces quelques jours, de manière à tirer de cette compréhension un durable bénéfice pour nos âmes. Rappelez-vous, mes chers enfants, que nous avons été envoyés en ce monde dans un but précis, et dans ce but seulement : suivre la sainte volonté de Dieu et sauver notre âme immortelle. Tout le reste est sans valeur. Une seule chose importe : le salut de l'âme. Que sert à un homme de gagner le monde entier, s'il subit la perte de son âme immortelle [1] ? Ah, croyez-moi, mes chers enfants, il n'y a rien en ce monde misérable qui puisse compenser une telle perte.

« Je vous demanderai donc, mes chers enfants, d'écarter de votre esprit, pendant ces quelques jours, toutes les pensées profanes, qu'elles concernent l'étude, ou le plaisir, ou l'ambition, et d'accorder toute votre attention à l'état de votre âme. Ai-je besoin de vous rappeler que, durant ces jours de retraite, tous les jeunes gens doivent observer une conduite calme et pieuse, et s'abstenir de tout plaisir bruyant et incongru. Les plus âgés veilleront, bien entendu, à ce que cette règle ne soit pas transgressée et je compte en particulier sur les préfets et les officiers de la confrérie de Notre-Dame et de celle des Saints Anges pour donner le bon exemple à leurs camarades.

« Tâchons donc de faire cette retraite en l'honneur de saint François avec tout notre cœur et tout notre esprit. La bénédiction de Dieu descendra alors sur toutes vos études de l'année. Mais, par-dessus et par-delà tout le reste, cette retraite doit être telle que vous puissiez vous y reporter par la pensée dans les années à venir, alors que, peut-être, vous serez loin de ce collège, dans un tout autre milieu; que vous puissiez vous y reporter par la pensée avec joie et reconnaissance, et rendre grâces à Dieu de vous avoir octroyé cette occasion d'établir la première base d'une vie chrétienne, pieuse, honorable et pleine de zèle. Et si, comme cela est possible, il se trouve en ce moment-ci sur ces bancs quelque pauvre âme ayant eu l'inexprimable malheur de perdre la sainte grâce de Dieu, de tomber dans un péché grave, j'espère, en priant avec ferveur, que cette retraite donnera une nouvelle direction à la vie de cette âme. Je prie Dieu, au nom des mérites de son zélé serviteur François-Xavier, pour qu'une telle âme soit amenée au repentir sincère et que la sainte communion, à la prochaine fête de saint François, devienne un pacte durable entre Dieu et cette âme. Pour le juste et l'injuste, pour le saint comme pour le pécheur, puisse cette retraite demeurer mémorable.

« Aidez-moi, mes chers petits frères en Jésus-Christ. Aidez-moi par votre pieuse attention, par votre dévotion personnelle, par votre maintien extérieur. Bannissez de vos esprits toutes les pensées profanes et ne songez qu'à ces fins dernières : la mort, le jugement, l'enfer et le ciel. Celui qui se rappelle ces choses, dit l'Ecclésiaste, ne commettra jamais de péché. Celui qui se rappelle les fins dernières n'agira et ne pensera qu'en les ayant toujours devant les yeux. Il vivra d'une bonne vie et mourra d'une bonne mort, croyant et sachant que, s'il a beaucoup sacrifié dans cette vie terrestre, il lui sera donné cent fois et mille fois plus dans la vie à venir, dans le royaume qui ne connaîtra pas de fin — et c'est là, mes chers enfants, une bénédiction que je vous souhaite de tout cœur, à chacun et à tous, au nom du Père et du Fils et du Saint-Esprit. *Amen.* »

Tandis que Stephen s'en retournait chez lui avec des compagnons silencieux, un épais brouillard semblait bloquer son esprit. Il attendait, frappé de stupeur, que ce brouillard se levât et lui montrât ce qu'il avait caché. Il avala son dîner avec un appétit hargneux ; puis, le repas terminé, tandis que les assiettes grasses gisaient à l'abandon sur la table, il se leva et alla à la fenêtre, enlevant avec sa langue l'écume qui lui épaississait la bouche et la léchant sur ses lèvres. Ainsi il était descendu jusqu'à l'état de la bête qui se pourlèche après les repas ! Voilà où il en était ; une faible lueur de crainte commença à percer le brouillard de son esprit. Il appuya son visage contre la vitre et se mit à regarder la rue qui s'emplissait d'obscurité. Des formes passaient dans un sens et dans l'autre sous une morne lumière. Et cela, c'était la vie. Les lettres du nom de Dublin se posaient lourdement sur son esprit, se bousculant hargneusement entre elles avec une insistance tenace et bourrue. Son âme se figeait, se congelait en une graisse compacte, s'enfonçant de plus en plus, avec sa morne crainte, dans un crépuscule sombre et plein de menaces ; et ce corps qui était le sien restait debout, apathique, déshonoré, cherchant avec des yeux obscurcis, dans son impuissance, sa confusion, son humanité, quelque dieu bovin sur qui fixer le regard.

Le jour suivant apporta avec lui la mort et le jugement, éveillant lentement l'âme de Stephen de son apathie désespérée. La faible lueur de crainte se transforma en terreur de l'esprit lorsque la voix rauque du prédicateur souffla la mort jusque dans son âme. Il en souffrit l'agonie. Il sentit le frisson de la mort toucher ses extrémités et se propager vers le cœur, une taie mortelle voiler les yeux, les centres lumineux du cerveau s'éteindre un à un comme des lampes, la sueur dernière perler sur la peau, les membres gagnés par la mort devenir impuissants, la parole s'épaissir, s'embrouiller, défaillir, le cœur palpiter, puis palpiter moins fort, sur le point de succomber, le souffle, le pauvre souffle, le pauvre, l'impuissant esprit de l'homme, sangloter et soupirer, gargouiller et râler dans la gorge. Pas de secours ! Pas de secours ! C'était lui, lui-même, son corps auquel il avait cédé, qui était en train de mourir. Qu'on l'enterre donc ! Qu'on le cloue dans une caisse, ce cadavre ! Qu'on l'emporte hors de la maison sur des épaules mercenaires. Qu'on le jette loin des regards des hommes, au fond d'un long trou dans la terre, dans la tombe, pour qu'il pourrisse, pour qu'il serve de nourriture à la masse grouillante de ses propres vers, pour qu'il soit dévoré par les rats agiles et bedonnants.

Et tandis que les amis en larmes se tenaient encore près du lit, l'âme du pécheur était jugée. Dans le dernier moment de conscience, toute sa vie terrestre avait passé devant les yeux de l'âme, mais avant d'avoir pu faire réflexion, le corps était mort et l'âme terrifiée se trouvait devant le trône de justice. Dieu, qui longtemps avait été clément, allait être juste. Longtemps Il avait été patient, parlementant avec l'âme coupable, lui laissant le temps du repentir, l'épargnant encore. Mais cette heure était passée. Il y avait eu l'heure de pécher et de jouir, l'heure de railler Dieu et les avertissements de Sa sainte Église, l'heure de défier Sa Majesté, de désobéir à Ses commandements, de duper ses semblables, de commettre péché sur péché, et encore péché sur péché, et de cacher sa corruption aux regards des hommes. Mais cette heure était passée. Maintenant, c'était le tour de Dieu, qui, Lui, ne pouvait être dupé ni trompé. Chaque péché sortirait donc de son repaire, — le plus rebelle à la volonté divine et le plus dégradant pour notre pauvre nature corrompue, la plus légère imperfection et le forfait le plus atroce. À quoi servait alors d'avoir été un grand empereur, un grand général, un inventeur prodigieux, le plus savant des savants ? Tous étaient égaux devant le trône de la justice divine. Dieu récompenserait les bons et punirait les méchants. Un seul instant suffisait au procès d'une âme humaine. Un seul instant après la mort du corps, l'âme était pesée dans la balance. Le jugement particulier était rendu et l'âme entrait dans le séjour des bienheureux ou dans la geôle du purgatoire, ou bien elle était précipitée, hurlante, dans l'enfer.

Mais ce n'était pas tout. La justice de Dieu devait encore être affirmée devant les hommes : après le

jugement particulier, il y avait encore le jugement
général. Le dernier jour était venu. Le jour du jugement dernier arrivait. Les étoiles du ciel tombaient sur
la terre, comme des figues répandues par le figuier que
vient de secouer le vent. Le soleil, grand flambeau de
l'univers, était devenu comme un cilice de crin. La lune
était rouge sang. Le firmament avait disparu comme
un parchemin qu'on a roulé [1]. L'archange saint Michel,
prince des milices célestes, apparaissait, glorieux et
terrible, sur le fond du ciel. Posant un pied sur la mer
et l'autre sur la terre, il sonnait de son archangélique
trompette le glas d'airain du temps. Les trois notes de
la trompette de l'ange remplissaient l'univers. Le
temps est, le temps fut, mais le temps ne sera plus. Au
dernier son, les âmes de l'humanité universelle se
pressent vers la vallée de Josaphat, les riches et les
pauvres, les doux et les simples, les sages et les fous, les
bons et les méchants. L'âme de chaque être humain
ayant existé, les âmes de ceux qui vont naître, tous les
fils et toutes les filles d'Adam, tous se trouvent rassemblés en ce jour suprême. Et voici venir le juge suprême.
Ce n'est plus l'humble agneau de Dieu, ce n'est plus le
doux Jésus de Nazareth, ce n'est plus l'Homme de
Douleurs, ce n'est plus le Bon Pasteur ; Il apparaît
maintenant s'avançant sur les nuages, en grande gloire
et majesté, suivi des neuf chœurs angéliques : anges et
archanges, principautés, puissances et vertus, trônes et
dominations, chérubins et séraphins, — le Dieu tout-
puissant, le Dieu éternel. Il parle, et Sa voix se fait
entendre jusqu'aux plus lointaines limites de l'espace,
jusque dans l'abîme sans fond. Juge suprême, de Sa
sentence il n'y aura et ne peut y avoir appel. Il convie
les justes à Son côté, leur ordonnant d'entrer dans le
royaume, dans l'éternité de béatitude préparée pour
eux. Quant aux injustes, il les chasse loin de lui, criant

dans Sa majesté offensée : *Éloignez-vous de moi, maudits, dans le feu éternel préparé pour Satan et ses anges*[1]. Oh ! quelle torture alors que celle des misérables pécheurs ! L'ami est arraché à l'ami, les enfants sont arrachés à leurs parents, l'époux à l'épouse. Le pauvre pécheur tend les bras vers ceux qui lui étaient chers en ce monde terrestre, vers ceux dont peut-être il avait raillé la piété simple, vers ceux qui l'avaient conseillé, qui avaient essayé de le conduire sur le droit chemin, vers un frère bienveillant, vers une sœur aimante, vers la mère et le père qui l'avaient chéri si tendrement. Mais il est trop tard : les justes se détournent des misérables âmes damnées qui maintenant se révèlent à tous les regards sous l'aspect hideux de leur perversité. Ô vous, hypocrites, ô vous, sépulcres blanchis, ô vous qui montrez au monde un visage calme et souriant, tandis qu'au-dedans votre âme est un cloaque de péchés, qu'adviendra-t-il de vous en ce jour terrible ?

Et ce jour viendra, il doit venir, il faut qu'il vienne ; le jour de la mort, le jour du jugement. Il est écrit que l'homme doit mourir et, après sa mort, subir le jugement. La mort est certaine. Il n'y a d'incertain que le moment et la forme de cette mort : suite d'une longue maladie ou d'un accident imprévu ; le Fils de Dieu vient à une heure où vous ne l'attendez point. Soyez donc prêts à tout instant, puisque à tout instant vous pouvez mourir. La mort est notre fin à tous. La mort et le jugement, apportés au monde par le péché de nos premiers parents, sont les portails ténébreux qui ferment notre existence terrestre, portails qui s'ouvrent sur l'inconnaissable et l'invisible, portails que toute âme doit franchir, seule, sans autre secours que celui de ses bonnes actions, sans ami, ni frère, ni parent, ni maître pour lui venir en aide, seule et tremblante[2]. Que cette pensée nous demeure toujours

présente et nous ne pourrons commettre de péché. La
mort, objet de terreur pour le coupable, est un instant
béni pour celui qui a suivi le droit chemin, remplissant
les devoirs de sa condition dans la vie, attentif à ses
prières du matin et du soir, s'approchant souvent du
Saint-Sacrement, adonné à des œuvres bonnes et
charitables. Pour le catholique pieux et croyant, pour
l'homme juste, la mort n'est pas cause de terreur.
N'est-ce pas Addison, le grand écrivain anglais, qui,
sur son lit de mort, envoya chercher le méchant jeune
comte de Warwick pour lui montrer comment un
chrétien peut affronter sa fin [1] ? C'est lui et lui seul, le
chrétien pieux et croyant, qui peut dire en son cœur :

> *Ô tombe, où est donc ta victoire ?*
> *Ô mort, où est ton aiguillon [2] ?*

Chacun de ces mots était pour lui. C'est contre son
péché, sordide et dissimulé, qu'était dirigé tout le
courroux de Dieu. Le stylet du prédicateur sondait
profondément sa conscience malade et il sentait maintenant que son âme était infectée par le péché. Oui, le
prédicateur avait raison. Le tour de Dieu était venu.
Pareille à un fauve dans sa tanière, son âme se vautrait
dans ses propres ordures, mais les appels de la trompette de l'ange l'avaient chassé des ténèbres du péché
dans la lumière. Les paroles de l'arrêt proclamé par
l'ange avaient instantanément détruit sa quiétude
présomptueuse. Le vent du dernier jour soufflait à
travers son esprit ; ses péchés, les prostituées aux yeux
de pierreries qui hantaient son imagination, fuyaient
devant l'ouragan, poussant des cris de souris dans leur
terreur, se blottissant sous leurs crinières emmêlées.

Comme il traversait la place [3] en rentrant chez lui, le
rire léger d'une jeune fille parvint à son oreille brû-

lante. Ce son grêle et gai frappa son cœur plus vivement qu'un coup de trompette ; n'osant lever les yeux, il s'écarta et ne regarda plus, en marchant, que l'ombre des arbustes enchevêtrés. La honte montait de son cœur frappé et inondait tout son être. L'image d'Emma apparut devant lui et sous son regard le flot de honte jaillit de nouveau. Si elle savait à quoi l'avait soumise l'esprit de Stephen, et comment son vice bestial avait déchiré, piétiné son innocence ! Était-ce là un amour d'adolescent ? Était-ce chevaleresque ? Était-ce poétique ? Les sordides détails de ses orgies répandaient leur puanteur jusque sous ses narines. C'était la liasse d'images, couverte de suie, qu'il avait cachée dans la gaine de la cheminée, ces images devant la sensualité éhontée ou pudique desquelles il passait des heures, couché, péchant par pensée et par action ; c'étaient les rêves monstrueux, peuplés de créatures simiesques et de prostituées aux yeux de pierreries ardentes ; c'étaient les longues lettres ignobles qu'il avait écrites avec la joie d'une confession criminelle et qu'il avait portées sur lui en secret, pendant des jours et des jours, pour les jeter enfin, sous le couvert de la nuit, dans l'herbe, au coin d'un champ, ou bien sous quelque porte délabrée, ou bien dans quelque creux de haie, où une jeune fille pouvait les trouver en passant et les lire en cachette. Folie ! Folie ! Était-ce possible qu'il eût fait de telles choses ? Une sueur froide se répandait sur son front, à mesure que les souvenirs ignobles se condensaient dans son cerveau.

Lorsque cette agonie de honte eut cessé, il essaya de relever son âme du fond de son impuissance abjecte. Dieu et la Sainte Vierge étaient trop loin de lui. Dieu était trop grand, trop sévère, la Sainte Vierge trop pure, trop sacrée. Cependant, il imagina qu'il se tenait debout près d'Emma, dans un vaste paysage et qu'il se penchait, humblement et en larmes, pour baiser le coude de sa manche.

Dans la vaste contrée, sous un ciel vespéral, tendre et lucide, tandis qu'un nuage voguait vers l'ouest sur la mer pâle et verte du firmament, ils se tenaient ensemble, deux enfants en faute. Leur faute avait offensé gravement la majesté de Dieu, bien que ce ne fût qu'une faute de deux enfants. Mais elle n'avait pas offensé Celle dont la beauté « n'est pas comme la beauté terrestre, dangereuse aux regards, mais comme l'étoile du matin, son emblème, rayonnante et musicale [1] ». Les yeux qu'Elle tourna vers eux n'étaient point offensés et ne contenaient point de reproche. Elle unit leurs mains et dit en parlant à leurs cœurs :

« Joignez vos mains, Stephen et Emma. Voici un beau soir dans les cieux. Vous avez commis une faute, mais vous êtes toujours mes enfants. Voici un cœur qui aime un autre cœur. Joignez vos mains, mes chers enfants, et vous serez heureux ensemble, et vos cœurs s'aimeront. »

La chapelle était inondée d'une terne clarté écarlate filtrant à travers les stores baissés, mais par l'interstice entre le bord du store et le châssis de la fenêtre, un trait de lumière blafarde entrait comme une lance, effleurant les cuivres sculptés des candélabres sur l'autel qui brillait comme l'armure des anges cabossée dans la bataille.

La pluie tombait sur la chapelle, sur le jardin, sur le collège. Il pleuvrait à n'en plus finir, sans bruit. L'eau allait monter peu à peu, recouvrir l'herbe et les arbustes, recouvrir les arbres et les maisons, recouvrir les monuments et les sommets des montagnes. Toute vie allait être étouffée, sans bruit : oiseaux, hommes, éléphants, porcs, enfants, — cadavres flottant sans bruit dans le chaos du naufrage universel. Quarante jours et quarante nuits, la pluie allait tomber, jusqu'à ce que la face de la terre disparaisse sous les eaux.

Cela pouvait arriver. Pourquoi pas ?

« *L'enfer s'est élargi, il a ouvert sa gueule sans mesure,* — ces paroles, mes chers petits frères en Jésus-Christ, sont empruntées au livre d'Isaïe, chapitre cinquième, verset quatorzième. Au nom du Père et du Fils et du Saint-Esprit. *Amen.* »

Le prédicateur sortit de la poche intérieure de sa soutane une montre sans chaîne, et après en avoir contemplé le cadran un instant en silence, il la plaça silencieusement sur la table à côté de lui.

Il commença à parler sur un ton calme.

« Adam et Ève, mes chers enfants, furent, comme vous le savez, nos premiers parents ; vous vous rappellerez qu'ils furent créés par Dieu afin que les sièges célestes, demeurés vacants après la chute de Lucifer et de ses anges rebelles, pussent trouver de nouveaux occupants [1]. Lucifer, nous dit-on, était un fils du matin, un ange puissant et radieux ; cependant il tomba ; il tomba, et avec lui tomba le tiers des milices célestes ; il tomba et fut précipité dans l'enfer en compagnie de ses anges rebelles. Quel avait été son péché, nous ne saurions le dire. Les théologiens considèrent que ce fut le péché d'orgueil, la pensée coupable, conçue en un instant : *non serviam, — je ne servirai point*. Cet instant fut sa perte. Il avait offensé la majesté de Dieu par la coupable pensée d'un seul instant et Dieu le chassa à jamais du ciel dans l'enfer.

« Adam et Ève furent donc créés par Dieu et placés dans l'Éden, dans la plaine de Damas, dans ce magnifique jardin resplendissant de lumières et de couleurs, débordant de végétation luxuriante. La terre féconde les comblait de ses dons : les bêtes et les oiseaux étaient leurs esclaves consentants ; ils ignoraient les maux qui constituent l'héritage de notre chair, la maladie, la pauvreté, la mort ; tout ce qu'un Dieu puissant et généreux pouvait faire en leur faveur était fait. Mais il y avait une condition que Dieu leur avait imposée : l'obéissance à Sa parole. Ils ne devaient point manger le fruit de l'arbre défendu.

« Hélas, mes chers petits enfants, eux aussi ils tombèrent. Satan, ange rayonnant naguère et fils du matin, devenu un vil démon, vint à eux sous la forme du serpent, le plus subtil des animaux de la plaine. Il les enviait. Lui, le puissant déchu, ne pouvait supporter l'idée qu'un homme, créature d'argile, jouît de l'héritage qu'il avait lui-même à jamais perdu à cause de son péché. Il s'approcha de la femme, vase plus accessible, et versa le poison de son éloquence dans son oreille, lui promettant — (et quel blasphème dans cette promesse !) — que, si elle et Adam mangeaient du fruit défendu, ils deviendraient pareils à des dieux, bien plus : à Dieu lui-même. Ève céda à l'artifice de l'archi-tentateur. Elle mangea la pomme et en donna à Adam qui n'eut pas le courage moral de lui résister. La langue envenimée de Satan avait accompli son œuvre. Ils tombèrent.

« Alors la voix de Dieu se fit entendre dans ce jardin, appelant l'homme, Sa créature, pour qu'il lui rendît compte de ses actions. Et Michel, prince des milices célestes, une épée de flamme à la main, parut devant les deux coupables et les chassa de l'Éden dans le monde, ce monde de maux et de luttes, de cruauté et de déceptions, de labeur et de privations, pour y gagner leur pain à la sueur de leur front. Mais, alors même, quelle ne fut pas la miséricorde de Dieu ! Il eut pitié de nos pauvres parents déchus et leur promit que, les temps révolus, Il ferait descendre du ciel Celui qui les rachèterait, qui en ferait de nouveau les enfants de

Dieu, les héritiers du royaume céleste ; et Celui-là, ce Rédempteur de l'homme déchu, devait être le Fils unique de Dieu, la Deuxième Personne de la Très Sainte Trinité, le Verbe Éternel.

« Il vint. Il naquit d'une vierge immaculée, Marie la vierge mère. Il naquit dans une pauvre étable de Judée et mena la vie d'un humble charpentier, trente années durant, jusqu'à ce qu'arrivât l'heure de remplir Sa mission. Alors, plein d'amour pour l'humanité, Il sortit au grand jour et appela les hommes pour leur annoncer l'évangile nouveau.

« L'écoutèrent-ils ? Oui, ils l'écoutaient, mais ils ne l'entendaient point. Il fut arrêté et enchaîné comme un vulgaire criminel, raillé comme un insensé, rejeté au profit d'un brigand, flagellé de cinq mille coups de lanières, couronné d'une couronne d'épines, poussé à travers les rues par la populace juive et la soldatesque romaine, dépouillé de Ses vêtements, cloué sur un gibet, et Son flanc fut percé d'une lance, et du corps blessé de notre Seigneur l'eau et le sang se mirent à couler.

« Et cependant, même alors, en cette heure de suprême agonie, notre Rédempteur miséricordieux prenait en pitié le genre humain. Cependant, c'est là même, sur le mont du Calvaire, qu'Il fonda la Sainte Église catholique contre laquelle, selon Sa promesse, ne prévaudront point les portes de l'enfer. Il la fonda sur le roc des siècles, et la dota de Sa grâce, de sacrements et de sacrifices, et Il promit que, si les hommes obéissaient aux commandements de Son Église, ils entreraient malgré tout dans la vie éternelle, mais que si, après tout ce qui avait été fait en leur faveur, ils persistaient dans leur méchanceté, il leur serait réservé une éternité de torture : l'enfer. »

La voix du prédicateur défaillit. Il fit une pause, joignit ses paumes un instant, les écarta. Puis il reprit :

« Maintenant, essayons pendant quelques minutes de nous représenter dans la mesure du possible la nature de ce séjour des damnés que la justice d'un Dieu offensé appela à l'existence pour le châtiment éternel des pécheurs. L'enfer est une prison étroite, sombre et fétide, un séjour de démons et d'âmes perdues, plein de flammes et de fumées. L'exiguïté de cette prison est spécialement destinée par Dieu à punir ceux qui ont refusé d'être liés par Ses lois. Dans les geôles terrestres, le pauvre captif a du moins une certaine liberté de mouvement, ne serait-ce qu'entre les quatre murs de sa cellule ou bien dans la cour lugubre de sa prison. Il n'en est pas de même en enfer. Là, en raison du grand nombre de damnés, les prisonniers sont entassés les uns sur les autres dans leur horrible prison dont les murailles, dit-on, ont quatre milliers de milles d'épaisseur ; et les damnés sont si complètement immobilisés, si impuissants, que, — selon un bienheureux saint, saint Anselme, qui en parle dans son livre des Similitudes, — ils n'ont même pas la possibilité d'écarter de leur œil un ver qui les ronge[1].

« Ils sont plongés dans les ténèbres extérieures, car, rappelez-vous ceci : *Les flammes de l'enfer ne produisent aucune clarté*. De même que, sur l'ordre de Dieu, le feu de la fournaise de Babylone perdit sa chaleur, mais non sa clarté, de même, sur l'ordre de Dieu, le feu de l'enfer, tout en conservant l'intensité de sa chaleur, brûle éternellement dans l'obscurité. C'est une incessante tempête de ténèbres, de noires flammes et de noires fumées de soufre brûlant, parmi lesquelles les corps sont entassés les uns sur les autres, sans le moindre souffle d'air. De toutes les plaies qui avaient frappé le pays des Pharaons, une seule, la plaie des ténèbres, avait été qualifiée d'horrible. Quel nom donnerons-nous donc aux ténèbres de l'enfer, qui doivent durer non pas trois jours, mais toute l'éternité ?

« L'horreur de cette prison étroite et sombre s'accroît de son effroyable puanteur. Toutes les immondices du monde, tout le fumier, toute l'écume du monde s'écouleront là, nous dit-on, comme en un vaste cloaque fumant, quand la terrible conflagration du dernier jour aura purgé le monde. D'autre part, le soufre qui y brûle en si prodigieuse quantité remplit tout l'enfer de sa puanteur intolérable ; et les corps des damnés eux-mêmes exhalent une odeur si pestilentielle que, selon saint Bonaventure, un seul d'entre eux suffirait à infecter le monde entier. L'air de notre monde, cet élément si pur, devient lui-même fétide, irrespirable lorsqu'il a été longtemps renfermé. Jugez donc quelle doit être la fétidité de l'air dans l'enfer. Imaginez un cadavre fétide et putride, pourri, décomposé au fond d'un tombeau, un amas gélatineux de corruption liquide. Imaginez ce cadavre livré aux flammes, dévoré par le feu du soufre brûlant répandant l'épaisse et suffocante odeur de décomposition répugnante et nauséabonde. Et puis imaginez cette écœurante puanteur multipliée des millions et des millions de fois par le nombre de millions et de millions de carcasses fétides amassées dans les ténèbres enfumées, cet immense fongus de pourriture humaine. Imaginez tout cela, et vous aurez une idée de l'horrible puanteur de l'enfer.

« Mais cette puanteur, si horrible qu'elle soit, n'est pas la plus grande torture physique que subissent les damnés. La torture par le feu est la plus grande qu'un tyran ait jamais infligée à ses semblables. Mettez un instant votre doigt dans la flamme d'une bougie et vous sentirez la douleur que cause le feu. Mais notre feu terrestre fut créé par Dieu pour le bien de l'homme,

pour maintenir en lui l'étincelle de vie, pour l'aider
dans les arts utiles[1], tandis que le feu de l'enfer est
d'une tout autre qualité, il fut créé par Dieu pour
torturer et châtier le pécheur impénitent. En outre,
notre feu terrestre consume plus ou moins rapidement,
selon que l'objet attaqué est plus ou moins combusti-
ble, si bien que l'ingéniosité humaine a même réussi à
inventer des préparations chimiques pour arrêter ou
déjouer son action. Mais le soufre qui brûle dans l'enfer
est une substance spécialement destinée à brûler éternellement avec une indicible fureur. Enfin, notre feu
terrestre détruit à mesure qu'il brûle, de sorte que plus
il est intense, plus sa durée est brève ; mais le feu de
l'enfer possède la propriété de conserver ce qu'il brûle,
et, bien qu'il fasse rage avec une intensité incroyable,
cette rage n'a pas de fin.

« D'autre part, notre feu terrestre, si furieux ou si
vaste soit-il, n'a jamais qu'une étendue limitée ; mais
le lac de feu de l'enfer est sans bornes, sans rivage et
sans fond. Il est dit que le diable lui-même, interrogé
sur ce point par un certain soldat, fut obligé d'avouer
qu'une montagne jetée dans l'océan enflammé de
l'enfer serait consumée en un instant comme un
morceau de cire. Et ce feu terrible ne se contentera pas
d'atteindre les corps des damnés extérieurement, mais
toute âme perdue sera en elle-même un enfer, les
flammes déchaînées faisant rage jusque dans ses vis-
cères. Ah, qu'il est terrible, le sort de ces malheureux !
Le sang bouillonne et bout dans les veines, la cervelle
bout dans le crâne, le cœur dans la poitrine s'embrase
et éclate, les entrailles ne sont plus qu'un rougeoyant
amas de pulpe qui se consume, les yeux délicats
flambent comme des globes en fusion.

« Et cependant, tout ce que je viens de dire concernant la force, la qualité et l'étendue illimitée de ce feu

n'est rien en comparaison de son intensité, intensité qu'il possède en tant qu'instrument choisi par le dessein divin pour le châtiment de l'âme et du corps à la fois. C'est un feu qui procède directement du courroux de Dieu, et qui se manifeste non par sa propre activité, mais comme instrument de la vengeance divine. De même que les eaux baptismales purifient l'âme avec le corps, de même les feux du châtiment torturent l'esprit avec la chair. Chacun des sens de la chair est torturé, et, avec lui, chaque faculté de l'âme : les yeux par l'obscurité absolue et impénétrable ; le nez par les odeurs délétères ; les oreilles par les cris, les hurlements, les imprécations ; le goût par la matière immonde, par la lèpre et la pourriture, par la fange innommable et suffocante ; le toucher par les aiguillons et les clous rougis, par de cruelles langues de feu. Ainsi, au moyen de ces différentes tortures des sens, l'âme immortelle est éternellement torturée en son essence même, parmi des lieues et des lieues de rouges flammes, attisées dans l'abîme par la majesté offensée du Dieu Tout-Puissant, gonflées d'une éternelle et toujours croissante fureur par le souffle courroucé du Très-Haut.

« Considérez enfin que la torture de cette prison infernale est aggravée par la société des damnés eux-mêmes. Sur terre, une mauvaise compagnie est si pernicieuse que les plantes, comme par instinct, s'éloignent de toute chose meurtrière ou nuisible pour elles. En enfer, toutes les lois sont renversées, il n'est plus question de famille ou de patrie, de liens ou de parenté. Les damnés échangent entre eux des hurlements, des vociférations, car leur torture et leur rage s'augmentent en présence d'êtres torturés et pleins de rage comme eux-mêmes. Tout sentiment d'humanité est oublié. Les cris de douleur des pécheurs remplissent les coins les plus lointains du vaste abîme. La bouche des damnés est pleine de blasphèmes contre Dieu, de haine envers leurs compagnons de souffrance, de malédictions envers ceux qui furent leurs complices dans le péché. Jadis, pour punir le parricide, l'homme qui avait levé une main meurtrière sur son père, on le précipitait dans les profondeurs de la mer, enfermé dans un sac où se trouvaient un coq, un singe et un serpent. L'intention des promoteurs de cette loi, qui paraît cruelle à notre époque, était de punir le criminel par la compagnie de ces bêtes détestables et agressives. Mais qu'est-ce que la rage de ces animaux muets en comparaison des expressions de rage haineuse qui s'échappent des lèvres desséchées, des gosiers douloureux des damnés de l'enfer, contemplant parmi leurs compagnons de misère ceux-là mêmes qui les avaient assistés et encouragés dans le péché, ceux dont les paroles avaient semé dans leur esprit les premières semences de mauvaises pensées et de mauvaises actions, ceux dont les suggestions immodestes les avaient conduits au péché, ceux dont les regards les avaient tentés et attirés hors du chemin de la vertu ? Ils se retournent contre ces complices avec des reproches et des malédictions. Mais il ne leur reste ni secours ni espoir : il est trop tard pour se repentir.

« Considérez enfin l'épouvantable torture que représente pour ces âmes damnées, celles des tentateurs et celles de leurs victimes, la compagnie des démons. Ces démons ne cessent de tourmenter les damnés de deux manières : par leur présence et par leurs reproches. Nous ne pouvons avoir aucune idée de la hideur de ces diables. Sainte Catherine de Sienne vit un jour un démon et elle a écrit qu'elle préférerait marcher jusqu'à la fin de ses jours sur un sentier de charbons ardents plutôt que de revoir un seul instant un monstre aussi épouvantable. Ces diables, qui furent jadis des anges de beauté, sont devenus aussi laids et hideux qu'ils avaient été beaux autrefois. Ils raillent et bafouent les âmes perdues qu'ils ont entraînées dans la ruine. Ce sont eux, ces diables abjects, qui représentent dans l'enfer les voix de la conscience. Pourquoi as-tu péché ? Pourquoi as-tu prêté l'oreille aux propos tentateurs des démons ? Pourquoi as-tu abandonné tes pieux exercices, tes bonnes œuvres ? Pourquoi n'as-tu pas fui les occasions de péché ? Pourquoi n'as-tu pas quitté tel mauvais compagnon ? Pourquoi n'as-tu pas renoncé à telle habitude impudique, à telle habitude impure ? Pourquoi n'as-tu pas écouté les conseils de ton confesseur ? Pourquoi, même après avoir péché, une première, une seconde, une troisième, une quatrième ou une centième fois, ne t'es-tu pas repenti de ta mauvaise conduite et n'es-tu pas revenu à Dieu qui n'attendait que ton repentir pour t'absoudre ? Maintenant, le temps du repentir est passé. Le temps est, le temps fut, mais le temps ne sera plus ! Il y eut un temps pour pécher en secret, pour te complaire dans cette paresse et cet orgueil, pour convoiter l'illicite, pour céder aux instigations de ta nature inférieure, pour vivre comme les bêtes des champs, que dis-je, pis encore que les bêtes, car celles-ci du moins ne sont que des brutes et n'ont point de raison pour les guider. Le temps fut, mais le temps ne sera plus. Dieu t'a parlé de tant de voix, mais tu n'as pas voulu l'entendre. Tu n'as pas voulu écraser cet orgueil et cette rancune dans ton cœur, tu n'as pas voulu restituer ce bien mal acquis, tu n'as pas voulu obéir aux préceptes de ta sainte Église ni observer tes devoirs religieux, tu n'as pas voulu quitter ces mauvais compagnons, tu n'as pas voulu éviter ces tentations dangereuses. Tel est le langage de ces bourreaux diaboliques, telles sont les paroles pleines de raillerie et de reproche, de haine et de dégoût. Oui, de dégoût ! Car même ceux-là, les démons eux-mêmes, au temps où ils commirent leur péché, n'ont commis que le seul péché compatible avec leur nature angélique : la rébellion de l'esprit. Et même ceux-là, même les diables abjects, doivent se détourner avec indignation et dégoût du spectacle de ces péchés innommables par lesquels l'homme dégradé outrage et souille le temple du Saint-Esprit, en souillant et polluant sa propre personne [1].

« Ô mes chers petits frères en Jésus-Christ, puissions-nous ne jamais entendre un tel langage ! Ah, je vous le dis, puissions-nous échapper à un tel sort ! Je prie Dieu ardemment pour qu'au dernier jour du terrible règlement des comptes, pas une seule des âmes aujourd'hui présentes dans cette chapelle ne se trouve parmi les misérables créatures que le Grand Juge chassera pour toujours loin de Son regard, pour qu'aucun de nous n'entende jamais sonner à ses oreilles l'effroyable sentence d'expulsion : *Éloignez-vous de moi, maudits, dans le feu éternel préparé pour le démon et ses anges* [2]. »

Stephen se dirigea vers la sortie par le bas-côté de la chapelle ; ses jambes flageolaient, la peau de son crâne frissonnait comme si elle venait d'être effleurée par des doigts de spectres. Il monta l'escalier, traversa le corridor où les pardessus et les imperméables pendaient aux murs comme des malfaiteurs aux gibets, sans tête, ruisselants et informes. Et à chaque pas, il se disait avec terreur qu'il était déjà mort, que son âme avait été arrachée du fourreau de son corps, qu'il venait d'être précipité, la tête la première, à travers l'espace.

Ne pouvant s'accrocher au sol avec les pieds, il s'assit lourdement à son pupitre, ouvrit un de ses livres au hasard, et se mit à le regarder fixement. Chaque mot pour lui ! C'était vrai. Dieu était tout-puissant. Dieu pouvait l'appeler à l'instant même, l'appeler pendant qu'il était assis à son pupitre, avant qu'il eût le temps de prendre conscience de l'assignation. Dieu l'avait appelé. Hein ? Quoi ? Oui ? Sa chair se recroquevillait devant l'approche des langues de flamme rapaces, se desséchait en sentant venir le tourbillon d'air suffocant. Il était mort. Oui. Il était jugé. Une vague de feu balaya son corps : la première. Une autre vague. Son cerveau commençait à s'échauffer. Encore une. Son cerveau gargouillait et bouillonnait dans le logis du crâne prêt à craquer. Des flammes jaillirent de son crâne comme une corolle, criant comme des voix :

« L'enfer ! L'enfer ! L'enfer ! L'enfer ! L'enfer ! »

Des voix parlèrent près de lui :

« Sur l'enfer.

— J'imagine qu'il vous a bien enfoncé ça dans la tête ?

— Et comment ! Il nous a flanqué à tous une frousse bleue[1].

— C'est ce qu'il vous faut, à vous autres, et à haute dose, pour vous faire marcher ! »

Il se laissa aller, faible, contre le dossier de son banc. Il n'était pas mort. Dieu l'épargnait encore. Il était toujours dans le monde familier de l'école. M. Tate et Vincent Héron se tenaient à la fenêtre, causant et plaisantant, regardant tomber la pluie froide et triste, remuant la tête.

« Pourvu que le temps s'arrange ! J'avais combiné une course à bécane avec quelques élèves, du côté de Malahide[2]. Mais on doit enfoncer jusqu'aux genoux, sur les routes.

— Le temps peut encore s'arranger, monsieur. »

Les voix bien connues, les mots usuels, le calme de la

salle d'étude quand les voix s'arrêtaient et que le silence s'emplissait d'un bruit léger, pareil à celui d'un troupeau qui broute doucement, tandis que les élèves mâchaient leur déjeuner, — tout cela berçait doucement son âme endolorie.

Il était temps encore. Ô Marie, refuge des pécheurs [1], intercédez pour lui. Ô Vierge Immaculée, sauvez-le du gouffre de la mort !

La leçon d'anglais débuta par un examen d'histoire. Personnages royaux, favoris, intrigants, évêques, défilaient, fantômes muets, derrière le voile de leurs noms. Tous étaient morts ; tous avaient été jugés. À quoi servait qu'un homme eût conquis le monde entier, s'il avait perdu son âme ? Stephen comprenait enfin : la vie humaine s'étendait autour de lui, paisible plaine sur laquelle des hommes pareils à des fourmis travaillaient et fraternisaient, tandis que leurs morts dormaient sous des terres tranquilles. Le coude de son voisin toucha le sien et son cœur fut touché ; et lorsqu'il prit la parole pour répondre à une question de son maître, il sentit dans sa propre voix la quiétude de l'humilité et de la contrition.

Son âme s'enfonça plus avant dans ces profondeurs de paix et de contrition, incapable de supporter plus longtemps la souffrance de la terreur, et exhalant, à mesure qu'elle s'enfonçait, une faible prière. Oh, oui, il serait épargné ! Il se repentirait en son cœur et obtiendrait le pardon ; et alors ceux de là-haut, ceux qui vivent au ciel, verraient ce qu'il allait faire pour expier le passé : toute une vie, toutes les heures de la vie. Qu'on le laissât faire seulement !

« Tout, mon Dieu ! tout, tout ! »

Un messager parut à la porte, annonçant que la confession était reçue dans la chapelle. Quatre élèves quittèrent la pièce ; il en entendit d'autres qui passaient dans le corridor. Un frisson de froid courut tout autour de son cœur, pas plus fort qu'une brise légère, et cependant, écoutant et souffrant en silence, il avait l'impression de coller l'oreille contre le muscle de son propre cœur, de le sentir proche et apeuré, d'entendre la palpitation de ses ventricules.

Impossible d'échapper, il fallait se confesser, exprimer avec des mots ce qu'il avait commis ou pensé, péché par péché. Comment ? Comment ?

« Mon père, j'ai... »

Cette pensée se glissa comme une rapière froide et brillante dans sa chair délicate : la confession. Mais pas ici, pas dans la chapelle du collège. Il confesserait tout, le moindre péché, par action ou par pensée, en toute sincérité ; mais pas ici, parmi ses camarades d'école. Loin d'ici, dans quelque endroit obscur, il avouerait tout bas sa honte ; il supplia Dieu avec humilité de ne pas lui tenir rigueur s'il n'osait se confesser dans la chapelle du collège ; et dans une absolue soumission de l'esprit, il implora en silence le pardon des cœurs juvéniles qui l'entouraient.

Le temps passa.

De nouveau il était assis au premier banc de la chapelle. Dehors, la lumière du jour déclinait déjà, et comme elle filtrait à travers le rouge terne des stores, il semblait que ce fût le coucher du soleil du dernier jour et que toutes les âmes fussent rassemblées là pour le jugement.

« *Je suis retranché de devant tes yeux*, — ces paroles, mes chers petits frères en Jésus-Christ, sont empruntées au Livre des Psaumes, chapitre trentième, verset vingt-troisième[1]. Au nom du Père et du Fils et du Saint-Esprit. *Amen.* »

Le prédicateur commença à parler sur un ton calme et amical. Son visage était bienveillant ; il rapprocha délicatement par leurs bouts les doigts de chaque main, de manière à former une frêle cage.

« Ce matin nous nous sommes efforcés, dans notre méditation sur l'enfer, de faire ce que notre saint fondateur appelle, dans son livre sur les exercices spirituels [1], une composition de lieu. C'est-à-dire que nous avons essayé de nous représenter, par les sens de l'intelligence, par l'imagination, le caractère matériel de ce lieu effroyable et les tortures physiques endurées par tous ceux qui y résident. Ce soir nous étudierons pendant quelques minutes la nature des tourments spirituels de l'enfer.

« Rappelez-vous que le péché constitue un double crime. C'est un lâche consentement aux suggestions que nous souffle notre nature corrompue, aux instincts les plus bas, à tout ce qui est grossier et bestial ; c'est aussi un refus d'obéir aux conseils de notre nature la plus haute, à tout ce qui est pur et sacré, à Dieu lui-même. Pour cette raison, le péché mortel est puni en enfer de deux manières différentes : châtiment physique, châtiment spirituel.

« Or, parmi toutes les peines spirituelles, de beaucoup la plus grande est la peine de la privation, peine si grande, en effet, qu'à elle seule elle représente une torture plus grande que toutes les autres. Saint Thomas, le plus grand docteur de l'Église, on l'appelle le docteur angélique, dit que la pire damnation consiste en ce que l'entendement de l'homme se trouve totalement privé de la lumière divine et son affection obstinément détournée loin de la bonté de Dieu [2]. Souvenez-vous que Dieu est un être infiniment bon ; et par conséquent, la privation d'un tel être est une privation infiniment cruelle. Dans cette vie, nous ne saurions nous faire une idée bien précise de ce que doit être une telle privation, mais les damnés de l'enfer, pour leur plus grande torture, sont doués d'une entière compréhension de ce qu'ils ont perdu ; ils comprennent qu'ils l'ont perdu à cause de leurs péchés et qu'ils l'ont perdu à jamais. À l'instant même de la mort, les entraves charnelles se brisent et l'âme vole aussitôt vers Dieu comme vers le centre de son existence. Rappelez-vous, mes chers petits, que notre âme aspire ardemment à demeurer avec Dieu. Nous venons de Dieu, nous existons par Dieu, nous appartenons à Dieu : nous sommes à Lui, inaliénablement à Lui. Dieu aime toute âme humaine d'un amour divin et toute âme humaine vit dans cet amour. Pourrait-il en être autrement ? Chaque souffle de notre respiration, chaque pensée de notre cerveau, chaque seconde de vie procèdent de l'inépuisable bonté de Dieu. Et, si c'est une souffrance pour la mère que d'être séparée de son enfant, pour l'homme d'être exilé loin de son foyer, de sa patrie, pour l'ami d'être arraché à son ami[1], oh ! songez quelle souffrance, quelle angoisse cela représente pour la pauvre âme, que d'être rejetée hors de la présence du Créateur souverainement bon et aimant, qui avait fait surgir cette âme du néant, qui l'avait maintenue en vie et l'avait aimée d'un insondable amour. C'est donc cela, c'est le fait d'être séparée pour toujours de Dieu, son bien le plus précieux, et de sentir l'angoisse de cette séparation, sachant parfaitement qu'il n'y a nul changement possible, c'est cela qui constitue la plus cruelle torture qu'une âme créée soit capable de supporter, c'est la *poena damni*, la peine de la privation.

« La deuxième peine que subiront les âmes des damnés en enfer, est la peine de la conscience. De même que dans les cadavres les vers sont engendrés par la putréfaction, de même dans les âmes des réprouvés un perpétuel remords surgit de la putréfac-

tion du péché ; c'est l'aiguillon de la conscience [1], le ver
à la triple morsure, ainsi que l'appelle le Pape Innocent III. La première morsure infligée par ce ver cruel
sera le souvenir des plaisirs passés. Ô combien
terrible sera ce souvenir ! Dans le lac de flammes qui
dévorent tout, le roi plein d'orgueil se rappellera les
pompes de sa cour ; l'homme savant, mais mauvais, ses
bibliothèques, ses instruments de recherche ; l'amateur de plaisirs artistiques, ses marbres, ses tableaux et
autres trésors d'art ; celui qui s'adonnait aux plaisirs
de la table, ses festins somptueux, ses mets si délicatement préparés, ses vins de choix ; l'avare se rappellera
ses monceaux d'or ; le voleur ses richesses mal
acquises ; les assassins furieux, vindicatifs et impitoya-
bles, se rappelleront les œuvres de sang et de violence
dans lesquelles ils se complaisaient ; les impudiques et
les adultères, les plaisirs inavouables et abjects qui
faisaient leurs délices. Ils se rappelleront tout cela et
ils se prendront en horreur, eux-mêmes et leurs péchés.
Combien misérables, en effet, paraîtront ces plaisirs à
l'âme condamnée à souffrir dans le feu de l'enfer,
pendant des siècles et des siècles ! Combien ils écume-
ront de rage en pensant qu'ils ont échangé la félicité du
ciel contre la fange terrestre, contre quelques pièces de
métal, contre de vains honneurs, contre le bien-être
corporel, contre un frisson de leurs nerfs. Ils se repentiront, en vérité : et voici la deuxième morsure du ver de
la conscience, le regret tardif et inutile des péchés
commis. La justice divine veille à ce que la pensée de
ces malheureux demeure continuellement fixée sur les
péchés dont ils se sont rendus coupables ; en outre,
ainsi que le fait observer saint Augustin, Dieu leur
communiquera Sa propre notion du péché, de sorte
que le péché leur apparaîtra dans toute sa hideuse
malice, comme il apparaît aux regards de Dieu lui-

même. Ils contempleront leurs péchés dans toute leur infamie et ils se repentiront ; mais il sera trop tard, et alors ils se lamenteront sur toutes les bonnes occasions qu'ils avaient négligées. Ceci est la dernière, la plus profonde et la plus cruelle morsure du ver de la conscience. La conscience dira : Tu avais le temps et l'occasion de te repentir et tu ne l'as pas voulu. Tu avais été élevé dans la religion par tes parents. Tu avais pour soutien les sacrements, la grâce, les indulgences de l'Église. Tu avais le ministre de Dieu pour t'annoncer Sa parole, pour te rappeler à l'ordre lorsque tu te fourvoyais, pour te pardonner tes péchés, si nombreux, si abominables fussent-ils, pourvu que tu veuilles te confesser et te repentir. Non. Tu ne l'as pas voulu. Tu bravais les ministres de la sainte religion, tu te détournais du confessionnal, tu te vautrais de plus en plus dans la fange du péché. Dieu t'appelait, Il te menaçait, Il t'adjurait de revenir à Lui. Ô honte ! ô malheur ! le Maître de l'univers t'adjurait, toi, créature d'argile, de L'aimer, Lui qui t'avait créé, et d'observer Sa loi. Non. Tu ne l'as pas voulu. Et maintenant, quand bien même tu inonderais l'enfer entier de tes larmes, si tu pouvais encore pleurer, tout cet océan de repentir n'obtiendrait plus pour toi ce qu'aurait obtenu une seule larme de sincère repentance, versée durant ta vie mortelle. Maintenant tu implores un seul instant de vie terrestre, afin de te repentir ; en vain. Ce temps est passé ; passé à jamais.

« Telle est la triple morsure de la conscience, cette vipère qui ronge le cœur du cœur des misérables en enfer, de sorte que, remplis d'une fureur infernale, ils se maudissent eux-mêmes de leur folie, ils maudissent les compagnons mauvais qui les poussèrent vers cette déchéance, ils maudissent les diables qui les avaient tentés durant la vie et qui les raillent et les torturent à présent dans l'éternité ; ils vont jusqu'à insulter et à maudire l'Être Suprême dont ils avaient dédaigné, méprisé la patience et la bonté, mais dont ils ne peuvent éviter la justice et la puissance.

« Une autre peine que subissent les damnés est la peine de l'extension. L'homme, en cette existence terrestre, tout en étant capable de souffrir bien des maux, ne peut les souffrir tous ensemble, attendu que l'un de ces maux sert de correctif et d'antidote à l'égard d'un autre, comme il arrive qu'un poison fréquemment en combatte un autre. En enfer, au contraire, chaque torture, au lieu de réagir contre une autre, lui prête une force plus grande ; en outre, les facultés intérieures, étant plus parfaites que les sens extérieurs, sont également plus susceptibles de souffrir. Tout comme chacun des sens est torturé au moyen d'un supplice approprié, chacune des facultés spirituelles est torturée aussi ; l'imagination par des visions horribles ; la sensibilité par le désir et la rage alternés ; la raison, l'entendement, par des ténèbres intérieures plus terribles encore que les ténèbres extérieures de cette terrible prison. La malice, bien qu'impuissante, qui s'empare de ces âmes diaboliques, est un mal d'une extension illimitée, d'une durée sans fin, un effroyable état de méchanceté que nous ne pouvons guère nous figurer si nous n'avons pas présentes à la mémoire la monstruosité du péché et la haine que Dieu lui porte.

« À cette torture par l'extension s'oppose, tout en coexistant avec elle, la torture par l'intensité. L'enfer est le centre de tous les maux ; or vous savez que toutes choses sont plus intenses dans leur centre que dans les points éloignés de celui-ci. Il n'y a ni antidotes ni palliatifs d'aucune sorte pour modérer ou adoucir tant soit peu les tortures de l'enfer. Bien plus, une chose bonne en elle-même devient mauvaise en enfer. La compagnie d'autrui, source de réconfort pour les affligés partout ailleurs, y deviendra un tourment perpétuel ; la science, si ardemment convoitée comme le plus grand trésor de l'esprit, sera haïe plus que l'ignorance ; la lumière, objet de désir pour tout être, depuis le roi de la création jusqu'à la plus humble plante des forêts, sera intensément abhorrée. Dans cette vie, nos chagrins sont de courte durée ou de faible mesure, parce que la nature en vient à bout, soit en les surmontant par l'habitude, soit en succombant sous leur poids. Mais en enfer, les tourments ne peuvent être surmontés par l'habitude, car, tout en possédant une intensité terrible, ils sont continuellement variés, chaque peine s'enflammant pour ainsi dire au contact d'une autre et communiquant en retour à celle-là une flamme plus furieuse encore. La nature ne saurait davantage échapper à ces tortures intenses et variées en y succombant, puisque l'âme se trouve soutenue, maintenue parmi ces maux, de manière à subir la plus grande somme de souffrance. Extension illimitée des tourments, incroyable intensité de la souffrance, incessante variété des supplices, voilà ce qu'exige la majesté divine gravement outragée par les pécheurs, voilà ce que réclame la sainteté du ciel reniée et dédaignée au profit des basses et vicieuses jouissances de la chair corrompue, voilà ce que demande expressément le sang de l'innocent Agneau de Dieu, versé pour la rédemption des pécheurs et foulé aux pieds par les plus infâmes des infâmes.

« La dernière, la suprême torture parmi toutes les tortures de cet effroyable séjour, c'est l'éternité de l'enfer. Éternité ! mot redoutable et terrifiant ! Éternité ! Quel intellect humain pourrait en pénétrer le sens ? Et c'est, comprenez-le bien, une éternité de souffrance. Quand même les souffrances de l'enfer ne seraient pas aussi horribles, elles deviendraient infinies, puisqu'elles sont destinées à durer toujours. Mais à leur perpétuité s'ajoute, comme vous le savez, leur intensité intolérable, leur insupportable extension. Supporter seulement la piqûre d'un insecte pendant toute l'éternité serait une torture atroce. Que sera-ce donc que de supporter éternellement les multiples supplices de l'enfer ? Éternellement ! Pendant l'éternité entière ! Non point pendant un an, pendant un siècle, mais pour toujours. Essayez de vous représenter l'effroyable signification de ce mot. Vous avez souvent observé le sable au bord de la mer. Qu'ils sont fins, ces grains minuscules ! Et comme il en faut beaucoup, de ces petits, de ces minuscules grains, pour une seule petite poignée de sable qu'un enfant ramasse en jouant ! Imaginez à présent une montagne de ce sable, d'une hauteur d'un million de milles, s'élevant de la terre au plus haut des cieux ; et d'une largeur d'un million de milles, s'étendant jusqu'au fin fond de l'espace ; et d'un million de milles d'épaisseur. Imaginez cette énorme masse d'innombrables particules de sable, multipliée par le nombre de feuilles dans la forêt, de gouttes d'eau dans l'immense Océan, de plumes sur les oiseaux, d'écailles sur les poissons, de poils sur les animaux, d'atomes dans la vaste étendue de l'air ; puis imaginez qu'au bout de chaque million d'années, un petit oiseau vienne vers cette montagne et en emporte dans son bec un minuscule grain de sable. Combien de millions et de millions de siècles s'écouleront avant que cet oiseau ait emporté un seul pied carré de cette montagne, combien d'infinités de siècles avant qu'il ait emporté la montagne entière ! Et cependant, au bout de cette immense période on ne saurait dire qu'un seul instant de l'éternité se soit écoulé. Au bout de ces billions et trillions d'années, l'éternité en

serait à peine à son commencement. Et si, après avoir
été transportée de là, cette montagne surgissait à
nouveau, si l'oiseau revenait et l'emportait encore
grain par grain ; et si elle surgissait et disparaissait
ainsi autant de fois qu'il y a d'étoiles au ciel, d'atomes
dans l'air, de gouttes d'eau dans la mer, de feuilles aux
arbres, de plumes sur les oiseaux, d'écailles sur les
poissons, de poils sur les animaux, — après toutes les
innombrables résurrections et disparitions de cette
montagne aux dimensions incalculables, on ne saurait
dire qu'un seul instant de l'éternité se soit écoulé ;
même alors, au bout d'un tel laps de temps, après cette
infinité de siècles dont la seule idée fait chavirer notre
cerveau dans le vertige, — l'éternité n'en serait qu'à
peine à son commencement.

« Un grand saint — je crois que c'était un des pères
de notre ordre — fut un jour favorisé par une vision de
l'enfer. Il lui sembla qu'il se trouvait au milieu d'une
vaste salle dont l'obscurité et le silence n'étaient
troublés que par le tic-tac d'une grande horloge. Ce tic-
tac était ininterrompu ; et il sembla à ce saint que ce
tic-tac n'était qu'une répétition incessante des mots ;
toujours, jamais ; toujours, jamais. Être toujours en
enfer ; n'être jamais au ciel ; être toujours exclu de la
présence de Dieu, ne jamais jouir de la vision béatifi-
que ; être toujours dévoré par les flammes, rongé par la
vermine, percé de clous ardents, n'être jamais délivré
de ces souffrances ; avoir toujours la conscience bour-
relée, la mémoire en fureur, l'esprit comblé de ténèbres
et de désespoir, ne jamais échapper à tout cela ;
maudire et injurier toujours les vils démons qui regar-
dent avec une joie diabolique le malheur de leurs
dupes, ne jamais contempler les vêtements rayonnants
des esprits bienheureux ; crier toujours vers Dieu du
fond de l'abîme de feu pour implorer un instant, un

seul instant de répit dans cet atroce supplice, ne jamais obtenir, pas même pour un instant, le pardon de Dieu ; toujours souffrir, n'éprouver jamais de joie ; être damné toujours, n'être jamais sauvé ; toujours, jamais ; toujours, jamais. Ô châtiment effroyable ! Une éternité d'agonie incessante, d'incessante torture charnelle et spirituelle, sans un rayon d'espoir, sans un instant de trêve, d'une agonie dont l'extension est sans bornes, dont l'intensité est sans bornes, de tourments dont la durée est infinie, dont la variété est infinie, d'une torture qui entretient éternellement ce qu'éternellement elle dévore, d'une angoisse qui ronge perpétuellement l'esprit tout en déchirant la chair, une éternité dont chaque instant à lui seul est une éternité et cette éternité, une éternité de malheur. Tel est le terrible châtiment infligé à ceux qui meurent en état de péché mortel par un Dieu tout-puissant et juste.

« Oui, un Dieu juste ! Les hommes, avec leur raisonnement humain, s'étonnent que Dieu ait pu appliquer à un seul péché grave la mesure d'un châtiment perpétuel et infini parmi les flammes de l'enfer. Ils raisonnent ainsi parce que, aveuglés par la grossière illusion charnelle et par l'obscurité de l'entendement humain, ils sont incapables de comprendre la hideuse malice du péché mortel. Ils raisonnent ainsi parce qu'ils sont incapables de comprendre que le péché véniel à lui seul est déjà d'une nature si vile et si hideuse que même si le Créateur tout-puissant avait la possibilité de mettre fin à tous les maux, à toutes les misères du monde — guerres, maladies, rapines, crimes, morts, meurtres —, à condition de laisser impuni un péché véniel, un seul : un mensonge, un regard de colère, un instant de paresse volontaire —, Lui-même, le Dieu grand et tout-puissant, ne saurait le faire, parce que le péché, qu'il soit en pensée ou en action, est une transgression de Sa loi, et Dieu ne serait point Dieu s'il ne punissait pas le transgresseur.

« C'est un péché, un moment de rébellion et d'orgueil de l'intellect qui fit déchoir de leur gloire Lucifer et le tiers des cohortes angéliques. C'est un péché, un moment de folie et de faiblesse, qui fit chasser Adam et Ève de l'Éden et qui apporta la mort et la souffrance dans le monde. Pour racheter les conséquences de ce péché, le Fils Unique de Dieu descendit sur la terre, vécut, souffrit et mourut de la mort la plus douloureuse, attaché pendant trois heures sur la croix.

« Ô mes chers petits frères en Jésus-Christ, allons-nous donc offenser ce bon Rédempteur et provoquer Son courroux ? Allons-nous fouler encore aux pieds ce corps déchiré et mutilé ? Allons-nous cracher sur ce visage si plein de douleur et d'amour ? Allons-nous, nous aussi, pareils aux Juifs cruels et aux soldats brutaux, railler ce doux et compatissant Sauveur qui foula seul, pour l'amour de nous, le terrible pressoir des douleurs [1] ? Toute parole coupable est une plaie à Son tendre côté. Toute action entachée de péché est une épine qui perce Son front, toute pensée impure à laquelle on cède délibérément est une lance aiguë qui transperce ce cœur sacré et rempli d'amour. Non, non, il est impossible à un être humain de commettre une chose qui offense si profondément la majesté divine, une chose qui a pour châtiment une éternité d'agonie, une chose qui crucifie derechef le Fils de Dieu et en fait un objet de dérision.

« Je prie Dieu pour que mes pauvres paroles aient contribué aujourd'hui à affermir dans la sainteté ceux qui sont en état de grâce, à fortifier ceux qui chancellent, à ramener à l'état de grâce la pauvre âme égarée, s'il s'en trouve une parmi vous. Je prie Dieu, et je vous invite à Le prier avec moi, pour que nous nous repentions de nos péchés. Je vous demanderai maintenant, à tous, de répéter avec moi l'acte de contrition, en vous agenouillant ici, dans cette humble chapelle, en présence de Dieu. Il est ici, dans le tabernacle, brûlant d'amour pour l'humanité, prêt à consoler les affligés. Ne craignez rien. Peu importe le nombre et la turpitude des péchés, il suffit que vous vous repentiez et ils vous seront pardonnés. Qu'aucun respect humain ne vous retienne. Dieu reste toujours le Seigneur miséricordieux qui ne veut pas la mort éternelle du pécheur, mais bien plutôt sa conversion et sa vie.

« Il vous appelle à Lui. Vous Lui appartenez. Il vous a tirés du néant. Il vous a aimés comme un Dieu seul peut aimer. Ses bras sont ouverts pour vous recevoir, bien que vous ayez péché contre Lui. Venez à Lui, pauvre pécheur, pauvre pécheur vaniteux et égaré. Voici le moment propice. Voici l'heure. »

Le prêtre se leva et, se tournant vers l'autel, s'agenouilla sur la marche précédant le tabernacle, dans l'ombre qui venait de descendre. Il attendit que chacun dans la chapelle fût à genoux et que le moindre bruit se fût apaisé. Alors, relevant la tête, il récita l'acte de contrition, phrase par phrase, avec ferveur. Les jeunes gens lui faisaient écho, phrase par phrase. Stephen, la langue collée au palais, baissait la tête, priant avec son cœur.

— *Ô mon Dieu !*
— *Ô mon Dieu !*
— *J'ai un très grand regret...*
— *J'ai un très grand regret...*
— *de Vous avoir offensé...*
— *de Vous avoir offensé...*
— *et je déteste mes péchés...*

— et je déteste mes péchés...
— par-dessus tous les maux...
— par-dessus tous les maux...
— parce qu'ils Vous déplaisent, mon Dieu[1]*...*
— parce qu'ils Vous déplaisent, mon Dieu...
— à Vous qui êtes si parfaitement digne...
— à Vous qui êtes si parfaitement digne...
— de tout mon amour...
— de tout mon amour...
— et je prends la ferme résolution...
— et je prends la ferme résolution...
— avec le secours de Votre sainte grâce...
— avec le secours de Votre sainte grâce...
— de ne plus jamais Vous offenser...
— de ne plus jamais Vous offenser...
— et d'amender ma vie.
— et d'amender ma vie[2]*.*

*

Après dîner, il monta dans sa chambre afin de rester seul avec son âme; et à chaque marche, son âme semblait soupirer, à chaque marche son âme semblait monter en même temps que ses pieds, en soupirant dans cette ascension à travers une région de ténèbres visqueuses.

Il s'arrêta sur le palier devant sa porte, puis, saisissant le bouton de porcelaine, poussa vivement le battant. Il attendit avec angoisse, l'âme défaillante, priant en silence pour que la mort ne vînt pas toucher son front pendant qu'il franchissait le seuil, pour qu'il ne fût point permis aux démons qui habitent l'obscurité de s'emparer de lui. Il s'attarda encore sur le seuil comme à l'entrée de quelque sombre caverne. Il y avait là des visages; des yeux; ils attendaient, ils épiaient.

« Certes, nous savions parfaitement qu'il fallait bien que cela sortît au grand jour ; mais il a dû tout de même trouver une sérieuse difficulté à s'efforcer d'essayer de s'obliger à essayer de s'efforcer de reconnaître le plénipotentiaire spirituel ; donc nous savions parfaitement, certes... »

Des visages murmurants attendaient et épiaient, des voix murmurantes remplissaient la conque sombre de la caverne. Une peur intense le tenait corps et âme, mais il releva la tête bravement et pénétra d'un pas ferme dans la chambre. Une porte, une chambre, la même chambre, la même fenêtre. Il se dit avec calme que les mots dont le murmure lui avait paru s'élever du fond de l'obscurité étaient absolument dépourvus de sens. Il se dit que c'était là tout simplement sa chambre avec la porte ouverte.

Il ferma la porte, marcha rapidement vers le lit, s'agenouilla, se couvrit le visage avec les mains. Ses mains étaient froides et moites, ses membres endoloris de froid. Un malaise physique, le froid, la fatigue l'obsédaient et mettaient ses pensées en déroute. Pourquoi donc était-il là, à genoux comme un enfant qui fait sa prière du soir ? Pour être seul avec son âme, pour examiner sa conscience, pour affronter ses péchés face à face ; pour se rappeler le moment, le caractère, les circonstances de chacun d'eux et pour pleurer sur eux. Il lui était impossible de pleurer. Il lui était impossible de les faire comparaître devant sa mémoire. Il ne sentait qu'un malaise d'âme et de corps, que la torpeur et la lassitude de son être entier, mémoire, volonté, raison, chair.

C'était bien là la besogne des démons : disperser ses pensées, obnubiler sa conscience, en l'assiégeant aux portes de la chair lâche et corrompue. Tout en priant Dieu timidement de lui pardonner sa faiblesse, il se

glissa dans son lit, enveloppa étroitement les couvertures autour de lui et cacha de nouveau son visage dans
ses mains. Il avait péché. Il avait péché si gravement
contre le ciel et devant Dieu, qu'il n'était plus digne
d'être appelé enfant de Dieu[1].

Se pouvait-il que lui, Stephen Dedalus, eût fait ces
choses-là ? Sa conscience répondit par un soupir. Oui, il
les avait faites, secrètement, ignoblement, à plusieurs
reprises, et, endurci dans sa coupable impénitence, il
avait osé porter le masque de piété jusque devant le
tabernacle, alors que son âme était un vivant amas de
pourriture. Comment se faisait-il que Dieu ne l'eût pas
frappé d'une mort foudroyante ? La foule lépreuse de
ses péchés se resserrait autour de lui ; ils soufflaient sur
lui, ils se penchaient sur lui de tous côtés. Il essayait de
les oublier au moyen d'une prière, en recroquevillant
ses membres, en forçant ses paupières à se fermer ; mais
les sens de son âme[2] ne se laissaient pas maîtriser et,
bien que ses yeux fussent hermétiquement clos, il voyait
les endroits où il avait péché ; et, bien que ses oreilles
fussent bouchées, il entendait. De toute sa volonté, il
désirait ne pas entendre, ne pas voir. Son désir s'obstina
jusqu'à ce que tout son corps se mît à trembler sous
l'effort de ce désir, jusqu'à ce que les sens de son âme se
fussent refermés. Ils se refermèrent un instant, puis se
rouvrirent. Il vit.

Un champ hérissé de mauvaises herbes[3], de char-
dons, d'orties touffues. De toutes parts, entre les touffes
de cette végétation drue et raide, il y avait de vieilles
boîtes cabossées et des tas en spirale d'excréments
durcis. Une vague lumière de feu follet cherchait à
s'élever de toutes ces immondices à travers le vert-gris
des broussailles. Une odeur viciée, vague et ignoble
comme cette clarté, montait, en volutes paresseuses,
des vieilles boîtes, des fientes rancies et encroûtées.

Il y avait des créatures dans ce champ : un, trois, six... Des créatures remuaient dans le champ, de-ci, de-là. Des créatures semblables à des boucs, avec des figures humaines, aux fronts cornus, aux barbes rares, gris comme du caoutchouc. La malignité du vice luisait dans leurs yeux durs, tandis qu'ils remuaient de-ci, de-là, traînant derrière eux leurs longues queues. Un rictus de malignité cruelle éclairait de gris leurs vieux visages osseux. Un d'eux serrait autour de ses côtes un gilet de flanelle déchiré, un autre se plaignait d'une voix monotone, lorsque sa barbe s'accrochait aux touffes d'herbe. Un doux langage s'exhalait de leurs lèvres dépourvues de salive, tandis qu'ils tournoyaient avec un bruit sifflant, en cercles lents, tout autour du champ, serpentant de-ci, de-là, dans les broussailles, traînant leurs longues queues parmi les boîtes de fer bruyantes. Ils évoluaient en cercles lents, de plus en plus étroits, pour enfermer, pour enfermer, un doux langage s'exhalant de leurs lèvres, leurs longues queues sifflantes barbouillées de fiente rancie, leurs visages terrifiants projetés vers le ciel...

Au secours !

D'un geste dément, il arracha les couvertures pour libérer son visage et son cou. C'était là son enfer. Dieu lui avait permis de voir l'enfer réservé à ses péchés : un enfer puant, bestial, plein de malignité, un enfer de démons pareils à des boucs lubriques. Pour lui ! Pour lui !

Il sauta hors du lit ; les bouffées de puanteur coulaient au fond de sa gorge, envahissaient ses entrailles en révolte. De l'air ! L'air du ciel ! Il s'avança vers la fenêtre, chancelant, gémissant, prêt à s'évanouir de nausée. Près du lavabo, une convulsion interne s'empara de lui ; alors, serrant avec fureur son front glacé, il vomit abondamment, au comble de l'agonie.

Lorsque la crise se fut dissipée, il marcha, affaibli, jusqu'à la fenêtre, leva le store, s'assit dans l'angle de l'embrasure, le coude appuyé au rebord. La pluie avait cessé, et parmi les vapeurs mouvantes, d'un point de lumière à un autre, la ville tissait autour d'elle un tendre cocon de brume jaunâtre. Les cieux étaient calmes et vaguement lumineux, l'air doux à respirer, comme dans un fourré baigné par les ondées. Alors, parmi cette paix, ces lumières miroitantes, cette odeur paisible, il conclut un pacte avec son cœur.

Il pria :

Jadis, Il avait voulu venir sur terre dans sa gloire céleste, mais nous péchâmes, il ne put alors nous visiter à coup sûr sans avoir voilé Sa majesté et obscurci Sa splendeur, car Il était Dieu. Alors Il se montra dans Sa faiblesse et non dans Sa puissance, et Il t'envoya à sa place, toi, une créature, avec ton charme et ton éclat de créature, conformes à notre condition. Et maintenant ton visage et ta forme même, mère chérie, nous parlent de l'Éternel, non point comme le ferait la beauté terrestre, dangereuse à contempler, mais comme l'étoile du matin qui est ton emblème, brillante et musicale, respirant la pureté, nous parlant du ciel et répandant en nous la paix. Ô avant-courrière du jour! ô lumière du pèlerin! guide-nous comme tu nous guidas toujours. Dans la nuit noire, à travers le désert triste et froid, guide-nous jusqu'à notre Seigneur Jésus, guide-nous jusqu'à notre patrie[1].

Ses yeux étaient voilés de larmes, et levant humblement son regard au ciel, il pleura sur l'innocence qu'il avait perdue.

Le soir tombé, il quitta la maison; le premier contact de l'air humide et sombre, le bruit de la porte se refermant sur lui, heurtèrent douloureusement sa conscience apaisée par la prière et par les larmes. Confesse-toi! Confesse-toi! Il ne suffisait pas d'apaiser sa conscience par une larme et une prière. Il fallait s'agenouiller devant le ministre du Saint-Esprit et répéter ses péchés secrets dans leur vérité et avec repentir. Avant d'entendre à nouveau le bas de la porte frotter le seuil en s'ouvrant pour le laisser entrer, avant de revoir la table mise pour le souper dans la cuisine, il se serait agenouillé et confessé. C'était bien simple.

La douleur de sa conscience cessa; il se mit à marcher rapidement par les rues obscures. Il y avait tant de dalles au trottoir de cette rue, tant de rues dans cette ville, tant de villes au monde. Cependant l'éternité n'avait pas de fin. Il était en état de péché mortel. Même un péché commis une seule fois était un péché mortel. Cela pouvait se produire en un instant. Mais comment si vite? En voyant, ou en croyant voir. Les yeux voient l'objet, sans avoir désiré le voir. Alors, en un instant, cela se produit. Mais enfin, cette partie du corps est donc capable de comprendre, ou quoi? Le serpent, le plus subtil des animaux de la terre. Cela doit comprendre, puisque cela conçoit un désir, instantanément, puis prolonge ce désir qui lui est propre, d'instant en instant, dans le péché. Cela sent, cela comprend, cela désire. Quelle horrible chose! Qui donc l'a ainsi faite cette partie bestiale du corps, capable de comprendre bestialement et de désirer bestialement? Était-ce donc lui, ou bien était-ce une chose non humaine, mue par une âme inférieure à la sienne? Son âme défaillit à l'idée de cette existence torpide, serpentesque, se nourrissant de la tendre moelle de sa vie, s'engraissant avec la bave de la luxure. Oh, pourquoi cela était-il ainsi? Oh, pourquoi?

Il se réfugia misérablement dans l'ombre de sa pensée, se prosterna avec terreur devant Dieu, créateur de toutes les choses et de tous les hommes. Folie! qui pouvait admettre une telle pensée? Et, tapi dans les ténèbres et la prostration, il pria en silence son ange gardien de chasser avec son épée le démon qui chuchotait dans son cerveau.

Le chuchotement cessa ; alors il comprit nettement que c'était son âme elle-même qui avait péché par pensée, par parole et par action, volontairement, par l'intermédiaire de son corps. Confesse-toi ! Il fallait confesser jusqu'au moindre de ses péchés. Comment exprimerait-il avec des mots, devant le prêtre, ce qu'il avait fait ? Il le fallait, il le fallait. Et comment expliquer sans mourir de honte ? Et comment avait-il fait de telles choses sans honte ? Un fou ! Un fou répugnant. Confesse-toi ! Oh oui, il se confesserait pour être de nouveau libre et sans péché ! Peut-être le prêtre saurait-il. Oh, grand Dieu !

Il marchait, marchait toujours par les rues mal éclairées, n'osant s'arrêter un instant, de peur de paraître reculer devant ce qui l'attendait, redoutant d'arriver à ce but auquel il aspirait toujours passionnément. Combien belle doit être l'âme en état de grâce lorsque Dieu la regarde avec amour !

Des filles dépenaillées étaient assises au bord du trottoir, devant leurs paniers. Leurs cheveux humides pendaient sur leur front. Elles n'étaient pas belles à voir, accroupies ainsi dans la boue, mais Dieu voyait leurs âmes ; et si leurs âmes étaient en état de grâce, elles étaient resplendissantes, et Dieu les aimait en les voyant.

Un souffle d'humiliation, dévastateur, glacial, traversa son âme à la pensée de sa déchéance, à l'idée que ces âmes-là étaient plus chères à Dieu que la sienne. Le vent soufflait sur lui, puis s'en allait vers les myriades et les myriades d'autres âmes sur lesquelles la faveur de Dieu rayonnait tantôt plus, tantôt moins, — étoiles tour à tour plus brillantes ou plus troubles, soutenues

ou défaillantes. Et les âmes clignotantes s'en allaient,
soutenues ou défaillantes, fondues dans ce souffle
mouvant. Une seule âme était perdue ; une toute petite
âme : la sienne. Elle avait jeté une lueur vacillante,
puis s'était éteinte, oubliée, perdue. La fin : une noire,
froide, vide dévastation.

La conscience du lieu reflua lentement vers lui par-
dessus un long laps de temps dépourvu de lumière, de
sensation, de vie ; le décor sordide se recomposa autour
de lui[1] ; les accents vulgaires, les becs de gaz dans les
boutiques, les odeurs de poisson, d'alcool et de sciure
mouillée, les allées et venues des hommes et des
femmes. Une vieille femme s'apprêtait à traverser la
rue, un bidon de pétrole à la main. Il se pencha et lui
demanda s'il y avait une chapelle à proximité.

« Une chapelle, monsieur ? Oui, monsieur. La chapelle de la rue de l'Église[2].

— De l'Église ? »

Elle prit son bidon de pétrole de l'autre main et lui
montra la direction ; et, comme elle étendait sa main
droite, flétrie et malodorante, sous la frange du châle,
il se pencha plus bas vers elle, attristé, apaisé par sa
voix.

« Je vous remercie.

— À votre service, monsieur. »

Les cierges de l'autel principal étaient éteints, mais
l'odeur agréable de l'encens flottait encore dans la nef
obscure. Des ouvriers barbus, aux visages pieux,
étaient occupés à sortir un dais par une porte latérale ;
le sacristain les aidait avec des gestes et des paroles
placides. Quelques fidèles s'attardaient encore, priant
devant un des autels latéraux ou agenouillés aux bancs
voisins des confessionnaux. Il s'approcha timidement
et s'agenouilla au dernier banc de la nef, plein de
reconnaissance pour la paix, le silence et l'ombre

odorante de l'église. La planche sur laquelle il posait les genoux était étroite et usée, et ceux qui se tenaient à genoux près de lui étaient d'humbles serviteurs de Jésus. Jésus aussi était né dans la pauvreté, Il avait travaillé dans l'échoppe d'un charpentier, sciant et rabotant les planches ; Il avait parlé du royaume de Dieu d'abord à de pauvres pêcheurs, apprenant à tous les hommes à être doux et humbles de cœur.

Il inclina la tête sur ses mains, ordonnant à son cœur d'être doux et humble, afin qu'il pût ressembler aux hommes agenouillés auprès de lui et que sa prière fût aussi acceptable que les leurs. Il priait près d'eux, mais c'était difficile. Son âme était infectée par le péché, il n'osait implorer le pardon avec la simple foi de ceux que Jésus, par les voies mystérieuses de Dieu, avait appelés les premiers à Ses côtés, charpentiers, pêcheurs, pauvres et simples gens exerçant un modeste métier, maniant et façonnant le bois des arbres, raccommodant leurs filets avec patience.

Une haute silhouette s'avança le long du bas-côté et les pénitents s'agitèrent ; alors, levant un regard furtif, au dernier moment, il distingua une longue barbe grise et le froc brun d'un capucin. Le prêtre entra dans le confessionnal [1] et disparut à la vue. Deux pénitents se levèrent et pénétrèrent de chaque côté. Le volet coulissa et le faible murmure d'une voix troubla le silence.

Le sang se mit à murmurer dans ses veines, à murmurer comme une cité corrompue appelée du fond de son sommeil pour entendre sa condamnation. De petites flammèches tombaient, des poussières de cendre tombaient doucement, se posant sur les demeures des hommes. Ils s'agitaient, éveillés de leur sommeil, incommodés par l'air surchauffé.

Le volet se referma. Le pénitent émergea du flanc du confessionnal. L'autre volet fut tiré. Une femme péné-

tra avec une tranquille aisance là où venait de s'agenouiller le premier pénitent. Le faible murmure reprit.

Il pouvait encore quitter la chapelle. Il pouvait se
lever, mettre un pied devant l'autre, sortir doucement,
et puis courir, courir, courir, vite, par les rues obscures.
Il pouvait encore échapper à la honte. Oh, quelle honte !
Son visage brûlait de honte. Si seulement il s'était agi
de n'importe quel crime terrible, et non de ce péché-là !
S'il s'était agi d'un meurtre ! De petites flammèches
tombaient et l'attaquaient de toutes parts, pensées
honteuses, paroles honteuses, actes honteux. La honte
le couvrait tout entier, comme une fine cendre ardente
tombant sans cesse. Dire cela avec des mots ! Son âme,
suffoquée, impuissante, cesserait d'être.

Le volet se referma. Un pénitent émergea de l'autre
côté du confessionnal. Le volet plus proche fut tiré. Un
pénitent entra là d'où le précédent venait de sortir. Un
faible bruit chuchotant s'exhalait du confessionnal en
bouffées vaporeuses. C'était la femme ; de faibles bouffées chuchotantes, une douce vapeur chuchotante,
chuchotante et expirante.

Il se frappa la poitrine du poing, humblement, en
cachette, derrière l'accoudoir de bois. Il serait réconci-
lié avec les autres et avec Dieu. Il aimerait son prochain.
Il aimerait Dieu qui l'avait créé et qui l'aimait. Il
s'agenouillerait et prierait parmi les autres, il serait
heureux. Dieu abaisserait Son regard sur lui comme sur
eux et les aimerait tous.

Il était facile d'être bon. Le joug de Dieu était doux et
léger[1]. Il eût mieux valu n'avoir jamais péché, être
resté toujours enfant, car Dieu aimait les petits enfants
et les laisserait venir à Lui. Un péché, c'est une chose
terrible et triste. Mais Dieu était clément aux pauvres
pécheurs repentants. Comme c'était vrai ! C'était effectivement de la bonté.

Le volet se ferma brusquement. Le pénitent sortit. C'était son tour. Il se leva avec terreur et pénétra comme un aveugle dans le confessionnal.

Enfin, c'était arrivé. Il s'agenouilla dans l'obscurité silencieuse et leva les yeux vers le crucifix blanc suspendu au-dessus de lui. Dieu pouvait voir qu'il se repentait. Il allait dire tous ses péchés. Sa confession allait être longue, longue. Alors chacun dans la chapelle saurait quel pécheur il avait été. Qu'ils le sachent ! C'était vrai ! Mais Dieu avait promis de lui pardonner s'il regrettait. Il regrettait. Il joignit les mains et les leva vers la forme blanche, priant avec ses yeux obscurcis, priant avec tout son corps tremblant, balançant la tête comme une créature perdue, priant avec des lèvres gémissantes.

— Je regrette ! Je regrette ! Oh, je regrette !

Le volet joua en claquant et son cœur bondit dans sa poitrine. Le visage d'un vieux prêtre se montra au grillage, détourné de lui, appuyé sur une main. Il fit le signe de la croix et pria le prêtre de le bénir, car il avait péché. Puis, baissant la tête, il récita le *Confiteor* avec frayeur. Aux mots : *ma plus grande faute*, il s'arrêta, hors d'haleine.

« Combien de temps y a-t-il depuis votre dernière confession, mon enfant ?

— Il y a longtemps, mon père.

— Un mois, mon enfant ?

— Plus que cela, mon père.

— Trois mois, mon enfant ?

— Plus que cela, mon père.

— Six mois ?

— Huit mois, mon père. »

Il avait commencé. Le prêtre demanda :

« Et que pouvez-vous vous rappeler, depuis ce temps ? »

Il se mit à confesser ses péchés : messes manquées, prières omises, mensonges.

« Autre chose encore, mon enfant ? »

Péchés de colère, d'envie, de gourmandise, de vanité, de désobéissance.

« Autre chose encore, mon enfant ?

— De la paresse.

— Autre chose encore, mon enfant ? »

Il n'y avait plus moyen de reculer. Il murmura :

« J'ai... commis des péchés d'impureté, mon père. »

Le prêtre ne tourna pas la tête.

« Avec vous-même, mon enfant ?

— Et... avec d'autres.

— Avec des femmes, mon enfant ?

— Oui, mon père.

— Étaient-ce des femmes mariées, mon enfant ? »

Il n'en savait rien. Ses péchés s'écoulaient de ses lèvres un à un, s'écoulaient en gouttes de honte du fond de son âme, qui suppurait et suintait comme une plaie en un flux de vice infect. Les derniers péchés sortirent en gouttes traînantes, immondes. Il ne restait plus rien à dire. Il courba la tête, vaincu.

Le prêtre demeura silencieux. Puis il demanda :

« Quel âge avez-vous, mon enfant ?

— Seize ans, mon père. »

Le prêtre se passa la main sur le visage, à plusieurs reprises. Puis, posant son front sur sa main, il se pencha vers le grillage et, le regard toujours détourné, parla lentement. Sa voix était fatiguée et vieille.

« Vous êtes bien jeune, mon enfant, dit-il : laissez-moi vous adjurer de renoncer à ce péché. C'est un péché terrible. Il tue le corps et il tue l'âme. Il est la cause de bien des crimes et de bien des malheurs. Renoncez-y, mon enfant, pour l'amour de Dieu. Il est dégradant, il est indigne d'un homme. Vous ne savez pas jusqu'où cette déplorable habitude vous conduira, ni à quel moment elle se retournera contre vous. Aussi longtemps que vous continuerez à commettre ce péché, mon pauvre enfant, vous ne vaudrez pas un liard aux yeux de Dieu. Priez notre Mère Marie de vous venir en aide. Elle vous viendra en aide, mon enfant. Priez Notre Dame chaque fois que ce péché se présentera à votre esprit. Je suis sûr que vous le ferez, n'est-il pas vrai ? Vous vous repentez de tous ces péchés. J'en suis sûr. Et vous allez maintenant promettre à Dieu qu'avec le secours de Sa Sainte Grâce vous ne l'offenserez plus par ce vilain péché. Vous allez faire cette promesse solennelle à Dieu, n'est-ce pas ?

— Oui, mon père. »

La vieille voix fatiguée tombait comme une douce pluie sur son cœur tremblant et desséché. Comme c'était doux et triste !

« Faites-le, mon pauvre enfant. Le diable vous avait égaré. Repoussez-le dans l'enfer lorsqu'il vous incite à déshonorer ainsi votre corps, cet esprit ignoble qui hait Notre Seigneur. Promettez maintenant à Dieu de renoncer à ce péché, à ce péché de malheur ! oui ! de malheur ! »

Aveuglé par les larmes et par l'éclat de la miséricorde divine, Stephen pencha la tête, écouta les graves paroles de l'absolution, vit la main du prêtre levée sur lui en signe de pardon.

« Dieu vous bénisse, mon enfant. Priez pour moi. »

Il s'agenouilla pour faire sa pénitence dans un coin de la nef obscure. Et ses prières s'élevèrent au ciel du fond de son cœur purifié, comme un parfum qui monte en jaillissant du cœur d'une rose blanche.

Les rues boueuses étaient pleines de gaieté. Il courut à grands pas vers la maison, sentant une grâce invisible pénétrer et alléger ses membres. En dépit de tout, il l'avait fait. Il s'était confessé et Dieu lui avait pardonné. Son âme était redevenue pure et sainte, sainte et heureuse.

Ce serait beau de mourir, si Dieu le voulait ainsi. C'était beau de vivre, si Dieu le voulait, dans la grâce, une vie de paix, de vertu, de longanimité envers autrui[1].

Il s'assit au coin du feu dans la cuisine, n'osant parler, par excès de bonheur. Jusqu'à ce moment-là il avait ignoré combien la vie pouvait être belle et paisible. Le carré de papier vert épinglé autour de la lampe projetait une ombre délicate. Sur le buffet, il y avait une assiette de saucisses, un pudding blanc, et sur l'étagère il y avait des œufs. Ce serait pour le déjeuner du lendemain, après la communion dans la chapelle du collège. Pudding blanc, œufs, saucisses et tasses de thé. Comme la vie était simple et belle, après tout ! Et la vie tout entière s'étendait devant lui.

Dans un rêve, il s'endormit. Dans un rêve, il se leva et vit que c'était le matin. Dans un rêve éveillé il se dirigea, dans le matin calme, vers le collège.

Tous les élèves étaient là, agenouillés à leurs places. Il s'agenouilla parmi eux, heureux et craintif. Sur l'autel s'amoncelaient des masses odorantes de fleurs blanches ; et dans la lumière matinale les flammes pâles des cierges parmi les fleurs blanches étaient claires et silencieuses comme son âme elle-même.

Il était à genoux devant l'autel en compagnie de ses camarades, soutenant avec eux la nappe au-dessus d'une vivante barrière de mains. Ses mains étaient tremblantes, et son âme trembla lorsqu'il entendit le prêtre passer avec le ciboire d'un communiant à un autre.

Corpus Domini nostri.

Cela se pouvait-il ? Il était là, à genoux, sans péché et

timide, il tiendrait l'hostie sur sa langue et Dieu entrerait dans son corps purifié.

In vitam eternam[1]. *Amen.*

Une autre vie! Une vie de grâce, de vertu, de bonheur! C'était vrai. Ce n'était pas un rêve dont il s'éveillerait. Le passé était passé.

Corpus Domini nostri.

Le ciboire était arrivé à lui.

CHAPITRE IV

Le dimanche était consacré au mystère de la Sainte Trinité, le lundi au Saint-Esprit, le mardi aux Anges Gardiens, le mercredi à saint Joseph, le jeudi au Très Saint Sacrement de l'Autel, le vendredi à la Passion de Jésus, le samedi à la Bienheureuse Vierge Marie.

Chaque matin il se sanctifiait à nouveau en présence de quelque image ou mystère saint. Sa journée commençait par l'offrande héroïque de chaque minute de pensée ou d'action à l'intention du Souverain Pontife, et par une messe matinale. L'air âpre du matin aiguisait sa piété résolue ; et souvent, à genoux parmi les rares fidèles, devant l'autel latéral, suivant sur son missel le murmure du prêtre, il levait un instant les yeux vers la figure revêtue des ornements sacerdotaux, debout dans la pénombre entre les deux cierges qui représentaient l'ancien et le nouveau testament, et s'imaginait écouter à genoux la messe dans des catacombes[1].

Son existence quotidienne était disposée en plusieurs zones de dévotion[2]. Au moyen d'oraisons et de prières jaculatoires, il accumulait généreusement des siècles d'indulgences pour les âmes du purgatoire, par journées, par quarantaines, par années[3] ; cependant, le sentiment de triomphe spirituel qu'il éprouvait à accomplir aisément tant de périodes fabuleuses de pénitences canoniques, ne récompensait pas entièrement le zèle de ses prières, puisqu'il lui était impossible de savoir dans quelle mesure il avait obtenu la rémission du châtiment temporel en intercédant pour les âmes en peine ; et, craignant que sa pénitence ne fût guère plus efficace qu'une goutte de rosée au sein des flammes du purgatoire — dont la seule différence avec celles de l'enfer consiste en ce qu'elles ne sont point éternelles —, il entraînait journellement son âme dans un cercle croissant d'œuvres surérogatoires.

Chaque partie de la journée, divisée par ce qu'il considérait maintenant comme les obligations de sa condition, tournait autour d'un centre particulier d'énergie spirituelle. Sa vie semblait s'être rapprochée de l'éternité. Toute pensée, toute parole, toute action, toute manifestation de sa conscience, il pouvait en suivre la vibration rayonnante au ciel ; parfois le sentiment de cette répercussion immédiate était si vif en lui qu'il lui semblait que son âme en prière appuyait, comme avec des doigts, sur le clavier d'une grande caisse enregistreuse, et que le montant de son acquisition surgissait aussitôt au ciel, non pas en chiffres, mais sous l'aspect d'une légère colonne d'encens ou d'une svelte fleur.

Pareillement, les rosaires qu'il récitait sans cesse — car il portait le chapelet à même les poches de son pantalon pour pouvoir le dire en marchant dans la rue —, se transformaient en guirlandes de fleurs, d'une texture si vague, si irréelle, qu'elles lui paraissaient sans nuance de couleur et sans parfum, de même qu'elles étaient sans nom. Il offrait chacun de ses trois chapelets quotidiens pour l'affermissement de son âme dans chacune des trois vertus théologales, la foi dans le

Père qui l'avait créé, l'espérance dans le Fils qui l'avait racheté, l'amour du Saint-Esprit qui l'avait sanctifié. Et cette trois fois triple prière, il l'offrait aux Trois Personnes par l'intermédiaire de Marie, au nom de Ses mystères joyeux, douloureux et glorieux.

Ensuite, à chacun des sept jours de la semaine, il priait pour que l'un des sept dons du Saint-Esprit[1] descendît sur son âme et en chassât, jour par jour, les sept péchés mortels qui l'avaient souillée dans le passé ; et pour chacun de ces dons il priait au jour prescrit espérant en toute confiance qu'il descendrait sur lui, bien que parfois il lui parût étrange que la sagesse, l'intelligence et la science fussent distinctes par leur nature au point qu'il fallût implorer chacune d'elles séparément. Il croyait toutefois qu'à une prochaine étape de son progrès spirituel cette difficulté disparaîtrait, lorsque son âme pécheresse serait relevée de sa faiblesse et éclairée par la Troisième Personne de la Très Sainte Trinité. Sa croyance se fortifiait, et s'exaspérait, du fait des ténèbres et du silence divins où résidait l'invisible Paraclet, Celui dont les symboles sont la colombe et le vent puissant, contre qui pécher était sans rémission, l'Être secret, éternel et mystérieux à qui, en sa qualité de Dieu, les prêtres offrent la messe une fois l'an, revêtant l'écarlate des langues de feu.

Les images verbales à travers lesquelles se dessinaient vaguement dans ses livres de piété la nature et la parenté des Trois Personnes — le Père qui contemple, de toute éternité, comme dans un miroir, Ses Divines Perfections et conçoit ainsi, éternellement, le Fils Éternel ; le Saint-Esprit qui procède du Père et du Fils, de toute éternité —, son intelligence les acceptait, en raison de leur auguste incompréhensibilité[2], plus aisément que le simple fait que Dieu avait aimé son âme de toute éternité, pendant des siècles avant sa naissance terrestre, pendant des siècles avant que le monde lui-même existât.

Il avait entendu prononcer solennellement, sur la scène ou en chaire, les noms des passions d'amour et de haine : il les avait trouvés solennellement exposés dans les livres, et il se demandait pourquoi son âme à lui était incapable d'abriter ces sentiments d'une façon continue ou de forcer ses lèvres à prononcer leurs noms avec conviction[1]. De brèves colères s'étaient souvent emparées de lui, mais jamais il n'avait pu en faire une passion durable, et chaque fois il avait eu l'impression d'en sortir, comme si son corps même se fût dépouillé avec aisance de quelque peau ou de quelque écorce superficielle. Il lui était arrivé de sentir une présence subtile, ténébreuse et murmurante, pénétrer son être et l'enflammer d'un bref et coupable appétit ; et cela aussi glissait hors de son étreinte, laissant son esprit lucide et indifférent. Tels étaient, lui semblait-il, le seul amour et la seule haine que son âme fût capable d'abriter.

Mais il ne pouvait plus désormais douter de la réalité de l'amour, puisque Dieu Lui-même avait aimé son âme individuelle d'un amour divin, de toute éternité. Peu à peu, à mesure que son âme s'enrichissait de science spirituelle, il vit le monde entier ne formant qu'une seule, vaste et symétrique expression de la puissance et de l'amour de Dieu. La vie devint un don divin de chaque minute, de chaque sensation pour laquelle — ne fût-ce que la vue d'une simple feuille suspendue à une branche d'arbre — son âme devait louer et remercier le Donateur. Le monde, malgré sa solide substance et sa complexité, n'exista plus pour lui que comme un théorème du pouvoir, de l'amour et de l'universalité de Dieu. Cette notion du sens divin de la nature entière, accordée à son âme, était si absolue et si indiscutable qu'il ne comprenait guère pourquoi il était nécessaire le moins du monde qu'il continuât de vivre. Cependant cela faisait partie des desseins de Dieu, et il n'osait en mettre l'utilité en question, lui surtout qui avait péché si gravement, si ignoblement contre ces desseins. Douce et humiliée devant cette conscience de la seule réalité parfaite, éternelle et omniprésente, son âme reprit son fardeau de piété : messes, prières, sacrements, mortifications, et alors seulement, pour la première fois depuis qu'il avait médité[1] sur le grand mystère de l'amour, il sentit au fond de lui un mouvement chaud, pareil à celui d'une nouvelle vie naissante ou de quelque vertu de l'âme elle-même. L'attitude typique de l'extase, telle que la représente l'art sacré, mains levées et écartées, lèvres ouvertes, yeux pareils à ceux d'un être qui va défaillir, devinrent pour lui l'image de l'âme en prière, s'humiliant et défaillant devant son Créateur.

Mais il avait été prévenu contre les dangers de l'exaltation spirituelle et s'interdisait de manquer à la moindre, à la plus humble pratique, s'efforçant, d'autre part, au moyen de constantes mortifications, de défaire son passé de pécheur plutôt que d'acquérir une sainteté lourde de périls. Chacun de ses sens était soumis à une rigoureuse discipline. Pour mortifier le sens de la vue, il se fit une règle de marcher dans la rue les yeux baissés, ne regardant ni à droite ni à gauche et jamais en arrière. Ses yeux évitaient toute rencontre avec des yeux de femme. Parfois aussi il les contrariait par un brusque effort de volonté, par exemple en les levant subitement au milieu d'une phrase inachevée et en fermant le livre. Pour mortifier son ouïe, il n'exerçait aucun contrôle sur sa voix qui était alors en train de muer ; il ne chantait ni ne sifflait, il n'essayait pas

de fuir les bruits qui lui causaient une pénible irritation nerveuse, tels que celui des couteaux qu'on
repasse, des cendres qu'on ramasse sur la pelle, des
tapis que l'on bat. Il était plus difficile de mortifier son
odorat, car il n'éprouvait pas de répugnance instinc-
tive des mauvaises odeurs, qu'il s'agît des odeurs du
dehors, comme celles du fumier, du goudron, ou bien
des odeurs de sa propre personne, parmi lesquelles il
avait fait maintes comparaisons ou expériences
curieuses. À la fin, il trouva que la seule odeur qui
révoltât son odorat était une certaine puanteur croupie
avec un relent de poisson, comme celle de l'urine
stagnante[1] ; et, toutes les fois que cela lui était possible, il s'obligeait à respirer cette odeur rebutante. Afin
de mortifier son goût, il pratiquait la frugalité aux
repas, observait à la lettre tous les jeûnes de l'Église,
cherchait à distraire et à détourner son attention de la
saveur des mets différents. Mais c'était à la mortifica-
tion du toucher qu'il apportait l'ingéniosité et l'invention la plus assidue. Jamais il ne changeait volontairement de position au lit ; il restait assis dans les poses
les plus incommodes, il souffrait patiemment toute
démangeaison et toute douleur, il se tenait loin du feu,
il demeurait à genoux durant toute la messe, excepté
pendant la lecture des évangiles, il s'abstenait d'es-
suyer une partie de son visage et de son cou afin de les
laisser mordre par l'air, et, dans les moments où il ne
disait pas son chapelet, il tenait les bras raidis à ses
côtés à la manière d'un coureur[2], sans jamais mettre
ses mains dans ses poches ou derrière le dos.

Il n'éprouvait aucune tentation de péché mortel.
Cependant il était surpris de découvrir qu'à la fin de
son programme de piété compliquée, de discipline
intérieure, il restait à la merci d'imperfections puériles
et indignes. Ses prières et ses jeûnes ne l'empêchaient

guère de se mettre en colère quand il entendait sa mère
éternuer, ou bien quand on le dérangeait dans ses
dévotions. Il lui fallait un immense effort de volonté
pour maîtriser l'instinct qui le poussait à donner libre
cours à de telles irritations. L'image des accès de colère
triviale qu'il avait souvent remarqués chez ses professeurs — bouches tordues, lèvres pincées, joues empour-
prées — lui revenait à l'esprit et le décourageait par
comparaison, malgré toute l'humilité acquise. Immer-
ger sa vie dans le flot commun des autres existences lui
paraissait plus difficile que n'importe quel jeûne ou
quelle prière et il n'y réussissait jamais à sa propre
satisfaction, ce qui finissait par créer dans son âme la
sensation d'une sécheresse spirituelle, où les doutes et
les scrupules allaient s'accentuant. Son âme traversa
une période de désolation pendant laquelle les sacrements eux-mêmes semblaient s'être transformés en
sources taries. Sa confession devint l'exutoire d'imperfections scrupuleuses et dont il ne se repentait pas. La
réception effective de l'eucharistie n'amenait pas ces
moments de dissolution de l'être et d'abandon virginal, comme certaines communions spirituelles qu'il
faisait parfois, à la fin de quelque visite au Saint-
Sacrement. Le livre qu'il employait pour ces visites
était un vieux volume désuet, de saint Alphonse de
Liguori [1], aux caractères effacés, aux feuillets flétris et
piqués. Tout un monde suranné d'amour fervent, de
réponses virginales semblait évoqué pour son âme par
la lecture de ces pages où l'imagerie des cantiques
s'entremêlait avec les prières du communiant. Une
voix inaudible caressait l'âme, disant ses noms et ses
gloires, lui ordonnant de se lever et de venir comme
pour des noces, lui ordonnant de regarder au loin,
épouse, du haut d'Amana et des montagnes des léo-
pards ; et l'âme, avec la même inaudible voix, répon-

dait en s'abandonnant : *Inter ubera mea commorabitur*[1].

Cette idée d'abandon[2] exerçait une attraction périlleuse sur son esprit, maintenant qu'il se sentait de nouveau l'âme obsédée par les voix insistantes de la chair dont le murmure se levait pendant ses prières et ses méditations. Il éprouva une sensation intense de sa propre puissance, à l'idée qu'il pouvait, par un seul acte de consentement, par une seule pensée d'un seul instant, défaire tout ce qu'il avait fait. Il lui semblait sentir un flot qui s'avançait lentement vers ses pieds nus, et attendre la première, faible, timide, silencieuse petite vague qui viendrait effleurer sa peau enfiévrée. Puis, presque au moment de ce contact, presque au bord du coupable consentement, il se retrouvait debout loin du flot, sur la terre ferme, sauvé par un acte soudain de volonté ou par une prière jaculatoire. Et, lorsqu'il voyait la lisière argentée du flot, au loin, recommencer sa lente progression vers ses pieds, un nouveau frisson de puissance et de satisfaction secouait son âme à l'idée qu'il ne s'était pas rendu et n'avait pas tout défait.

Après avoir ainsi maintes fois échappé au flot de la tentation, il devint inquiet et se demanda si la grâce qu'il s'était refusé à perdre ne lui était pas subtilisée petit à petit. La certitude si claire de sa propre immunité se troubla et fut remplacée par la vague crainte que son âme ne fût réellement tombée à son insu. Il lui fallut beaucoup d'efforts pour reconquérir la conscience de son état de grâce, en se redisant qu'il avait prié Dieu à chacune de ses tentations et que la grâce qu'il avait implorée devait lui être accordée, attendu que Dieu était obligé de la donner. La fréquence et la violence même des tentations lui attestaient enfin la vérité de ce qu'il avait appris au sujet des épreuves des saints. Les tentations fréquentes et violentes prouvaient que la citadelle de l'âme n'était pas tombée et que le diable redoublait de rage pour la faire tomber.

Souvent, après qu'il eut confessé ses doutes et ses scrupules — quelque distraction momentanée pendant les prières, un mouvement de colère insignifiant, une subtile intervention de la volonté en parole ou en action —, son confesseur, avant de lui donner l'absolution, lui demandait de citer quelque péché de sa vie passée. Il le citait avec humilité et honte, il s'en repentait à nouveau. Il se sentait humilié et honteux à la pensée qu'il n'en serait jamais délivré totalement, si sainte que fût sa vie, si grandes que fussent les vertus et les perfections qu'il pouvait atteindre. Une sensation inquiète de culpabilité l'accompagnerait toujours : il se confesserait, se repentirait, obtiendrait l'absolution, il se confesserait et se repentirait à nouveau, obtiendrait une nouvelle absolution, — toujours en vain. Peut-être cette première confession hâtive, arrachée par la peur de l'enfer, n'avait-elle pas été bonne ? Peut-être, préoccupé seulement de son imminent passage en jugement n'avait-il pas éprouvé un regret sincère de ses péchés ? Mais le signe le plus sûr de l'excellence de sa confession, de la sincérité de son regret, c'était, il le savait, l'amendement de sa vie.

« Voyons : j'ai bien amendé ma vie [1], n'est-ce pas ? » se demandait-il.

*

Le directeur [2] se tenait debout dans l'embrasure de la fenêtre, le dos à la lumière, un coude appuyé à l'écran brun et, tout en parlant et en souriant, balançait et roulait en boucles, d'un geste lent, le cordon du store. Stephen était devant lui, suivant des yeux tantôt le déclin du long jour d'été par-dessus les toits, tantôt les mouvements lents et habiles des doigts sacerdotaux. Le visage du prêtre se trouvait dans l'ombre absolue, mais le jour déclinant effleurait par-derrière les tempes profondément creusées et les courbes du crâne. Stephen suivait aussi, de l'oreille, les accents et les intervalles de la voix du prêtre à mesure que celui-ci parlait gravement et cordialement de choses quelconques, des vacances qui venaient de finir, des collèges de l'ordre à l'étranger, des déplacements de maîtres. La voix grave et cordiale poursuivait son discours avec aisance, et pendant les pauses Stephen se sentait obligé de le faire rebondir par des questions respectueuses. Il savait que ce discours était un prélude et son esprit attendait la suite. Depuis l'instant où on lui avait transmis la convocation du directeur, son esprit s'était efforcé de trouver le sens de ce message ; pendant sa longue et anxieuse attente au parloir du collège, avant l'entrée du directeur, ses yeux avaient erré de l'un à l'autre des tableaux discrets accrochés aux murs, tandis que sa pensée errait d'une conjecture à une autre jusqu'à ce que le sens de la convocation lui apparût presque clairement. Puis, au moment même où il souhaitait qu'une cause imprévue empêchât la venue du directeur, il entendit la poignée de la porte que l'on tournait et le bruit sifflant d'une soutane.

Le directeur se mit à parler des dominicains et des franciscains, de l'amitié entre saint Thomas et saint Bonaventure [1]. L'habit de capucin, à son avis, était un peu trop...

Le visage de Stephen refléta le sourire indulgent du prêtre, et n'ayant pas envie d'exprimer une opinion, il esquissa des lèvres un léger mouvement dubitatif.

« Je crois, continua le directeur, qu'il est question

actuellement, chez les capucins eux-mêmes, de quitter cet habit, à l'exemple des autres franciscains.

— Je suppose qu'ils le garderaient dans la clôture ? fit Stephen.

— Oh, certainement, dit le directeur. Pour la clôture c'est parfait, mais pour la rue je pense réellement qu'il vaudrait mieux s'en débarrasser, ne trouvez-vous pas ?

— J'imagine que cela doit être incommode.

— Bien sûr, bien sûr. Figurez-vous qu'étant en Belgique, je les voyais dehors, à bicyclette, par n'importe quel temps, avec cette affaire qui leur remontait aux genoux ! C'était absolument ridicule. En Belgique, on les appelle *les jupes*[1]. »

La voyelle était modifiée au point d'être indistincte.

— Comment les appelle-t-on ?

— *Les jupes*.

— Ah ! »

Stephen répondit par un nouveau sourire au sourire qu'il ne pouvait voir sur le visage du prêtre, plongé dans l'ombre, mais dont l'image ou le spectre seulement traversait rapidement son cerveau lorsque l'accent bas et discret atteignait son oreille. Il regardait avec calme le ciel pâlissant, heureux de la fraîcheur du soir et de la faible clarté jaune qui dissimulait l'imperceptible rougeur allumée sur ses joues.

Les noms désignant des vêtements de femme, ou ceux des étoffes douces et délicates employées pour ces vêtements, évoquaient toujours pour lui un parfum subtil et défendu. Étant enfant, il avait imaginé que les rênes des chevaux étaient de minces rubans de soie, et il avait été déçu, à Stradbrook[2], par le contact du cuir gras des harnais. Il avait été choqué de même en sentant pour la première fois sous ses doigts frémissants la fragile texture d'un bas de femme ; car, retenant de ses lectures cela seul qui lui semblait être un écho ou une prophétie de sa propre existence, il ne s'aventurait à concevoir une âme ou un corps féminin, s'animant tendrement, que parmi des paroles délicates ou des étoffes aux douceurs de roses.

Mais dans la bouche du prêtre cette expression était insincère ; Stephen savait qu'un prêtre ne devait point parler légèrement de ce sujet. Le mot avait été prononcé légèrement à dessein, et il sentait que les yeux dans l'ombre scrutaient son visage. Tout ce qu'il avait entendu ou lu sur l'habileté des jésuites, il l'avait résolument écarté comme non confirmé par sa propre expérience. Ses maîtres, même ceux qui ne l'avaient pas attiré, lui étaient toujours apparus comme des prêtres intelligents et sérieux, des préfets athlétiques et pleins d'ardeur. Il se les représentait comme des hommes qui font avec entrain des ablutions à l'eau froide et portent du linge propre et froid. Pendant toutes les années vécues parmi eux à Clongowes et à Belvédère, il n'avait reçu que deux punitions corporelles, et, bien que celles-là lui eussent été infligées à tort, il savait qu'il avait souvent échappé au châtiment. Au cours de toutes ces années, il n'avait jamais entendu de la part de ses maîtres aucun mot malsonnant ; c'étaient eux qui lui avaient enseigné la doctrine chrétienne, qui l'avaient exhorté à mener une vie droite ; et, lorsqu'il fut tombé dans un grave péché, c'étaient eux qui l'avaient ramené vers la grâce. Leur présence l'avait rendu défiant envers lui-même alors qu'il n'était qu'une nouille [1] à Clongowes, et elle l'avait rendu également défiant envers lui-même dans sa position équivoque, à Belvédère [2]. Ces sentiments étaient demeurés constamment en lui jusqu'à la dernière année de sa vie d'écolier. Pas une seule fois il n'avait désobéi, ni laissé de turbulents camarades le détourner de ses habitudes de calme obéissance [3] et même lorsqu'il avait mis en doute quelque affirmation d'un maître, il ne s'était jamais permis de le faire ouvertement. Ces derniers temps, quelques-uns de leurs jugements lui avaient paru un peu puérils, et il en avait éprouvé du regret et de la pitié, comme s'il sortait lentement d'un monde familier dont il entendait le langage pour la dernière fois. Un jour que des élèves entouraient un prêtre sous l'appentis près de la chapelle, il avait entendu ce prêtre dire :

« Je pense que Lord Macaulay était un homme qui n'avait probablement jamais commis un péché mortel de sa vie ; j'entends un péché mortel délibéré[1]. »

Quelques élèves avaient alors demandé si Victor Hugo n'était pas le plus grand écrivain français. Le prêtre avait répondu que Victor Hugo, depuis qu'il s'était retourné contre l'Église, n'avait plus jamais écrit aussi bien et de beaucoup que lorsqu'il était bon catholique.

« Mais bien des critiques éminents en France, dit le prêtre, affirment que Victor Hugo lui-même, tout grand qu'il fût assurément, ne possédait pas un style aussi pur que celui de Louis Veuillot[2]. »

L'imperceptible flamme que l'allusion du prêtre avait allumée sur la joue de Stephen s'était éteinte et ses yeux demeuraient tranquillement fixés sur le ciel décoloré. Mais un doute inquiet voltigeait sans cesse de-ci de-là devant son esprit. Des souvenirs masqués défilèrent rapidement, il reconnut des scènes, des personnages, tout en se rendant compte que quelque chose de vital lui échappait en eux. Il se voyait lui-même marchant sur les terrains de sport, assistant aux jeux à Clongowes, puisant de la réglisse dans sa casquette de cricket. Des jésuites se promenaient autour de la piste cyclable, en compagnie de quelques dames. L'écho de certaines expressions familièrement employées à Clongowes retentissait dans de profondes grottes de sa mémoire.

Ses oreilles suivaient ces échos lointains, dans le silence du parloir, quand il s'aperçut que le prêtre s'adressait à lui sur un ton différent.

« Je vous ai fait appeler aujourd'hui, Stephen, parce que je désirais vous entretenir d'un sujet fort important.

— Bien, monsieur.

— Avez-vous jamais senti en vous une vocation ? »

Stephen desserra les lèvres pour répondre oui, mais soudain il retint ce mot. Le prêtre attendit la réponse et ajouta :

« Je veux dire : avez-vous jamais senti en vous, dans votre âme, le désir d'entrer dans notre ordre ? Réfléchissez.

— J'y ai songé parfois », dit Stephen.

Le prêtre laissa retomber le cordon du store et posa gravement le menton sur ses mains jointes, se recueillant.

« Dans un collège comme celui-ci, dit-il enfin, il se trouve un jeune homme, deux ou trois jeunes gens peut-être, que Dieu appelle à la vie religieuse. Un tel jeune homme se distingue de ses camarades par sa piété, par le bon exemple qu'il montre aux autres. Il jouit de leur considération ; il arrive que les membres de sa confrérie le choisissent pour préfet. Vous, Stephen, vous avez été un tel jeune homme dans ce collège, vous êtes devenu préfet de la confrérie de Notre-Dame. Il se peut que vous soyez précisément, dans ce collège, le jeune homme que Dieu compte appeler à Lui. »

Une forte intonation d'orgueil, qui venait renforcer ce que la voix du prêtre avait de grave, précipita, en manière de réponse, les battements du cœur de Stephen.

« Un tel appel, Stephen, dit le prêtre, est le plus grand honneur que Dieu Tout-Puissant puisse accorder à un homme. Aucun roi, aucun empereur de la terre ne possède le pouvoir d'un prêtre de Dieu. Aucun ange ou archange du ciel, aucun saint, ni la Sainte Vierge elle-même, ne possèdent le pouvoir d'un prêtre de Dieu : le pouvoir des clefs[1], le pouvoir de lier et de délier les péchés, le pouvoir d'exorciser, le pouvoir de chasser hors des créatures de Dieu les esprits malins qui les tiennent en leur puissance ; le pouvoir, l'autorité de faire descendre le grand Dieu du Ciel sur l'autel pour revêtir la forme du pain et du vin. Quel redoutable pouvoir, Stephen ! »

Une rougeur commença à flamber de nouveau sur les joues de Stephen tandis que dans cet orgueilleux discours il entendait l'écho de ses propres rêveries orgueilleuses. Que de fois il s'était imaginé lui-même dans le rôle du prêtre, exerçant avec calme et humilité le redoutable pouvoir qui tient en respect les anges et les saints ! Son âme s'était plu à rêver en secret sur ce désir. Il s'était vu, jeune prêtre aux manières silencieuses, entrant avec vivacité dans un confessionnal, montant les degrés de l'autel, balançant l'encensoir, faisant des génuflexions, accomplissant les actes vagues du sacerdoce qui lui plaisaient en raison de leur apparence de réalité et de la distance qui les séparait de celle-ci. Dans cette existence indécise vécue au cours de ses rêveries, il avait adopté les voix et les gestes observés chez divers prêtres. Il avait plié le genou obliquement comme un tel, s'était contenté de secouer l'encensoir très légèrement, comme tel autre, sa chasuble, lorsqu'il s'était retourné vers l'autel après avoir béni la foule, s'était ouverte comme celle d'un troisième. Et, par-dessus tout, il s'était plu à occuper la seconde place dans ces scènes indécises imaginées par lui. Il renonçait à la dignité de célébrant, n'aimant pas que toute cette pompe vague trouvât son achèvement dans sa propre personne ou que le rituel lui assignât un office si précis et si définitif. Il aspirait aux ordres mineurs : à revêtir la tunique du sous-diacre à la grand'messe, à se tenir à l'écart de l'autel, oublié par l'assistance, les épaules recouvertes de l'amict dans le pli duquel il tiendrait la patène : ou bien, le sacrifice accompli, à se dresser, diacre en dalmatique de drap d'or, sur un degré au-dessous de l'officiant, les mains jointes, le visage tourné vers le peuple, entonnant le plain-chant : *Ite missa est*. Si jamais il s'était vu en qualité de célébrant, c'était comme sur les images du paroissien de son enfance, dans une église sans autres fidèles que l'ange du sacrifice, devant un autel nu où il était assisté par un acolyte à peine plus juvénile que lui-même. Seuls des actes vagues du sacrifice ou des sacrements semblaient pousser sa volonté au-devant d'une rencontre avec le réel; et c'était, en partie, l'absence d'un rite établi qui l'avait toujours maintenu dans l'inaction, soit qu'il laissât retomber dans le silence sa colère ou son orgueil, soit qu'il se résignât à subir une étreinte qu'il aspirait à donner lui-même.

Maintenant, il écoutait dans un silence plein de respect l'appel du prêtre, et, par-delà ses paroles, il entendait plus distinctement encore une voix qui l'invitait, qui lui offrait un savoir secret, un secret pouvoir. Alors il apprendrait quel était le péché de Simon le Magicien[1] et en quoi consistait le péché contre le Saint-Esprit pour lequel il n'y avait pas de pardon. Il connaîtrait des choses ténébreuses, cachées à d'autres, à ceux qui ont été conçus et engendrés dans le courroux. Il connaîtrait les péchés, les désirs coupables, les pensées coupables, les actions coupables des autres, en les entendant murmurer à son oreille, au fond du confessionnal, dans l'atmosphère de honte de la chapelle enténébrée, par des lèvres de femmes et de jeunes filles ; — mais, mystérieusement prémunie au moment de son ordination, par l'imposition des mains, son âme retournerait, inaccessible à la contagion, vers la blanche paix de l'autel. Nulle trace de péché ne demeurerait sur les mains avec lesquelles il élèverait et romprait l'hostie ; nulle trace de péché ne demeurerait sur ses lèvres en prière, pour lui faire manger et boire sa propre damnation sans discerner la chair du Seigneur[1]. Il posséderait son savoir secret et son secret pouvoir, étant aussi pur que les innocents. Et il serait prêtre à jamais, selon l'ordre de Melchisédech[2].

« Je dirai ma messe de demain matin, poursuivait le directeur, pour demander à Dieu tout-puissant de vous révéler Sa sainte volonté. Et vous, Stephen, offrez une neuvaine à votre saint patron, le premier martyr, dont l'influence est si puissante auprès de Dieu, afin que Dieu éclaire votre esprit. Cependant vous devez vous assurer, Stephen, que vous avez la vocation, car il serait terrible de vous apercevoir plus tard que vous n'en aviez point. *Sacerdos in aeternum*[3], rappelez-vous. Votre catéchisme vous enseigne que le sacrement des Saints Ordres est un de ceux qui ne peuvent être reçus qu'une seule fois, car il imprime à l'âme une marque spirituelle indélébile et que rien ne peut effacer. Vous devez tout peser d'avance, et non après. C'est là une question solennelle, Stephen, puisque le salut de votre âme éternelle peut en dépendre. Mais nous allons prier Dieu ensemble. »

Il tint ouverte la lourde porte d'entrée et donna la main comme, déjà, à un compagnon dans la vie spirituelle. Stephen sortit sur le vaste palier dominant

le perron et sentit la douce caresse de l'air du soir. Vers
l'église de Findlater [1], un groupe de quatre jeunes gens
s'en allait à grands pas, les bras entrelacés, balançant
la tête et suivant le rythme agile du concertina de leur
chef de bande. Cette musique passa, en un instant,
comme le faisaient toujours les premières mesures
d'une mélodie soudaine, sur les fabriques fantastiques
de son esprit, les dissolvant sans douleur et sans bruit,
ainsi qu'une vague soudaine dissout les tourelles de
sable des enfants. Souriant au refrain banal, il leva les
yeux vers le visage du prêtre, vit sur ce visage un reflet
morne du jour englouti, et détacha avec lenteur sa
main qui avait faiblement acquiescé à ce compagnon-
nage.

Tandis qu'il descendait les marches, une impression
effaçait le recueillement troublé de son esprit : celle
d'un masque morne, reflétant le jour englouti sur le
seuil du collège. Alors l'ombre de la vie de collège
passa gravement sur sa conscience. La vie qui l'attendait était grave, ordonnée, exempte de passion, une vie
dépourvue de soucis matériels. Il imaginait comment
il passerait sa première nuit de noviciat et avec quelle
consternation il se réveillerait le premier matin dans le
dortoir. Il se rappela l'odeur troublante des longs
corridors de Clongowes et entendit le murmure discret
du gaz allumé. Aussitôt, de toutes les parties de son
être, une inquiétude se mit à irradier. Elle fut suivie
d'une accélération fiévreuse de son pouls, et un bour-
donnement de mots dépourvus de sens mit en déroute
ses réflexions raisonnées. Ses poumons se dilatèrent,
puis se rétrécirent, comme s'il aspirait un air tiède,
humide, qui ne le soutenait pas, et il sentit de nouveau
l'odeur de l'air, humide et tiède, qui flottait dans la
piscine de Clongowes, au-dessus de l'eau paresseuse,
couleur de tourbe.

Un instinct éveillé par ces souvenirs, plus fort que l'éducation ou la piété, s'animait en lui à chaque contact avec cette existence-là, un instinct subtil et hostile, qui l'armait contre tout acquiescement. Le froid et l'ordre de cette existence lui répugnaient. Il vit son lever dans la fraîcheur du matin, la descente en file avec les autres vers la messe matinale, la prière luttant vainement contre le malaise de l'estomac. Il se vit à table avec toute la communauté d'un collège. Qu'était donc devenue cette timidité invétérée qui lui rendait odieux de manger et de boire sous un toit étranger ? Qu'était devenu l'orgueil de son esprit qui l'avait toujours poussé à se considérer comme un être à part, dans tout ordre quel qu'il fût ?

Le révérend Stephen Dedalus S. J.

Le nom qu'il porterait dans cette nouvelle existence jaillit en toutes lettres devant ses yeux et fut suivi de l'apparition d'un visage imprécis, ou plutôt de la couleur d'un visage. La couleur pâlit, puis devint intense, comme une lueur changeante d'un rouge brique clair. Était-ce la coloration rougeâtre d'une peau à vif qu'il avait si souvent remarquée, par les matins d'hiver, sur les bajoues rasées des prêtres ? Le visage était sans yeux, à la mine renfrognée et dévote, taché de rose par une colère étouffée. N'était-ce pas le spectre mental de l'un de ces jésuites que certains garçons appelaient Gueules en Creux, et d'autres Maître Renard [1] ?

Il passait, à ce moment même, devant la maison des jésuites, Gardiner Street, et se demanda vaguement quelle fenêtre serait la sienne si jamais il entrait dans cet ordre. Puis il s'étonna du vague de sa curiosité, de la distance qui séparait son âme de ce qu'il avait jusque-là imaginé comme son sanctuaire, de la faible emprise qu'exerçaient sur lui tant d'années vécues dans l'ordre et l'obéissance[1], au moment où un acte précis et irrévocable de son chef menaçait de mettre fin dans le temps comme dans l'éternité à sa liberté. La voix du directeur faisant valoir devant lui les orgueilleuses revendications de l'Église, le mystère et le pouvoir du sacerdoce, résonnait en vain dans sa mémoire. Son âme n'était plus là pour l'entendre et l'accueillir ; et il savait maintenant que l'exhortation qu'il venait d'écouter s'était déjà transformée en un discours creux et formel. Jamais il ne balancerait l'encensoir devant le tabernacle en tant que prêtre. Sa destinée était d'éluder les ordres sociaux ou religieux. La sagesse de l'appel du prêtre ne le touchait pas au vif. Il était destiné à acquérir sa propre sagesse à l'écart des autres ou à acquérir la sagesse des autres lui-même en errant parmi les embûches de ce monde.

Les embûches du monde, c'étaient ses voies du péché. Il tomberait. Il n'était pas tombé encore, mais il allait tomber en silence en un instant. Ne pas tomber était trop difficile ; et il sentit la défaillance silencieuse de son âme, telle qu'elle se produirait à un instant prochain — la chute, la chute, de son âme pas encore déchue, non déchue encore, mais sur le point de choir.

Il traversa le pont sur la Tolka[2] et tourna un instant les yeux avec indifférence vers la châsse de la Sainte Vierge, d'un bleu déteint, perchée à la manière d'un volatile sur un poteau, parmi de pauvres maisonnettes dont le groupe avait la forme d'un jambon. Puis, obliquant à gauche, il suivit la ruelle qui conduisait à sa maison. Une aigre puanteur de choux pourris arrivait jusqu'à lui des potagers situés sur la levée au-dessus de la rivière. Il sourit en pensant que c'était ce désordre, l'anarchie et la confusion régnant dans la maison paternelle, et la stagnation de la vie végétale[3], qui allaient emporter la victoire dans son âme. Puis un rire bref lui vint aux lèvres au souvenir d'un solitaire garçon de ferme, dans les potagers derrière chez lui, qu'on avait surnommé l'homme au chapeau. Un nouvel éclat de rire, découlant du premier après une pause, lui échappa malgré lui lorsqu'il pensa à la manière dont l'homme au chapeau travaillait, considérant tour à tour les quatre points cardinaux, puis enfonçant à regret sa bêche dans le sol.

Il poussa la porte d'entrée dépourvue de loquet et gagna, par le couloir nu, la cuisine. Un groupe de ses frères et sœurs était assis autour de la table. Le repas du soir était presque fini, il n'y avait plus que les restes d'un thé déjà allongé d'eau dans le fond des petits bocaux de verre et des pots à confiture faisant office de tasses. Des croûtes à jeter, des morceaux de pain sucré, brunis par le thé qu'on avait versé dessus, jonchaient la table. De petites mares de thé se voyaient par endroits, un couteau à manche d'ivoire cassé était planté dans les entrailles d'un chausson aux pommes éventré.

Triste et calme, le gris-bleu du jour mourant entrait par la fenêtre et par la porte ouverte, submergeant et apaisant une soudaine sensation de remords dans le cœur de Stephen. Tout ce qui avait été refusé à ces enfants lui avait été libéralement accordé à lui, l'aîné ; cependant la calme clarté du soir ne révélait sur leurs visages nulle trace de rancœur.

Il se mit à table près d'eux et demanda où étaient son père et sa mère. L'un d'eux répondit :

« Par-pa-tis-pi vi-pi si-pi ter-pé u-pu ne-pe mai-pai son-pon. »

Encore un déménagement ! À Belvédère, un garçon du nom de Fallon[1] avait coutume de lui demander, avec un ricanement imbécile, pourquoi sa famille déménageait si souvent. Une ride de mépris assombrit

aussitôt son front ; il lui semblait entendre à nouveau
le ricanement imbécile de l'indiscret.

Il demanda :

« Est-il permis de s'informer pourquoi on change de
logis encore une fois ?

— Pas-pa ce-pe que-pe le-pe pro-po pri-pi é-pé tai-
pai re-pe nous-pou met-pè à-pa la-pa por-po te-pe. »

La voix du plus jeune des frères, de l'autre côté de la
cheminée, se mit à fredonner : *Souvent dans la nuit
calme*[1]. Un à un, les autres reprirent la chanson, si bien
qu'à la fin un chœur tout entier se forma. Ils allaient
chanter ainsi pendant des heures, une chanson après
l'autre, un canon après l'autre, jusqu'à ce que la
dernière lueur pâle mourût à l'horizon, jusqu'à ce
qu'apparussent, sombres, les premiers nuages nocturnes et que la nuit tombât.

Il attendit quelques instants, écoutant avant de se
joindre à eux. Il écoutait le cœur brisé l'harmonique de
fatigue dans ces frêles voix fraîches et innocentes.
Avant même d'avoir commencé le voyage de la vie, ils
semblaient déjà las du chemin.

Il entendait ce chœur dans la cuisine, répété et
multiplié par la répercussion innombrable des chœurs
d'innombrables générations d'enfants ; et dans tous les
échos il entendait aussi l'écho de cette note récurrente
de fatigue et de souffrance. Tous semblaient las de la
vie avant même d'y entrer. Il se rappela que Newman
avait entendu cette même note dans les vers brisés de
Virgile : « *exprimant, comme la voix de la Nature elle-
même, cette souffrance et cette lassitude, mais aussi
l'espoir de choses meilleures, que ses enfants en tous
temps ont éprouvé*[2] ».

*

Il ne pouvait plus attendre.

Il allait et venait, de la porte du pub de Byron[1] à la grille de la chapelle de Clontarf[2], de la grille de la chapelle à la porte du pub, puis de nouveau jusqu'à la chapelle et encore jusqu'au pub ; il avait commencé par marcher lentement, attentif à poser les pieds sur les interstices des dalles du trottoir, puis accordant leur cadence à la chute des vers d'un poème. Une heure entière s'était écoulée depuis que son père était entré avec Dan Crosby, le *tutor*, en quête de quelques renseignements pour Stephen au sujet de l'Université[3]. Depuis une bonne heure, Stephen allait et venait ainsi en les attendant ; mais il ne pouvait plus attendre.

Il se dirigea brusquement vers le Bull[4], pressant le pas de peur d'entendre le sifflet strident de son père le rappeler en arrière ; et au bout de quelques instants il avait tourné le coin du poste de police et était en sûreté.

Oui, sa mère était hostile à son projet ; il l'avait compris à son indifférence silencieuse[5]. Cependant cette méfiance l'aiguillonnait plus vivement que la vanité de son père ; il se rappela sans émotion comment il avait observé que la foi, à mesure qu'elle abandonnait son âme à lui, semblait croître et s'accentuer dans les yeux maternels. Un obscur antagonisme s'amassait en lui et assombrissait son esprit, tel un nuage, à cause de la défection de sa mère ; puis, quand, tel un nuage, ce sentiment se fut dissipé, lui laissant sa sérénité et son respect filial, il se rendit compte, obscurément et sans regret, qu'une première rupture silencieuse venait de séparer leurs deux existences.

L'Université ! Ainsi donc il avait dépassé le qui-vive de ces gardiens[6] placés en faction autour de son adolescence pour le retenir parmi eux, pour se l'assu-

jettir et l'asservir à leurs propres fins. La satisfaction
d'abord, l'orgueil ensuite le soulevèrent comme des
vagues hautes et lentes. La fin qu'il était né pour servir,
mais qu'il ne discernait pas encore, l'avait conduit à
s'évader par un chemin invisible ; aujourd'hui elle lui
faisait signe encore, et une nouvelle aventure allait lui
être ouverte. Il croyait entendre une mélodie fantasque, escaladant un ton, puis descendant en quarte
diminuée, remontant d'un ton, redescendant en tierce
majeure, comme les langues d'une triple flamme émer-
geant l'une après l'autre, par bonds fantasques, de la
forêt à l'heure de minuit. C'était le prélude d'une
musique d'elfes, sans fin et sans forme ; et tandis que
cela devenait de plus en plus endiablé et rapide, que les
flammes bondissaient rompant la mesure, il croyait
entendre sous les buissons et les herbes un galop de
créatures sauvages dont les pieds tambourinaient sur
les feuilles, telle la pluie dont la galopade traversa son
esprit dans un tumulte tambourinant ; pattes de liè-
vres et de lapins, pieds de cerfs, de biches, d'antilopes,
jusqu'à ce qu'il ne les entendît plus et ne gardât que le
souvenir d'une orgueilleuse cadence de Newman :
Dont les pieds sont semblables aux pieds des biches, et
au-dessous des bras éternels [1].

L'orgueil de cette image indécise lui rappela la
dignité de l'office qu'il avait refusé. Pendant toute son
adolescence il avait rêvé sur ce qu'il avait si souvent
pensé être sa destinée. Et au moment de répondre à
l'appel, il s'en était détourné, obéissant à quelque
instinct rebelle. À présent, il était trop tard ; jamais les
huiles de l'ordination n'oindraient son corps. Il avait
refusé. Pourquoi ?

À Dollymount [2], il quitta la route pour se diriger vers
la mer et en abordant le frêle pont de bois il sentit les
planches trembler sous des pieds lourdement chaussés.

Une escouade de Frères des Écoles chrétiennes, revenant du Bull, s'engageait sur le pont, deux par deux.
Bientôt le pont tout entier trembla et résonna. Deux
par deux, les visages frustes où la mer mettait des
couleurs jaunes, rouges ou livides, défilaient devant
Stephen, et tandis qu'il s'appliquait à les regarder d'un
air dégagé, avec indifférence, une légère couleur de
honte et de commisération monta à son propre visage.
Fâché contre lui-même, il essaya de soustraire son
visage à leurs regards en baissant les yeux de biais vers
l'eau peu profonde qui tourbillonnait sous le pont,
mais là encore il rencontrait le reflet de leurs chapeaux
de soie trop lourds du haut, de leurs humbles cols pas
plus larges qu'un ruban, de leurs vêtements ecclésiastiques flottants.

« Frère Hickey.
Frère Quaid.
Frère Mac Ardle.
Frère Keogh. »

Leur piété devait être semblable à leurs noms, à
leurs visages, à leurs vêtements ; et Stephen se disait
en vain que leurs cœurs humbles et contrits offraient
peut-être un tribut de dévotion bien plus riche que le
sien ne l'avait jamais été, un don dix fois plus agréable
au Seigneur que son adoration étudiée. Il était vain de
sa part de s'efforcer à être généreux envers eux, de se
dire que si un jour il frappait à leur porte, dépouillé de
son orgueil, vaincu et en haillons, ils se montreraient
généreux envers lui, l'aimant comme eux-mêmes. Il
était vain et irritant enfin, d'opposer à sa propre
certitude impassible cet argument que le commande-
ment d'amour ne nous ordonne pas d'aimer notre
prochain comme nous-mêmes, avec la même quantité
et la même intensité d'amour, mais de l'aimer comme
nous-mêmes, avec la même espèce d'amour.

Il tira une expression de son trésor[1] et se la répéta doucement :

« *Un jour de nuages marins pommelés*[2]. »

L'expression, le jour et le décor s'accordaient harmonieusement. Des mots. Était-ce leurs couleurs ? Il laissa flamboyer et s'éteindre leurs teintes une à une : or du soleil levant, roux et vert des pommeraies, azur des vagues, franges grises aux toisons des nuages. Non, ce n'était pas leurs couleurs, mais l'équilibre, la cadence de la période elle-même. Aimait-il donc le rythme ascendant et retombant des mots mieux que leurs évocations de légende et de couleur ? Ou bien était-ce que, aussi faible des yeux que timide d'esprit, il retirait moins de plaisir de voir les jeux de l'ardent univers sensible dans le prisme d'un langage multicolore et somptueusement historié[3], qu'à contempler un monde intérieur d'émotions individuelles, parfaitement reflété dans les périodes d'une prose lucide et souple ?

Du pont tremblant il repassa sur la terre ferme. Au même instant il lui sembla que l'air se glaçait et, regardant de biais vers l'eau, il vit le vol d'une bourrasque qui obscurcissait et ridait subitement le flot. Un petit déclic au cœur, une légère palpitation à la gorge lui rappelèrent une fois de plus combien sa chair redoutait l'odeur froide et infra-humaine de la mer ; cependant il ne coupa pas à travers les dunes sur sa gauche, mais poursuivit son chemin tout droit, sur la crête de rocs qui s'avançaient contre l'estuaire.

Un soleil voilé éclairait faiblement la nappe d'eau grise où le fleuve était encapé. Au loin, suivant le cours de la paresseuse Liffey, des mâts élancés rayaient le ciel, et plus loin encore, la fabrique[4] indécise de la cité s'étalait dans la brume. Pareille au décor de quelque tapisserie estompée, vieille comme la lassitude de l'homme, l'image de la septième ville de la chrétienté[5]

apparut nettement par-delà l'atmosphère intempo-
relle ; et elle n'était ni plus vieille, ni plus lasse, ni
moins patiemment soumise à ses maîtres qu'à l'époque
du Thingmote[1].

Découragé, il leva les yeux vers les nuages qui
dérivaient lentement, les nuages pommelés, les nuages
marins. Ils s'en allaient par les déserts du ciel, horde de
nomades en voyage, ils passaient haut sur l'Irlande, en
route vers l'ouest. L'Europe d'où ils venaient s'étendait
là-bas, au-delà de la mer d'Irlande, l'Europe des
langues étranges, creusée de vallées, ceinte de forêts,
fortifiée de citadelles, l'Europe des races retranchées et
rangées en bon ordre. Il entendit au-dedans de lui
comme une vague musique de souvenirs et de noms
dont il avait presque conscience, mais dont il ne
pouvait saisir un seul, fût-ce pour un instant ; puis la
musique sembla s'éloigner, s'éloigner, s'éloigner, et de
chaque traînée fuyante de cette musique nébuleuse se
détachait toujours une note d'appel prolongé, perçant
comme une étoile le crépuscule du silence. Encore !
Encore ! Encore ! Une voix au-delà du monde lançait
un appel.

— Hé, Stephanos !

— Voilà Le Dédale[2] !

— Aïe !... Arrête, Dwyer, je te dis ! ou je te flanque un
de ces gnons à travers la gueule[3] !... ah ! ho !

— Bravo, Towser ! Fais-lui faire le plongeon !

— Arrive, Dedalus ! Bous Stephanoumenos[4] ! Bous
Stephaneforos !

— Enfonce-le ! Fais-lui boire un coup, Towser !

— Au secours ! au secours !... ah ! ho ! »

Il reconnut leur parler collectivement avant de
distinguer leurs visages. La seule vue de cette mêlée de
nudités mouillées le glaça jusqu'aux os. Leurs corps,
d'un blanc de cadavre, ou baignés d'une pâle lueur

dorée, ou rudement tannés par le soleil, brillaient dans l'humidité marine. Le rocher qui leur servait de tremplin, posé en équilibre sur ses supports primitifs et oscillant à chaque plongeon, les pierres brutes du brise-lames incliné où ils grimpaient dans leurs ébats de poulains, tout luisait d'un lustre humide et froid. Les serviettes avec lesquelles ils se donnaient des claques étaient lourdes d'eau de mer froide ; l'eau froide et salée ruisselait de leurs cheveux aplatis.

Il s'immobilisa, déférant à leur appel et riposta avec aisance à leurs taquineries. Comme ils avaient l'air insignifiants : Shuley sans son large col déboutonné, Ennis sans sa ceinture écarlate dont la boucle représentait un serpent ; Connolly sans sa veste de chasse aux poches dépourvues de pattes. C'était une douleur de les voir, une douleur aiguë de voir les marques de l'adolescence qui rendaient répulsives leurs pitoyables nudités. Peut-être avaient-ils trouvé refuge, dans le nombre et le bruit, contre l'épouvante secrète de leur âme ? Mais lui, à l'écart et en silence, il se rappelait son épouvante devant le mystère de son propre corps.

« Stephanos Dedalos ! Bous Stephanoumenos ! Bous Stephaneforos ! »

Leurs taquineries lui étaient familières, et cette fois elles flattaient sa souveraineté paisible et orgueilleuse. Aujourd'hui, pour la première fois, son nom étrange lui semblait une prophétie. L'air tiède et gris paraissait tellement en dehors du temps, son propre état d'esprit si fluide, si impersonnel, que tous les siècles se confondaient dans sa pensée. Tout à l'heure, le spectre de l'ancien royaume danois s'était montré sous le vêtement de la ville drapée de brumes. Maintenant, à l'évocation de l'artisan fabuleux, il croyait entendre un bruit de vagues confuses et voir une forme ailée volant sur les flots, s'élevant lentement en l'air. Qu'est-ce que cela signifiait ? Était-ce une devise bizarre couronnant une page de quelque livre médiéval de prophéties et de symboles, un homme-faucon montant au-dessus des vagues vers le soleil, la prophétie de la fin qu'il était né pour servir, qu'il avait poursuivie à travers les brumes de l'enfance et de la jeunesse, le symbole de l'artiste forgeant[1] à nouveau dans son atelier, avec l'inerte matière terrestre, un être nouveau, impalpable, impérissable, en plein essor ?

Son cœur palpitait, sa respiration s'accélérait, un esprit sauvage passa sur ses membres, comme s'il prenait son essor vers le soleil. Son cœur palpitait d'une crainte extatique, son âme était en plein vol. Son âme prenait son essor au-delà du monde et le corps qu'il avait connu se trouvait purifié d'un seul souffle, délivré de l'incertitude, radieux et mêlé à l'élément spirituel. L'extase du vol rendait ses yeux rayonnants, sa respiration sauvage, et vibrants, sauvages, rayonnants ses membres balayés par le vent.

« Une ! deux !... attention !

— Oh, bigre, je me noyons !

— Une ! deux ! trois, et hop !

— À moi ! À moi !

— Une... Plouf !

— Stephaneforos ! »

Sa gorge était meurtrie par le désir de crier, de lancer le cri du faucon ou de l'aigle planant très haut, d'annoncer aux vents par un cri perçant sa délivrance. C'était là l'appel que la vie adressait à son âme et non pas la voix morne et grossière du monde des devoirs et des désespérances, non pas cette voix inhumaine qui l'avait convié au pâle service de l'autel. Un seul instant de sauvage envolée avait suffi à le délivrer et le cri de triomphe réprimé par ses lèvres lui fendit le cerveau.

« Stephaneforos ! »

Qu'étaient-elles donc à présent, sinon des suaires tombés du corps de mort, cette crainte qui l'avait accompagné nuit et jour, cette incertitude qui l'avait encerclé, cette honte qui l'avait humilié au-dedans comme au-dehors — des suaires, les linges du sépulcre ?

Son âme s'était levée du sépulcre de l'adolescence, rejetant ses vêtements mortuaires. Oui ! Oui ! Oui ! Il allait créer avec orgueil, grâce à la liberté et à la puissance de son âme, comme le grand artisan dont il portait le nom, une chose vivante, nouvelle, en plein essor et belle, impalpable, impérissable.

D'un mouvement nerveux, il se leva du rocher, ne pouvant plus maîtriser l'ardeur de son sang. Ses joues étaient en feu, un chant intérieur faisait palpiter sa gorge. Un désir aigu d'errance brûlait ses pieds prêts à courir aux confins de la terre. Son cœur semblait crier : en avant ! en avant ! Le soir s'épaissirait au-dessus de la mer, la nuit descendrait sur les plaines, l'aube s'allumerait devant le voyageur et lui montrerait des champs, des monts, des visages étranges... Où donc ?

Il regarda vers le nord, du côté de Howth[1]. La mer était descendue au-dessous de la frange de varech du côté le moins profond du brise-lames, et déjà le reflux s'écoulait rapidement au long de la plage. Déjà un long banc de sable ovale se voyait, tiède et sec, parmi les petites vagues. De-ci, de-là, de tièdes îlots de sable luisaient au-dessus de la mince nappe d'eau. Et, auprès des îlots, autour du long banc de sable, parmi les minces ruisseaux de la plage, il y avait des silhouettes revêtues de clarté et de couleurs vives qui pataugeaient et qui creusaient.

En un clin d'œil il fut pieds nus, ses chaussettes dans ses poches, ses souliers de toile se balançant à son épaule au bout de leurs lacets noués ensemble ; et ramassant entre les rochers, parmi les épaves, un bâton pointu rongé par le sel, il descendit la pente du brise-lames.

Il y avait sur la grève un long ruisseau, et comme il en remontait lentement le cours, il admira l'interminable dérive des algues. Vert émeraude, noires, rousses, olivâtres, elles se mouvaient sous l'eau courante, ondoyant et tournoyant. L'eau était obscurcie par cette interminable dérive et reflétait la dérive des nuages là-haut[1]. Au-dessus de lui, les nuages dérivaient en silence ; en silence les laminaires enchevêtrées dérivaient à ses pieds et l'air gris et tiède était calme : et dans ses veines une vie nouvelle et sauvage chantait.

Où était maintenant son adolescence ? Où était l'âme qui s'était attardée derrière sa destinée pour couver, solitaire, la honte de ses plaies et pour, dans son asile de turpitude et de subterfuges, la revêtir royalement de linceuls décolorés, de guirlandes qui se fanent au toucher ? Ou bien alors, où était-il lui-même ?

Il était seul. Personne ne prenait garde à lui, il était heureux, tout près du cœur sauvage de la vie. Il était seul et jeune, et opiniâtre, et sauvage, seul dans un désert d'air sauvage, d'eaux saumâtres, parmi la moisson marine de coquillages et de laminaires, parmi la clarté grise du soleil voilé, parmi les silhouettes revêtues de couleurs vives et de clarté d'enfants et de jeunes filles, parmi les voix enfantines et virginales résonnant dans l'air.

Une jeune fille se tenait devant lui, debout dans le mitan du ruisseau —, seule et tranquille, regardant vers le large. On eût dit un être à qui la magie avait donné la ressemblance d'un oiseau de mer, étrange et beau. Ses jambes nues, longues et fines, étaient délicates comme celles d'une grue[2], et immaculées, sauf à l'endroit où un ruban d'algue couleur d'émeraude avait dessiné un signe sur la chair. Ses cuisses plus pleines, nuancées comme l'ivoire, étaient découvertes presque jusqu'aux hanches, où les volants blancs du pantalon figuraient le duvet d'un plumage flou et blanc. Ses jupes bleu ardoise, crânement retroussées jusqu'à la taille retombaient par-derrière en queue de pigeon ; sa poitrine était pareille à celle d'un oiseau, tendre et menue, menue et tendre comme la gorge de quelque tourterelle aux sombres plumes ; mais ses longs cheveux blonds étaient ceux d'une enfant, et virginal, et touché par le miracle de la beauté mortelle était son visage[1].

Elle était là, seule et tranquille, regardant vers le large ; puis lorsqu'elle eut senti la présence de Stephen et son regard d'adoration, ses yeux se tournèrent vers lui, subissant ce regard avec calme, sans honte ni impudeur. Longtemps, longtemps elle le subit ainsi, puis, calme, détourna ses yeux de ceux de Stephen et les abaissa vers le ruisseau, remuant l'eau de-ci, de-là, doucement, du bout de son pied. Le premier clapotis léger de l'eau remuée rompit le silence, doux et timide, et murmurant, timide comme les clochettes du sommeil ; de-ci, de-là, de-ci, de-là : et une rougeur timide palpitait sur sa joue.

« Dieu du ciel ! » cria l'âme de Stephen dans une explosion de joie profane.

Il se détourna d'elle brusquement et s'en fut à travers la grève. Ses joues brûlaient ; son corps était un brasier, un tremblement agitait ses membres. Il s'en fut à grands pas, toujours plus loin, par-delà les sables, chantant un hymne sauvage à la mer, criant pour saluer l'avènement de la vie qui avait crié vers lui.

L'image de la jeune fille était entrée dans son âme à jamais, et nulle parole n'avait rompu le silence sacré

de son extase. Ses yeux à elle l'avaient appelé et son
âme avait bondi à l'appel. Vivre, s'égarer, tomber,
triompher, recréer la vie avec la vie! Un ange sauvage
lui était apparu, l'ange de jeunesse[1] et de beauté
mortelles, ambassadeur des cours splendides de la
vie[2], ouvrant devant lui, en un instant d'extase, les
barrières de toutes les voies d'égarement et de gloire[3].
En avant! En avant! En avant!

Il s'arrêta soudain et entendit son cœur battre dans
le silence. Jusqu'où avait-il marché? Quelle heure
était-il?

Il n'y avait aucune forme humaine près de lui, aucun
son ne lui parvenait à travers l'espace. Mais la marée
allait tourner et déjà le jour était à son déclin. Il se
tourna vers la terre ferme, courut vers le rivage,
remonta la plage en pente, sans souci des galets
coupants, trouva un creux de sable au milieu d'un
cercle de dunes hérissées d'herbes, et s'étendit là, pour
laisser la quiétude et le silence du soir apaiser le
tumulte de son sang.

Il sentait au-dessus de lui le vaste dôme indifférent et
la marche calme des corps célestes; au-dessous, la
terre qui l'avait porté l'avait pris contre son sein.

Il ferma les yeux, pris de la langueur du sommeil.
Ses paupières tremblaient comme si elles eussent senti
l'immense mouvement cyclique de la terre et de ses
veilleurs, comme si elles eussent senti l'étrange
lumière de quelque monde nouveau. Son âme s'éva-
nouissait, accédant à un monde nouveau, fantastique,
indistinct, incertain comme une région sous-marine,
traversé par des formes et des êtres nébuleux. Un
monde, une lueur, une fleur? Ou bien luisant et
tremblant, tremblant et se dépliant, lumière naissante,
fleur qui s'ouvre, cela se développait, se succédant sans
cesse à soi-même, éclatant en pourpre absolue, se

dépliant et se décolorant jusqu'aux extrêmes pâleurs de rose, pétale par pétale, onde de lumière par onde de lumière, noyant les cieux tout entiers de ses flux de couleurs délicates, de plus en plus intenses[1].

Le soir était tombé lorsqu'il s'éveilla et le sable et les herbes arides de sa couche avaient perdu leur chaleur. Il se leva lentement, et se souvenant du ravissement de son sommeil, soupira à cette joie.

Il grimpa jusqu'au sommet de la dune et jeta un regard autour de lui. Le soir était tombé. Le bord de la lune nouvelle fendait le pâle désert de ciel, cerceau d'argent enfoncé dans un lit de sable gris; et le flot montait rapidement vers la terre avec un faible murmure de ses vagues, transformant en îlots quelques silhouettes attardées, au loin, dans les mares[2].

CHAPITRE V

Il vida jusqu'au fond sa troisième tasse de thé aqueux et se mit à grignoter les croûtons de pain frit épars devant lui, le regard fixé sur la sombre mare du récipient. La graisse jaunâtre avait été creusée comme une tourbière et la flaque, au-dessous, rappelait à Stephen l'eau couleur de tourbe des bains à Clongowes. Contre son coude, il y avait une boîte contenant des reconnaissances du mont-de-piété où l'on venait de fouiller et il prit un à un, dans ses doigts graisseux, les bulletins bleus et blancs, fripés, barbouillés d'encre et de sable et portant, comme nom d'emprunteur, Daly ou Mac Evoy.

1 Paire brodequins.

1 Pardess. foncé.

3 Divers et torchon servant d'enveloppe.

1 Caleçon homme.

Puis il les remit de côté, contempla d'un air méditatif le couvercle de la boîte marquée de taches de poux et demanda vaguement :

« De combien avance-t-elle maintenant, la pendule ? »

Sa mère redressa le réveil cabossé écroulé sur le côté au milieu de la cheminée, jusqu'à ce que le cadran indiquât midi moins le quart ; puis elle le recoucha sur le côté.

« D'une heure vingt-cinq, dit-elle. Il est exactement dix heures vingt. Ma doué, tu pourrais quand même bien essayer d'arriver à l'heure à tes cours.

— Débarrassez pour que je puisse me laver, dit Stephen.

— Katey, débarrasse pour que Stephen puisse se laver.

— Boody, débarrasse pour que Stephen puisse se laver.

— Je ne peux pas, je vais passer la lessive au bleu. Débarrasse, toi, Maggie. »

Lorsqu'on eut installé sur l'évier la cuvette émaillée et jeté sur son bord un vieux gant de toilette, Stephen autorisa sa mère à lui frotter le cou, à curer les replis de ses oreilles et le pli des ailes de son nez.

« C'est malheureux, vraiment, disait-elle, qu'un étudiant de l'Université soit sale au point que sa mère doive le laver [1].

— Puisque cela te fait plaisir », répliqua Stephen avec calme.

Un sifflement à vous percer le tympan retentit à l'étage supérieur et sa mère fourra dans les mains de Stephen un sarrau humide, en disant :

« Essuie-toi et va-t'en vite, pour l'amour du ciel ! »

Un second sifflement aigu, prolongé furieusement, fit accourir une des fillettes au pied de l'escalier.

« Oui, père ?

— Est-ce que votre fainéant de catin de frère est parti enfin ?

— Oui, père.

— Bien vrai ?

— Oui, père.

— Hem ! »

La fillette revint, faisant signe à son frère de se dépêcher et de sortir tout doucement par la porte de derrière. Stephen rit et dit :

« Il se fait une drôle d'idée des genres, s'il croit que catin est du masculin !

— Oh ! c'est honteux de ta part, Stephen, c'est scandaleux, dit la mère, et tu te repentiras un jour d'avoir mis les pieds dans cet endroit-là. Je vois bien comme ça t'a changé !

— Au revoir, tout le monde », dit Stephen en souriant et en envoyant du bout des doigts un baiser d'adieu.

Au-delà de la terrasse, la ruelle se trouvait inondée et comme il la descendait lentement, attentif à poser les pieds entre les tas d'ordures mouillées, il entendit une religieuse folle qui criait, d'un ton perçant, de l'autre côté du mur, dans l'asile d'aliénés des nonnes[1] :

« Jésus ! Ô Jésus ! Jésus ! »

D'un mouvement de tête furieux, il secoua de ses oreilles le son de ce cri et poursuivit son chemin en hâte, butant dans les immondices décomposées, le cœur déjà étreint par le dégoût et l'amertume. Le sifflet de son père, les grommellements de sa mère, les cris d'une folle invisible lui semblaient autant de voix qui offensaient et menaçaient d'humilier l'orgueil de sa jeunesse. Avec une imprécation, il rejeta hors de son cœur jusqu'à leurs échos ; puis, en descendant l'avenue, en regardant la grise lumière matinale tomber à travers les arbres mouillés, en aspirant l'étrange odeur sauvage des feuilles et des écorces humides, il sentit son âme se délivrer de ses misères.

Comme toujours, les arbres de l'avenue, chargés de pluie, évoquèrent en lui le souvenir des jeunes filles et des femmes des pièces de Gerhart Hauptmann[2] ; et le souvenir de leurs pâles chagrins, avec l'arôme qui tombait des branches humides, s'entremêlaient en une seule impression de joie tranquille. Il venait de commencer sa promenade matinale à travers la ville, et il savait d'avance qu'en traversant les terrains limoneux de Fairview[1], il penserait à la prose claustrale, veinée d'argent, de Newman[2], que dans North Strand Road, tout en jetant des regards oisifs sur les boutiques de comestibles, il se rappellerait le sombre humour de Guido Cavalcanti[3] et sourirait, que, devant les ateliers de Baird, tailleur de pierres, Talbot Place[4], l'esprit d'Ibsen le traverserait comme un vent âpre, comme un souffle de beauté rebelle et juvénile[5]; et que passant devant une méchante boutique d'articles pour marins, de l'autre côté de la Liffey[6], il répéterait le chant de Ben Jonson qui débute ainsi :

Je n'étais pas plus las, sur ma couche[7]*...*

Lorsqu'il s'était lassé à poursuivre l'essence du beau à travers les paroles spectrales d'Aristote ou de Thomas d'Aquin, son esprit se tournait souvent, pour son plaisir, vers les chants délicats des élisabéthains. Son esprit, dans l'habit d'un moine saisi par le doute, se tenait souvent dans l'ombre, sous les fenêtres de cette époque, écoutant la musique grave et railleuse des joueurs de luth ou le rire franc de ribaudes[8], jusqu'au moment où un rire trop grossier, une expression libertine[9] ou fanfaronne, ternie par les siècles, choquaient sa dignité monacale et le chassaient de sa cachette.

Le trésor de science, par lequel on le croyait absorbé au point de dédaigner les camaraderies de la jeunesse, se réduisait à un *thesaurus* de brèves maximes tirées de la *Poétique* et de la *Psychologie* d'Aristote[10] et à un *Synopsis Philosophiae Scholasticae ad mentem divi*

Thomae[1]. Ses réflexions n'étaient qu'un brouillard de doute et de méfiance envers lui-même, illuminé par quelques éclairs d'intuition, éclairs cependant d'une splendeur si claire qu'à ces moments-là le monde disparaissait sous ses pieds, comme s'il eût été consumé par le feu et après quoi sa langue devenait pesante et ses yeux ne répondaient plus aux regards des autres, car il sentait que l'esprit de beauté l'avait recouvert comme une chape et qu'en songe du moins il aurait connu la noblesse[2]. Mais dès qu'il n'était plus soutenu par l'orgueil de ce bref silence, il était heureux de se retrouver parmi les existences communes, poursuivant son chemin à travers la ville sordide, bruyante, aveulie, exempt de crainte et le cœur léger.

Près de la barrière du canal il rencontra le poitrinaire au visage de poupée, coiffé d'un chapeau sans bord, s'avançant à petits pas sur le plan incliné du pont, sanglé dans son pardessus chocolat et portant son parapluie bien roulé à une certaine distance de son corps, comme une baguette divinatoire. Il doit être onze heures, pensa Stephen, et il jeta un coup d'œil dans une crémerie pour voir l'heure. La pendule lui dit qu'il était cinq heures moins cinq, mais en s'éloignant, il entendit une autre pendule, proche quoique invisible, sonner onze coups avec une hâtive précision. Il rit en l'écoutant : elle lui rappelait Mac Cann, et il le vit silhouette trapue en veste de chasse et culotte, son petit bouc blond[3], debout dans le vent, au coin devant chez Hopkins, disant :

« Vous, Dedalus, vous êtes un être antisocial, drapé en vous-même. Pas moi. Je suis un démocrate, moi ; et je veux travailler et agir pour la liberté et l'égalité sociales de toutes les classes et de tous les sexes dans les États-Unis de l'Europe future. »

Onze heures ! Donc il était en retard même pour ce

cours-là. Quel jour de la semaine était-ce ? Il s'arrêta
devant un marchand de journaux pour lire le grand
titre d'un placard. Jeudi. De dix à onze : anglais ; de
onze à midi : français ; de midi à une heure : physique.
Il se représenta le cours d'anglais et se sentit, malgré
toute la distance, inquiet et impuissant. Il vit les têtes
de ses camarades docilement courbées sur les cahiers
où ils inscrivaient les points qu'on leur avait ordonné
de noter, les définitions nominales, les définitions
essentielles [1], les exemples, les dates de naissance ou de
mort, les œuvres principales, les appréciations favora-
bles ou défavorables, parallèlement. Sa tête à lui ne se
courbait point, car ses pensées erraient au loin, et, soit
qu'il contemplât le petit groupe d'étudiants, soit qu'il
regardât, par la fenêtre, les jardins désolés de Stephen's Green, il se sentait obsédé par une morne odeur
de cave humide et de décomposition [2]. Outre la sienne,
une autre tête, juste devant lui, parmi les premiers
bancs, se dressait carrément au-dessus de ses voisins
penchés, telle la tête d'un prêtre intercédant sans
humilité devant le tabernacle pour les humbles fidèles
qui l'entourent. Pourquoi donc, en pensant à Cranly, ne
parvenait-il jamais à évoquer l'image entière de son
corps, mais seulement celle de la tête et du visage ?
Même en ce moment, contre le rideau gris du matin, il
voyait cela devant lui, comme un fantôme de rêve, un
visage de tête décollée ou de masque mortuaire, le
front couronné de sa chevelure noire, raide, verticale,
comme d'une couronne de fer. C'était un visage de
prêtre, ecclésiastique par sa pâleur, par la forme de son
nez aux larges ailes, par les ombres sous les yeux et le
long des maxillaires, par les lèvres longues, exsangues,
vaguement souriantes ; et Stephen, se rappelant très
vite comment il avait dit à Cranly le tumulte, l'inquiétude, la nostalgie de son âme jour après jour et nuit

après nuit sans obtenir d'autre réponse que le silence attentif de son ami, eût volontiers comparé ce visage à celui d'un prêtre coupable écoutant la confession de ceux qu'il ne pouvait absoudre[1], s'il n'avait gardé dans la mémoire le regard de ses sombres yeux féminins[2].

Par l'intermédiaire de cette image, il entrevit une étrange et sombre caverne de spéculations, mais il s'en détourna aussitôt, se rendant compte que l'heure n'était pas venue d'y pénétrer. Mais l'indifférence de son ami, telle la belladone[3], semblait répandre dans l'atmosphère environnante une exhalaison subtile et délétère et il se surprit examinant l'un après l'autre, au hasard, les mots qui se présentaient à lui, à droite et à gauche, hébété de les voir si furtivement dépouillés de leur sens immédiat, jusqu'à ce que la moindre enseigne de boutique enchaînât sa pensée comme les mots d'un charme[4] et que son âme, soudain vieillie, se recroque-villât en soupirant, tandis qu'il suivait une ruelle encombrée par les débris d'un langage mort. Sa propre conscience du langage refluait de son cerveau, s'insi-nuait dans les mots eux-mêmes qui s'assemblaient et se disjoignaient en rythmes fantasques :

> *Le lierre pleurniche dessus la corniche*
> *Pleurniche et niche sur la corniche*
> *Le lierre jaune sur la corniche*
> *Le lierre, le lierre grimpe la corniche*[5].

A-t-on jamais entendu pareil galimatias ? Bon Dieu ! A-t-on jamais vu un lierre qui pleurniche sur une corniche ? Le lierre jaune, — ça, ça allait. L'ivoire jaune aussi. Et pourquoi pas le lierre ivoire ?

Maintenant, le mot brillait dans son esprit, plus net, plus éclatant que le plus bel ivoire ravi par la scie aux défenses tachetées des éléphants. *Ivoire, avorio, ebur.*

Une des premières phrases qu'il avait apprises en latin était : *India mittit ebur*[1] ; et il se rappela le visage finaud d'homme du Nord du recteur[2] qui lui avait appris à transposer les *Métamorphoses* d'Ovide en un anglais de cour, parmi lequel sonnaient bizarrement des mots tels que : pourceaux, tessons de pots, tranches de lard. Le peu qu'il sût de la versification latine, il l'avait appris dans un volume dépenaillé, dû à un prêtre portugais[3].

Contrahit orator, variant in carmine vates[4].

Les crises, les victoires, les sécessions de l'histoire romaine lui avaient été transmises par cette rengaine, *in tanto discrimine*[5], et il s'était efforcé d'entrevoir la vie sociale de la ville des villes à travers les mots *implere ollam denariorum*[6], que la voix du recteur faisait sonner, comme « remplissant un pot avec des deniers ». Les pages de son Horace jauni n'étaient jamais froides au toucher, même quand il avait les mains glacées : c'étaient des pages humaines et cinquante ans auparavant, elles avaient été feuilletées par les doigts humains de John Duncan Inverarity et de son frère William Malcolm Inverarity. Oui, c'étaient là de nobles noms inscrits sur la page de garde grisâtre et, même pour un latiniste aussi médiocre que Stephen[7], les vers grisâtres conservaient leur parfum comme s'ils eussent dormi pendant toutes ces années dans le myrte, la lavande et la verveine ; mais cependant la pensée le blessait qu'il ne serait jamais autre chose qu'un timide convive au banquet de la culture universelle et que l'érudition des moines, selon les termes de laquelle il tâchait de forger une philosophie esthétique, n'était pas plus estimée par ses contemporains que les sub-

tils et curieux jargons de l'héraldique ou de la faucon-
nerie.

Trinity College, à gauche, bloc gris, lourdement
enchâssé dans l'ignorance de la cité, comme une grosse
pierre sans éclat dans une bague trop épaisse, ramena
son esprit vers le sol et tandis qu'il s'évertuait à
dégager ses pieds des entraves de la conscience réformée[1], il rencontra la statue grotesque du poète national de l'Irlande[2].

Il la regarda sans colère ; car, malgré la veulerie de
corps et d'âme qui y rampait comme une invisible
vermine, depuis les pieds traînants, sur les plis du
manteau[3], jusqu'à la tête servile, cette figure semblait
reconnaître humblement sa propre indignité. C'était
un Firbolg dans le manteau usurpé d'un Milésien[4] ; et
Stephen songea à son ami Davin[5], « l'étudiant-pay-
san », à qui il avait donné ce surnom pour rire et qui
l'acceptait allégrement :

« Vas-y, Stevie, j'ai la tête dure, tu le dis toi-même.
Appelle-moi comme tu voudras ! »

Cette version familière de son prénom dans la
bouche de son ami avait d'emblée touché agréable-
ment Stephen, aussi cérémonieux dans sa manière de
parler aux autres[6] que ceux-ci l'étaient à son égard.
Souvent, dans la chambre meublée de Davin, Gran-
tham Street, tandis qu'il admirait, rangées par paires
le long du mur, les excellentes chaussures de son ami et
répétait pour les oreilles simples de celui-ci les
strophes et les cadences d'autrui, qui n'étaient qu'un
déguisement de ses propres désirs ou désespoirs, Stephen sentait le rude esprit firbolgien de son auditeur
attirer et repousser le sien tour à tour ; Davin l'attirait
soit par sa courtoisie attentive, innée et placide, soit
par quelque expression surannée empruntée au vieux
langage anglais[7], soit par la violence de son goût pour

les vigoureux exercices physiques, car Davin était un disciple fervent de Michael Cusack, le Gaël[1]; il l'éloignait brusquement par la lourdeur de son intelligence, par la rudesse de ses sentiments, par un reflet de terreur stupide dans ses yeux, de cette terreur qui hante l'âme d'un famélique village irlandais où chaque nuit le couvre-feu répand encore l'épouvante.

Le jeune paysan partageait son culte entre le souvenir des prouesses de son oncle Mat Davin, l'athlète[2], et la légende douloureuse de l'Irlande. Ses camarades, s'efforçant à tout prix de donner par leurs racontars quelque sens à la vie banale de leur collège, aimaient à le considérer comme un jeune fénian. Sa nourrice lui avait appris l'irlandais et avait façonné son imagination primitive à la lueur intermittente du mythe irlandais. Devant ce mythe, sur lequel aucun esprit individuel n'avait jamais dessiné une ligne de beauté[3], devant ces contes massifs qui se démembraient en descendant leurs cycles[4], il observait la même attitude que devant la religion catholique romaine, l'attitude d'un serf loyal et obtus. Toute pensée, tout sentiment qui lui venaient soit d'Angleterre, soit par l'intermédiaire de la culture anglaise, trouvaient son esprit armé d'hostilité, fidèle à une consigne; et quant à l'univers qui s'étendait par-delà l'Angleterre, il n'en connaissait que la Légion Étrangère de France, où il parlait de servir[5].

À cause de cette ambition, jointe à l'humeur du jeune homme, Stephen l'appelait souvent l'une des Oies domestiques[6]; il mettait même dans ce surnom une pointe d'agacement dirigée contre cette retenue dans les paroles et les actions qui semblait souvent se dresser entre sa propre intelligence, éprise de spéculation, et le caractère secret des mœurs de l'Irlande.

Un soir, sous l'excitation des discours violents ou

sensuels dans lesquels Stephen s'engageait pour fuir le froid silence des révoltes intellectuelles, le jeune paysan avait évoqué devant son ami une vision étrange. Ils cheminaient tous deux, lentement, vers le logis de Davin, à travers les ruelles étroites et sombres du misérable quartier juif.

« Il m'est arrivé une chose, Stevie, l'automne dernier, en allant sur l'hiver ; et jamais je ne l'ai racontée à âme qui vive, et tu es la première personne à qui j'en parle. Je me dessouviens[1] si c'était en octobre, ou bien en novembre... C'était en octobre, parce que c'était avant que je vienne ici pour la propédeutique[2]. »

Stephen avait tourné son regard souriant vers le visage de son ami, flatté par sa confiance et gagné par la simplicité de son accent.

« J'avais passé toute cette journée-là loin de chez moi, là-bas, à Buttevant[3], — je ne sais pas si tu vois où cela se trouve ; — j'avais assisté à un match de hurley[4] entre les Gars de Croke et les Sans-Peur de Thurles[5]. Par Dieu, Stevie, ce fut un rude combat ! Mon cousin germain, Fonsy Davin, a eu ses vêtements arrachés jusqu'à la peau[6] ce jour-là, à garder le but[7] pour ceux de Limerick, mais la moitié du temps il était avec les avants, et hurlait comme un fou. Jamais je n'oublierai ce jour-là. Un des gars de Croke lui a lancé un coup terrible[8] avec sa crosse[9] et, je te jure devant Dieu, qu'à un poil près[10] il le recevait dans la tempe. Dieu m'est témoin, si le crochet l'avait atteint au passage, il était cuit !

— Je suis heureux qu'il l'ait échappé belle, dit Stephen en riant. Mais ce n'est pas là, sans doute, la chose étrange qui t'est arrivée ?

— Oui, je pense bien que cela ne t'intéresse guère, mais pour sûr[11], il y eut un tel brouhaha après le match, que je manquai mon train et ne pus trouver le

moindre engin[1] pour m'emmener, car il a fallu qu'il y
ait ce jour-là une grande réunion publique à Castletownroche[2], et toutes les voitures du pays étaient
parties là-bas. Alors il n'y avait rien à faire, sinon
passer la nuit là, ou bien s'en aller à pied ; je me mis
donc en route et d'un bon pas, et ça allait sur la nuit
quand j'arrivai aux collines de Ballyhoura[3] qui se
trouvent à dix bons milles de Kilmallock[4], et ensuite, il
y a une longue route déserte. Pas trace d'habitation
chrétienne sur cette route, et pas un bruit. Il faisait
noir comme dans un four, presque. Une ou deux fois je
m'arrêtai pour faire rougir ma pipe à l'abri d'un
arbuste, et, n'était la rosée abondante[5], je me serais
couché là pour dormir. Enfin, après un tournant de la
route, je repère une petite maison avec une lumière à la
fenêtre. Je m'approche et je frappe à la porte. Une voix
demande : Qui est là ? Je réponds que je m'en reviens
du match de Buttevant et que j'accepterais avec
reconnaissance un verre d'eau. Au bout d'un moment,
une jeune femme ouvre la porte et me tend une cruche
de lait. Elle était à moitié déshabillée comme si elle
était en train de se coucher au moment où je frappai, et
ses cheveux étaient défaits, et quelque chose dans son
allure et dans l'aspect de ses yeux me fit supposer
qu'elle était enceinte. Elle me retint un bon moment à
causer devant la porte, et cela me semblait étrange, car
sa poitrine et ses épaules étaient nues. Elle me
demanda si j'étais fatigué[6] et si j'aimerais rester à
coucher. Elle me dit qu'elle était toute seule dans la
maison, que son mari était parti depuis le matin pour
Queenstown[7], accompagner sa sœur qui s'en allait. Et
tout le temps qu'elle parlait, Stevie, ses yeux restaient
fixés sur mon visage, et elle se tenait si près de moi que
je pouvais l'entendre respirer. Lorsque enfin je lui
rendis la cruche, elle me prit la main pour m'attirer

par-dessus le seuil et dit : " Entre donc et reste coucher là. Tu n'as rien à craindre[1]. Il n'y a personne par ici[2] que nous autres... " Je ne suis pas entré, Stevie. Je l'ai remerciée et repris mon chemin, tout en fièvre. Au premier tournant de la route j'ai regardé en arrière et elle était debout devant la porte. »

Les derniers mots de ce récit chantaient dans la mémoire de Stephen et l'image de la femme se précisait, reflétée par d'autres figures de paysannes qu'il avait vues debout devant leurs portes, à Clane, sur le passage des voitures du collège[3]. C'était l'image typique de cette race, de sa race à lui, une âme de chauve-souris s'éveillant à la conscience d'elle-même dans les ténèbres, le secret et la solitude, une âme qui, par le regard, la voix, le geste d'une femme dépourvue d'artifice, appelle l'étranger dans son lit[4].

Une main se posa sur son bras et une voix juvénile cria :

« Hé ! Monsieur ! Votre bonne amie, monsieur ! Étrennez-moi ! Achetez-moi ce beau bouquet-là ! Dites, monsieur ! »

Le bleu des fleurs qu'elle levait vers lui et le bleu de son jeune regard lui apparurent à ce moment comme l'image même de l'absence d'artifice et il s'arrêta pour laisser disparaître cette image et ne plus voir que la robe déchirée de la jeune fille, ses cheveux rudes et humides, son visage garçonnier.

« Allons, monsieur ! N'oubliez pas votre bonne amie, monsieur !

— Je n'ai pas d'argent, dit Stephen.

— Achetez-moi ces belles-là, dites, monsieur ! Pour deux sous !

— Avez-vous entendu ? demanda Stephen en se penchant vers elle. Je vous ai dit que je n'ai pas d'argent. Je vous le répète.

— Alors, bien sûr, vous en aurez un jour, monsieur, s'il plaît à Dieu, répondit la jeune fille au bout d'un instant.

— C'est possible, dit Stephen, mais cela m'étonnerait. »

Il la quitta brusquement, craignant que sa familiarité ne dégénérât en moquerie, et désirant s'effacer pour ne pas la voir offrir sa marchandise à un autre, à quelque touriste anglais ou quelque étudiant de Trinity College. Grafton Street, qu'il suivait à présent, prolongea cette impression de pauvreté découragée. Au commencement de cette rue sur la chaussée se trouvait la dalle commémorative de Wolfe Tone et il se souvint d'avoir assisté avec son père à l'inauguration. Il se rappela avec amertume la cérémonie [1] tapageuse. Il y avait là quatre délégués français dans un break, et l'un d'eux, jeune homme grassouillet et souriant, tenait planté au bout d'une canne un carton avec ces mots imprimés : *Vive l'Irlande* [2] !

Mais les arbres de Stephen's Green embaumaient sous la pluie et le sol saturé d'eau exhalait son odeur mortelle, léger encens s'élevant des milliers de cœurs à travers l'humus. L'âme de la cité galante et vénale dont lui avaient parlé ses aînés, le temps l'avait réduite à cette légère odeur mortelle s'élevant de la terre, et il savait qu'en pénétrant dans le sombre collège, dans un instant, il aurait le sentiment d'une corruption autre que celle de Buck Egan [3] et de Burnchapel Whaley [4].

Il était trop tard pour se rendre au cours de français. Il traversa le vestibule, prit le corridor de gauche conduisant à l'amphithéâtre de physique. Le corridor était obscur et silencieux, mais point dépourvu d'une occulte surveillance. Pourquoi éprouvait-il cette impression ? Était-ce parce qu'il avait entendu dire que, du temps de Buck Whaley [5], il existait là un

escalier dérobé ? Ou bien la maison des jésuites jouis-
sait-elle de l'exterritorialité [1], et lui-même s'avançait-il
parmi des étrangers ? L'Irlande de Tone et de Parnell
semblait avoir reculé dans l'espace.

Il ouvrit la porte de l'amphithéâtre et s'arrêta dans
la froide lumière grise qui pénétrait avec effort à
travers les fenêtres poussiéreuses. Une silhouette se
tenait accroupie devant la vaste grille de la cheminée,
et à son aspect efflanqué et grisâtre, il sut que c'était le
doyen des études [2] en train d'allumer le feu. Stephen
referma doucement la porte et s'approcha.

« Bonjour, monsieur. Puis-je vous aider ? »

Le prêtre leva les yeux avec vivacité et dit :

« Une petite seconde, monsieur Dedalus, et vous
allez voir. C'est tout un art que d'allumer le feu. Il y a
les arts libéraux et les arts utiles [3]. Ceci est un des arts
utiles.

— J'essaierai de l'apprendre, dit Stephen.

— Pas trop de charbon, fit le doyen, continuant
activement sa besogne, voilà un des secrets. »

Il tira des poches de sa soutane quatre bouts de
chandelle, les disposa adroitement parmi les morceaux
de charbon et les tapons de papier. Stephen l'observait
en silence. Ainsi agenouillé sur les dalles pour attiser le
feu, absorbé par l'ordonnance de ses tortillons de
papier et de ses bouts de chandelle, il apparaissait plus
que jamais comme un humble acolyte préparant le lieu
du sacrifice dans un temple vide, un lévite du Seigneur. Telle la robe de lin toute simple du lévite, la
soutane usée et déteinte drapait la figure agenouillée
de cet homme qu'eussent ennuyé et embarrassé les
grands ornements canoniques ou l'éphode [4] bordé de
clochettes. Son corps même avait vieilli dans le plus
humble service de Dieu, — à entretenir le feu de l'autel,
à porter des messages secrets, à s'occuper de laïcs très

séculiers, à frapper vivement quand il en recevait
l'ordre, — et cependant ce corps n'avait point acquis la
grâce d'une beauté de saint ou de prélat. Bien plus, son
âme elle-même avait vieilli dans ce service sans s'élever
vers la lumière et la beauté, sans répandre une suave
odeur de sainteté ; c'était une volonté mortifiée, insensible au plaisir de son obéissance comme était insensible
au plaisir de l'amour ou de la lutte ce corps sénile, sec et
noueux, tout cendré de poils gris à pointes d'argent.

Le doyen s'assit sur ses talons, et regarda le petit bois
s'allumer. Stephen, pour combler le silence, dit :

« Je suis sûr que je serais incapable d'allumer un feu.

— Vous êtes un artiste, n'est-ce pas, monsieur Dedalus ? dit le doyen, levant et faisant clignoter ses yeux
pâles. L'objet de l'artiste, c'est la création du beau ;
quant à savoir ce que c'est que le beau, c'est une autre
question. »

Devant cette difficulté, il se frotta les mains d'un
mouvement lent et sec.

« Eh bien, pouvez-vous résoudre cette question ?
demanda-t-il.

— Saint Thomas d'Aquin, répondit Stephen, dit :
Pulchra sunt quæ visa placent[1].

— Ce feu que voici, dit le doyen, sera agréable aux
yeux. Va-t-il donc être beau pour cette raison ?

— Dans la mesure où il est perçu par la vue — ce qui
signifie ici, je suppose, intellection esthétique —, il sera
beau. Mais saint Thomas d'Aquin dit aussi : *bonum est
in quod tendit appetitus*[2]. Dans la mesure où il satisfait
le besoin animal de chaleur, le feu est un bien. Dans
l'enfer, cependant, c'est un mal.

— Parfaitement exact, dit le doyen. Vous avez bien
vu le problème. »

Il se releva prestement, alla à la porte, l'entrebâilla et
dit :

« Il paraît que le courant d'air est d'un grand secours en cette matière. »

Tandis que le doyen regagnait la cheminée d'un pas alerte quoique boitillant, Stephen découvrit son âme secrète de jésuite qui le regardait à travers ces yeux sans couleur et sans amour. Comme Ignace, il était boiteux, mais dans son regard ne brûlait aucune étincelle de l'enthousiasme d'Ignace. Même l'habileté légendaire de la Compagnie, habileté plus subtile et plus secrète que tous ses fameux livres de secrète et subtile sagesse, n'avait pu allumer dans son âme l'énergie apostolique. Il semblait user des expédients du savoir, des ruses de ce monde comme on le lui avait ordonné, pour la plus grande gloire de Dieu[1], sans éprouver de joie à les manipuler, sans haine du mal qu'ils comportaient, mais en les retournant contre eux-mêmes, avec un geste de ferme obéissance ; et, malgré tout ce service silencieux, il semblait n'avoir aucun amour pour le maître, peu ou point d'amour pour les fins qu'il servait. *Similiter atque senis baculus*[2], il était tel que le fondateur avait souhaité qu'il fût : bâton dans la main d'un vieillard à laisser dans un coin, bâton sur lequel ou s'appuie en chemin, à la nuit tombante ou dans l'intempérie, que l'on pose sur un banc de jardin près du bouquet de quelque dame, ou que l'on brandit pour la menace.

Le doyen regagna la cheminée et commença à se caresser le menton.

« Quand pouvons-nous espérer vous entendre traiter de la question esthétique ? demanda-t-il.

— Moi ? fit Stephen étonné. C'est à peine si je tombe sur une idée tous les quinze jours, quand j'ai de la chance.

— Ce sont des questions très profondes, monsieur Dedalus, dit le doyen. Elles sont comparables à l'abîme

où le regard plonge du haut des falaises de Moher[1].
Nombreux sont ceux qui descendent dans l'abîme et
n'en reviennent jamais. Seul le plongeur expérimenté
peut s'aventurer dans ces profondeurs, les explorer et
remonter à la surface.

— Si c'est la spéculation pure que vous entendez par
là, monsieur, je suis certain, moi aussi, que la libre
pensée n'existe pas, étant donné que toute pensée est
nécessairement soumise à ses propres lois.

— Ha !

— Pour ce que j'ai à faire, je puis actuellement
travailler à la lueur de quelques idées d'Aristote ou de
Thomas d'Aquin.

— Je vois. Je vois tout à fait ce que vous voulez dire.

— Je n'en ai besoin qu'à mon usage propre, et pour
ma gouverne, jusqu'à ce que j'aie fait quelque chose de
personnel grâce à leurs lumières. Si la lampe fume ou
sent mauvais, je tâcherai de régler la flamme. Si elle ne
m'éclaire pas assez, je la vendrai et en achèterai une
autre[2].

— Épictète[3] aussi avait une lampe, dit le doyen, une
lampe qui atteignit un prix singulier après sa mort.
C'était la lampe sous laquelle il avait écrit ses disserta-
tions philosophiques[4]. Vous connaissez Épictète ?

— Ce vieux monsieur[5] qui a dit que l'âme ressemble
fort à un seau d'eau[6] ! fit Stephen cavalièrement.

— Il nous raconte, avec sa simplicité, poursuivait le
doyen, qu'il avait placé une lampe de fer devant la
statue d'un dieu et qu'un voleur déroba cette lampe.
Que fit le philosophe ? Il songea que voler était le
propre du voleur et il décida d'acheter le lendemain
une lampe d'argile au lieu d'une lampe de fer[7]. »

Une odeur de suif fondu montait des bouts de
chandelle du doyen et s'insinuait dans la conscience de
Stephen avec le tintement de ces mots : seau et lampe,

lampe et seau. La voix du prêtre avait elle aussi un timbre dur, cliquetant. L'esprit de Stephen s'arrêta instinctivement, paralysé par ce timbre étrange, par cette imagerie, par le visage du prêtre qui avait l'air d'une lampe sans flamme ou d'un réflecteur au foyer dévié. Qu'y avait-il derrière ou dessous ce visage ? Une morne torpeur de l'âme, ou bien l'inertie d'un nuage orageux, chargé d'intellection et gros de ténèbres divines ?

« J'entendais une autre espèce de lampe, monsieur, dit Stephen.

— Sans nul doute, dit le doyen.

— Une des difficultés de la discussion esthétique, poursuivit Stephen, consiste à savoir si les mots sont employés selon la tradition littéraire ou selon la tradition de la place publique. Je me rappelle une phrase de Newman, celle où, parlant de la Sainte Vierge, il dit qu'Elle était retenue en la compagnie de tous les saints [1]. Sur la place publique, ce mot a un tout autre sens. *J'espère que je ne vous retiens pas.*

— Pas le moins du monde, fit poliment le doyen.

— Non, non, dit Stephen avec un sourire, je veux dire...

— Oui, oui, je vois, s'empressa le doyen; je saisis parfaitement : *retenir.* »

Il projeta en avant sa mâchoire inférieure et fit entendre une toux brève et sèche.

« Pour en revenir à la lampe, dit-il, l'alimentation de celle-ci présente aussi un problème délicat. Il faut choisir l'huile pure, avoir soin de remplir la lampe sans la faire déborder, ne pas verser plus que l'entonnoir ne peut contenir.

— Quel entonnoir ? demanda Stephen.

— L'entonnoir au moyen duquel vous versez l'huile dans votre lampe.

« — C'est cela ? dit Stephen. Cela s'appelle donc un entonnoir ? N'est-ce pas un verseur[1] ?

— Qu'est-ce qu'un verseur ?

— C'est cela... C'est le... l'entonnoir.

— Cela s'appelle donc un verseur, en Irlande ? demanda le doyen. Je n'avais jamais entendu ce mot de ma vie.

— Cela s'appelle un verseur dans le Bas-Drumcondra[2], dit Stephen en riant : là où l'on parle le meilleur anglais.

— Un verseur, répéta le doyen d'un air méditatif. C'est un mot des plus intéressants. Je chercherai ce mot dans le dictionnaire. Ma parole, je vais le chercher. »

La courtoisie de ses manières sonnait un peu faux, et Stephen fixait sur ce converti anglais[3] un regard pareil à celui du frère aîné de la parabole examinant le prodigue. Humble suiveur du mouvement de conversions bruyantes[4], pauvre Anglais en Irlande, il devait être monté sur la scène de l'histoire jésuite au moment où l'étrange drame d'intrigues, de souffrances, de jalousies, de luttes et d'infamies touchait à sa fin ; c'était un retardataire, un esprit à la traîne. Quel avait été son point de départ ? Peut-être était-il né et avait-il été élevé dans un milieu de dissidents[5] convaincus qui voyaient leur salut en Jésus seul et abhorraient les vaines pompes de l'Église Établie ? Avait-il éprouvé le besoin d'une foi implicite[6] parmi le flux du sectarisme et le jargon de ses turbulents schismatiques, hommes aux six principes[7], exclusivistes[8], baptistes de la semence et du serpent[9], dogmatistes supralapsaires[10] ? Avait-il découvert soudain la véritable église en dévidant jusqu'au bout, comme une bobine de coton, quelque fil ténu du raisonnement sur l'insufflation, sur l'imposition des mains ou sur la procession du

Saint-Esprit ? Ou bien le Seigneur Jésus l'avait-il touché, comme ce disciple assis au bureau des impôts, et lui avait-il ordonné de le suivre [1], alors que, bâillant et comptant ses deniers, il était assis à la porte de quelque chapelle au toit de zinc ?

Le doyen répéta encore le mot :

« Verseur ! Eh bien, c'est vraiment intéressant !

— La question que vous me posiez tout à l'heure me paraît plus intéressante. Quelle est cette beauté que l'artiste cherche à exprimer des mottes d'argile [2] ? » dit Stephen avec froideur.

Ce petit mot de verseur semblait avoir tourné sa sensibilité, en pointe de rapière, contre cet adversaire courtois et vigilant. Il éprouvait une brûlante déconvenue à reconnaître que l'homme à qui il parlait était un compatriote de Ben Jonson. Il pensait :

« Le langage que nous parlons lui appartient avant de m'appartenir. Combien différents sont les mots : *patrie, Christ, bière, maître*, sur ses lèvres et sur les miennes ! Je ne puis prononcer ou écrire ces mots sans une inquiétude spirituelle. Son idiome, si familier et si étranger à la fois, sera toujours pour moi un langage acquis. Je n'ai ni façonné ni accepté ses mots. Ma voix les tient aux abois. Mon âme s'exaspère à l'ombre de son langage. »

« ... Et faire une distinction entre le beau et le sublime, ajoutait le doyen, entre la beauté morale et la beauté matérielle. Et rechercher quelle sorte de beauté est propre à chacun des arts différents. Voilà quelques points intéressants que nous pourrions aborder. »

Stephen, subitement découragé par le ton ferme et sec du doyen, garda le silence. Le doyen lui aussi se tut : et, à travers ce silence, un bruit lointain de piétinements multiples, de voix confuses monta par l'escalier.

« Cependant, à poursuivre ces spéculations, dit le doyen en manière de conclusion, on risque de périr d'inanition[1]. Il faut d'abord que vous obteniez votre diplôme. Que ceci soit votre premier but. Puis, petit à petit, vous discernerez votre voie. J'entends dans les deux sens : votre voie dans l'existence, comme dans la pensée. Cela vous obligera peut-être, au début, à pédaler en côte. Prenez M. Moonan. Il a mis du temps à gagner le sommet. Mais il y est parvenu.

— Je ne suis peut-être pas aussi doué que lui, dit Stephen avec calme[2].

— On ne sait jamais, répliqua vivement le doyen. Nous ne pouvons jamais dire ce qu'il y a en nous. À votre place, je ne me laisserais certes pas décourager. *Per aspera ad astra.* »

Il s'éloigna rapidement de l'âtre pour gagner le palier et surveiller l'entrée de la première classe des lettres.

Adossé à la cheminée, Stephen l'écoutait saluer chaque élève avec entrain, impartialement et il pouvait presque distinguer les francs sourires des étudiants les plus grossiers. Une pitié déprimante commençait à tomber en rosée sur son cœur facilement attristé, pitié pour ce fidèle serviteur du chevaleresque Loyola, pour ce demi-frère du clergé, au langage plus vénal que les autres, mais plus ferme d'âme, pour cet homme qu'il n'appellerait jamais son père spirituel ; et il comprenait aussi comment cet homme et ses semblables avaient acquis une réputation de mondanité dans le monde même, et point seulement aux yeux de ceux qui y avaient renoncé, pour avoir, durant toute leur histoire, plaidé à la barre de la justice divine en faveur des âmes relâchées, tièdes ou prudentes[3].

L'entrée du professeur fut signalée par un ban[4] que scandèrent les lourds brodequins des étudiants assis aux plus hauts gradins du sombre amphithéâtre, sous les fenêtres grises voilées de toiles d'araignées. L'appel commença et les réponses retentirent sur tous les tons jusqu'à ce qu'on arrivât au nom de Peter Byrne.

« Présent ! »

Une note de basse profonde répondit du haut du rang supérieur, suivie de toux de protestation sur les autres bancs.

Le professeur fit une pause, puis appela le nom suivant :

« Cranly[1] ! »

Pas de réponse.

« M. Cranly ! »

Un sourire passa sur le visage de Stephen à la pensée des études que poursuivait son ami.

« S'adresser aux champs de courses de Leopards-town[2] », fit une voix derrière lui.

Stephen leva les yeux vivement, mais la face porcine de Moynihan[3], profilée sur le jour gris, demeurait impassible. Une formule fut énoncée. Parmi le bruissement des cahiers, Stephen se retourna de nouveau et dit :

« Donnez-moi du papier, pour l'amour de Dieu !

— Si fauché que ça ? » demanda Moynihan avec un large ricanement.

Il arracha une feuille à son cahier de brouillon et la passa à Stephen en murmurant :

« En cas de nécessité, n'importe quel laïque, homme ou femme, peut le faire[4]. »

La formule qu'il transcrivait docilement sur son feuillet, l'enroulement et le déroulement des calculs du professeur, les symboles fantomatiques de force et de vitesse fascinaient et épuisaient l'esprit de Stephen. Il avait entendu dire que ce vieux professeur était franc-maçon et athée. Oh, ce jour gris et morne ! ce jour pareil aux limbes d'une conscience indolore et patiente, où des âmes de mathématiciens se promèneraient, projetant leurs longues trames ténues sur les plans successifs d'un crépuscule de plus en plus raréfié et pâlissant, propageant des tourbillons rapides jusqu'aux extrêmes limites d'un univers toujours plus vaste, plus lointain, plus impalpable.

« Il faut donc distinguer l'elliptique de l'ellipsoïdal. Quelques-uns d'entre vous, messieurs, connaissent peut-être les œuvres de M. W. S. Gilbert[1]. Dans une de ses chansons, il parle d'un tricheur au billard, condamné à jouer :

> *Sur un drap gauchi*
> *Avec une queue tordue*
> *Et des boules elliptiques*[2].

« Il entend par là des boules ayant la forme de l'ellipsoïde, dont je viens de vous montrer les axes principaux. »

Moynihan se pencha vers l'oreille de Stephen et chuchota :

« À combien les boules ellipsoïdales ? Par ici, mesdames ! Je suis dans la cavalerie[3] ! »

La grossière plaisanterie de son camarade traversa comme une bouffée de vent frais le cloître de l'esprit de Stephen, agitant d'un gai mouvement de vie les flasques vêtements ecclésiastiques pendus aux murs, les faisant danser et gigoter dans un sabbat de saturnales. Les figures de la communauté émergèrent de ces défroques gonflées par la rafale : le doyen des études, l'économe corpulent[4], haut en couleur, avec sa calotte de cheveux gris, le président[5], le petit prêtre coiffé en houppe et qui écrivait des poèmes de dévotion ; la silhouette trapue et rustaude du professeur d'économie politique ; la grande silhouette du jeune professeur de psychologie [1], discutant un cas de conscience sur le palier, avec ses élèves, comme une girafe qui broute les hauts feuillages au-dessus d'un troupeau d'antilopes ; le grave préfet de la confrérie, à l'air inquiet, le gros professeur d'italien à la tête ronde, aux yeux coquins [2]. Ils s'avançaient trottinant et boitillant, sautillant et folâtrant, retroussant leurs robes pour jouer à saute-mouton, se cramponnant les uns aux autres, secoués d'une hilarité épaisse et polissonne, se donnant des tapes par-derrière, riant de leur grossière espièglerie, s'interpellant entre eux avec des surnoms familiers, protestant avec une dignité soudaine contre quelque mauvais traitement, chuchotant deux par deux, la main devant la bouche.

Le professeur s'était approché des vitrines qui longeaient le mur ; il prit sur un rayon une couple de bobines, souffla sur plusieurs endroits pour en ôter la poussière, transporta soigneusement l'appareil sur la table et tint un doigt posé dessus pendant la suite de son discours. Il expliqua que les fils des bobines modernes étaient faits d'une composition appelée platinoïde, récemment découverte par F. W. Martino [3].

Il prononça distinctement les initiales et le nom de l'inventeur. Moynihan, derrière Stephen, chuchota :

« Ce bon vieux Fontaine-Wallace-Martino !

— Demande-lui s'il a besoin d'un sujet à électrocuter, murmura Stephen en retour, avec un humour las. Je suis à sa disposition. »

Moynihan, voyant que le professeur se penchait sur les bobines, se leva et, faisant mine de claquer des doigts de sa main droite, se mit à appeler d'une voix de gamin baveux :

« Monsieur ! Monsieur ! ce garçon-là, il est après dire [4] des vilains mots, monsieur.

— Le platinoïde, disait le professeur avec solennité, est employé de préférence au maillechort parce que sa résistance varie moins avec la température. Le fil de platinoïde est isolé, et la soie qui l'isole est enroulée sur les bobines d'ébonite à l'endroit où se trouve mon doigt. Si ce fil était nu, il se produirait un courant supplémentaire. Les bobines ont été imprégnées de paraffine chaude... »

Une voix aiguë, avec l'accent de l'Ulster, dit au-dessous de Stephen :

« Est-ce qu'on va nous interroger sur les sciences appliquées ? »

Le professeur se mit à jongler gravement avec les termes sciences pures et sciences appliquées. Un étudiant lourdaud, affublé de lunettes d'or, fixa un regard étonné sur celui qui avait posé la question. Moynihan, de sa voix naturelle, murmura derrière Stephen :

« Tu ne trouves pas que Mac Alister est un vrai diable, quand il s'agit de réclamer sa livre de chair [1] ? »

Stephen abaissa les yeux avec froideur vers le crâne oblong, embroussaillé de cheveux couleur filasse. La voix, l'accent, la mentalité de l'interrupteur l'offusquaient et il se laissa entraîner à formuler mentalement une rosserie délibérée : le père de ce garçon eût mieux fait d'économiser sur le prix du voyage en envoyant son fils faire ses études à Belfast.

Le crâne oblong ne se retourna point pour affronter la flèche de cette réflexion, et cependant la flèche retourna vers son arc, car Stephen vit au même instant le visage de l'étudiant, d'une pâleur de lait caillé.

« Cette pensée n'est pas de moi, se dit-il aussitôt. Elle vient de cet Irlandais de comédie, derrière mon dos. Patience. Peut-on dire avec certitude qui a troqué l'âme de votre race et trahi ses élus, — le questionneur ou bien le railleur ? Patience. Pensons à Épictète. Cela

fait sans doute partie de son caractère, de poser telle
question à tel moment, avec tel accent, et de prononcer
le mot *science* comme un monosyllabe. »

La voix bourdonnante du professeur continuait à
s'enrouler lentement tout autour des bobines dont il
parlait, doublant, triplant, quadruplant sa somnolente
énergie, comme la bobine multipliait ses ohms de
résistance.

La voix de Moynihan, derrière lui, fit écho à une
cloche lointaine.

« Messieurs, on ferme ! »

Le hall était plein de monde et retentissait de
conversations [1]. Sur une table près de la porte, on voyait
deux photographies encadrées et, au milieu, un long
papier déroulé, portant une colonne irrégulière de
signatures. Mac Cann déambulait avec agitation parmi
les étudiants, parlant vite, ripostant aux rebuffades,
amenant ses camarades l'un après l'autre vers la table.
Dans le vestibule intérieur, le doyen des études s'entretenait avec un jeune professeur, tout en se caressant
gravement le menton et en hochant la tête.

Devant l'encombrement de la porte, Stephen s'arrêta, indécis. Sous le large bord retombant d'un chapeau mou, les yeux sombres de Cranly le guettaient.

« As-tu signé ? » demanda Stephen.

Cranly pinça sa longue bouche aux lèvres minces, se
recueillit un instant, puis répondit :

« *Ego habeo.*

— Pour quoi est-ce ?

— *Quod ?*

— Pour quoi est-ce ? »

Cranly tourna vers Stephen son visage pâle et dit
avec onction et amertume :

« *Per pax universalis.* »

Stephen désigna la photographie du tsar [2] et dit :

« Il a une figure de Christ abruti par la boisson. »

Le mépris et la colère de son intonation ramenèrent vers lui le regard de Cranly qui contemplait avec calme les murs du hall.

« Tu es contrarié ? demanda-t-il.

— Non, répondit Stephen.

— Tu es de mauvaise humeur ?

— Non.

— *Credo ut vos famosus mendax estis,* dit Cranly, *quia facies vostra monstrat ut vos in sacro malo humore estis*[1]. »

Moynihan qui se dirigeait vers la table dit à l'oreille de Stephen :

« MacCann est dans une forme sensationnelle ! Prêt à répandre la dernière goutte. Le monde entièrement remis à neuf ! Pas d'excitants, et droit de vote pour les femelles. »

Stephen sourit de la forme de cette confidence et lorsque Moynihan se fut éloigné, il chercha de nouveau le regard de Cranly.

« Tu peux peut-être m'expliquer, dit-il, pourquoi ce garçon épanche son âme dans mon oreille avec une telle liberté. Hein ? »

Une ombre haineuse apparut sur le front de Cranly. Il considéra la table où Moynihan se penchait pour inscrire son nom sur la liste ; puis il dit posément :

« C'est un s... salaud[2].

— *Quis est in malo humore,* dit Stephen : *ego aut vos*[3]. »

Cranly ne releva pas la raillerie. Il continuait à remâcher son jugement aigre ; puis il répéta avec la même force catégorique :

« Un sacré bougre de salaud, voilà tout. »

Telle était son épitaphe sur toutes les amitiés défuntes, et Stephen se demandait si ces paroles seraient prononcées un jour, sur le même ton, à propos de lui-même. Cette expression lourde et grossière s'enfonça lentement avec un bruit décroissant, comme une pierre dans un marécage. Stephen la suivait dans sa chute comme il en avait suivi bien d'autres, le cœur oppressé par ce poids. Le langage de Cranly, contrairement à celui de Davin, ne contenait ni préciosités élisabéthaines ni tournures bizarres des idiomes irlandais. Son élocution traînante était l'écho des quais de Dublin répété par un petit port désolé et déchu, son énergie était l'écho de l'éloquence sacrée de Dublin, platement répété par une chaire du Wicklow[1].

L'expression haineuse s'effaça du visage de Cranly lorsque MacCann se dirigea vivement vers eux de l'autre bout du hall.

« Vous voilà ! dit allégrement MacCann.

— Me voilà ! dit Stephen.

— En retard, comme toujours. Ne pouvez-vous pas accorder vos tendances progressistes avec le respect de la ponctualité ?

— Cette question n'est pas à l'ordre du jour, dit Stephen : passons au point suivant. »

Son regard souriant se fixait sur une tablette de chocolat au lait, enveloppé de papier d'argent, qui se montrait au bord d'une poche du propagandiste. Un petit cercle d'auditeurs se réunit pour assister à leur tournoi d'esprit. Un maigre étudiant à la peau olivâtre, aux cheveux plats et noirs, introduisit sa figure entre les deux interlocuteurs, dévisageant tantôt l'un, tantôt l'autre, à chaque phrase ; il avait l'air de vouloir attraper ces phrases au vol, avec sa bouche béante et humide. Cranly sortit de sa poche une petite balle grise et se mit à l'examiner de près, la tournant et la retournant.

« Le point suivant ? fit MacCann. Hum ! »

Il proféra un rire râpeux et sonore, sourit largement et tiralla à deux reprises la barbiche couleur de paille qui pendait à son menton fuyant.

« Le point suivant est de signer la pétition.

— Me paierez-vous quelque chose si je signe? demanda Stephen.

— Je vous croyais idéaliste », dit MacCann[1].

L'étudiant à l'aspect de bohémien jeta un regard circulaire et s'adressa à l'assistance d'une voix bêlante et indistincte :

« Ah, diable! voilà une idée bizarre! je considère cette idée comme une idée mercenaire! »

Sa voix sombra dans le silence. Personne ne fit attention à ses paroles. Il tourna sa face olivâtre, à l'expression chevaline, vers Stephen, invitant celui-ci à parler encore.

MacCann, avec une verve abondante, se mit à parler du rescrit du tsar, de Stead[2], du désarmement général, de l'arbitrage en cas de conflits internationaux, des signes des temps, de l'humanité nouvelle, du nouvel évangile de vie d'après lequel la communauté se chargerait d'assurer, au plus bas prix possible, le plus de bonheur possible pour le plus grand nombre possible d'individus.

L'étudiant bohémien fit écho à la fin de cette période en criant :

« Un ban pour la fraternité universelle!

— Vas-y, Temple[3], dit son voisin, un gros étudiant rubicond. Je te paierai un bock ensuite.

— Je crois à la fraternité universelle, dit Temple, regardant autour de lui avec ses yeux noirs et ovales. Marx n'est qu'un jean-foutre. »

Cranly lui serra le bras pour le faire taire, tout en souriant d'un air gêné et répétant :

« Doucement, doucement, doucement! »

Temple essaya de dégager son bras et continua, la bouche marquée d'une écume légère :

« Le socialisme a été fondé par un Irlandais[1], et Collins fut le premier en Europe qui prêcha la liberté de pensée[2]. Il y a deux cents ans de cela. Il a dénoncé les ruses du clergé, le philosophe du Middlessex ! Un ban pour John Anthony Collins ! »

Une voix grêle, au bout du groupe, répliqua :

« Pip ! pip ! »

Moynihan murmura à l'oreille de Stephen :

« Eh bien, et la pauvre petite sœur de John Anthony ?

> *Lolotte Collins*[3] *a perdu sa culotte,*
> *Ayez la bonté de lui prêter la vôtre !* »

Stephen se mit à rire, et Moynihan, content de ce résultat, poursuivit :

« Mettons une thune sur John Anthony Collins gagnant !

— J'attends votre réponse, dit MacCann d'un ton bref.

— L'affaire ne m'intéresse pas le moins du monde, dit Stephen d'un ton las. Vous le savez fort bien. À quoi rime toute cette scène ?

— Bien ! dit Mac Cann en claquant des lèvres. Alors vous êtes un réactionnaire ?

— Croyez-vous m'impressionner en brandissant votre sabre de bois[4] ? demanda Stephen.

— Trêve de métaphores, trancha MacCann. Venons aux faits. »

Stephen rougit et se détourna. MacCann tint bon et dit avec une ironie hostile :

« Les poètes de second ordre sont, je suppose, au-dessus des questions aussi terre à terre que celle de la paix universelle. »

Cranly releva la tête et tendit sa balle entre les deux étudiants en offrande de paix, disant :

« *Pax super totum foutusum globum*[1]. »

Stephen, écartant les curieux, indiqua d'un violent haussement d'épaules l'image du tsar :

« Gardez votre icône. S'il nous faut absolument un Jésus, que ce soit du moins un Jésus légitime.

— Par l'enfer ! Elle est bonne celle-là ! dit l'étudiant bohémien à ses voisins : voilà une belle expression ! Cette expression me plaît infiniment. »

Il ingurgita sa salive comme s'il ingurgitait la phrase et, cherchant à tâtons la visière de sa casquette, il se tourna vers Stephen :

« Excusez-moi, monsieur, qu'entendez-vous par l'expression que vous venez d'employer ? »

Comme les autres étudiants le poussaient du coude, il leur dit :

« Je suis curieux de savoir ce qu'il entend par cette expression. »

Il se tourna de nouveau vers Stephen et dit à voix basse :

« Vous croyez en Jésus ? Moi, je crois en l'homme[2]. Bien entendu, j'ignore si vous croyez en l'homme. Je vous admire, monsieur. J'admire l'esprit de l'homme indépendant de toute religion. Êtes-vous de cet avis au sujet de l'esprit de Jésus ?

— Hardi, Temple ! dit le gros étudiant rubicond, revenant, selon son habitude, à sa première idée : n'oublie pas le bock qui t'attend.

— Il me prend pour un imbécile, expliqua Temple à Stephen, parce que je crois à la puissance de l'esprit. »

Cranly passa ses bras sous ceux de Stephen et de son admirateur, disant :

« *Nos ad manum ballum jocabimus*[3]. »

Stephen, tout en se laissant emmener, aperçut le visage plat de MacCann, rouge de dépit.

« Ma signature n'a aucune valeur, fit-il poliment. Vous avez raison de poursuivre votre chemin. Laissez-moi continuer le mien.

— Dedalus, dit Mac Cann sur un ton cassant, je suis persuadé que vous êtes un brave garçon, mais il vous manque de connaître la noblesse de l'altruisme et la responsabilité de l'individu humain. »

Une voix prononça :

« Notre mouvement n'a que faire des intellectuels excentriques. »

Stephen, reconnaissant à ce timbre dur la voix de MacAlister, s'abstint de se retourner. Cranly fendait solennellement la foule des étudiants, entraînant à ses côtés Stephen et Temple, comme un célébrant accompagné de ses deux acolytes s'avance vers l'autel.

Temple se pencha vivement par-devant Cranly et dit :

« Avez-vous entendu MacAlister, ce qu'il a dit ? Ce jouvenceau est jaloux de vous. Vous l'avez remarqué ? Je parie que Cranly ne l'a pas remarqué. Par l'enfer ! Je l'ai remarqué tout de suite, moi ! »

Au moment où ils traversaient le deuxième vestibule, le doyen des études faisait une tentative pour échapper à l'étudiant avec lequel il venait de causer[1]. Il se tenait au bas de l'escalier, un pied sur la première marche, sa vieille soutane retroussée avec un soin féminin en vue de l'ascension, il hochait la tête souvent et répétait :

« Il n'y a pas de doute, monsieur Hackett[2] ! C'est parfait ! Il n'y a pas de doute ! »

Au milieu du vestibule, le préfet de la confrérie du collège s'entretenait gravement, d'une voix basse et chagrine, avec un pensionnaire. Tout en parlant, il fronçait un peu son front couvert de taches de rousseur et mordillait, entre les phrases, un minuscule crayon en os.

« J'espère que les garçons de première année seront tous des nôtres. Nous pouvons compter, je crois, sur ceux de la deuxième ; la troisième également. Il faut nous assurer au sujet des nouveaux. »

En franchissant la porte, Temple se pencha encore par-devant Cranly et chuchota vivement :

« Savez-vous que c'est un homme marié ? C'était un homme marié, avant qu'on l'eût converti. Il a quelque part une femme et des enfants. Par l'enfer, voilà la chose la plus bizarre que je connaisse ! Hein ? »

Son chuchotement dégénéra en un rire sournois et gloussant. Lorsqu'ils eurent franchi le pas de la porte, Cranly le saisit brutalement par le cou et le secoua en disant :

« Espèce de foutu bougre d'idiot[1] ! Je jure par ma dernière heure qu'il n'y a pas sur toute cette infecte cochonnerie de terre — tu m'entends ? — un autre foutu immonde bougre de macaque comme toi ! »

Temple se tortillait sous sa poigne, continuant à rire avec une sournoise satisfaction, tandis que Cranly répétait distinctement à chaque rude secousse :

« Cochon de salaud de foutu bougre d'idiot ! »

Ils traversèrent ensemble le jardin envahi de mauvaises herbes. Le président, enveloppé d'un ample et lourd manteau, venait à leur rencontre le long d'une allée, lisant son office[2]. Au bout de l'allée, il s'arrêta avant de rebrousser chemin, et leva les yeux. Les étudiants le saluèrent, Temple comme tout à l'heure cherchant à tâtons la visière de sa casquette. Ils continuèrent d'avancer en silence. À mesure qu'ils approchaient du passage, Stephen distinguait le claquement des mains des joueurs, le bruit humide de la balle, la voix excitée de Davin poussant des cris à chaque coup.

Les trois étudiants s'arrêtèrent autour de la caisse sur laquelle Davin s'était assis pour suivre la partie. Au bout d'un instant, Temple se glissa jusqu'à Stephen et dit :

« Excusez-moi, je voulais vous demander si vous croyez que Jean-Jacques Rousseau était un homme sincère[1] ? »

Stephen se mit à rire franchement. Cranly, après avoir ramassé dans l'herbe à ses pieds le débris d'une douve de tonneau, se retourna brusquement et dit avec sévérité :

« Temple, je déclare à la face de Dieu que si tu dis encore un mot, vois-tu, à qui que ce soit et sur quoi que ce soit, je t'assomme *super campum*[2].

— Jean-Jacques était comme vous, j'imagine, dit Stephen : un émotif.

— Qu'il aille au diable ! articula nettement Cranly. Ne lui adresse pas la parole. Mieux vaudrait, vois-tu, parler à un foutu pot de chambre que de parler à Temple. Rentre chez toi, Temple. Pour l'amour de Dieu, rentre chez toi !

— Je me fiche pas mal de vous, Cranly, répondit Temple, esquivant la menace du morceau de douve levé en l'air, et montrant Stephen du doigt : Voilà, à mon avis, le seul homme, dans cette institution, qui a un esprit individuel.

— Institution ! Individuel ! cria Cranly. Va-t'en au diable, car ton crétinisme est sans remède.

— Je suis un émotif, dit Temple. C'est très bien dit. Et je suis fier d'être un émotif. »

Il s'écarta du passage, avec un sourire sournois.

Cranly le suivait des yeux, le visage impassible, inexpressif.

« Regardez-le ! fit-il. Avez-vous jamais vu un pareil raseur de murs[1] ? »

Cette phrase fut saluée par l'étrange éclat de rire d'un étudiant[2] qui flânait le long du mur, la visière de sa casquette baissée sur les yeux. Ce rire, lancé sur un ton aigu et provenant d'un personnage si fort en muscles, avait quelque chose du barrissement d'un éléphant. Le corps tout entier de ce garçon était secoué, et, pour calmer son hilarité, il frottait avec délices ses deux mains sur son bas-ventre.

« Lynch est réveillé », dit Cranly.

En réponse, Lynch se redressa, et fit bomber sa poitrine.

« Lynch sort sa poitrine, dit Cranly, comme une critique de la vie[3]. »

Lynch se frappa bruyamment la poitrine et dit :

« Qui est-ce qui a quelque chose à dire contre mon coffre ? »

Cranly le prit au mot et tous deux se mirent à lutter. Lorsque leurs visages eurent rougi sous l'effort, ils se séparèrent haletants. Stephen se pencha vers Davin qui, absorbé par le jeu, n'avait prêté aucune attention aux propos des autres.

« Et comment va ma petite oie domestique ? A-t-elle signé aussi ? »

Davin fit un geste affirmatif disant :

« Et toi, Stevie ? »

Stephen secoua la tête.

« Tu es terrible, Stevie, dit Davin en enlevant de sa bouche sa courte pipe : toujours tout seul.

— Maintenant que tu as signé la pétition pour la paix universelle, je pense que tu vas brûler ce petit cahier que j'ai vu dans ta chambre. »

Comme Davin ne répondait point, Stephen se mit à réciter :

« Au pas, fianna[1] ! À droite, fianna ! par matricules, fianna ! saluez, un, deux !

— Cela, c'est une autre question, dit Davin. Je suis avant tout nationaliste irlandais. Mais c'est bien là ta manière : tu es né ricaneur, Stevie.

— La prochaine fois que vous vous révolterez, à coups de crosses de hurley, s'il vous manque le mouchard indispensable, fais-moi signe, dit Stephen ; je t'en trouverai plusieurs dans ce collège.

— Je ne te comprends pas, dit Davin. L'autre jour je t'entends parler contre la littérature anglaise. Maintenant tu parles contre les mouchards irlandais. À en juger par ton nom et par tes idées... Es-tu bien irlandais, oui ou non ?

— Viens tout de suite avec moi aux Archives[2], et je te montrerai mon arbre généalogique[3], dit Stephen.

— Alors, sois avec nous, dit Davin. Pourquoi n'apprends-tu pas l'irlandais ? Pourquoi as-tu abandonné les cours de la Ligue dès la première leçon ?

— Tu connais une de mes raisons », répondit Stephen.

Davin hocha la tête en riant :

« Allons donc ! C'est à cause de cette jeune personne et du père Moran[4] ? Mais cela n'existe que dans ton imagination, Stevie ? Ils causaient et riaient ensemble, tout simplement. »

Stephen garda un instant le silence, la main posée sur l'épaule de Davin, d'un geste amical.

« Te rappelles-tu le jour où nous nous sommes connus ? dit-il. Le matin de notre première rencontre, tu me demandas le chemin du cours de propédeutique, en accentuant fortement la première syllabe[5]. Tu te rappelles ? Et puis tu disais " mon père " aux jésuites.

Tu te rappelles ? Je me pose à ton sujet cette question :
" Est-il aussi innocent que son langage ? "

— Je suis un simple, dit Davin. Tu le sais bien.
Lorsque, l'autre soir, dans Harcourt Street[1], tu m'as
raconté sur ta vie intime les choses que tu sais, je te
jure, Stevie, je n'en ai pas dîné. J'en étais malade. Je
suis resté longtemps sans pouvoir m'endormir, cette
nuit-là. Pourquoi m'as-tu raconté tout cela ?

— Je te remercie bien, dit Stephen. Tu veux dire que
je suis un monstre.

— Non, dit Davin, mais j'aurais préféré que tu ne
m'en parles pas. »

Un flot commençait à se gonfler sous la calme
surface des dispositions amicales de Stephen.

« Je suis un produit de cette race, de ce pays, de cette
vie, dit-il. Je m'exprimerai tel que je suis.

— Tâche d'être un des nôtres, répéta Davin. Au fond
du cœur, tu es un Irlandais, mais tu te laisses trop
dominer par ton orgueil.

— Mes ancêtres ont renié leur langue et en ont
adopté une autre. Ils se sont laissé subjuguer par une
poignée d'étrangers. Te figures-tu que je vais payer, de
ma propre vie, de ma propre personne, les dettes qu'ils
ont contractées ? Et pour quoi ?

— Pour notre liberté, dit Davin.

— Depuis l'époque de Tone jusqu'à celle de Parnell[2], pas un seul homme honorable et sincère ne vous
a sacrifié sa vie, sa jeunesse, ses affections, sans que
vous l'ayez vendu à l'ennemi, ou abandonné dans le
besoin ou diffamé, et délaissé pour en suivre un autre.
Et tu m'invites à être un des vôtres. Allez au diable.

— Ceux-là sont morts pour leur idéal, Stevie, dit
Davin. Notre tour viendra, crois-le bien. »

Stephen, poursuivant sa propre pensée, resta un
instant silencieux.

« L'âme naît, dit-il vaguement, dans ces moments dont je t'ai parlé. Sa naissance est obscure et lente, plus mystérieuse que celle du corps. Quand une âme naît dans ce pays-ci, on lance sur elle des filets pour empêcher son essor. Tu me parles de nationalité, de langue, de religion. J'essaierai d'échapper à ces filets [1]. »

Davin tapa sa pipe pour en ôter la cendre.

« C'est trop profond pour moi, Stevie, dit-il. La patrie d'abord. L'Irlande d'abord, Stevie. Tu peux être poète ou mystique ensuite.

— Sais-tu ce que c'est que l'Irlande ? demanda Stephen avec une froide violence : l'Irlande, c'est la vieille truie qui dévore sa portée [2]. »

Davin se leva de sa caisse et se dirigea vers les joueurs, secouant la tête tristement. Mais sa tristesse fut vite oubliée ; il se livra à une chaude discussion avec Cranly et deux autres joueurs qui venaient de finir la partie. Ils convinrent d'un match entre eux quatre, Cranly insistant cependant pour que l'on se servît de sa balle à lui. Il fit rebondir celle-ci à deux ou trois reprises et la lançant d'un mouvement rapide et fort vers l'extrémité du passage ; et il s'écria en écho à son rebond : « Au diable [3] ! »

Stephen resta là avec Lynch jusqu'à ce que le nombre de points commençât à s'élever. Alors il tira son voisin par la manche pour l'emmener. Lynch obéit en disant :

« Retirons-nous mêmement [4] », comme dirait Cranly.

Stephen sourit à cette pointe sournoise.

Ils s'en retournèrent par le jardin, puis traversèrent le vestibule où le concierge branlant était en train de fixer un avis dans un cadre. Au pied de l'escalier, ils firent halte et Stephen sortit de sa poche un paquet de cigarettes et le tendit à son compagnon.

« Je sais que tu es pauvre, dit-il.

— Au diable ta jaune insolence ! » répondit Lynch.

Stephen sourit de nouveau à cette deuxième preuve de la culture de Lynch :

« C'est une date historique pour la civilisation européenne, dit-il, le jour où tu as conçu l'idée de jurer en jaune[1]. »

Ils allumèrent leurs cigarettes et tournèrent à droite. Après une pause, Stephen commença :

« Aristote n'a pas défini la pitié et la terreur[2]. Moi si. Je dis que... »

Lynch s'arrêta et fit sans détour :

« Halte-là ! Je ne veux pas t'écouter. Je suis malade. J'ai fait la nuit dernière une bombance jaune avec Horan et Goggins[3]. »

Stephen poursuivit :

« La pitié est le sentiment qui arrête l'esprit devant ce qu'il y a de grave et de constant dans les souffrances humaines et qui l'unit avec le sujet souffrant. La terreur est le sentiment qui arrête l'esprit devant ce qu'il y a de grave et de constant dans les souffrances humaines et qui l'unit avec la cause secrète[4].

— Répète », dit Lynch.

Stephen répéta lentement ses définitions.

« Une jeune fille monta dans un fiacre, il y a quelques jours, à Londres, poursuivit-il. Elle allait à la rencontre de sa mère qu'elle n'avait pas revue depuis de longues années. Au coin d'une rue, le brancard d'un camion fend en forme d'étoile la vitre du fiacre. Une fine et longue pointe de verre transperce le cœur de la jeune fille. Celle-ci meurt aussitôt. Le reporter appelle cela une mort tragique. Ce n'est pas vrai. Cette mort est loin d'inspirer terreur et pitié, conformément aux termes de ma définition.

« L'émotion tragique, en effet, est un visage au double regard dirigé vers la terreur et vers la pitié, qui toutes deux en sont les phases. Remarque que j'ai employé le mot *arrêter*. J'entends par là que l'émotion tragique, ou plutôt l'émotion dramatique, a un caractère statique. Les sentiments éveillés par un art impropre sont cinétiques : désir ou répugnance. Le désir nous incite à posséder l'objet, à aller vers lui ; la répugnance nous incite à quitter l'objet, à nous en éloigner. Ces émotions sont cinétiques. Les arts, pornographiques ou didactiques, qui provoquent ces émotions, sont, par cela même, des arts impropres. L'émotion esthétique (j'emploie le terme général) est statique par cela même qu'elle arrête l'esprit, dominant le désir et la répugnance [1].

— Tu dis que l'art ne doit pas exciter le désir, fit Lynch. Je t'ai raconté qu'un jour j'ai écrit mon nom au crayon sur le derrière de la Vénus de Praxitèle, au Musée [2]. N'était-ce pas du désir ?

— Je parle de natures normales, dit Stephen. Tu m'as raconté aussi qu'étant enfant, dans ta délicieuse école carmélite, tu mangeais des bouses de vache desséchées [3]. »

Lynch fit entendre de nouveau son rire barrissant et se mit de nouveau à frotter son bas-ventre, mais sans ôter les mains de ses poches.

« Mais oui ! Mais oui ! J'en mangeais ! » criait-il.

Stephen se tourna vers son compagnon et le fixa un instant, avec autorité, les yeux dans les yeux. Lynch, tout en se remettant de son accès de rire, répondit par un regard de soumission. Son crâne long, grêle et aplati sous la casquette allongée en pointe, évoqua dans l'esprit de Stephen l'image d'un reptile à capuchon. Les yeux aussi avaient le brillant et l'expression de ceux d'un reptile. Pourtant à ce moment-là, soumis et prompts, ils s'éclairaient d'une seule toute petite étincelle humaine, fenêtre sur une âme recroquevillée, poignante, aigrie contre elle-même[1].

« Quant à cela, dit Stephen en manière de parenthèse polie, nous sommes tous des animaux. Moi-même je suis un animal.

— C'est sûr, dit Lynch.

— Mais pour le moment nous voici dans le domaine mental, continua Stephen. Le désir et la répugnance provoqués par des moyens esthétiques impropres, ne sont pas, en réalité, des émotions esthétiques ; et cela non seulement parce qu'ils ont un caractère cinétique, mais encore parce qu'ils ne sont que des sensations physiques[2]. Notre chair recule devant ce qu'elle craint et répond au stimulus de ce qu'elle désire, par une action purement réflexe de notre système nerveux. Nos paupières se ferment avant que nous ayons pris conscience de la mouche qui va nous entrer dans l'œil.

— Pas toujours, dit Lynch sur un ton critique.

— C'est ainsi, dit Stephen, que ta chair à toi a répondu au stimulus de la nudité sculptée, mais ce n'était là, je le répète, qu'une action réflexe de tes nerfs[3]. La beauté exprimée par l'artiste ne peut éveiller en nous une émotion d'ordre cinétique, ni une sensation purement physique. Elle éveille en nous, ou devrait éveiller, elle induit en nous, ou devrait induire, une stase esthétique, une pitié ou une terreur idéales, une stase provoquée, prolongée et enfin dissoute par ce que j'appelle le rythme de la beauté.

— Qu'est-ce que c'est, au juste ? demanda Lynch.

— Le rythme, dit Stephen, est le premier rapport formel entre les différentes parties d'un ensemble esthétique, ou entre cet ensemble et ses parties, ou entre une quelconque de ces parties et l'ensemble auquel elle appartient[1].

— Si c'est là le rythme, dit Lynch, je voudrais bien savoir ce que tu appelles la beauté. Et n'oublie pas, je te prie — bien que j'aie mangé jadis du gâteau de bouse de vache —, que j'admire uniquement la beauté. »

Stephen souleva sa casquette comme pour saluer cette déclaration. Puis, rougissant légèrement, il posa la main sur la grosse manche de drap de Lynch.

« C'est nous qui tenons la vérité, dit-il ; les autres sont dans l'erreur. Parler de ces choses, chercher à comprendre leur nature, puis, l'ayant comprise, essayer lentement, humblement, sans relâche, d'exprimer, d'extraire à nouveau, de la terre brute ou de ce qu'elle nous fournit — sons, formes, couleurs, qui sont les portes de la prison de l'âme[2] — une image de cette beauté que nous sommes parvenus à comprendre —, voilà ce que c'est que l'art[3]. »

Ils avaient atteint le pont du canal[4] et, s'écartant de leur chemin, ils longèrent la rangée d'arbres. Une lumière grise et crue, reflétée par l'eau paresseuse, l'odeur des branchages mouillés sur leurs têtes semblaient combattre le développement de la pensée de Stephen.

« Mais tu n'as pas répondu à ma question, dit Lynch. Qu'est-ce que l'art ? Qu'est-ce que la beauté qu'il exprime ?

— Mais c'est là la première définition que je t'aie donnée, cervelle endormie, au temps où je commençais à vouloir tirer au clair ces choses-là pour mon propre compte. Te rappelles-tu cette soirée ? Cela avait mis Cranly hors de lui, et il s'était mis à parler des jambons de Wicklow.

— Je me rappelle, dit Lynch. Il nous parlait de ces sacrés mâtins de cochons gras.

— L'art, dit Stephen, c'est la disposition par l'homme de la matière sensible ou intelligible à une fin esthétique[1]. Tu te rappelles les cochons, mais tu oublies cela. Vous faites un couple désespérant, Cranly et toi. »

Lynch fit une grimace vers le ciel gris et froid :

« S'il faut que j'écoute ta philosophie esthétique, donne-moi du moins encore une cigarette. Je ne m'intéresse nullement à tout cela. Je ne m'intéresse même pas aux femmes. Je me fous pas mal de toi et de tout le reste. Je veux une situation de cinq cents livres par an. Ce n'est pas toi qui vas me la procurer. »

Stephen lui tendit le paquet de cigarettes. Lynch prit la seule qui restât, disant simplement :

« Continue.

— Thomas d'Aquin, reprit Stephen, dit : est beau ce dont l'appréhension cause le plaisir. »

Lynch hocha la tête.

« Je me rappelle : *Pulchra sunt quæ visa placent*[2].

— Il emploie le mot *visa*, dit Stephen, pour désigner les appréhensions esthétiques de toutes sortes, celles de la vue, de l'ouïe, comme celles qui nous parviennent par d'autres avenues de l'appréhension. Ce terme, bien que vague, est suffisamment clair pour écarter le bien et le mal qui provoquent le désir ou la répugnance. Il indique certainement une stase et non un mouvement. Que dirons-nous du vrai ? Le vrai crée aussi une stase de l'esprit. Tu n'écrirais pas ton nom au crayon sur l'hypoténuse d'un triangle rectangle.

— Non, dit Lynch. Il me faut l'hypoténuse de la Vénus de Praxitèle.

— Donc, c'est statique, dit Stephen. Platon disait, je crois, que le beau est la splendeur du vrai[3]. Je ne trouve aucun sens à cela, sinon que le vrai et le beau sont apparentés. Le vrai est contemplé par l'intellect qui est apaisé par les relations les plus satisfaisantes de l'intelligible ; la beauté est contemplée par l'imagination qui est apaisée par les relations les plus satisfaisantes du sensible[1]. Le premier pas vers le vrai consiste à comprendre la structure et la portée de l'intellect lui-même, à saisir l'acte même de l'intellection[2]. Le système philosophique d'Aristote repose tout entier sur son livre de psychologie, et celui-ci repose à son tour, me semble-t-il, sur cette affirmation qu'un même attribut ne peut, en même temps et sous le même rapport, appartenir et ne pas appartenir au même sujet. Le premier pas vers le beau consiste à comprendre la structure et la portée de l'imagination, à connaître l'acte même de l'appréhension esthétique. Est-ce clair ?

— Mais qu'est-ce que la beauté ? demanda Lynch avec impatience. Accouche donc d'une autre définition. Quelque chose qu'on voit et qui nous plaît ! C'est tout ce que vous avez pu trouver à vous deux, Thomas d'Aquin et toi ?

— Prenons la femme, dit Stephen.

— Prenons-la ! s'écria Lynch avec ferveur.

— Les Grecs, les Turcs, les Chinois, les Coptes, les Hottentots, chacune de ces races admire un type différent de beauté féminine[3]. Voilà, semble-t-il, un labyrinthe d'où nous ne pouvons nous échapper. J'entrevois cependant deux issues possibles. L'une est l'hypothèse suivante : toute qualité physique que les hommes admirent chez les femmes est en rapport direct avec les multiples fonctions des femmes dans la propagation de l'espèce. Cela se peut. Le monde est semble-t-il plus lamentable encore que toi-même, Lynch, ne l'imaginais. En ce qui me concerne, cette issue-là me déplaît. Elle aboutit à l'eugénique plutôt qu'à l'esthétique. Elle te fait sortir du labyrinthe pour te conduire dans une salle de conférences, neuve et clinquante, où Mac Cann, une main sur l'*Origine des espèces* et l'autre sur le Nouveau Testament[1], t'expliquera que tu as admiré les larges flancs de Vénus parce que tu as senti qu'elle te donnerait une robuste progéniture et que tu as admiré ses larges seins parce que tu as senti qu'elle donnerait de bon lait à ses enfants et aux tiens.

— Eh bien, Mac Cann ne serait qu'un menteur jaune-soufre ! dit Lynch avec énergie.

— Il nous reste une autre issue, dit Stephen, riant.

— À savoir ? fit Lynch.

— L'hypothèse que voici », commença Stephen.

Un long tombereau chargé de ferraille tourna le coin de l'hôpital Patrick Dun[2], noyant la suite du discours dans le grondement discordant et le tintamarre du métal. Lynch se boucha les oreilles et proféra une série de jurons jusqu'à ce que le tombereau se fût éloigné. Puis il tourna sur ses talons cavalièrement. Stephen se retourna aussi et attendit avec patience que la mauvaise humeur de son compagnon se fût dissipée.

« Voici l'hypothèse, répéta Stephen, qui nous offre une autre issue : bien qu'un même objet puisse ne point paraître beau à tous, tous ceux qui admirent un bel objet trouvent en lui certains rapports qui satisfont et qui coïncident avec les phases mêmes de toute appréhension esthétique. Ces rapports du sensible, que tu vois sous une forme et moi sous une autre, sont donc les qualités nécessaires de la beauté. Maintenant, demandons à notre vieil ami saint Thomas encore pour deux sous de sa science. »

Lynch riait.

« Cela m'amuse prodigieusement, dit-il, de t'entendre citer chaque fois saint Thomas, comme un bon gros moine ! Est-ce que tu n'en ris pas toi-même, sous cape ?

— MacAlister, répondit Stephen, appellerait ma théorie esthétique " du saint Thomas appliqué[1] ". Sur toute l'étendue de cette partie de la philosophie esthétique, saint Thomas me conduira jusqu'au bout. Mais lorsque nous en arriverons aux phénomènes de la conception artistique, de la gestation, de la reproduction artistiques, j'aurai besoin d'une terminologie nouvelle, et d'une nouvelle expérience personnelle.

— Naturellement, dit Lynch. Après tout, malgré son intellect, saint Thomas n'était pas autre chose qu'un bon gros moine. Mais tu me parleras de la nouvelle terminologie et de la nouvelle expérience personnelle un autre jour. Dépêche-toi de liquider la première partie.

— Qui sait ? dit Stephen avec un sourire, saint Thomas m'aurait peut-être compris mieux que toi. Il était poète lui-même. Il a écrit un hymne pour le Jeudi Saint. Cela commence par les mots : *Pange lingua gloriosi*[2]. On dit que c'est le chef-d'œuvre de l'hymnaire. C'est un chant complexe et apaisant. Je l'aime beaucoup ; mais aucun hymne n'est comparable à ce funèbre et majestueux cantique processionnel, le *Vexilla Regis* de Venantius Fortunatus[3]. »

Lynch se mit à chanter, doucement et solennellement, d'une voix de basse profonde :

> *Impleta sunt quae concinit*
> *David fideli carmine*
> *Dicendo nationibus*
> *Regnavit a ligno Deus*[4].

« Ça, c'est énorme ! dit-il d'un air heureux. Une musique énorme ! »

Ils prirent Lower Mount Street [1]. À quelques pas du coin, un jeune homme gras, portant un cache-nez de soie, les salua et s'arrêta.

« Vous connaissez le résultat des examens ? demanda-t-il : Griffin est recalé. Halpin et O'Flynn sont reçus pour l'Intérieur. Moonan est cinquième pour les Affaires indiennes, O'Shaughnessy quatorzième. Les Irlandais de chez Clarke [2] leur ont offert un gueuleton hier soir. Ils ont tous mangé du curry. »

Son visage pâle et bouffi exprimait une malice bienveillante et, tandis qu'il énumérait les succès, ses petits yeux entourés de graisse devinrent progressivement invisibles, sa voix faible et poussive cessa de se faire entendre.

En réponse à une question de Stephen, les yeux et la voix resurgirent de leurs cachettes.

« Oui, Mac Cullagh et moi, dit-il. Il choisit les mathématiques pures et moi l'histoire constitutionnelle. Il y a vingt sujets. Je prends aussi la botanique. Vous savez que je fais partie du club rural. »

Il se recula d'un air avantageux et plaça une grosse main gantée de laine sur sa poitrine d'où s'échappa aussitôt un rire poussif.

« À votre prochaine excursion, dit Stephen, pince-sans-rire, rapportez-nous des navets et des oignons pour faire un ragoût. »

L'étudiant gras se mit à rire avec indulgence et dit :

« Nous sommes tous gens de haute respectabilité, dans le club rural. Samedi dernier nous sommes allés à sept jusqu'à Glenmalure [3].

— Avec des femmes, Donovan ? » fit Lynch.

Donovan [4] posa de nouveau la main sur sa poitrine et dit :

« Notre but est d'acquérir des connaissances. »

Puis il ajouta vivement :

« On me dit que vous écrivez un essai sur l'esthétique ? »

Stephen esquissa un geste de dénégation.

« Goethe et Lessing, continua Donovan, ont beaucoup écrit sur ce sujet, — l'école classique, l'école romantique et cetera. Le *Laocoon* m'a beaucoup intéressé lorsque je l'ai lu[1]. Bien entendu, c'est de l'idéalisme, c'est allemand, c'est ultra-profond. »

Aucun des deux autres ne répondit. Donovan prit congé d'eux avec urbanité.

« Il faut que je vous quitte, dit-il d'un air doux et bienveillant ; j'ai le vif soupçon, confinant presque à la certitude, que ma sœur comptait faire des crêpes aujourd'hui, pour le dîner familial des Donovan.

— Au revoir, lui dit Stephen dans le dos : n'oubliez pas de rapporter des navets, pour nous deux. »

Lynch regarda Donovan s'éloigner, et ses lèvres se tordirent avec un mépris progressif jusqu'à ce que son visage devînt semblable à un masque de diable :

« Quand je pense que ce jaune excrément nourri de crêpes peut décrocher une belle situation, tandis que moi, il faut que je fume de mauvaises cigarettes ! »

Ils se tournèrent en direction de Merrion Square et marchèrent quelque temps en silence.

« Pour finir ce que je disais de la beauté, dit Stephen, les rapports les plus satisfaisants du sensible doivent donc correspondre aux phases nécessaires de l'appréhension artistique. Découvrons ces phases et nous découvrirons les qualités de la beauté universelle. Thomas d'Aquin dit : *Ad pulchritudinem tria requiruntur integritas, consonantia, claritas*[2]. Je traduis ainsi : Trois choses sont nécessaires à la beauté :

intégralité, harmonie et éclat. Ces choses correspondent-elles aux phases de l'appréhension ? Tu me suis ?

— Bien sûr, je te suis, dit Lynch. Si tu trouves mon intelligence trop excrémentesque, cours après Donovan et invite-le à t'écouter. »

Stephen montra du doigt le panier dont un garçon boucher venait de se coiffer.

« Regarde ce panier, dit-il.

— Je le vois, dit Lynch.

— Afin de voir ce panier, ton esprit le sépare d'abord de tout l'univers visible qui n'est pas ce panier. La première phase de l'appréhension est une ligne de démarcation tracée autour de l'objet à appréhender. Une image esthétique se présente à nous soit dans l'espace, soit dans le temps. Ce qui concerne l'ouïe se présente dans le temps, ce qui concerne la vue, dans l'espace. Mais, temporelle ou spatiale, l'image esthétique est d'abord lumineusement perçue comme un tout bien délimité sur le fond sans mesure de l'espace ou du temps, qui n'est pas cette image. Tu l'appréhendes comme une chose *une*. Tu la vois comme un seul tout. Tu appréhendes son intégralité — voilà l'*integritas*.

— Dans le mille ! fit Lynch, riant ; continue.

— Ensuite, dit Stephen, tu passes d'un point à un autre conduit par ses lignes formelles ; tu l'appréhendes dans l'équilibre balancé de ses parties entre les limites de l'ensemble ; tu sens le rythme de sa structure. En d'autres termes, la synthèse de la perception immédiate est suivie d'une analyse de l'appréhension. Après avoir senti que cette chose est *une*, tu sens maintenant que c'est une chose. Tu l'appréhendes complexe, multiple, divisible, séparable, composée de ses parties, résultat et somme de ces parties, harmonieuse. Voilà la *consonantia*.

— Encore dans le mille! remarqua Lynch d'un air spirituel. Explique-moi *claritas* et tu gagnes le cigare.

— La connotation de ce mot, dit Stephen, est assez vague. Saint Thomas emploie ici un terme qui paraît inexact. Son sens m'a échappé pendant longtemps. Nous pourrions être portés à croire qu'il entendait par là le symbolisme ou l'idéalisme, la suprême qualité du beau étant la lumière venue de quelque autre monde, l'idée dont la matière n'est que l'ombre, la réalité dont elle n'est que le symbole. Je pensais qu'il pouvait entendre par *claritas* la découverte et la représentation artistique du dessein divin dans toute chose, ou bien une force de généralisation qui donnerait à l'image esthétique un caractère universel, en la faisant rayonner au-delà des limites de sa condition. Mais ce n'est là qu'un bavardage littéraire. Voici comment je comprends la chose. Lorsque tu as appréhendé le panier en question comme une chose une, lorsque tu l'as analysé selon sa forme, lorsque tu l'as appréhendé comme un objet, tu arrives à la seule synthèse logiquement et esthétiquement admissible : tu vois que ce panier est l'objet qu'il est, et pas un autre. L'éclat dont il parle, c'est, en scolastique, *quidditas,* l'essence de l'objet. L'artiste perçoit cette suprême qualité au moment où son imagination conçoit l'image esthétique. L'état de l'esprit en cet instant mystérieux a été admirablement comparé par Shelley à la braise près de s'éteindre[1]. L'instant dans lequel cette qualité suprême du beau, ce clair rayonnement de l'image esthétique se trouve lumineusement appréhendé par l'esprit, tout à l'heure arrêté sur l'intégralité de l'objet et fasciné par son harmonie, — c'est la stase lumineuse et silencieuse du plaisir esthétique, un état spirituel fort semblable à cette condition cardiaque que le physiologiste italien Luigi Galvani définit par une expression presque aussi belle que celle de Shelley : l'enchantement du cœur [1]. »

Stephen fit une pause, et, bien que son compagnon ne parlât point, il sentit que ses paroles avaient créé autour d'eux une atmosphère d'enchantement intellectuel.

« Ce que je viens de dire, reprit-il, a trait à la beauté dans la plus vaste acception du mot, dans le sens que confère à ce mot la tradition littéraire. Sur la place publique, ce mot a une tout autre signification. Si nous parlons de la beauté en prêtant à ce terme cette autre signification, notre jugement subit d'abord l'influence de l'art lui-même, et celle de la forme de cet art. L'image, cela va sans dire, doit être placée entre l'esprit ou les sens de l'artiste et l'esprit ou les sens des autres [2]. Si tu gardes ceci à l'esprit, tu remarqueras que l'art se divise nécessairement en trois formes, chacune en progrès sur la précédente. Ce sont : la forme lyrique, où l'artiste présente son image dans un rapport immédiat avec lui-même ; la forme épique, où il présente son image dans un rapport médiat entre lui-même et les autres ; la forme dramatique, où il présente son image dans un rapport immédiat avec les autres [3].

— C'est ce que tu m'as expliqué l'autre soir, dit Lynch, et qui donna lieu à la fameuse discussion.

— J'ai chez moi un cahier où j'ai noté des questions plus amusantes que les tiennes. En cherchant à y répondre, j'ai trouvé la théorie esthétique que j'essaie d'expliquer en ce moment [4]. Voici quelques-unes des questions que je m'étais posées : *Une chaise artistement travaillée est-elle tragique ou comique* [5] *? Le portrait de Mona Lisa est-il bon si je désire le voir* [6] *? Le buste de sir Philip Crampton est-il lyrique, épique ou dramatique* [7] *? Si non, pourquoi ? Des excréments, ou un enfant, ou un pou, peuvent-ils être des œuvres d'art ?*

— Pourquoi non, en effet ? » dit Lynch en riant.

Stephen poursuivait :

« *Si un homme, en tailladant dans un accès de rage un morceau de bois, y forme l'image d'une vache, cette image sera-t-elle une œuvre d'art* [1] *? Si non, pourquoi ?*

— Celle-là est bonne, dit Lynch, riant de nouveau. Elle pue la scolastique à plein nez !

— Lessing, reprit Stephen, n'aurait pas dû prendre pour sujet un groupe de sculpture [2]. Cet art, étant inférieur, ne montre pas nettement distinctes entre elles les formes dont je parlais. Même dans la littérature, qui est l'art le plus élevé et le plus spirituel, ces formes se confondent souvent. La forme lyrique [3] est, de fait, le plus simple vêtement verbal d'un instant d'émotion, un cri rythmique, pareil à ceux qui jadis excitaient l'homme tirant sur l'aviron ou roulant des pierres vers le haut d'une pente. Celui qui profère ce cri est plus conscient de l'instant d'émotion que de soi-même en train d'éprouver cette émotion. La forme épique la plus simple émerge de la littérature lyrique lorsque l'artiste s'attarde et insiste sur lui-même comme sur le centre d'un événement épique ; cette forme progresse jusqu'au moment où le centre de gravité émotionnelle se trouve équidistant de l'artiste et des autres. Le récit, dès lors, cesse d'être purement personnel. La personnalité de l'artiste passe dans son récit, fluant interminablement autour des personnages et de l'action, comme une mer vitale. Tu peux constater facilement cette progression dans la vieille ballade anglaise, *Turpin Hero* [4], qui commence à la première personne et finit à la troisième. On atteint la forme dramatique lorsque la vitalité, qui avait flué et tourbillonné autour des personnages, remplit chacun de ces personnages avec une force telle que cet homme ou cette femme en reçoit une vie esthétique propre et intangible. La personnalité de l'artiste, d'abord cri,

cadence, ou état d'âme [1], puis récit fluide et miroitant,
se subtilise enfin jusqu'à perdre son existence, et, pour
ainsi dire, s'impersonnalise. L'image esthétique exprimée dramatiquement, c'est la vie purifiée dans l'imagination humaine et reprojetée par celle-ci. Le mystère
de la création esthétique, comme celui de la création
matérielle, est accompli. L'artiste, comme le Dieu de la
création, reste à l'intérieur, ou derrière, ou au-delà, ou
au-dessus de son œuvre, invisible, subtilisé, hors de
l'existence [2], indifférent, en train de se limer les
ongles [3].

— Essayant de les subtiliser aussi, hors de l'existence », fit Lynch.

Une pluie fine s'était mise à tomber du ciel haut et
voilé et ils tournèrent dans la Pelouse Ducale [4] pour
gagner la Bibliothèque Nationale avant l'averse.

Lynch demanda d'un ton bourru :

« À quoi rime ton laïus sur la beauté et l'imagination
dans cette île de malheur, abandonnée de Dieu ? Ce
n'est pas étonnant que l'artiste se soit retiré dans son
œuvre, ou derrière, après avoir perpétré un pays
pareil. »

La pluie tombait plus fort. Ayant franchi le passage
voisin du palais Kildare, ils aperçurent une foule
d'étudiants qui s'étaient mis à l'abri sous les arcades
de la bibliothèque [5]. Cranly, adossé à un pilier, se
curait les dents avec une allumette taillée, écoutant la
conversation de quelques camarades. Plusieurs jeunes
filles se tenaient à la porte. Lynch dit à l'oreille de
Stephen :

« Ta bien-aimée est là. »

Stephen se plaça en silence sur une marche, au-
dessous du groupe d'étudiants, insoucieux de la pluie
qui tombait dru, tournant de temps à autre ses regards
vers la jeune fille. Elle aussi se tenait silencieuse au

milieu de ses compagnes. « Il lui manque un prêtre pour flirter avec », pensa Stephen avec une amertume consciente, se rappelant l'attitude où il l'avait surprise la dernière fois. Lynch avait raison. La pensée de Stephen, vidée de ses théories et de son courage, retombait dans une quiétude indifférente.

Il écouta les propos des étudiants. Ceux-ci parlaient de deux de leurs amis qui venaient de passer le dernier examen de médecine, des chances qu'ils avaient de trouver des postes sur des transatlantiques, des clientèles pauvres ou riches.

« Tout ça c'est de la blague. Une clientèle de campagne en Irlande vaut bien mieux.

— Hynes a passé deux ans à Liverpool et il est de cet avis-là. Il paraît que c'est un trou abominable. Travail de sage-femme, rien de plus. Des visites à quatre sous.

— Tu prétends qu'il vaut mieux se fixer par ici en pleine campagne, que dans une ville riche comme celle-là ? Moi je connais un type...

— Hynes est un crétin, il n'est arrivé qu'à force de bûcher et c'est tout.

— Ne t'occupe pas de lui. On peut gagner de l'argent tant qu'on en veut, dans une grande ville commerçante.

— Ça dépend de la clientèle.

— *Ego credo ut vita pauperum est simpliciter atrox, simpliciter et absolute atrox in Liverpoolio*[1]. »

Leurs voix semblaient arriver de très loin aux oreilles de Stephen, en une pulsation saccadée. La jeune fille s'apprêtait à s'en aller avec ses compagnes.

L'averse légère, rapide, avait cessé de tomber, s'attardant en grappes de diamants parmi les arbustes de la cour où s'élevait une exhalation de la terre noircie[2]. Les jeunes filles, sur les marches de la colonnade, faisaient babiller leurs coquettes bottines, causaient posément et gaiement, regardaient les nuages, levaient leurs parapluies à angles subtils contre les dernières gouttes de pluie, les refermaient de nouveau, tenaient leurs jupes d'un air modeste.

Et s'il avait porté sur elle un jugement trop brutal? Peut-être sa vie était-elle un simple rosaire d'heures, une existence aussi simple et étrange que celle d'un oiseau, joyeuse au matin, agitée le long du jour, lasse au déclin du soleil? Un cœur simple et opiniâtre comme un cœur d'oiseau?

*

Un peu avant l'aube, il s'éveilla. Quelle douce musique! Son âme tout entière était baignée de rosée. Sur ses membres pendant le sommeil, de pâles ondes fraîches de lumière venaient de glisser. Il restait immobile comme si son âme était couchée parmi de fraîches eaux, écoutant une vague et douce musique. Sa pensée s'éveillait lentement à la vibrante connaissance matinale, à l'inspiration du matin. Un esprit entrait en lui, pur comme l'eau la plus limpide, doux comme la rosée, émouvant comme la musique. Mais comme il s'insufflait légèrement en lui, avec quelle impassibilité, comme si les séraphins mêmes l'effleuraient de leur haleine[1]. Son âme s'éveillait lentement, redoutant de se réveiller complètement. C'était l'heure de l'aube où nul vent ne palpite, l'heure où la folie s'éveille, où les plantes étranges s'ouvrent à la lumière, où la phalène prend son vol en silence[2].

Un enchantement du cœur[3]! La nuit avait été enchantée. Dans un rêve ou dans une vision, il venait de connaître l'extase de la vie séraphique[4]. Cet enchantement avait-il duré un seul instant ou bien de longues heures, des jours, des années, des siècles?

L'instant d'inspiration semblait être réfléchi maintenant de tous côtés à la fois, par une multitude de circonstances nébuleuses, de faits qui s'étaient produits ou qui auraient pu se produire. Cet instant avait éclaté comme un point de lumière, et maintenant, sur les nuages superposés des circonstances incertaines, une forme confuse apparaissait, voilant suavement la lueur attardée. Ah! Dans le sein virginal de l'imagination, le verbe s'était fait chair[1]. Le séraphin Gabriel avait visité la chambre de la vierge. Dans l'esprit que la flamme blanche venait de quitter, un reflet attardé se fit plus intense, devint une lumière rose et ardente. Cette lumière rose et ardente, c'était son cœur à Elle, étrange et opiniâtre, — étrange parce que aucun homme ne l'avait connu, ne le connaîtrait jamais; opiniâtre depuis avant le commencement du monde; et, attirés par ces lueurs de rose ardente, les chœurs des séraphins tombaient des cieux[2].

> *N'es-tu point lasse des ardents détours,*
> *Toi le leurre des séraphins déchus?*
> *Ne dis plus l'enchantement des jours.*

Ces vers passèrent de son esprit à ses lèvres; en les répétant tout bas, il sentit passer en eux le mouvement rythmique d'une villanelle[3]. La rose de lueurs exhalait des rayons de rimes : détours, jours, amour pur, azur. La chaleur de ces rayons détruisait le monde environnant, consumait les cœurs des hommes et des anges — et ces rayons venaient de la rose qui était son cœur à Elle, son cœur opiniâtre.

> *Le cœur de l'homme, tes yeux l'ont embrasé d'amour*
> *Et soumis au gré de ton vouloir subtil.*
> *N'es-tu point lasse des ardents détours?*

Et puis ? Le rythme mourut peu à peu, se tut, reprit son mouvement, son battement. Et puis ? Fumées, encens qui s'élève sur l'autel du monde :

> *Haute est la flamme, mais plus haut, plus pur,*
> *Monte l'encens de gloire dans l'espace.*
> *Ne dis plus l'enchantement des jours.*

Un nuage montait de la terre entière, des océans embrumés : l'encens de sa gloire. La terre n'était plus qu'un encensoir balancé, cadencé, une boule d'encens, une boule ellipsoïdale [1]... Le rythme mourut aussitôt : le cri du cœur venait de se briser. Stephen se mit à répéter tout bas, du bout des lèvres, les premiers versets ; puis il les reprit, butant aux hémistiches, bégayant et frustré ; puis il s'arrêta. Le cri de son cœur était brisé.

L'heure voilée, où nul vent ne palpite, n'était plus et derrière les vitres de la fenêtre nue, la clarté du matin s'amassait déjà. Quelque part, très loin, une cloche sonna mollement. Un oiseau modula son gazouillis ; un autre ; un autre encore. La cloche et l'oiseau se turent ; la monotone clarté blanche s'étendit de l'est à l'ouest, recouvrant le monde entier, recouvrant la lueur rose au cœur de Stephen.

Dans sa crainte que tout ne fût perdu pour lui, il se souleva brusquement sur le coude, cherchant un papier, un crayon. Il n'y en avait point sur la table ; il n'y avait là que l'assiette dans laquelle il avait mangé du riz pour son souper, le chandelier avec ses vrilles de bougie et sa bobèche de papier, roussie par la dernière flamme. D'un geste las, il étendit le bras vers le pied du lit, fouilla les poches du veston qui y était suspendu. Ses doigts rencontrèrent un crayon, puis un paquet de cigarettes. Il s'étendit de nouveau, éventra le paquet, posa la dernière cigarette sur le rebord de la fenêtre et se mit à inscrire les strophes de la villanelle en petits caractères réguliers sur le carton rugueux.

Après les avoir écrites, il reposa la tête sur l'oreiller bosselé, et répéta encore ces strophes. Les bosses de bourre noueuses sous sa tête lui rappelèrent les bosses de crin du sofa sur lequel il avait coutume de s'asseoir dans son salon à Elle[1], souriant ou grave, se demandant pourquoi il était venu, mécontent d'elle et de lui-même, consterné par l'image du Sacré-Cœur[2] au-dessus d'un buffet vacant. Il la vit venir à lui, à un moment où les conversations avaient cessé, le priant de chanter une de ses chansons si curieuses. Puis il se vit installé devant le vieux piano, plaquant doucement des accords sur les touches mouchetées et chantant, au milieu des conversations qui se levaient de nouveau dans la pièce, chantant, pour la jeune fille accoudée à la cheminée, quelque exquise chanson du temps d'Élisabeth, — triste et douce complainte à contrecœur[3], chant de victoire d'Azincourt[4], refrain joyeux des Manches-Vertes[5]. Tout le temps qu'il chantait et qu'elle écoutait ou faisait semblant d'écouter, son cœur était au repos; mais dès que prenaient fin les chansons surannées, dès qu'il entendait de nouveau les voix environnantes, son propre sarcasme lui revenait à l'esprit : « La maison où l'on appelle les jeunes gens par leur prénom un peu trop tôt[6]. »

À certains moments le regard de la jeune fille semblait sur le point de se confier à lui; mais il avait toujours attendu en vain. Maintenant elle passait légère et dansait dans son souvenir, telle qu'il l'avait vue un soir, au bal du carnaval, sa robe blanche un peu relevée, une grappe de fleurs blanches frémissant dans ses cheveux. Elle dansait, légère, dans la ronde[7].

Elle venait à lui en dansant, et tandis qu'elle s'approchait, son regard se détournait un peu et une faible rougeur colorait sa joue. Pendant la chaîne, au temps d'arrêt, il avait tenu un instant sa main dans la sienne, comme une délicate marchandise.

« On ne vous voit plus guère !

— C'est vrai. J'étais né pour faire un moine.

— J'ai bien peur que vous ne soyez un hérétique.

— Vous avez si peur que cela ? »

Pour toute réponse elle s'était éloignée, suivant la chaîne, dansant légèrement, discrètement, sans se livrer à quiconque. La grappe de fleurs blanches frémissait en cadence ; et lorsqu'elle se trouvait dans l'ombre, la rougeur de ses joues semblait plus vive.

Un moine ! Sa propre image surgit devant ses yeux : profanateur de cloître, franciscain hérétique, voulant et ne voulant pas servir, tissant tel Gherardino da Borgo San Donnino[1] un souple filet de sophismes[2], et murmurant à l'oreille de la jeune fille.

Non, ce n'était pas là son image. Cela ressemblait à l'image du jeune prêtre avec qui il l'avait aperçue pour la dernière fois, à qui elle faisait des yeux de tourterelle en jouant avec les pages de son glossaire irlandais[3].

« Oui, oui, les dames commencent à venir à nous. Je le constate chaque jour. Les dames sont de notre côté. Ce sont les meilleurs soutiens de notre langue.

— Et l'Église, n'est-ce pas, père Moran ?

— Et l'Église, parfaitement. L'Église y vient. Là aussi, le progrès est sensible. N'ayez crainte en ce qui concerne l'Église. »

Bah ! Il avait bien fait de quitter la pièce avec dédain. Il avait bien fait de ne pas la saluer, sur l'escalier de la bibliothèque. Il avait bien fait de la laisser flirter avec son curé, de la laisser badiner avec cette Église, souillon de la chrétienté.

Une colère brutale, grossière chassa de son âme les derniers vestiges de l'extase ; sa violence brisa la douce image de la jeune fille et en rejeta les débris de tous côtés. De tous côtés, des reflets déformés de cette image reparurent dans sa mémoire : c'était la petite marchande de fleurs déguenillée, aux cheveux rudes et mouillés, au visage garçonnier, celle qui s'intitulait « sa bonne amie » et lui demandait de l'étrenner, la laveuse de vaisselle dans la maison voisine, chantant par-dessus le bruit des assiettes, à la manière traînante d'un chanteur campagnard, les premières mesures de *Lacs et montagnes de Killarney*[1] ; une fille qui avait éclaté de rire en le voyant trébucher, quand la semelle déchirée de son soulier s'était prise dans une grille du trottoir, près de Corkhill, une autre, dont la bouche petite et mûre avait attiré son regard, à la sortie de la biscuiterie Jacob[2], et qui lui avait crié par-dessus l'épaule :

« Ça te plaît, c'que tu vois, cheveux plats et sourcils frisés[3] ? »

Et cependant, il sentait que sa colère même était une nouvelle forme d'hommage rendu à l'image qu'il insultait et raillait ainsi. Le dédain avec lequel il avait quitté la salle d'études n'avait pas été absolument sincère, car il songeait que le secret de sa race demeurait peut-être derrière le regard de ces yeux sombres sur lesquels les longs cils projetaient une ombre rapide. En marchant par les rues, ce jour-là, il s'était dit, avec amertume, qu'elle était l'image typique de la femme de son pays, une âme de chauve-souris qui s'éveille à la conscience dans les ténèbres, le secret et la solitude, s'attardant un instant, sans amour et sans péché, près d'un amant bénin puis le quittant pour murmurer le récit de ses innocentes transgressions à l'oreille grillagée d'un prêtre[4]. La colère à son endroit se débonda en grossières invectives contre son galant, dont le nom, la voix, la physionomie offusquaient l'orgueil frustré de Stephen. Un paysan enfroqué, frère d'un policier de Dublin et d'un garçon de café de Moycullen[1] ! Et c'est devant cet homme-là qu'elle allait dévoiler la nudité craintive de son âme, devant cet homme-là qui avait tout bonnement appris à accomplir un rite purement formel, et non devant lui, Stephen, prêtre de l'imagination éternelle, capable de transformer le pain quotidien de l'expérience en un corps radieux de vie impérissable.

La rayonnante image de l'eucharistie rassembla de nouveau en un instant ses pensées d'amertume et de désespoir, et leur cri monta, ininterrompu, en une hymne d'action de grâces :

Nos cris brisés, nos chants tristes et lourds
Montent en un hymne eucharistique.
N'es-tu point lasse des ardents détours ?

Les mains pieuses dressent vers l'azur
La plénitude sainte du calice.
Ne dis plus l'enchantement des jours.

Il redit les vers à voix haute depuis le commencement, jusqu'à ce que leur musique et leur rythme eussent inondé son esprit en y propageant une tranquille indulgence ; puis il les recopia péniblement afin de les mieux sentir en les voyant écrits ; puis il se recoucha sur son traversin.

Il faisait maintenant grand jour. Pas un son ne se faisait entendre ; mais il savait que, tout autour de lui, la vie allait s'éveiller avec des bruits vulgaires, des voix rudes, des prières somnolentes. Dans un mouvement de répugnance pour cette vie, il se tourna vers le mur,

disposa la couverture en capuchon sur sa tête[1] et
se mit à regarder les fleurs écarlates trop épanouies
du papier déchiré. Il essaya de réchauffer sa joie
déclinante à leur rouge reflet, en imaginant depuis
sa couche jusqu'au ciel une allée de rosiers toute
jonchée de fleurs écarlates. Quelle lassitude! Lui
aussi, il était las des ardents détours.

Une tiédeur progressive, une langueur de lassitude se répandit en lui, descendant de la tête encapuchonnée, glissant le long de la colonne verté-
brale. Il la sentit descendre, et sourit de se voir tel
qu'il était là, couché. Bientôt le sommeil allait
venir.

Après dix ans d'intervalle, il avait de nouveau
écrit des vers pour elle. Dix ans auparavant, elle
avait son châle en capuchon sur la tête; elle
envoyait dans l'air du soir des bouffées de sa tiède
respiration, ses pieds tapotaient le verglas de la
route[2]. C'était le dernier tram; les maigres chevaux
bruns le savaient et secouaient leurs grelots dans la
nuit limpide en manière d'admonition. Le receveur
causait avec le cocher et tous deux dodelinaient
souvent de la tête sous la lumière verte de la lanterne. Lui et elle se tenaient sur les marches du
tram, lui en haut, elle en bas. Elle montait très
souvent, entre les phrases, sur sa marche à lui,
puis redescendait et une ou deux fois elle resta
près de lui, oubliant de descendre, puis redescendit.
Laissons tomber!

Dix ans séparaient sa folie actuelle de cette
sagesse de l'enfance. S'il lui envoyait des vers? On
les lirait au petit déjeuner, tout en tapotant les
œufs à la coque. Quelle folie, vraiment! Les frères
de la jeune fille riraient en s'entr'arrachant le feuillet avec leurs doigts vigoureux et durs. Son oncle,

le prêtre suave trônant dans son fauteuil, tiendrait le papier à distance, le lirait en souriant et exprimerait son approbation de la forme littéraire[1].

Non, non, c'était de la folie. Même s'il lui envoyait ses vers, elle ne les montrerait pas aux autres. Non, non, elle ne pouvait pas faire cela.

Il commençait à sentir qu'il avait été injuste envers elle. Il la trouvait innocente jusqu'à la prendre en pitié. Cette innocence, il ne l'avait comprise qu'au moment où le péché lui en avait communiqué la notion; cette innocence, elle ne l'avait point comprise elle-même, pendant qu'elle la possédait, avant d'avoir subi l'étrange humiliation de la nature féminine[2]. Alors seulement son âme avait commencé à vivre, tout comme son âme à lui, à partir de son premier péché et une tendre compassion remplit son cœur au souvenir de sa pâleur frêle, de ses yeux humiliés et affligés par la honte obscure de sa féminité[3].

Où se trouvait-elle, pendant que son âme à lui passait de l'extase à la langueur? Pouvait-il se faire, selon les voies mystérieuses de la vie spirituelle, que dans ces moments précis son âme eût conscience de l'hommage qu'il lui adressait? Cela se pouvait[4].

Un ardent désir attisa son âme, enflamma, accomplit son corps. Consciente de ce désir, elle s'éveillait de son odorant sommeil, la tentatrice de la villanelle[5]. Ses yeux, sombres et langoureux, s'ouvraient devant ses yeux à lui. Sa nudité pliait devant lui, radieuse, tiède, odorante et, les membres généreux, l'enveloppait comme un nuage lumineux, elle l'enveloppait comme de l'eau, d'une vie fluide; et, tel un nuage de vapeur ou telle une eau baignant de toutes parts l'espace, les lettres liquides de la parole, symboles de l'élément mystérieux, débordèrent du cerveau de Stephen :

N'es-tu point lasse des ardents détours,
Toi le leurre des séraphins déchus ?
Ne dis plus l'enchantement des jours.

Le cœur de l'homme, tes yeux l'ont embrasé d'amour
Et soumis au gré de ton vouloir subtil.
N'es-tu point lasse des ardents détours ?

Haute est la flamme, mais plus haut, plus pur,
Monte l'encens de gloire dans l'espace.
Ne dis plus l'enchantement des jours.

Nos cris brisés, nos chants tristes et lourds
Montent en un hymne eucharistique.
N'es-tu point lasse des ardents détours ?

Les mains pieuses dressent vers l'azur
La plénitude sainte du calice.
Ne dis plus l'enchantement des jours.

Mais tu retiens tous nos regards impurs.
L'œil langoureux,
N'es-tu point lasse des ardents détours ?
Ne dis plus l'enchantement des jours[1].

*

Quels oiseaux étaient-ce donc ? Il s'arrêta sur l'escalier de la bibliothèque pour les regarder, en s'appuyant d'un air las sur sa canne de frêne. Ils volaient en rond autour de l'angle en saillie d'une maison de Molesworth street[2]. Dans l'atmosphère d'une des dernières soirées de mars, leur vol était net, leurs formes som-

bres, frémissantes, dardées, passaient, nettes, sur le
ciel comme sur quelque voile d'un bleu vaporeux et
ténu, suspendu mollement.

Il observa leur vol : un oiseau après l'autre ; un éclair
sombre, un crochet, un nouvel éclair, un brusque écart,
une courbe, un frisson d'ailes. Il essaya de les compter
avant que tous ces corps dardés et frémissants eussent
disparu : six, dix, onze... et il se demanda si leur
nombre était pair ou impair. Douze, treize, — car deux
autres descendaient en spirale du fond du ciel. Ils
volaient tantôt plus haut, tantôt plus bas, mais toujours tout en rond, en lignes unies et courbes, toujours
de gauche à droite, tournant autour de quelque temple
aérien.

Il écouta leurs cris : c'était comme le petit cri de
souris derrière une boiserie, une note double, aiguë.
Mais ces notes étaient prolongées, aiguës, en vrilles
tournoyantes, différentes du piaillement des bestioles
terrestres, tombant en tierce ou en quarte et montant
en trilles tandis que les becs fuyants fendaient l'air.
Aiguës, claires et fines, elles retombaient comme des
fils de lumière soyeuse se dévidant de quelque bobine
tournoyante.

Ces clameurs inhumaines apaisèrent ses oreilles où
les sanglots et les reproches de sa mère murmuraient
encore avec insistance, et ces corps sombres, frêles et
frémissants, qui tournaient et battaient des ailes et
viraient autour du temple aérien dans le ciel ténu,
apaisèrent ses yeux qui voyaient toujours l'image du
visage maternel.

Que cherchait-il, debout sur les marches du perron,
levant le regard, écoutant ce double cri aigu, observant
leur vol ? Attendait-il quelque présage bon ou mauvais[1] ? Une phrase de Cornelius Agrippa traversa son
esprit d'un coup d'aile[2], puis, de-ci de-là, voletèrent

des pensées informes de Swedenborg sur les correspon-
dances entre les oiseaux et les choses de l'intellect, sur
le fait que les créatures de l'air possèdent un savoir et
reconnaissent les heures et les saisons parce que,
contrairement à l'homme, elles vivent selon l'ordre de
leur existence et n'ont point perverti cet ordre par la
raison [1].

Et depuis des siècles, les hommes levaient comme lui
les yeux vers des vols d'oiseaux. La colonnade au-
dessus de sa tête évoquait vaguement pour lui un
temple antique et la canne de frêne sur laquelle il
s'appuyait d'un air las, le bâton courbé d'un augure.
Une crainte confuse de l'inconnu s'agitait au cœur de
sa lassitude, la crainte des symboles et des présages, de
l'homme-faucon dont il portait le nom, s'évadant de sa
captivité sur des ailes d'osier tressé, de Thoth, le dieu
des écrivains, écrivant avec un roseau sur une tablette
et portant sur son étroite tête d'ibis le croissant
cornu [2].

Il sourit en pensant à l'image de ce dieu, car elle lui
rappelait un juge à perruque, avec un nez en forme de
bouteille, ajoutant des virgules à un document qu'il
tenait à distance; et il savait qu'il n'aurait jamais
retenu le nom de ce dieu si ce nom n'eût ressemblé à un
juron irlandais. C'était de la folie. Pourtant, était-ce à
cause de cette folie qu'il était sur le point de quitter
pour toujours la maison de prière et de prudence où il
était né, et l'ordre de l'existence d'où il était issu?

Les oiseaux revenaient avec des cris aigus au-dessus
de l'angle saillant de la maison, et passaient, noirs sur
le jour pâlissant. Quels oiseaux étaient-ce? Il pensa
que ce devaient être des hirondelles revenues du Midi.
Alors, il devait s'en aller, puisque ces oiseaux allaient
et venaient sans cesse, construisant des demeures
éphémères sous les toits de l'homme, et sans cesse,

sans cesse quittant les demeures qu'ils s'étaient faites
pour s'en aller errer ailleurs.

> *Inclinez vos visages, Oona et Aleel.*
> *Je les contemple comme l'hirondelle*
> *Contemple au bord du toit le nid,*
> *Avant l'envol errant sur les eaux qui résonnent*[1].

Une douce joie liquide, comme le bruit des eaux
multiples, inonda sa mémoire et il sentit dans son
cœur la douce sérénité des espaces tranquilles, d'un
ciel ténu, pâlissant au-dessus des eaux, du silence
océanique, des hirondelles envolées à travers le crépuscule marin sur les eaux mouvantes.

Une douce joie liquide ruisselait à travers ces
paroles où les voyelles douces et longues s'entrecho-
quaient sans bruit, et retombaient, se repliaient sur
elles-mêmes, et refluaient, agitant sans cesse les
cloches blanches de leurs vagues, tintement, et caril-
lon muet, et tendre appel évanescent ; et il sentit que
le présage qu'il avait cherché dans le vol dardé et
tournoyant des oiseaux, dans la pâle étendue du ciel
au-dessus de sa tête, était sorti de son cœur comme
un oiseau d'une tourelle, tranquillement et rapidement.

Symbole de départ, ou bien de solitude ? Les vers
qui venaient de chanter à l'oreille de son souvenir
composèrent lentement devant ses yeux la salle du
théâtre national, le soir de l'ouverture[2]. Il se trouvait
seul sur un côté du balcon, regardant de ses yeux
blasés la culture de Dublin aux fauteuils d'orchestre,
les décors clinquants et les poupées humaines encadrées par les lumières crues de la scène. Un gros
agent de police, derrière lui, suait et semblait vouloir, d'une minute à l'autre, passer à l'action. Des

étudiants, camarades de Stephen, éparpillés dans la salle, lançaient par rafales des cris d'animaux, des sifflets, des huées.

« On diffame l'Irlande !

— Made in Germany !

— Blasphèmes !

— Nous n'avons jamais vendu notre foi !

— Jamais une Irlandaise n'a fait ça !

— À bas les athées amateurs !

— À bas les apprentis bouddhistes ! »

Un brusque sifflement bref tomba des fenêtres sous lesquelles se tenait Stephen et il sut qu'on venait d'allumer les lampes électriques dans la salle de lecture. Il entra dans le vestibule à colonnes, calmement éclairé à présent, monta l'escalier et passa le tourniquet cliquetant.

Cranly était assis à l'opposé du côté des dictionnaires. Un gros livre, ouvert au frontispice, était posé devant lui, sur le support de bois. Il se penchait en arrière sur sa chaise, l'oreille tendue comme celle d'un confesseur vers le visage de l'étudiant en médecine qui lui lisait un problème dans la rubrique des échecs d'un journal. Stephen se plaça à sa droite. À ce moment un prêtre assis de l'autre côté de la table referma avec un claquement son numéro des *Tablettes*[1] et se leva.

Cranly le regarda partir d'un air placide et vague. L'étudiant en médecine reprit plus bas :

« Pion à la quatrième du roi.

— Nous ferions mieux de nous en aller, Dixon, avertit Stephen ; il est allé se plaindre. »

Dixon replia le journal, se leva avec dignité et dit :

« Nos hommes se retirèrent en bon ordre.

— Avec armes et bétail, ajouta Stephen, désignant le titre du livre de Cranly : *Les Maladies du bœuf*[2]. »

Dans le passage entre les rangées des tables, Stephen dit :

« Cranly, j'ai à te parler[1]. »

Cranly ne répondit ni ne se retourna. Il mit son livre sur le comptoir et se dirigea vers la sortie, ses pieds bien chaussés se posant avec un bruit net sur le sol. Dans l'escalier il s'arrêta, regarda Dixon d'un air absent et répéta :

« Pion à cette sacrée quatrième du roi.

— Appelle ça comme tu voudras », fit Dixon.

Il possédait une voix tranquille, blanche, des manières polies, et à un doigt de sa main grasse et propre il laissait apercevoir de temps à autre une bague avec son cachet.

Tandis qu'ils traversaient le vestibule, un homme de stature lilliputienne vint à leur rencontre. Sous le dôme d'un chapeau minuscule, son visage mal rasé montra un sourire de satisfaction et il fit entendre un léger murmure. Ses yeux étaient mélancoliques comme ceux d'un singe.

« Bonsoir, capitaine, dit Cranly en s'arrêtant.

— Bonsoir, messieurs, dit cette figure hirsute et simiesque.

— Il fait chaud pour un mois de mars, dit Cranly : on a ouvert les fenêtres, là-haut. »

Dixon sourit et retourna sa bague. La physionomie de singe, noiraude et ratatinée, plissa sa bouche humaine avec une expression de tranquille contentement et sa voix ronronna :

« Un temps délicieux pour un mois de mars. Absolument délicieux.

— Il y a deux charmantes jeunes dames, là-haut, capitaine, impatientes de vous voir », fit Dixon.

Cranly sourit et dit avec bienveillance :

« Le capitaine n'a qu'un amour : sir Walter Scott[1]. N'est-ce pas, capitaine ?

— Que lisez-vous en ce moment, capitaine ? demanda Dixon. *La Fiancée de Lammermoon* ?

— J'adore ce vieux Scott, prononcèrent les lèvres mobiles, je trouve qu'il a écrit des choses charmantes. Il n'y a pas d'écrivain qui vaille sir Walter Scott. »

Il agitait doucement dans l'air une petite main brune, ratatinée, scandant son éloge, et ses paupières fines et vives battaient de façon répétée sur ses yeux tristes.

Plus triste encore à l'oreille de Stephen était son parler : un accent de bon ton, bas, humide, gâché par des fautes ; et tout en l'écoutant, Stephen se demandait si l'histoire qui courait sur lui était vraie, et si réellement le sang appauvri de ce corps ratatiné était noble, et issu d'un amour incestueux[2] ?

Les arbres du parc étaient lourds de pluie et la pluie tombait encore et toujours dans le lac gris, gisant tel un bouclier. Une troupe de cygnes passa, et l'eau et le rivage furent tachés de leur fange blanche et verdâtre. Le couple s'enlaçait doucement, sous l'influence du jour humide et gris, des arbres mouillés et calmes, de la présence complice du lac en bouclier, des cygnes. Ils s'enlaçaient sans joie, sans passion ; il entourait du bras le cou de sa sœur. Elle portait un manteau de laine, gris, drapé obliquement de l'épaule à la taille et sa tête blonde s'inclinait avec une pudeur consentante. Le frère avait des cheveux flottants, brun-rouge, des mains tendres, bien modelées, fortes, avec des taches de rousseur. Visage ? Aucun visage n'était visible. Le visage du frère était penché sur la chevelure de la sœur, blonde, odorante de pluie. Cette main aux taches de rousseur, bien modelée, et forte, et caressante, c'était la main de Davin.

Stephen fronça les sourcils, furieux contre sa propre

pensée et contre l'homuncule rabougri qui l'avait provoquée. Les sarcasmes de son père sur la clique de politiciens de Bantry[1] reparurent d'un bond dans sa mémoire. Il les tint à distance et, mal à l'aise, revint ruminer ses propres pensées. Pourquoi donc ces mains n'étaient-elles pas celles de Cranly ? Était-ce que la simplicité et l'innocence de Davin l'avaient touché de façon plus secrète ?

Il continua de traverser le vestibule avec Dixon, laissant Cranly prendre congé du nain, non sans recherche.

Sous la colonnade, Temple se tenait au milieu d'un petit groupe d'étudiants. L'un d'eux cria :

« Dixon, approche et écoute ! Temple est dans une forme superbe. »

Temple tourna vers lui ses yeux noirs de bohémien.

« Tu n'es qu'un hypocrite, O'Keeffe, dit-il. Et Dixon n'est qu'un sourieur. Par l'enfer, voilà, je crois, une excellente expression littéraire ! »

Il riait d'un rire sournois, regardant Stephen et répétant :

« Par l'enfer, ce terme me plaît ! Un sourieur. »

Un gros étudiant qui se tenait quelques marches plus bas, dit :

« Revenons à cette maîtresse, Temple. C'est ça qui nous intéresse.

— Il en avait une, je vous en donne ma parole, dit Temple. Et il était marié, par-dessus le marché. Et tous les prêtres allaient dîner là-bas. Par l'enfer, je crois bien qu'ils ont tous trempé là-dedans.

— C'est ce qu'on appelle monter une rosse pour ménager le cheval de course, fit Dixon.

— Dis donc, Temple, fit O'Keeffe, combien de bocks as-tu dans le ventre ?

— Toute ton âme intellectuelle[2] est dans cette

question, O'Keeffe », répondit Temple avec un mépris manifeste.

Il fit le tour du groupe, d'un pas traînant, pour aborder Stephen.

« Savez-vous que les Forster sont rois de Belgique ? » demanda-t-il.

Cranly parut à la porte du vestibule, le chapeau sur la nuque et se curant les dents avec minutie.

« Voici le prétendu puits de science, dit Temple. Connaissez-vous cette histoire des Forster ? »

Il attendit une réponse. Cranly délogea de ses dents un pépin de figue au bout de son cure-dent primitif et se mit à l'examiner avec soin[1].

« La famille des Forster, disait Temple, descend de Baudoin Premier, roi des Flandres, surnommé le Forestier. Forestier et Forster, c'est le même nom. Un descendant de Baudoin Ier, le capitaine Francis Forestier, s'établit en Irlande et épousa la fille du dernier chef de Clanbrassil. Il y a aussi les Blake-Forster ; c'est une autre branche[2].

— De Baldhead[3], roi des Flandres, répéta Cranly en recommençant à explorer, d'un air dégagé, ses dents découvertes et brillantes.

— Où as-tu ramassé toute cette histoire ? demanda O'Keeffe.

— Je connais également toute l'histoire de votre famille à vous, dit Temple, s'adressant à Stephen. Savez-vous ce que dit Giraldus Cambrensis au sujet de votre famille[4] ?

— Il descend de Baudoin, lui aussi ? demanda un grand étudiant poitrinaire aux yeux noirs.

— De Baldhead, répéta Cranly en aspirant à travers un interstice de ses dents.

— *Pernobilis et pervetusta familia*[5] », dit Temple s'adressant toujours à Stephen.

Le gros étudiant placé au-dessous d'eux sur les marches lâcha brusquement un pet. Dixon se tourna vers lui et dit d'une voix suave :

« Est-ce un ange qui vient de parler[1] ? »

Cranly se retourna aussi et dit avec véhémence, mais sans colère :

« Goggins, tu es le plus abject de tous les sacrés cochons que j'aie jamais vus, tu sais ?

— J'ai dit ce que je pensais, répondit fermement Goggins. Ça n'a fait de mal à personne, n'est-ce pas ?

— Nous espérons, fit Dixon avec aménité, que cela n'appartient pas au genre scientifiquement défini comme un *paulo post futurum*[2].

— Ne vous ai-je pas dit que Dixon était un sourieur ? dit Temple, en se tournant à droite et à gauche. Ne lui ai-je pas donné ce nom ?

— Oui, tu l'as dit. Nous ne sommes pas sourds », répliqua le grand étudiant poitrinaire.

Cranly regardait toujours sévèrement le gros garçon placé au-dessous de lui. Puis, avec un grognement de dégoût, il le poussa violemment en bas.

« Va-t'en d'ici, fit-il. Va-t'en, pot puant ! car tu n'es qu'un pot puant. »

Goggins sauta sur le gravier, puis aussitôt reprit allégrement sa place. Temple se tourna de nouveau vers Stephen et demanda :

« Croyez-vous aux lois de l'hérédité ?

— Es-tu soûl, ou quoi ? qu'est-ce que tu bafouilles ? demanda Cranly en le dévisageant avec une expression de stupeur.

— La phrase la plus profonde qui ait jamais été écrite, dit Temple avec enthousiasme, c'est la dernière phrase du livre de zoologie : La reproduction est le commencement de la mort[3]. »

Il effleura timidement le coude de Stephen et dit avec vivacité :

« Sentez-vous combien c'est profond, vous qui êtes un poète ? »

Cranly tendit son index très long :

« Contemplez-le, dit-il aux autres d'un air méprisant : Contemplez l'espoir de l'Irlande ! »

Un rire général salua ses paroles et son geste. Temple se retourna bravement et dit :

« Cranly, vous vous moquez toujours de moi. Je m'en aperçois, allez ! Mais je vous vaux bien, moi ! Savez-vous ce que je pense quand je nous compare l'un à l'autre ?

— Mon brave garçon, fit Cranly avec urbanité, tu es incapable, vois-tu, absolument incapable de penser quoi que ce soit.

— Mais savez-vous, continua Temple, ce que je pense en nous comparant l'un à l'autre ?

— Accouche, Temple ! cria de sa marche le gros étudiant. Sors-nous ça en petits morceaux ! »

Temple se tourna à droite, à gauche, parlant avec des gestes saccadés et mous.

« Je suis un couillon, dit-il, en secouant la tête d'un air navré. Je le suis, et je le sais. Et j'avoue que je le suis. »

Dixon lui tapota l'épaule en disant avec douceur :

« Et cela te fait honneur, Temple !

— Mais lui, fit Temple en désignant Cranly, c'est un couillon tout comme moi. Seulement il ne le sait pas. Voilà la seule différence que j'y vois ! »

Une explosion de rires couvrit ses paroles. Mais il se tourna vers Stephen et dit avec une soudaine animation :

« C'est un mot des plus intéressants. C'est le seul duel [1] de la langue anglaise. Vous le saviez ?

— Ah ! Vraiment ? » fit Stephen vaguement.

Il était occupé à observer le visage aux traits fermes et douloureux de Cranly, éclairé à cet instant par un sourire de feinte patience. Le mot grossier semblait avoir glissé sur lui comme une eau sale sur une antique figure de pierre, résignée aux injures ; et tandis que Stephen l'observait, il le vit saluer quelqu'un en soulevant son chapeau, découvrant ses cheveux noirs, dressés au-dessus du front comme une couronne de fer.

Au même instant, elle sortit du portique de la bibliothèque et, par-dessus la tête de Stephen, répondit au salut de Cranly [1]. Lui aussi ? La joue de Cranly ne venait-elle pas de rougir légèrement ? Ou bien était-ce à cause des propos de Temple ? La lumière avait baissé. Il ne pouvait pas voir.

Cela expliquait-il le silence distrait de son ami, ses commentaires bourrus, les soudaines explosions de grossièreté par lesquelles il avait si souvent mis en miettes les confidences ardentes et fantasques de Stephen ? Stephen avait excusé tout cela, car cette rudesse, il la trouvait également en lui-même. Et il se souvenait d'un certain soir où il était descendu d'une grinçante bicyclette d'emprunt pour prier Dieu dans un bois voisin de Malahide [2]. Il avait levé les bras et, en extase, s'était adressé à la sombre nef des arbres, avec la conscience de fouler un sol sacré en une heure sacrée. Et au moment où deux agents de police se montrèrent au tournant de la route obscure, il avait interrompu sa prière pour siffler bruyamment un refrain de la dernière pantomime.

Il se mit à taper le socle d'un pilier avec le bout émoussé de sa canne de frêne. Cranly ne l'aurait-il pas entendu ? Et cependant il pouvait attendre. Autour de lui les conversations s'arrêtèrent un instant et un sifflement léger descendit à nouveau des fenêtres d'en haut. Mais nul autre son ne retentissait dans l'air et les hirondelles que son regard oisif avait suivies dormaient maintenant.

Elle venait de passer dans le crépuscule. Et c'est pourquoi l'air n'était que silence, interrompu par le seul sifflement léger qui tombait d'en haut. Et c'est pourquoi les langues bavardes s'étaient tues autour de lui. L'ombre tombait.

L'ombre tombe de l'air [1]

Une joie frémissante l'effleura, un miroitement de lumière pâle joua autour de lui comme un essaim de fées. Mais pourquoi donc? Était-ce le passage de la jeune fille dans l'atmosphère assombrie, ou bien ce vers avec ses voyelles noires, sa sonorité initiale, pleine comme un chant de luth?

Il s'achemina lentement vers l'ombre plus dense au bout de la colonnade, frappant légèrement la pierre avec sa canne pour dissimuler sa rêverie aux yeux des camarades dont il s'éloignait. Alors il laissa son esprit évoquer le siècle de Dowland [2], de Byrd [3] et de Nash.

Des yeux qui s'entrouvraient de toute la noirceur du désir, des yeux qui obscurcissaient l'orient éclos. Leur charme languide était-il autre chose que la mollesse du libertinage? Et leur éclat était-il autre chose que celui de l'écume mantelant le cloaque de la cour d'un Stuart baveux [4]? Et il goûtait, à travers le langage du souvenir, des vins couleur d'ambre, de mourantes chutes d'airs suaves, l'orgueilleuse pavane; et il voyait, par les yeux du souvenir, des dames de Covent Garden pleines d'indulgence, qui, du haut de leurs balcons à l'envi mimaient des baisers et les putains des tavernes mangées par la vérole et les jeunes épouses qui, joyeuses de céder à leurs ravisseurs, baisaient à bouche-que-veux-tu.

Ces images qu'il avait volontairement suscitées ne lui apportèrent point de plaisir. Elles étaient secrètes, et embrasantes, mais son image à elle n'était point saisie dans leur enchevêtrement. Ce n'était pas ainsi qu'il fallait penser à elle. Ce n'était même pas ainsi qu'il y pensait. Ne pouvait-il donc se fier à son propre esprit ? De vieilles phrases qui n'avaient qu'une saveur exhumée, comme les pépins que Cranly extirpait d'entre ses dents brillantes [1].

Ce n'était ni de la pensée, ni une vision, bien qu'il sût vaguement que la figure de la jeune fille s'en allait à ce moment même vers sa demeure, à travers la cité. Vaguement d'abord, puis plus distinctement, il sentit le parfum de son corps. Une agitation consciente se mit à bouillonner dans son sang. Oui, c'était bien l'odeur de son corps ; parfum sauvage et languide : ces membres tièdes que la musique de son poème avait baignés du flot de son désir, ce linge secret et doux sur lequel sa chair distillait l'arôme et la rosée.

Un pou rampait sur la nuque de Stephen. Il l'attrapa en introduisant adroitement le pouce et l'index sous son col lâche. Il roula un instant entre ses doigts ce corps tendre et cependant croquant comme un grain de riz, avant de le laisser tomber, se demandant s'il allait vivre ou mourir. Il lui vint à l'esprit une phrase curieuse de Cornelius à Lapide, disant que les poux engendrés par la sueur humaine n'ont pas été créés par Dieu le sixième jour, avec les autres animaux [2]. Cependant sous la démangeaison de sa peau, à la nuque, son esprit lui-même semblait écorché à vif. La pensée de son corps, mal vêtu, mal nourri, dévoré de poux, lui fit fermer les paupières, dans un brusque spasme de désespoir ; et dans l'ombre il vit les petits corps de poux, brillants et croquants, tomber à travers l'air en tournant sur eux-mêmes bien des fois dans leur chute. Oui, et ce n'était pas du tout l'ombre qui tombait de l'air. C'était la clarté :

La clarté tombe de l'air.

Il n'avait même pas été capable de bien retenir ce vers de Nash. Toutes les images évoquées par ce vers étaient fausses. Son esprit engendrait de la vermine. Ses pensées étaient des poux nés de la sueur de la veulerie.

Il revint à pas rapides le long de la colonnade vers le groupe des étudiants. Eh bien, qu'elle s'en aille, qu'elle s'en aille au diable ! Libre à elle d'aimer quelque athlète bien propre, qui se lave tous les jours jusqu'à la ceinture et qui a des poils noirs sur la poitrine. Tant mieux pour elle.

Cranly avait sorti une nouvelle figue sèche de la réserve qu'il portait dans sa poche et la mangeait lentement, bruyamment. Temple était assis sur le socle d'un pilier, bien adossé, la casquette abaissée sur ses yeux somnolents. Un jeune homme trapu passa sous le portique, une serviette de cuir sous l'aisselle [1]. Il se dirigea vers le groupe en frappant le dallage avec ses talons et avec le bout ferré de son lourd parapluie. Puis, levant ce dernier en manière de salut, il dit à la ronde :

« Messieurs, bonsoir ! »

Il frappa de nouveau le dallage en gloussant, la tête agitée d'un léger tremblement nerveux. Le grand étudiant poitrinaire, Dixon et O'Keeffe, occupés à parler en irlandais, ne répondirent point. Alors, s'adressant à Cranly, il dit :

« Bonsoir à vous en particulier. »

Il le désigna avec son parapluie, et il gloussa à nouveau. Cranly, qui mâchait encore sa figue, répondit en remuant bruyamment les maxillaires :

« Bon ? Oui. C'est un bon soir, en effet. »

L'étudiant trapu le considéra gravement, puis secoua doucement son parapluie en signe de réprobation.

« Je vois, dit-il, que vous êtes disposé à constater des évidences.

— Hum ! » répondit Cranly, tendant une figue à moitié rongée et la balançant en direction de la bouche de l'étudiant trapu, pour inviter celui-ci à la manger.

L'étudiant trapu ne la mangea point, mais cédant à son humeur particulière, dit posément sans cesser de glousser et de pointer sa phrase avec son parapluie :

« Voulez-vous dire par là que... ? »

Il s'interrompit, désigna carrément la pulpe mâchée de la figue, puis ajouta à voix haute :

« Je fais allusion à ceci.

— Hum, fit Cranly comme tout à l'heure.

— Entendez-vous cela, dit l'étudiant trapu, *ipso facto* ou bien, mettons, comme une façon de parler ? »

Dixon s'écarta de son groupe et dit :

« Goggins vous attendait, Glynn. Il est allé jusqu'à l'Adelphi [1] pour vous chercher, vous et Moynihan. Qu'avez-vous là-dedans ? demanda-t-il en tapotant la serviette que Glynn tenait sous le bras.

— Des copies d'examen, répondit Glynn. Je leur fais passer des examens mensuels pour m'assurer qu'ils profitent de mon enseignement. »

Il tapota à son tour la serviette, toussa doucement et sourit.

« Enseignement ! fit Cranly d'une voix rude. Vous parlez de ces petits va-nu-pieds instruits par un sacré macaque de votre espèce ! Que Dieu les protège. »

Il mordit le reste de la figue et lança la queue au loin.

« Je laisse venir à moi les petits enfants », dit Glynn, affable.

Cranly répéta avec force :

« Sacré macaque. Et un macaque blasphémateur, encore ! »

Temple se leva, et, se plaçant devant Cranly, s'adressa à Glynn :

« La phrase que vous venez de prononcer se trouve dans le Nouveau Testament, à propos des enfants qu'il faut laisser venir à soi.

— Retourne dormir, Temple, dit O'Keeffe.

— Eh bien, c'est entendu, continua Temple, mais si Jésus laissait venir les enfants, comment se fait-il que l'Église les envoie en enfer s'ils meurent sans baptême ? Comment cela se fait-il ?

— As-tu été baptisé toi-même, Temple ? demanda l'étudiant poitrinaire.

— Eh bien, pourquoi est-ce qu'on les envoie en enfer, puisque Jésus a dit qu'ils devaient tous venir à lui ? » poursuivait Temple fouillant des yeux le regard de Glynn.

Glynn toussa et dit posément, réprimant avec peine son gloussement nerveux et agitant son parapluie à chaque mot :

« Comme vous le faites observer, si les choses sont dans cet état, je demande avec force d'où provient cet état de choses ?

— De ce que l'Église est cruelle comme tous les pécheurs invétérés, dit Temple.

— Es-tu absolument orthodoxe sur ce point, Temple ? fit Dixon d'un ton suave.

— Saint Augustin a dit ça, reprit Temple, au sujet des enfants non baptisés qui vont en enfer, parce que lui-même n'était qu'un de ces pêcheurs invétérés et cruels.

— Je m'incline devant toi, fit Dixon ; cependant je croyais me rappeler que, pour ces cas-là, il existait des limbes.

— Ne discute pas avec lui, Dixon, dit Cranly brutalement. Ne lui parle pas et ne le regarde pas. Reconduis-le chez lui avec un licou comme on mène une chèvre bêlante.

— Limbes ! s'écria Temple. Voilà encore une belle invention. C'est comme l'enfer.

— Moins les désagréments », ajouta Dixon.

Il se retourna en souriant vers les autres et dit :

« Je crois représenter l'opinion de toute l'assemblée en m'exprimant ainsi :

— Certainement, dit Glynn avec énergie : sur ce point, l'Irlande est unie [1]. »

Il frappa du bout de son parapluie le dallage de la galerie.

« L'enfer ! dit Temple. J'ai du respect pour cette invention de l'épouse grise de Satan. L'enfer, c'est romain, comme les murailles romaines, c'est puissant et laid. Mais qu'est-ce que les limbes ?

— Remets le bébé dans sa poussette, Cranly », cria O'Keeffe.

Cranly fit un pas brusque vers Temple, s'arrêta, tapa du pied et cria comme à une volaille :

« Kschch ! »

Temple recula avec agilité et cria :

« Savez-vous ce que c'est que les limbes ? Savez-vous comment nous appelons les choses de ce genre chez nous, à Roscommon ?

— Kschch ! oust ! criait Cranly en claquant des mains.

— " Ni cul ni coude ! " criait Temple avec mépris.
Voilà ce que c'est que les limbes.

— Passe-moi donc ce bâton », dit Cranly.

Il arracha la canne de frêne de la main de Stephen et
d'un bond descendit les marches. Mais Temple l'avait
entendu se préparer à la poursuite ; il s'élança dans le
crépuscule comme un animal sauvage aux pieds légers.
On entendit les lourdes bottes de Cranly résonner au
pas de charge à travers la cour, puis revenir lourdement, bredouilles, chassant le gravier à chaque pas.

Sa démarche dénotait la colère ; d'un brusque mouvement rageur, il rejeta la canne dans les mains de
Stephen. Celui-ci entrevoyait une autre cause de cette
colère ; mais, feignant la patience, il toucha légèrement
le bras de Cranly et dit avec calme :

« Cranly, je t'ai déjà dit que je voulais te parler.
Viens-t'en[1]. »

Cranly le regarda pendant quelques instants, puis
demanda :

« Tout de suite ?

— Oui, tout de suite, dit Stephen. Il est impossible
de causer ici ; viens-t'en. »

Ils traversèrent la cour sans parler. Quelqu'un
modula doucement, derrière eux, sur les marches du
portique, l'appel de l'oiseau de Siegfried[2]. Cranly se
retourna ; Dixon, qui venait de siffler, les interpellait.

« Où allez-vous, les amis ? Et cette partie, Cranly ? »

Ils parlementèrent à grands cris à travers l'air
tranquille, au sujet d'une partie de billard qui devait
avoir lieu à l'hôtel Adelphi[3]. Stephen continua à
marcher seul et sortit dans la paisible Kildare Street
en face de l'hôtel Maple, il s'arrêta, patientant de
nouveau. Le nom de cet hôtel[4], un bois incolore et poli,
la façade incolore du bâtiment, le blessèrent comme un
regard de politesse méprisante. Il répondit par un

regard de colère vers le salon doucement éclairé, où il imaginait installées en paix les existences bien lisses des patriciens de l'Irlande. Leurs pensées étaient pleines de grades militaires, d'intendants de domaines ; à la campagne, le long des routes, les paysans les saluaient ; ils connaissaient le nom des plats français et certains donnaient des ordres à leurs cochers avec des voix criardes de provinciaux qui perçaient à travers leur accent bien ajusté [1].

Comment frapper leur conscience, comment projeter son ombre sur l'imagination de leurs filles, avant que leurs cavaliers les eussent fécondées, afin de leur faire engendrer une race moins ignoble que la leur ? Et sous le crépuscule plus dense, il sentait les pensées et les désirs de la race à laquelle il appartenait, voletant comme des chauves-souris par les sentes nocturnes, sous les arbres, au bord des ruisseaux, et près des marais constellés d'étangs. Il y avait une femme qui attendait devant sa porte, la nuit, lorsque Davin passa ; et, tout en lui offrant une tasse de lait, elle l'avait presque entraîné dans son lit ; car Davin avait le regard doux de quelqu'un qui sait garder un secret. Mais lui, Stephen, aucun regard de femme ne l'avait recherché.

Son bras fut vigoureusement empoigné et la voix de Cranly dit :

« Retirons-nous mêmement. »

Ils se dirigèrent en silence vers le sud de la ville. Cranly dit alors :

« Quel grotesque crétin que ce Temple ! Je jure par Moïse, sais-tu, que j'aurai sa peau un de ces jours. »

Cependant sa voix n'était plus courroucée et Stephen se demanda s'il pensait au salut que la jeune fille lui avait adressé sous le portique.

Ils prirent à gauche et marchaient comme avant, en silence. Au bout de quelque temps, Stephen dit :

« Cranly, j'ai eu une discussion pénible, ce soir [1].

— Avec les tiens ? demanda Cranly.

— Avec ma mère.

— À propos de religion ?

— Oui », répondit Stephen.

Après une pause, Cranly demanda :

« Quel âge a ta mère ?

— Pas très âgée, dit Stephen. Elle veut que je fasse mes Pâques [2].

— Et toi ?

— Je ne veux pas, dit Stephen.

— Pourquoi ? dit Cranly.

— Je ne veux pas servir, répondit Stephen.

— Quelqu'un a déjà fait cette objection avant toi, dit tranquillement Cranly.

— Et je la fais maintenant à mon tour », répliqua Stephen avec chaleur.

Cranly pressa le bras de Stephen

« Doucement, mon bonhomme [3] ! Tu es un type bougrement irritable, sais-tu ? »

Un rire nerveux accompagnait ses paroles et, fixant sur le visage de Stephen un regard ému et amical, il dit :

« Sais-tu que tu es un type irritable ?

— Je le crois, dit Stephen », riant aussi.

Leurs esprits, après un récent éloignement, semblaient s'être rapprochés soudain.

« Crois-tu en l'eucharistie ? demanda Cranly.

— Non, dit Stephen.

— Tu refuses d'y croire, alors ?

— Je n'y crois pas et je ne refuse pas d'y croire non plus, répondit Stephen.

— Beaucoup de gens, même parmi les croyants, éprouvent des doutes ; pourtant ils arrivent à les surmonter ou à les écarter, dit Cranly. Tes doutes à toi, sur ce point, sont-ils trop forts ?

— Je n'ai pas le désir de les surmonter », répondit Stephen.

Momentanément embarrassé, Cranly sortit une nouvelle figue de sa poche et se disposait à la manger, lorsque Stephen dit :

« Ne fais pas cela, je t'en prie. On ne peut pas discuter sur ces choses-là, la bouche pleine de figues mâchées. »

Cranly examina la figue à la clarté du réverbère sous lequel il s'était arrêté. Puis il la flaira des deux narines, en mordit une parcelle, la recracha et lança violemment la figue dans le ruisseau ; puis, l'apostrophant tandis qu'elle gisait là, il prononça :

« Éloignez-vous de moi, maudits, dans le feu éternel[1] ! »

Il reprit le bras de Stephen, se remit en marche et dit :

« Ne crains-tu pas que ces paroles te soient adressées au jour du jugement[2] ?

— Et qu'est-ce qui m'est offert d'autre part ? demanda Stephen. Une béatitude éternelle en compagnie du doyen des études ?

— Souviens-toi qu'il serait glorifié[3], fit Cranly.

— Certes, dit Stephen non sans amertume ; il est brillant, agile, impassible et, par-dessus tout, subtil.

— C'est une chose bien curieuse, sais-tu, dit Cranly d'un air détaché, de voir combien ton esprit est sursaturé de cette religion à laquelle tu déclares ne pas croire. Y croyais-tu quand tu étais à l'école ? Je parie que oui.

— J'y croyais, répondit Stephen.

— Étais-tu plus heureux alors ? demanda Cranly avec douceur. Plus heureux que maintenant, par exemple[1] ?

— J'étais heureux souvent, dit Stephen, et souvent malheureux. J'étais quelqu'un d'autre, en ce temps-là.

— Comment, quelqu'un d'autre ? Qu'entends-tu par cette déclaration ?

— J'entends, dit Stephen, que je n'étais pas ce que je suis aujourd'hui, ce que je devais devenir.

— Pas ce que tu es aujourd'hui, pas ce que tu devais devenir, répéta Cranly. Permets-moi de te poser une question. Aimes-tu ta mère ? »

Stephen secoua la tête lentement.

« Je ne sais pas ce que signifient tes paroles, dit-il avec simplicité[2].

— As-tu jamais aimé qui que ce soit ? demanda Cranly.

— C'est-à-dire des femmes ?

— Ce n'est pas de cela que je parle, dit Cranly sur un ton plus froid. Je te demande si tu as jamais ressenti de l'amour pour quelqu'un ou pour quelque chose ? »

Stephen continua à marcher à côté de son ami, fixant un regard sombre sur le trottoir.

« J'ai essayé d'aimer Dieu, dit-il à la fin. Il apparaît aujourd'hui que je n'ai pas réussi. C'est très difficile. J'ai essayé d'unir ma volonté avec la volonté de Dieu, minute par minute. En cela je n'ai pas toujours échoué. Cela, je pourrais peut-être le faire encore[3]... »

Cranly coupa court en demandant :

« Ta mère a-t-elle eu une existence heureuse ?

— Qu'est-ce que j'en sais ? dit Stephen.

— Combien d'enfants a-t-elle eus ?

— Neuf ou dix, répondit Stephen. Quelques-uns sont morts[4].

— Ton père était-il... » Cranly s'interrompit un instant ; puis il dit : « Je ne veux pas m'immiscer dans tes affaires de famille. Mais ton père était-il, comme on dit, dans l'aisance : Je veux dire au moment où tu grandissais ?

— Oui, dit Stephen.

— Qu'est-ce qu'il était ? » demanda Cranly après une pause.

Stephen se mit à énumérer avec faconde les attributs de son père :

« Étudiant en médecine, champion d'aviron, ténor, acteur amateur, politicien braillard, petit propriétaire terrien, petit rentier, grand buveur, bon garçon, conteur d'anecdotes, secrétaire de quelqu'un, quelque chose dans une distillerie, percepteur de contributions, banqueroutier et actuellement laudateur de son propre passé[1]. »

Cranly se mit à rire en serrant plus étroitement le bras de Stephen. Il dit :

« La distillerie fait bougrement bien, là-dedans !

— Y a-t-il autre chose que tu désires savoir ? demanda Stephen.

— Êtes-vous à l'abri du besoin pour le moment ?

— Est-ce que j'en ai l'air ? riposta Stephen.

— Eh bien, donc, continua Cranly d'un air méditatif, tu es né dans l'opulence. »

Il prononça cette phrase à haute et intelligible voix, comme il prononçait souvent des expressions techniques, en ayant l'air de laisser entendre à son auditeur qu'il usait de ces termes sans aucune conviction[2].

« Ta mère a dû traverser pas mal d'épreuves, dit-il ensuite. Ne veux-tu pas essayer de lui en épargner d'autres, même si... ou bien le veux-tu ?

— Si j'en avais la possibilité, dit Stephen, cela ne me coûterait pas grand-chose.

— Alors fais-le, dit Cranly. Fais ce qu'elle te

demande. Qu'est-ce que cela représente pour toi ? Tu n'y crois pas. C'est une formalité, rien de plus. Et tu lui auras rendu la tranquillité d'esprit. »

Il s'arrêta et, Stephen ne répliquant point, il demeura silencieux. Puis, comme exprimant le cours de ses propres pensées, il dit :

« Si tout le reste est incertain sur ce tas de fumier puant qu'est la terre, l'amour d'une mère ne l'est pas. Notre mère nous met au monde, elle nous porte d'abord dans son propre corps. Que savons-nous de ce qu'elle peut ressentir ? Mais, quoi que cela puisse être, ce qu'elle ressent, cela du moins est réel. Cela doit l'être, nécessairement. Que sont nos idées à nous, nos ambitions ? Un jeu. Des idées ! Voyons, même cette sacrée chèvre bêlante de Temple a des idées ; Mac Cann aussi a des idées. N'importe quel âne bâté s'imagine qu'il a des idées. »

Stephen, qui avait prêté l'oreille, derrière ces paroles, à un discours inexprimé, dit avec une indifférence d'emprunt :

« Pascal, si je ne me trompe, ne pouvait souffrir que sa mère l'embrassât, tant il redoutait le contact de son sexe [1].

— Pascal était un cochon, dit Cranly.

— Saint Louis de Gonzague était, je crois, du même avis [2].

— Alors, c'était un cochon, lui aussi, dit Cranly.

— L'Église, objecta Stephen, dit que c'était un saint.

— Je me fous complètement de savoir ce qu'en disent les autres, trancha Cranly rude et carré : moi je dis que c'est un cochon. »

Stephen, préparant soigneusement chaque mot avant de le prononcer, continua :

« Jésus, lui aussi, semble avoir traité sa mère en public sans courtoisie superflue, mais Suarez, théologien jésuite et gentilhomme d'Espagne, a fait des excuses en son nom[1].

— L'idée ne t'est-elle jamais venue, demanda Cranly, que Jésus n'était pas ce qu'il prétendait être ?

— Le premier qui a eu cette idée, répondit Stephen, c'est Jésus lui-même[2].

— Je veux dire ceci, fit Cranly avec une intonation plus dure : n'as-tu jamais eu l'idée qu'il était lui-même un hypocrite conscient, un sépulcre blanchi, ainsi qu'il appelait les Juifs de son époque ? Ou, pour parler net, que c'était une canaille ?

— Cette idée ne m'est jamais venue à l'esprit, répondit Stephen. Mais je serais curieux de savoir si tu es en train d'essayer de me convertir ou de te pervertir[3] ? »

Il se tourna vers son ami et découvrit sur son visage un sourire fruste, qu'un effort de volonté essayait de rendre subtilement significatif.

Cranly demanda soudain sur un ton banal et raisonnable :

« Dis-moi la vérité : as-tu été choqué le moins du monde par mes paroles ?

— Un peu, répondit Stephen.

— Pourquoi donc te choquent-elles, insistait Cranly sur le même ton, si tu es sûr au fond de toi que notre religion est fausse, et que Jésus n'était pas le fils de Dieu ?

— Je n'en suis pas sûr du tout, dit Stephen. Il a l'air d'être plutôt un fils de Dieu qu'un fils de Marie.

— Et c'est pour cela que tu ne veux pas communier ? demanda Cranly, parce que tu n'es pas sûr de cela non plus, parce que tu sens que l'hostie, elle aussi, pourrait être vraiment la chair et le sang du fils de Dieu et non un morceau de pain ? Parce que tu as peur que ce ne soit vrai ?

— Oui, dit Stephen calmement. C'est cela que je sens et c'est de cela aussi que j'ai peur.

— Je vois », dit Cranly.

Stephen, frappé par son accent, qui semblait clore la discussion, rouvrit aussitôt celle-ci :

« J'ai peur de bien des choses : des chiens[1], des chevaux, des armes à feu, de la mer, de l'orage[2], des machines, des routes la nuit.

— Mais pourquoi as-tu peur d'une bouchée de pain ?

— Je m'imagine, dit Stephen, qu'il existe une réalité hostile derrière les choses dont j'avoue avoir peur.

— Tu as donc peur que le Dieu des catholiques romains ne te frappe de mort et ne te damne si tu fais une communion sacrilège ? demanda Cranly.

— Le Dieu des catholiques romains pourrait faire cela maintenant même, dit Stephen. Mais plus que cela, je redoute l'action chimique que produirait dans mon âme un faux hommage rendu à un symbole derrière lequel sont entassés vingt siècles d'autorité et de vénération.

— Consentirais-tu, dans le cas d'un danger extrême, à commettre ce sacrilège particulier ? demanda Cranly. Par exemple, si tu vivais à l'époque des lois pénales[3] ?

— Je ne puis répondre pour le passé, répliqua Stephen. Il est possible que non.

— Alors, dit Cranly, tu n'as pas l'intention de te faire protestant ?

— J'ai dit que j'avais perdu la foi, répondit Stephen, mais je n'ai pas dit que j'avais perdu le respect de moi-même. Quelle sorte de délivrance y aurait-il à répudier une absurdité logique et cohérente pour en embrasser une autre, illogique et incohérente[4] ? »

Ils avaient continué à marcher en direction de la commune de Pembroke[5] et maintenant, tandis qu'ils s'avançaient lentement parmi les avenues, les arbres et les lumières éparses des villas apaisaient leurs esprits. L'atmosphère de luxe et de quiétude qui régnait autour d'eux semblait réconforter leur indigence. Derrière une haie de lauriers, une lumière scintillait à la fenêtre d'une cuisine et l'on entendait la voix d'une servante qui chantait en aiguisant ses couteaux. Elle chantait, en cadences brèves et rompues, *Rosie O'Grady*.

Cranly s'arrêta pour l'écouter, disant :

« *Mulier cantat.* »

La tendre beauté du mot latin effleura l'obscurité du soir d'un contact enchanteur, plus léger, plus persuasif que l'effleurement de la musique ou celui d'une main de femme. Le conflit qui avait opposé leurs esprits était apaisé. La figure de la femme, telle qu'elle apparaît dans la liturgie de l'Église, traversa l'obscurité en silence : forme vêtue de blanc, menue, élancée comme un adolescent, avec une ceinture tombante. Sa voix, frêle et haute comme celle d'un adolescent, se fit entendre dans un chœur, au loin, entonnant les premières paroles de femme qui percent l'ombre et la clameur du premier plain-chant de la Passion.

Et tu cum Jesu Galilœo eras [1].

Et tous les cœurs se laissaient toucher et se tournaient vers cette voix, brillant comme une jeune étoile, brillant plus clair lorsque la voix appuyait le proparoxyton, plus faiblement à mesure que mourait la cadence.

Le chant s'arrêta. Ils reprirent leur marche côte à côte ; Cranly répétait, en la scandant avec énergie, la fin du refrain :

> *Et quand nous serons mariés*
> *Oh ! quel bonheur nous aurons !*
> *Car j'aime la douce Rosie O'Grady*
> *Et Rosie O'Grady m'aime aussi.*

« Voilà de la vraie poésie, mon vieux, dit-il. Voilà de l'amour vrai. »

Il jeta un coup d'œil oblique vers Stephen avec un sourire étrange et dit :

« Considères-tu cela comme de la poésie ? Comprends-tu le sens des mots ?

— Il faut que je voie Rosie d'abord, dit Stephen.

— Elle n'est pas difficile à trouver », repartit Cranly.

Son chapeau avait glissé sur son front ; il le repoussa en arrière et, dans l'ombre des arbres, Stephen vit son visage pâle, encadré d'obscurité, avec ses yeux sombres. Oui, son visage était beau ; son corps était robuste et dur. Il avait parlé de l'amour d'une mère. Donc, il comprenait les souffrances des femmes, les faiblesses de leur corps et de leur âme ; et il saurait les protéger de son bras robuste et résolu, et saurait incliner son esprit devant elles.

Ainsi donc, au large ! Il est temps de partir. Une voix s'adressait doucement au cœur solitaire de Stephen, lui ordonnant de s'en aller, et lui annonçant que son amitié était sur le point de finir. Eh bien oui, il partirait. Il ne pouvait rivaliser avec un autre. Il connaissait son rôle.

« Il est probable que je vais m'en aller, dit-il.

— Où cela ? demanda Cranly.

— Où je pourrai, dit Stephen.

— Oui, fit Cranly. Il te serait peut-être difficile de vivre ici, maintenant. Mais est-ce bien cela qui te fait partir ?

— Il faut que je parte, répondit Stephen.

— Parce que, continua Cranly, si tu n'as pas envie de partir, il ne faut pas te croire chassé, ni te considérer comme un hérétique ou un hors-la-loi. Il y a beaucoup

de gens pieux qui pensent comme toi. Est-ce que cela
t'étonne ? L'Église, ce n'est pas seulement cet édifice de
pierre, ni même ce clergé avec ses dogmes. C'est tout
l'ensemble de ceux qui y sont nés. J'ignore ce que tu
veux faire dans l'existence. Feras-tu ce dont tu m'as
parlé l'autre soir devant la gare de Harcourt Street ?

— Oui, dit Stephen, souriant malgré lui de la
manière dont Cranly évoquait certaines pensées en se
rappelant certains endroits. Le soir où tu t'es cha-
maillé pendant une demi-heure avec Doherty[1] à propos du plus court chemin de Sallygap à Larras[2].

— Tête de pot ! fit Cranly avec un calme mépris.
Qu'est-ce qu'il en sait, du chemin de Sallygap à
Larras ? Et qu'est-ce qu'il sait sur n'importe quoi,
d'ailleurs, avec sa grosse tête de pot à eau qui
fuit ? »

Il partit d'un éclat de rire sonore et prolongé.

« Eh bien ? dit Stephen. Te rappelles-tu le reste ?

— C'est-à-dire ce que tu racontais ce jour-là ?
demanda Cranly. Oui, je me rappelle : Découvrir un
mode d'existence ou d'art grâce auquel ton esprit
pourrait s'exprimer avec une liberté absolue. »

Stephen souleva son chapeau en signe de remercie-
ment.

« La liberté ! répéta Cranly. Et pourtant tu n'es pas
encore assez libre pour commettre un sacrilège. Dis-
moi, commettrais-tu un vol ?

— Je commencerais par mendier, dit Stephen.

— Et si tu ne recevais rien, tu volerais ?

— Tu veux me faire dire, répondit Stephen, que les
droits à la propriété sont provisoires et que dans
certaines circonstances il n'est pas illicite de voler.
N'importe qui agirait selon ces principes. C'est pourquoi je ne te répondrai pas ainsi. Adresse-toi à Juan
Mariana de Talavera, le théologien jésuite : il t'expli-

quera aussi dans quelles circonstances il est permis
légalement d'assassiner son roi [1], et s'il est préférable
de lui offrir le poison dans une coupe ou bien d'en
enduire ses vêtements ou l'arçon de sa selle [2].
Demande-moi plutôt si je consentirais à me laisser
voler par les autres ou si, le cas échéant, j'aurais
recours contre eux à ce qu'on appelle, me semble-t-il,
le châtiment du bras séculier ?

— Eh bien, le ferais-tu ?

— Je crois que cela me serait aussi pénible que
d'avoir été volé.

— Je vois », dit Cranly.

Il sortit son allumette et se mit à curer un interstice
de ses dents. Puis il fit négligemment :

« Dis-moi, par exemple, déflorerais-tu une vierge [3] ?

— Pardon, dit Stephen d'un air poli : n'est-ce pas là
l'ambition de la plupart des jeunes messieurs ?

— Mais quel est ton point de vue à toi ? » demanda
Cranly.

Sa dernière phrase, avec son âcre odeur pareille à
celle du charbon fumant, avec son action déprimante,
excitait le cerveau de Stephen sur lequel ses fumées
semblaient s'attarder.

« Écoute-moi, Cranly, dit-il : tu m'as demandé ce
que je ferais et ce que je ne ferais pas. Je vais te dire ce
que je veux faire et ce que je ne veux pas faire. Je ne
veux pas servir ce à quoi je ne crois plus, que cela
s'appelle mon foyer, ma patrie ou mon Église. Et je
veux essayer de m'exprimer, sous quelque forme
d'existence ou d'art, aussi librement et aussi complètement que possible, en usant pour ma défense des seules
armes que je m'autorise à employer : le silence, l'exil et
la ruse [4]. »

Cranly le saisit par le bras et lui fit faire demi-tour,
de manière à reprendre la direction de Leeson Park. Il

riait presque sournoisement et pressait le bras de Stephen avec l'affection d'un aîné[1].

« La ruse, vraiment ! dit-il. Comme cela te ressemble ! Pauvre poète, va !

— Et tu m'as fait confesser cela, dit Stephen, troublé par son contact, comme je t'avais déjà confessé tant d'autres choses, n'est-ce pas ?

— Oui, mon enfant, dit Cranly avec la même gaieté qu'auparavant[2].

— Tu m'as fait avouer mes craintes. Mais je vais te dire aussi ce que je ne crains pas. Je ne crains pas d'être seul, ni d'être repoussé au profit d'un autre, ni de quitter quoi que ce soit qu'il me faille quitter. Et je ne crains pas de commettre une erreur, même grave, une erreur pour toute la vie, et pour toute l'éternité aussi, peut-être. »

Cranly, à nouveau grave, ralentit le pas et dit :

« Seul, tout seul. Tu ne crains pas cela. Et tu sais ce que ce mot veut dire ? Non seulement être séparé de tous les autres, mais encore n'avoir pas même un seul ami.

— Je prendrai ce risque[3], dit Stephen.

— Et n'avoir pas un être, dit Cranly, qui soit plus qu'un ami, plus même que le plus noble et le plus fidèle ami qu'un homme puisse posséder. »

Ses paroles semblaient faire vibrer quelque corde secrète de sa propre nature. Parlait-il de lui-même, de lui-même tel qu'il était ou désirait être ? Stephen épia son visage en silence pendant quelques instants. Il y régnait une froide tristesse. C'est de lui-même qu'il venait de parler, de sa propre solitude dont il avait peur.

« De qui parles-tu ? » demanda Stephen à la fin.

Cranly ne répondit pas.

*

20 mars. — Longue conversation avec Cranly au sujet de ma révolte. Il était dans un de ses jours solennels. Moi souple et suave. M'a entrepris sur le chapitre de l'amour dû à la mère. Essayé de me représenter sa mère : pas réussi. Il m'a dit un jour, dans un moment de distraction, que son père avait soixante et un ans lorsqu'il est né. Je le vois d'ici. Type de fermier robuste[1]. Complet poivre et sel. Pieds carrés. Barbe grise mal peignée. Va probablement aux courses canines. Paie le denier du culte au Père Dwyer de Larras régulièrement, mais modiquement. Cause parfois avec des filles, la nuit tombée. Mais la mère ? Très jeune ou très vieille ? Le premier est peu probable. Dans ce cas, Cranly n'eût point parlé comme il l'a fait. Donc, vieille. Vraisemblablement ; et délaissée. De là cette désespérance dans l'âme de Cranly : issu de flancs épuisés[2].

21 mars, matin. — Pensé à cela hier soir au lit, mais trop paresseux, trop libre pour développer. Libre, c'est bien cela. Les flancs épuisés sont ceux d'Élisabeth et de Zacharie. Donc, c'est lui le précurseur. Item : il se nourrit principalement de lard de poitrine et de figues sèches : lisez sauterelles et miel sauvage[3]. Aussi, en pensant à lui, ai-je toujours eu devant les yeux l'image d'une tête coupée, rigide, ou d'un masque mortuaire se détachant comme sur le fond d'un rideau gris ou d'une véronique. Ils appellent cela décollation, ceux du bercail. Intrigué un instant par saint Jean à la Porte Latine[4]. Que vois-je ? Un précurseur décollé essayant de crocheter la serrure.

21 mars, soir. — Libre. Âme libre, imagination libre. Laissons les morts ensevelir les morts[5]. Ouais. Et laissons les morts épouser les morts.

22 mars. — En compagnie de Lynch, suivi une infirmière de belle taille. Idée de Lynch. Déteste cela. Deux maigres lévriers faméliques trottant derrière une génisse[1].

23 mars. — Ne l'ai pas revue depuis l'autre soir. Indisposée ? Assise devant le feu, peut-être, avec le châle de maman sur les épaules. Mais pas maussade. « Une bonne petite bouillie ? Tu veux bien, dis ? »

24 mars. — Débuté par une discussion avec ma mère. Objet : B. V. M.[2]. Handicapé par mon sexe et ma jeunesse. Pour m'en tirer, opposé rapports entre Jésus et Papa, à ceux entre Marie et son fils. Dit que religion n'est pas une maternité. Mère indulgente, trouve que j'ai un esprit bizarre et que j'ai trop lu. Pas vrai. Ai peu lu, et encore moins compris. Puis elle dit que je reviendrai à la foi, parce que j'ai un esprit inquiet. Ce serait sortir de l'église par la petite porte du péché et y rentrer par la lucarne du repentir[3]. Peux pas me repentir. Le lui ai dit et lui ai demandé douze sous. Reçu six sous.

Ensuite parti pour collège. Nouvelle dispute avec le petit Ghezzi[4], tête ronde, œil coquin. Cette fois au sujet de Bruno de Nole. Commencé en italien, fini en pidgin. Il a dit que Bruno était un terrible hérétique. J'ai dit qu'il avait été terriblement brûlé[5]. Il admit cela avec quelque regret. Puis me donna la recette de ce qu'il appelle *risotto alla bergamasca*. Pour prononcer un *O* doux, il avance ses lèvres pleines et charnues comme s'il baisait la voyelle. A-t-il... ? Et a-t-il pu se repentir ? Oui, et même verser deux larmes de coquin, bien rondes, une de chaque œil.

En traversant Stephen's Green, c'est-à-dire mon parc à moi, me rappelai que ce sont ses compatriotes et non les miens qui ont inventé ce que Cranly, l'autre jour, appelait notre religion[6]. Un quatuor d'entre eux,

soldats du quatre-vingt-dix-septième régiment d'infan-
terie, étaient assis au pied de la croix et jouaient aux
dés le pardessus du crucifié[1].

Passé à la bibliothèque. Essayé de lire trois revues.
Inutile. Elle ne sort pas encore. Ai-je peur ? De quoi ?
De ce qu'elle ne sorte plus jamais.

Blake écrivait :

> *Je me demande si William Bond va mourir,*
> *Car assurément il est bien malade*[2].

Hélas, pauvre William !

Un jour, je suis allé voir un diorama à la Rotonde[3]. À
la fin, il y avait des portraits de gros bonnets, entre
autres William Ewart Gladstone[4], qui venait de mourir. L'orchestre jouait : *Ô Willie, vous nous manquiez.*

Race de culs-terreux !

25 mars, matin. — Une nuit de rêves agités. Besoin
d'en décharger ma poitrine.

Une longue galerie tournante. Du sol montent des
colonnes de vapeurs sombres. Elle est peuplée
d'images de rois fabuleux, enchâssés dans la pierre.
Leurs mains sont jointes sur leurs genoux en signe de
lassitude et leurs yeux sont obscurcis, car les erreurs
des hommes montent devant eux à jamais en sombres
vapeurs[5].

Des formes étranges s'avancent, comme sortant
d'une caverne. Elles ne sont pas aussi grandes que des
hommes. Elles ne semblent pas tout à fait détachées les
unes des autres. Leurs visages sont phosphorescents,
rayés d'ombres. Elles me scrutent du regard et leurs
yeux ont l'air de me demander quelque chose. Elles ne
parlent pas.

30 mars. — Ce soir Cranly était sous le portique de la
bibliothèque, en train de poser un problème à Dixon et

à son frère à elle : Une mère laisse tomber son enfant dans le Nil. (Encore l'histoire de la mère.) Un crocodile saisit l'enfant. La mère le réclame. Le crocodile consent, à condition qu'elle devine ce qu'il va faire : manger l'enfant, ou ne pas le manger[1].

Cette mentalité, dirait Lepidus, est en vérité issue de votre boue par l'opération de votre soleil[2].

Et la mienne ? Ne l'est-elle pas aussi ? Alors, flanquons-la dans la boue du Nil !

1er avril. — Désapprouve cette dernière phrase.

2 avril. — Je l'ai vue en train de prendre le thé et de manger des gâteaux chez Johnston, Mooney et O'Brien[3]. Ou plutôt c'est Lynch aux yeux de lynx qui l'a vue, comme nous passions. Il m'a dit que Cranly y avait été invité par le frère. Avait-il apporté son crocodile ? Est-ce lui, l'astre actuel ? Eh bien, c'est moi qui l'ai découvert. J'affirme que c'est moi. Il brillait tranquillement derrière un boisseau de son au Wicklow.

3 avril. — Rencontré Davin chez le marchand de cigares en face de l'église de Findlater[4]. Il avait un maillot noir et un bâton de hurley. M'a demandé si c'est vrai que je m'en vais et pourquoi. Lui ai dit que le plus court chemin pour Tara[5] passe par Holyhead[6]. À ce moment même mon père survint. Présentation. Père poli et scrutateur. Demanda à Davin s'il pouvait lui offrir un rafraîchissement. Davin ne put accepter ; allait à une réunion. Au retour, père me dit qu'il avait un regard brave et honnête. Me demanda pourquoi je ne faisais pas partie d'un club nautique. J'ai fait semblant d'y réfléchir. Me dit ensuite comment il avait brisé le cœur de Pennyfeather dans une course[7]. Désire me voir étudier le droit. Dit que cela m'irait comme un gant. Encore de la boue, encore des crocodiles.

5 avril. — Printemps sauvage. Nuages fuyants. Ô vie !

Noir torrent tourbillonnant d'eau bourbeuse, sur laquelle des pommiers ont laissé choir leurs fleurs délicates. Yeux de jeunes filles dans les feuillages. Jeunes filles modestes et turbulentes. Toutes blondes ou châtaines : pas de brunes. Elles rougissent mieux. Houp-là !

6 avril. — Il est certain qu'elle se souvient du passé. Lynch dit que toutes les femmes sont ainsi. Donc elle se rappelle le temps de son enfance, — et de la mienne, si tant est que j'aie jamais été enfant. Le passé se consume dans le présent, et le présent ne vit que parce qu'il donne naissance à l'avenir. Les statues de femmes, si Lynch a raison, devraient toujours être entièrement voilées, la main de la femme palpant avec regret sa propre partie postérieure.

6 avril, plus tard. — Michael Robartes se rappelle la beauté oubliée et lorsque ses bras l'enveloppent, il presse dans ses bras une splendeur depuis longtemps évanouie du monde[1]. Ce n'est pas cela. Pas cela du tout. Je désire presser dans mes bras la beauté qui n'a pas encore paru au monde.

10 avril. — À peine distinct, sous la nuit lourde, à travers le silence de la cité qui, après avoir rêvé, tombe dans un sommeil sans rêves, tel un amant rassasié que nulle caresse n'émeut, le son des sabots d'un cheval sur la route. Plus distinct maintenant à mesure qu'ils se rapprochent du pont ; puis, bientôt, à l'instant où ils passent devant les fenêtres obscurcies, leur alarme, comme une flèche, fend le silence. Maintenant on les entend au loin, sabots qui brillent comme des gemmes dans la nuit lourde, se hâtant par-delà les campagnes endormies, — vers quel terme de leur course ? Vers quel cœur ? Portant quel message[2] ?

11 avril. — Relu ce que j'avais écrit hier soir. Mots vagues pour traduire une émotion vague. Aimerait-elle cela ? Je crois que oui. En ce cas, je serais obligé d'aimer cela, moi aussi.

13 avril. — Ce « verseur » m'a longtemps tourmenté l'esprit. J'ai cherché ce mot, j'ai trouvé qu'il était bien anglais, du bon vieil anglais net et franc [1]. Au diable le doyen des études et son entonnoir. Est-ce qu'il vient ici pour nous apprendre sa langue ou pour l'apprendre de nous ? Que ce soit l'un ou l'autre, il peut aller au diable.

14 avril. — John Alphonsus Mulrennan est de retour après un voyage dans l'Ouest de l'Irlande. (Prière d'insérer dans les journaux d'Europe et d'Asie.) Il nous a raconté qu'il a rencontré là-bas un vieillard dans une cabane de la montagne. Vieillard avait des yeux rouges et une courte pipe. Vieillard parlait en irlandais. Mulrennan parla en irlandais. Puis Vieillard et Mulrennan parlèrent en anglais. Mulrennan lui parla de l'univers et des étoiles. Vieillard était assis, écoutait, fumait, crachait ; puis il dit :

« Ah, il doit bien y en avoir, des drôles de créatures à l'autre bout du monde [2] ! »

J'ai peur de lui. Peur de ses yeux pareils à de la corne et bordés de rouge. C'est contre lui que je dois me débattre tout le long de cette nuit, jusqu'à ce que vienne le jour, jusqu'à ce que l'un de nous tombe mort, lui ou moi, empoignant sa gorge noueuse jusqu'à ce que... Jusqu'à ce que quoi ? Jusqu'à ce qu'il me cède ? Non. Je ne lui veux aucun mal.

15 avril. — L'ai rencontrée aujourd'hui, à l'impro-viste, Grafton Street. La foule nous avait poussés l'un vers l'autre. Nous nous arrêtâmes tous deux. Elle me demanda pourquoi je ne venais plus jamais, me dit qu'elle avait entendu toutes sortes d'histoires sur mon compte. Ce n'était que pour gagner du temps. Elle me demanda si j'écrivais des poèmes. Sur qui ? lui dis-je. Cela ne fit que la troubler davantage, je m'en voulais, je me méprisais. Refermé immédiatement cette soupape et mis en œuvre l'appareil réfrigérant spirituo-héroïque, inventé et patenté dans tous les pays par Dante Alighieri. Parlé avec vélocité de moi-même et de mes projets. Au beau milieu de ce discours, j'ai fait malencontreusement un brusque geste d'un caractère révolutionnaire. J'ai dû avoir l'air d'un individu qui lance une poignée de petits pois dans l'espace. Les gens commençaient à nous regarder. Bientôt, elle me serra la main et dit en me quittant qu'elle espérait bien que je ferais ce que j'avais dit.

Eh bien, je trouve cela vraiment amical ; n'est-ce pas ?

Oui, elle m'a plu aujourd'hui. Un peu ou beaucoup ? Sais pas. Elle m'a plu, et cela m'est un sentiment tout nouveau. Alors, dans ce cas, tout le reste, tout ce que je pensais penser, et tout ce que je sentais sentir, tout le reste avant ce jour, en réalité... Oh ! laisse tomber, mon vieux ! Couche-toi là-dessus et dors !

16 avril. — Au large ! Au large [1] !

Sortilège des bras et des voix : bras blancs des routes, leurs promesses d'étreintes serrées, bras noirs de hauts navires dressés en défi vers la lune, leurs histoires de nations lointaines. Bras tendus pour dire : Nous sommes seuls. Viens ! Et les voix disent en même temps : Nous sommes de ton sang. Et l'air est tout plein de leur présence, tandis qu'ils m'appellent, moi l'un des leurs, et s'apprêtent à partir, secouant les ailes de leur exultante et terrible jeunesse [2].

26 avril. — Mère met en état mes nouveaux vêtements achetés d'occasion. Elle prie à présent, me dit-elle, pour que j'apprenne par ma propre existence, loin de ma famille et de mes amis, ce que c'est que le cœur et ce qu'il ressent. Amen. Ainsi soit-il. Bienvenue, ô vie [3] ! Je pars, pour la millionième fois, rencontrer la réalité de l'expérience et façonner dans la forge de mon âme la conscience incréée de ma race [1].

27 avril. — Antique père, antique artisan, assiste-moi maintenant et à jamais [2].

Dublin, 1904.
Trieste, 1914.

DOSSIER

BIOGRAPHIE
1882-1941

Nous ne fournissons ici que des indications sommaires. Pour une plus ample information, on pourra se reporter aux ouvrages suivants :

Richard Ellmann, *James Joyce,* nouvelle édition revue et augmentée, traduite de l'anglais par André Cœuroy et Marie Tadié, Gallimard, Tel, 2 vol., 1987 (édition originale en anglais 1959).

Stanislaus Joyce, *Le Gardien de mon frère,* traduit de l'anglais par Anne Grieve, avec une préface de T. S. Eliot et une introduction de Richard Ellmann, Gallimard, 1966 (édition originale en anglais : 1958).

Constantine Curran, *James Joyce Remembered,* Oxford University Press, 1968.

John Francis Byrne, *Silent Years : An Autobiography, with Memoirs of James Joyce and Our Ireland,* New York, Farrar, Straus and Young, 1953.

1882. *2 février :* Naissance de James Augustine Joyce à Rathgar, banlieue aisée de Dublin. Il sera l'aîné d'une famille fort nombreuse.

1888. James entre comme pensionnaire à Clongowes Wood College, dirigé par les jésuites. Il y restera jusqu'en 1891.

1893. James est inscrit à Belvedere College, Dublin, établissement scolaire jésuite. Sa famille commence à souffrir d'une situation financière difficile.

1894. Premiers succès scolaires, qui se répéteront les années suivantes et seront marqués par des prix assez prestigieux.

1895. *7 décembre :* James Joyce est admis dans la *Soaality of the Blessed Virgin Mary* (la Confrérie de la Vierge), dont il deviendra le préfet l'année suivante.

1896. Premières expériences sexuelles. Le *30 novembre,* début d'une retraite dont le souvenir marquera le *Portrait*. Il compose une série de sketches en prose, *Silhouettes*, et une série de poèmes, *Moods*.

1897. Il lit avec enthousiasme les œuvres de George Meredith, Thomas Hardy, et surtout Henrik Ibsen. Edward Martyn, George Moore et W. B. Yeats se concertent pour fonder un Théâtre Irlandais.

1898. James Joyce renonce à son projet d'entrer dans les ordres. En *janvier*, il monte au College la pièce de F. Anstey, *Vice-Versa*. En *septembre*, il entre à University College, Dublin, dirigé par les jésuites, pour y étudier les lettres anglaises, françaises et italiennes. Il lit Cavalcanti, Dante, D'Annunzio, mais également Giordano Bruno.

1899. *18 février :* Il est élu au bureau de la Société littéraire et historique de son université. *8 mai :* Première de la pièce de W. B. Yeats, *The Countess Cathleen*, qui suscite chahuts et pétitions.

1900. *20 janvier :* James Joyce prononce sa conférence « Le Drame et la vie » devant la Société littéraire et historique. En *avril* est publié dans *The Fortnightly Review* son compte rendu de *Quand nous nous réveillerons d'entre les morts*, sous le titre « Le Nouveau Drame d'Ibsen » ; Ibsen l'en remercie. Pendant l'été Joyce écrit quelques « épiphanies », quelques poèmes, et une pièce de théâtre aujourd'hui disparue, « Une brillante carrière »

1901. Pendant l'été, il tente de traduire deux pièces de Gerhart Hauptmann, *Michael Kramer* et *Vor Sonnenaufgang*.
Le *15 octobre*, il rédige son pamphlet dirigé contre le Théâtre National Irlandais récemment créé, « Le Triomphe de la canaille ».

1902. *1er février :* James Joyce donne une conférence sur le poète irlandais James Clarence Mangan, publiée en mai dans la revue de l'université.
9 mars : Mort de son frère George, auquel il était très attaché (plus tard, il donnera son nom à son fils).
En *avril*, à la veille d'obtenir sa licence de lettres (B. A.), il s'inscrit à l'École de Médecine de Dublin.
En *novembre*, départ pour Paris, où il envisage de poursuivre des études de médecine ; il doit renoncer à ce projet, et revient à Dublin à la fin de l'année.

1903. *Janvier :* Il retourne à Paris jusqu'en *avril* ; il y subsiste difficilement (leçons particulières, comptes rendus pour des journaux de Dublin), mais lit Aristote, saint Thomas, Ben Jonson, à la Nationale et à Sainte-Geneviève, ainsi que *Les lauriers sont coupés* (1887), d'Édouard Dujardin, où il prétendra plus tard avoir « découvert » le « monologue intérieur » ; il écrit quelques « épiphanies ».

13 août : Mort de sa mère.

1904. Joyce écrit le « Portrait de l'artiste » pour la revue dublinoise *Dana*, qui le refuse.

Février : Il décide de transformer ce texte en un long roman, *Stephen le Héros*, dont deux chapitres sont achevés à la fin de mars.

Mars : Il enseigne dans une école secondaire de Dalkey, près de Dublin.

Pendant toute cette période, il compose des poèmes, dont la plupart seront publiés dans *Musique de chambre* ; certains paraîtront au cours de l'année dans diverses revues anglaises. Il prend des leçons de chant, participe le *16 mai* au concours de chant du *Feis Ceoil*. Il envisage de chanter en public en s'accompagnant sur un luth, mais ne peut s'offrir l'instrument.

Le *10 juin*, rencontre de Nora Barnacle, qui devait devenir la compagne de sa vie. Le *16*, premier rendez-vous mémorable avec Nora (?) ; c'est en tout cas le jour où se déroule *Ulysse*.

Juillet : Composition du *Saint-Office*, satire en vers des milieux littéraires dublinois, qui sera imprimée l'année suivante à Trieste.

13 août : Publication dans *The Irish Homestead* de « Les Sœurs », qui devait devenir la première nouvelle du recueil *Dublinois*.

27 août : Joyce participe à un concert.

9-15 septembre : Séjour à la Tour Martello de Sandycove, qui sera commémoré dans le premier épisode d'*Ulysse*.

10 septembre : Publication de la nouvelle « Éveline » dans *The Irish Homestead*.

8 octobre : Joyce quitte Dublin pour Zurich, où l'attend en principe un poste à l'École Berlitz, mais d'où il sera dirigé vers celle de Trieste, puis celle de Pola, où il enseignera jusqu'en mars 1905.

Décembre : Publication de la nouvelle « Après la course » dans *The Irish Homestead*.

1905. *Mars :* Joyce est nommé à l'École Berlitz de Trieste.

Juillet : Naissance du premier enfant, Giorgio.

Au cours de cette année, Joyce poursuit la composition de *Stephen le Héros* et des nouvelles de *Dublinois*.

Correspondance suivie avec son frère Stanislaus (qui le rejoindra fin octobre), reste attentif à l'actualité irlandaise et tente de se trouver un éditeur.

1906. Longues discussions avec l'éditeur Grant Richards, qui trouve le texte de *Dublinois* trop immoral.

Fin *juillet*, départ pour Rome, où il travaillera dans une banque ; la ville et ses habitants le déçoivent vite.

1907. *Mars :* Retour à Trieste.

Mai : Publication de *Musique de chambre* à Londres.

26 juillet : Naissance du second enfant, Lucia Anna.

Juillet-août : Hospitalisation pour rhumatismes aigus.

Début *septembre :* Achèvement de « Les Morts », dernière nouvelle de *Dublinois*. Joyce décide de récrire *Stephen le Héros* en cinq chapitres, qui deviendront le *Portrait de l'artiste en jeune homme*. Il abandonne l'École Berlitz pour des leçons particulières.

De mars à septembre, il a prononcé en italien, à l'Université Populaire de Trieste, trois conférences sur l'Irlande et sa culture, et publié dans un journal local trois articles, également sur l'Irlande.

29 novembre : La révision du premier chapitre du nouveau *Portrait* est en principe achevée.

1908. Premières atteintes d'une maladie des yeux (inflammation de l'iris).

1909. Ettore Schmitz (« Italo Svevo »), qui prend des leçons avec lui, lit une partie de son manuscrit.

Fin *juillet :* James Joyce arrive à Dublin : il désire présenter son fils à son père et ramener sa sœur Eva à Trieste.

Août : Il envisage de se porter candidat à un poste d'italien à l'Université. Le *20*, il signe avec l'éditeur Maunsel un contrat pour l'édition de *Dublinois*.

26 août : Voyage à Galway, où il désire rencontrer la famille de Nora.

5 septembre : Parution dans le *Piccolo della Sera* de Trieste d'un article sur la pièce récente de G. B. Shaw, *The Shewing-Up of Blanco Posnet*.

9 septembre : Joyce, Giorgio et Eva quittent Dublin.

18 octobre : Retour à Dublin, pour ouvrir des salles de cinéma commanditées par des hommes d'affaires de Trieste. Le cinéma Volta ouvrira ses portes le *20 décembre*, pour une brève existence.

1910. *2 janvier :* Joyce quitte Dublin avec sa sœur Eileen.

À nouveau, grave crise d'iritis. Sérieux démêlés avec George Roberts, directeur de Maunsel.

22 décembre : Publication dans le *Piccolo della Sera* de son article « La Cometa dell' " Home Rule " ».

1911. Poursuite des démêlés avec Roberts ; la publication de *Dublinois* reste suspendue.

1912. *Mars :* Deux conférences en italien à l'Université Populaire de Trieste, sur « Réalisme et idéalisme dans la littérature anglaise : Daniel Defoe — William Blake ».

Avril : Joyce est candidat (malheureux) au diplôme d'aptitude à l'enseignement des langues vivantes en Italie.

De mai à septembre : Trois articles en italien dans le *Piccolo della Sera*, sur Parnell et sur l'Ouest irlandais.

Juillet-septembre : Dernier voyage en Irlande (Dublin et Galway). Échec des discussions avec son éditeur, qui détruit le tirage qui venait d'être fait de *Dublinois*. Sur le chemin du retour, écrit la satire *De l'eau dans le gaz*, qui sera imprimée à Trieste.

11 novembre : Première d'une série de dix conférences sur Shakespeare et *Hamlet*.

1913. James Joyce est nommé à l'École de Commerce Revoltella, où il enseigne le matin, réservant l'après-midi à des leçons particulières, qui lui donnent l'occasion de parler avec ses élèves de saint Thomas, Jean-Baptiste Vico, Schopenhauer, Nietzsche ou Freud.

Décembre : W. B. Yeats le met en contact avec Ezra Pound, qui à son tour le recommande aux responsables de la revue londonienne *The Egoist*, Dora Marsden, puis Harriet Weaver. Cette année est marquée par un intense travail de récriture du *Portrait de l'artiste en jeune homme*, et probablement par l'aventure sentimentale commémorée dans les épiphanies de *Giacomo Joyce*.

1914. C'est l'*annus mirabilis*.

2 février : Ce jour anniversaire de James Joyce, début de la publication du *Portrait de l'artiste en jeune homme* en livraisons dans *The Egoist*.

15 juin : Dublinois [Dubliners] est publié à Londres par Grant Richards.

Au *printemps*, Joyce se lance dans la composition des *Exilés*. Il commence même à travailler à *Ulysse*.

1915. *Juin :* Alors que son frère est interné par les autorités autrichiennes, James Joyce est autorisé à se réfugier à Zurich.

1916. Ezra Pound et W. B. Yeats font obtenir à James Joyce des aides du Royal Literary Fund, de la Society of Authors et de la Civil List.

29 décembre : le *Portrait de l'artiste en jeune homme* est publié en volume à New York, chez B. W. Huebsch, qui fera également paraître la première édition américaine de *Dublinois*.

1917. *Février :* Première édition anglaise du *Portrait* à partir des placards de l'édition américaine.

C'est à la même époque que James Joyce commence à recevoir l'appui matériel et moral de Harriet Weaver, qui ne se démentira jamais.

Il subit sa première attaque de glaucome, et sa première opération aux yeux.

Il parvient néanmoins à achever à la fin de l'année un premier état des trois premiers épisodes d'*Ulysse*.

1918. *Mars :* Première édition authentiquement anglaise du *Portrait*.

La *Little Review* publie à New York « Télémaque », premier épisode d'*Ulysse*.

Mai : Exiles est publié en Angleterre.

Edith Rockefeller McCormick envisage de subventionner Joyce à condition qu'il se fasse psychanalyser par Jung ; Joyce s'y refuse.

Brève intrigue amoureuse avec la jeune Martha Fleischmann.

1919. *Entre janvier et décembre*, la revue *The Egoist* publie à Londres cinq fragments d'*Ulysse*.

Août : Exiles est joué à Munich dans une traduction allemande ; public et critiques sont scandalisés.

Octobre : Joyce retourne à Trieste, où il poursuit son travail sur *Ulysse*.

1920. *Début juillet :* Joyce quitte Trieste pour l'Irlande via Paris et Londres. Mais il s'arrête dans la première ville, où il demeurera vingt ans.

11 juillet : Il fait la connaissance de Sylvia Beach dans sa librairie, Shakespeare and Company, puis celle d'Adrienne Monnier, de sa Maison des Amis des Livres et de Valery Larbaud.

Octobre : La publication d'*Ulysse* dans la *Little Review* est arrêtée à la suite d'une plainte de la Society for the Suppression of Vice.

1921. Joyce achève les derniers épisodes d'*Ulysse* et révise l'ensemble de l'œuvre.

Avril : Il accepte la proposition de Sylvia Beach de publier l'ouvrage en créant une maison d'édition à l'enseigne de sa librairie ; l'imprimeur en sera Maurice Darantiere, de Dijon.

7 décembre : À la Maison des Amis des Livres, conférence de Valery Larbaud sur l'œuvre de James Joyce, et lecture de fragments d'*Ulysse*.

1922. *2 février :* Publication d'*Ulysse*.

Avril : Contre l'avis de Joyce, Nora part pour l'Irlande avec les deux enfants, mais la guerre civile les force à revenir rapidement à Paris.

De septembre à novembre, voyage à Londres, puis dans le midi de la France.

1923. *10 mars :* Joyce écrit les premières pages de ce qu'il appellera d'abord *Work in Progress* (fragments dont bon nombre seront publiés dans diverses revues au cours des années 1920 et 1930), puis *Finnegans Wake* (1939).

De la mi-juin à la mi-août, séjour en Grande-Bretagne.

1924. *Mars :* Auguste Morel se lance dans la traduction d'*Ulysse.*

1ᵉʳ avril : Publication d'un premier fragment de *Work in Progress* dans la *Transatlantic Review* de Ford Madox Ford.

Août : Commerce publie des fragments d'*Ulysse* traduits par Valery Larbaud et Auguste Morel.

De juillet à début octobre, séjours en Bretagne, puis à Londres.

1925. Publication de quatre fragments de *Work in Progress.*

1926. Une traduction par Auguste Morel de « Calypso », quatrième épisode d'*Ulysse,* paraît dans le numéro d'automne de *900 : Cahiers d'Italie et d'Europe.*

1927. L'Anglais Stuart Gilbert est intégré à l'équipe des traducteurs. Valery Larbaud commence la révision de la traduction.

Voyage à Londres, puis en Hollande.

Pour bien montrer que sa nouvelle écriture ne trahit pas un dérangement mental, Joyce publie un recueil de poèmes, *Pomes Penyeach [Poèmes d'api].*

Rencontre de Maria et Eugene Jolas, dont la revue *transition (sic)* commence à publier des fragments de *Work in Progress.*

1928. Publication à New York en plaquette du fragment de *Work in Progress, Anna Livia Plurabelle* (livre I, chap. vIII de *Finnegans Wake*).

De juillet à septembre, voyage en Autriche et en Allemagne, suivi d'un séjour au Havre.

1929. *Février :* Publication de la traduction française d'*Ulysse* par Adrienne Monnier à la Maison des Amis des Livres.

De juillet à septembre, séjour en Grande-Bretagne.

Publication à Paris en plaquette de deux autres fragments de *Work in Progress,* sous le titre de *Tales Told of Shem and Shaun.*

1930. *De mi-avril à mi-juin,* séjour à Zurich, après des vacances à Wiesbaden.

Juillet-août se passent en Grande-Bretagne.

Publication à Paris et à New York de *Haveth Childers Everywhere,* fragment de *Work in Progress.*

1931. *De fin avril à mi-septembre*, séjour en Grande-Bretagne, où James et Nora se marient le 4 juillet.

Premières rencontres avec Louis Gillet, académicien et homme de lettres influent qui, après l'avoir critiqué, devint l'un de ses fidèles partisans.

29 décembre : Mort de John Stanislaus Joyce, père de James.

1932. *15 février :* Naissance de Stephen James Joyce, fils de Giorgio Joyce. Le poème « Ecce Puer » commémore à la fois cette naissance et le deuil récent.

Mars : Lucia commence à souffrir de sérieux troubles nerveux.

De début juillet à fin septembre, séjour en Suisse.

1933. *De mai à juillet*, séjour en Suisse.

À la *fin de l'année*, la justice américaine lave *Ulysse* de l'accusation de pornographie, ce qui va enfin permettre une édition américaine (Random House, 1934), puis anglaise (John Lane, The Bodley Head, 1936) du livre.

Publication à Londres de *The Joyce Book*, poèmes de *Pomes Penyeach* mis en musique par divers compositeurs, et accompagnés de brèves contributions de James Stephens, Padraic Colum et Arthur Symons, ainsi que d'un portrait de James Joyce par Augustus John.

1934. Les Joyce passent une grande partie de l'année en Suisse. Publication à La Haye de *The Mime of Mick, Nick and The Maggies*, fragment de *Work in Progress*.

1936. Première édition des *Collected Poems* (The Black Sun Press, New York).

1937. Publication à Londres de *Storiella As She Is Syung*, fragment de *Work in Progress*.

1939. *Mai :* Publication à Londres, chez Faber & Faber, de *Finnegans Wake*, titre final de *Work in Progress*.

1940. La plus grande partie de l'année est passée à Saint-Gérand-le-Puy, dans l'Allier, où Maria Jolas avait replié son École Bilingue, dont Stephen James Joyce était un élève.

Se souvenant que l'Angleterre l'avait aidé pendant la Grande Guerre, James Joyce refuse d'utiliser le passeport que lui offre l'État Libre d'Irlande. Il doit donc quitter la France pour la Suisse, où il arrive le *17 décembre*.

1941. C'est là qu'il meurt brusquement, d'un ulcère perforé du duodénum, le *13 janvier 1941*.

NOTICE

Le dossier génétique et critique du *Portrait de l'artiste en jeune homme [A Portrait of the Artist as a Young Man]* est substantiel et ne saurait être déployé dans les limites d'un seul volume.

En effet, l'une de ses composantes majeures, *Stephen le Héros [Stephen Hero]*, est longue de plus de deux cents pages. À ce texte, dont l'intérêt, au total, est plus historique et documentaire que proprement littéraire, s'ajoutent plusieurs carnets de ravail : les notes conjointes au « Portrait de l'artiste » de 1904, le Carnet de Pola, le Carnet de Trieste.

Nous avons pris le parti de réunir dans ce volume le premier texte achevé par James Joyce, ce court « Portrait de l'artiste », écrit pour la revue dublinoise *Dana* et refusé *in extremis* par elle, et d'autre part le texte définitif publié dix ans plus tard, *Portrait de l'artiste en jeune homme*.

Nous réservons pour un second volume *Stephen le Héros*, qui constitue un état intermédiaire incomplet et inachevé de l'œuvre (dont James Joyce, de son vivant n'avait pas souhaité la publication, il convient de le reconnaître), auquel nous joindrons les documents de travail intermédiaires signalés ci-dessus. En attendant cette prochaine publication, nos renvois à ces textes seront faits sur la pagination de l'édition de la Pléiade.

BIBLIOGRAPHIE

L'œuvre

A *Portrait of the Artist as a Young Man* a été publié d'abord en livraisons dans la revue anglaise *The Egoist* entre le 2 février (anniversaire de l'auteur) 1914 et le 1er septembre 1915. La première édition en volume fut réalisée, presque simultanément, en Amérique par l'éditeur Huebsch, de New York, en 1916 (distribution en janvier 1917), et en Angleterre en 1917 (distribution en février 1917) par The Egoist Press, créée pour la circonstance par la revue en question. Il existe une bonne édition critique procurée par Chester G. Anderson (New York, Viking Press, 1964). La même année, James S. Atherton annotait de façon souvent intéressante l'édition publiée à Londres par Heinemann.

La traduction française est due à Ludmila Savitzki. Publiée aux Éditions de la Sirène en 1924 sous le titre de *Dedalus, Portrait de l'artiste jeune par lui-même*, elle a été révisée par Jacques Aubert à l'occasion de la publication en 1982 du premier volume des *Œuvres* de James Joyce dans la Bibliothèque de la Pléiade, où elle a pris le titre de *Portrait de l'artiste en jeune homme*.

On trouvera dans le premier volume des *Œuvres* l'ensemble des textes de James Joyce à l'exception d'*Ulysse*, de *Finnegans Wake* et de la correspondance (dont la Pléiade présente toutefois un choix). Ceux-ci sont disponibles dans les éditions suivantes :

Ulysse, traduction intégrale d'Auguste Morel, revue par Valery Larbaud, Stuart Gilbert et l'auteur, Gallimard, collection Du Monde Entier, 1937 (édition originale : La Maison des Amis des Livres, 1929).

Finnegans Wake, traduction de Philippe Lavergne, Gallimard, 1982 (édition originale, Faber & Faber, 1939).

Lettres, traduites par Marie Tadié, 4 vol., Gallimard, 1961-1986 (Faber & Faber, 1957-1966).

Lectures complémentaires recommandables :

Robert Scholes et Richard M. Kain, éd., *The Workshop of Daedalus, James Joyce and the Raw Materials for* A Portrait of the Artist as a Young Man, Northwestern University Press, 1965.

Jean-Michel Rabaté, *Joyce, Portrait de l'artiste en autre lecteur*, Cistre, 1984.

Jacques Aubert, éd., *Joyce avec Lacan*, Navarin, 1987.

Michel Beaujour, *Miroirs d'encre*, Rhétorique de l'autoportrait, Éditions du Seuil, 1980.

Pascal Bonafoux, *Les Peintres et l'autoportrait*, Skira, 1984.

Peter Costello, *James Joyce, The Years of Growth, 1882-1915*, Roberts Rinehart Publishers, Cork, 1992.

Stanislaus Joyce, *Le Journal de Dublin*, traduit par Marie Tadié, Gallimard, 1967.

NOTES

Page 31.

1. Voir saint Augustin, *Confessions*, XI, 20 : « Ceci dès maintenant apparaît limpide et clair : ni les choses futures ni les choses passées ne sont, et c'est improprement qu'on dit : il y a trois temps, le passé, le présent et le futur. Mais peut-être pourrait-on dire au sens propre : il y a trois temps, le présent du passé, le présent du présent, le présent du futur. Il y a en effet dans l'âme, d'une certaine façon, ces trois modes du temps, et je ne les vois pas ailleurs : le présent du passé, c'est la mémoire ; le présent du présent c'est la vision ; le présent du futur, c'est l'attente. »

2. Cette définition sera reprise presque textuellement dans le *Portrait* : voir p. 300-301.

Page 32.

1. Voir *Stephen le Héros*, Pléiade, p. 461.

2. Allusion à la *Grammar of Assent* du cardinal John Henry Newman (édition française, *Grammaire de l'assentiment*, trad. Mme G. Paris, Bloud, 1907) citée dans le *Portrait* p. 246.

3. Repris dans *Stephen le Héros*, Pléiade, p. 461. Voir le chapitre VII de la *Grammaire de l'assentiment*, où l'assentiment, sujet aux changements, est opposé à la certitude de la foi.

4. Repris dans *Stephen le Héros*, Pléiade, p. 480. Voir aussi le *Portrait*, p. 216-223.

5. Repris dans *Stephen le Héros*, Pléiade, p. 342 et 482, n. 4.

6. Repris dans *Stephen le Héros*, Pléiade, p. 344-345.

Page 33.

1. C'est-à-dire les débats très académiques et formels des associations d'étudiants, dont *Stephen le Héros* donne un aperçu.

2. *The sensitive*, mot qui, dans la langue de l'époque, signifie « le médium ». Joyce, dans ses jeunes années, s'intéressa un peu à l'occultisme.

3. Voir *Stephen le Héros*, Pléiade, p. 348-349. Le poète W. B. Yeats citait souvent la phrase de Goethe : « Les Irlandais me font toujours penser à une meute de chiens occupés à abattre un noble cerf. »

4. Émile Zola, mort récemment, en 1902. Repris dans *Stephen le Héros*, Pléiade, p. 476.

5. Sur Gladstone, voir *Stephen le Héros*, Pléiade, p. 384, 461 et 476, et surtout le *Portrait*, p. 357.

6. Repris dans *Stephen le Héros*, Pléiade, p. 476.

7. Gladstone était le chef du parti libéral.

8. Voir *Stephen le Héros*, Pléiade, p. 349, où la remarque est illustrée.

Page 34.

1. Thomas Osborne Davis, 1814-1845, poète et patriote irlandais, chef du mouvement idéaliste de la Jeune Irlande, et fondateur du journal séparatiste *The Nation*. Les vers en question sont sans doute : *A Nation once again*, tirés de la chanson qui porte ce titre.

2. Repris à peu près textuellement dans *Stephen le Héros*, Pléiade, p. 476, et sous une autre forme dans le *Portrait*, p. 85.

3. Repris sous une forme plus directe dans *Stephen le Héros*, Pléiade, p. 344.

4. Le *Portrait*, p. 146 et n. 1, éclaire cette allusion.

5. Repris textuellement dans le *Portrait*, p. 263 et n. 2.

6. C'est le Père Butt de *Stephen le Héros*. Voir Pléiade, p. 453.

7. *The clerk designate*, formation parodique sur le modèle de *King designate*, ou *Bishop designate*.

8. Voir *Stephen le Héros*, Pléiade, p. 483, n. 2 et 3.

9. *Id.*, p. 475, n. 3.

10. Repris dans *Stephen le Héros*, Pléiade, p. 496, n. 1.

11. Cette notion de tempérament est dans l'air du temps : voir Guy de Maupassant, *Pierre et Jean*, Préface (1887) : « Seuls, quelques esprits d'élite demandent à l'artiste : — Faites-moi quelque chose de beau, dans la forme qui vous conviendra le mieux, suivant votre tempérament. [...] Contester le droit d'un écrivain de faire une œuvre poétique ou une œuvre réaliste, c'est vouloir le forcer à modifier son tempérament, récuser son originalité, ne pas lui permettre de se servir de l'œil et de l'intelligence que la nature lui a donnés. »

Page 35.

1. Repris dans *Stephen le Héros*, Pléiade, p. 496, et récrit dans le *Portrait*, p. 263.

2. Voir *Stephen le Héros*, Pléiade, p. 444 sqq. et 480.

3. Joachim de Flore, 1145-1202, Giordano Bruno, 1548-1600, et Michel Sedziwoj, 1556-1636. Joachim de Flore reparaît dans *Stephen le Héros*, Pléiade, p. 480. Voir aussi le *Portrait*, p. 318 et n. 1. On rencontre aussi Bruno dans *Stephen le Héros*, Pléiade, p. 474 et dans le *Portrait*, p. 356.

4. Cette phrase évoque surtout les théories de Paracelse et de Jacob Boehme, sur lesquelles Joyce avait pu s'informer dans divers recueils parus à cette époque, en particulier *The Life of P. T. Bombast of Hohenheim, known by the name of Paracelsus, and the substance of his teaching*, extracted and translated by Franz Hartmann, Londres, Kegan Paul, 1895. Ce livre, comme beaucoup d'ouvrages comparables de la même époque, est illustré de thèmes philosophiques orientaux inspirés des textes de A. P. Sinnet et H. P. Blavatski, aussi bien que des textes de Jacob Boehme (voir en particulier les pages 55 à 60).

5. Cette phrase est une transcription à peu près littérale de Sendivogius : « L'artiste ne fait rien, sinon de séparer ce qui est subtil de ce qui est espais » (*Cosmopolite*, chez Abraham Picard, s.d., p. 28. L'ouvrage est en réalité le recueil des douze traités de l'alchimiste Sethon, que Sendivogius avait sauvé des tortures de l'Électeur de Saxe). Mais voir aussi saint Augustin, *Confessions*, XI, 20 : « En séparant le précieux du vil, vous êtes devenus la bouche de Dieu pour dire : que les eaux produisent non pas l'âme vivante, que la terre produira, mais des reptiles à l'âme vivante et des volatiles volant au-dessus de la terre. Car comme des reptiles, tes sacrements, ô Dieu, grâce aux œuvres de tes saints, ont passé à travers les flots des tentations du siècle, pour imprégner de ton nom les nations dans ton baptême. »

Page 36.

1. On a là probablement un écho des théories ésotériques très populaires à la fin du siècle dernier. Voir par exemple, de Mme H. P. Blavatski, *The Secret Doctrine* (édition originale : 1888 ; réédition : Theosophical University Press, Pasadena, 1970), où le « triangle pythagoricien » fait l'objet de plusieurs développements, notamment au volume I, p. 612, et au volume II, p. 24.

2. Ces étranges *fishgods* réapparaîtront dans *Ulysse*, éd. cit., p. 16, où Buck Mulligan raille les amateurs de folklore irlandais : « Cinq lignes de texte, dix pages de notes sur Dundrum, ses aborigènes et ses divinités pisciformes. » Ces divinités seraient associées aux Fomoriens,

peuple légendaire de la préhistoire irlandaise. Voir également H. P. Blavatski, *The Secret Doctrine, ut supra*, vol. I, p. 393-394, et vol. II, p. 313.

3. Repris textuellement dans *Stephen le Héros*, Pléiade, p. 347.

Page 37.

1. Voir le *Portrait*, p. 253-258, ainsi que le poème « Tutto è sciolto », Pléiade, p. 49.

2. *Confessions*, VII, 12. Repris dans *Ulysse*, éd. cit., p. 139, sous une forme abrégée.

3. Voir saint Augustin, *Confessions*, VIII, 8 : « ... *in cubiculo nostro, corde meo...* »

4. Voir le *Portrait*, p. 314-323 et sa villanelle.

Page 38.

1. Voir *Ulysse*, éd. cit., p. 14, où ce *fantasmal mirth*, traduit par « gaieté fantomatique », est associé à la mère de Stephen Dedalus.

2. Repris et récrit dans le *Portrait*, p. 162.

3. Expression reprise textuellement dans le *Portrait*, p. 257 (n. 2).

4. Voir le *Portrait*, p. 163.

5. *At the cunningest angle. Cunning angle*, repris de l'épiphanie XXV (Pléiade, p. 97-98), apparaît dans le *Portrait*, p. 314, dans une scène où figure Emma.

6. Voir le poème VII de *Musique de chambre*, Pléiade, p. 18.

Page 39.

1. Joyce joue sur les deux sens de *tale*, conte et compte.

2. Voir *Stephen le Héros*, Pléiade, p. 339 (n. 1), et surtout p. 467 (n. 1), où la fin de la phrase est reprise.

3. Repris partiellement dans *Stephen le Héros*, Pléiade, p. 467 (n. 2).

4. Voir le *Portrait*, p. 245, et *Ulysse*, éd. cit., en particulier p. 238.

5. Transition : ce terme est un mot clé du « Manifeste de l'école romane » (1891) de Jean Moréas, qui prônait le retour à la tradition poétique de Ronsard et de Chénier. Rappelons que Joyce, même s'il n'est pas prouvé qu'il avait lu Moréas, s'intéressait aux œuvres et aux théories de ses contemporains français ; et il est notable qu'il revient lui aussi, au début du siècle, avec *Musique de chambre*, à la tradition, en un sens classique, des poètes élisabéthains et jacobéens.

6. Peut-être bien Lady Gregory, grande figure de la Renaissance celtique, qui prêta cinq livres à Joyce en 1904, au moment du départ définitif de Dublin.

7. Il s'agit sans doute de Thomas Kelly, riche Américain dont Joyce demanda le soutien, un mois avant la composition de ces pages, en vue du lancement d'un journal. Voir *Le Saint-Office*, Pléiade, p. 40, vers 35 et n. 6.

Page 40.

1. *Cerebration*, terme technique de psychologie forgé par le positiviste G. H. Lewes, 1817-1878, qui décrit l'action propre du cerveau sur les matériaux fournis par les sens.

2. Sans doute une allusion au Peer Gynt d'Ibsen.

3. Vraisemblablement l'Église catholique et le gouvernement de John Bull (« Bovinités » traduit *Bullockships*). Dans le Carnet de Pola (Pléiade, p. 1593), « Son Intensité » désigne un ami de Joyce, John Francis Byrne.

4. Nego : voir préface, p. 17.

5. Expression reprise dans *Stephen le Héros*, Pléiade, p. 532 (n. 1).

6. Allusion à l'histoire agitée du mouvement social-démocrate en Allemagne après 1870 : d'abord en butte à l'hostilité de Bismarck, il fut ménagé par Caprivi jusqu'au renvoi de celui-ci par Guillaume II en 1894.

7. Giovanni Giolitti, 1842-1928, un des piliers de la gauche constitutionnelle italienne avec Zanardelli, était devenu Premier ministre en 1903, c'est-à-dire très peu de temps avant la composition de ces lignes.

Page 41.

1. Ce thème de la démence et de la paralysie générale était très à la mode depuis la publication, dans les années 1890, du *Dégénérescence* de Max Nordau, un des succès de l'époque en Europe. On sait que Joyce, parlant de *Dublinois*, a décrit sa ville natale comme frappée de paralysie. Voir notamment *Dublinois*, Pléiade, n. 3, p. 109, et *Stephen le Héros*, Pléiade, p. 496, ainsi que *Ulysse*, éd. cit., p. 10.

PORTRAIT DE L'ARTISTE EN JEUNE HOMME

Page 43.

1. « Il tourne son esprit vers l'étude d'un art inconnu [*Naturamque novat*, ouvrant de nouvelles voies à la nature]. » Il s'agit de la légende de Dédale et Icare.

Page 45.

1. *Once upon a time and a very good time it was there was a moocow...*
Cette formule, qui sera parodiée à plusieurs reprises dans *Finnegans Wake*, nous rappelle que la tradition irlandaise met au tout premier rang le conte et le conteur, qui figuraient et figurent encore de nos jours dans les festivals annuels. Le conte s'achève traditionnellement par une forme du type : « Voilà mon histoire ! Si elle contient une menterie, qu'il en soit ainsi ! Ce n'est pas moi qui l'ai faite, ni inventée ! » Les « ouvertures », en revanche, permettent au conteur de marquer son originalité ; elles doivent d'ailleurs, autant que possible, rester inconnues des conteurs rivaux.

2. *Moocow*, hypocoristique courant en anglais.

3. *Baby-tuckoo*, autre hypocoristique, plus original, où l'on entend *tuck* (signifiant ambigu, puisque *to tuck somebody in* signifie « border quelqu'un », et *tuck*, dans l'argot des écoliers, « douceurs, friandises ») et *cuckoo*, « coucou », avec ses différentes connotations.

4. Le 31 janvier 1931, John Stanislaus Joyce, le père de James Joyce, lui écrivait : « Je me demande si tu te souviens des temps anciens, à Brighton Square, lorsque tu étais bébé-coucouche, et que je te conduisais dans le square, te racontant l'histoire de la meuh-meuh qui descendait de la montagne et emmenait les petits garçons » (*Lettres*, éd. cit., t. III, p. 469).

5. *Through a glass :* l'expression, dans les cultures de langue anglaise, évoque la Première Épître aux Corinthiens, XIII : dans la Bible du Roi Jacques (1611, voir ci-dessous p. 197, n. 1), le *per speculum in enigmate* de la Vulgate est traduit *we see through a glass darkly*. Rappelons-en le contexte, tout à fait pertinent à la page de Joyce : « La charité ne passera jamais. S'agit-il des prophéties, elles prendront fin ; des langues, elles cesseront ; de la science, elle aura son terme./Car nous ne connaissons qu'en partie, et nous ne prophétisons qu'en partie ; or, quand sera venu ce qui est parfait, ce qui est partiel prendra fin./Lorsque j'étais enfant, je parlais comme un enfant, je pensais comme un enfant, je raisonnais comme un enfant ; lorsque je suis devenu homme, j'ai laissé là ce qui était de l'enfant./Maintenant nous voyons dans un miroir, d'une manière obscure, mais alors nous verrons face à face ; aujourd'hui je connais en partie, mais alors je connaîtrai comme je suis connu » (traduction Crampon). Voir p. 99, n. 2.

6. Byrne : ce patronyme est également celui de l'ami de Joyce qui servit de modèle pour Cranly (voir ci-dessous p. 281 note 1, ainsi que le « Carnet de Trieste » à « Byrne », Pléiade, p. 1654).

7. *Lemon platt*, sorte de tresse de guimauve parfumée au citron (*platt* est une forme dialectale de *plait*, tresse).

8. Vieille chanson sentimentale, *Lily Dale* :

> *C'était une nuit calme et tranquille, et la pâle lumière de la lune*
> *Brillait douce sur collines et vallons ;*
> *Des amis muets de douleur se tenaient autour*
> *Du lit de mort de la pauvre Lily Dale que j'ai perdue.*
> *Oh ! Lily, douce Lily, chère Lily Dale,*
> *Maintenant la rose sauvage fleurit sur sa petite tombe verte,*
> *Sous les arbres du vallon fleuri.*
> *Ses lèvres qui jadis avaient le rose éclat de la santé*
> *Sous l'effet de la maladie avaient pâli ;*
> *Et la moiteur de la mort couvrait le front blanc et pur*
> *De la pauvre Lily Dale que j'ai perdue.*

On remarquera que Joyce a remplacé *grave*, tombe, par le très neutre *place*, endroit. D'autre part plusieurs thèmes sont amorcés : celui de la mort de l'enfant malade, qui va bientôt reparaître, et celui du jeu du rose et du blanc, qui va se développer dans les pages suivantes.

9. Voir la n. 2 de la p. 52.

Page 46.

1. Le grand-oncle de James Joyce, William O'Connell, par lequel passait le lien de parenté avec « Le Libérateur », vint habiter chez les Joyce vers 1887. Il y séjourna six ans. Richard Ellmann considère qu'il servit de modèle pour cet « oncle Charles » de la fiction.

2. Dans *Le Gardien de mon frère*, éd. cit., p. 29 et 32-33, Stanislaus Joyce apporte un témoignage intéressant sur celle qui servit de modèle pour le personnage de Dante : « [La] première éducatrice [de mon frère] apparaît dans *Portrait de l'artiste en jeune homme* sous le nom de " Mrs Riordan " ; nous l'appelions " Dante ", comme mon frère, ce qui était sans doute une déformation enfantine de " Tante " (" Auntie "). En fait, elle eut, sur une petite échelle, une influence assez semblable à celle de son célèbre homonyme, car elle apprit à lire et à écrire à mon frère, lui enseigna un peu d'arithmétique et de géographie élémentaires, mais surtout voulut lui inculquer un catholicisme très étroit et un sentiment patriotique violemment dirigé contre les Anglais. En effet, quand j'étais enfant, les Irlandais avaient encore un souvenir cuisant des Lois pénales [édictées contre les autochtones entre 1695 et 1725]. Elle s'appelait Mrs Conway, et je pense que c'était une parente éloignée de mon père. Elle vécut avec nous plusieurs années, et c'est grâce à ses leçons que mon frère put entrer au Collège de Clongowes, le principal collège jésuite d'Irlande, lorsqu'il eut un peu plus de six ans. Mrs Conway était grosse et peu séduisante. À la maison elle portait un de ces curieux petits bonnets qui rehaussent la beauté un peu passée de

la reine Victoria sur les photographies de cette époque. Dans mon souvenir, elle était toujours assise quelque part avec majesté, et elle avait cette humeur revêche qui, en Irlande, est associée, sans doute injustement, à l'Église réformée. [...] Elle disait aux enfants de lui porter le papier de soie qui enveloppait les paquets. » Le personnage est mentionné à plusieurs reprises dans *Ulysse*, éd. cit., p. 96, 171, 464, 523 et surtout 605. Signalons que la porte du 1, Martello Terrace, Bray, où les Joyce habitèrent du 1er mai 1887 à 1891, c'est-à-dire lorsque l'écrivain avait entre cinq et neuf ans, comportait des vitraux représentant *Dante* et Béatrice.

3. Michael Davitt, 1846-1906, fondateur en 1879 de la *Land League*, qui sera remplacée dès 1882 par The Irish National League, orientée par Charles Stewart Parnell vers l'action politique, en particulier au Parlement de Westminster. Notons que *maroon*, ici adjectif au sens de « violine », peut également être un verbe et signifier « abandonner sur une île déserte (en général en parlant d'un marin mutiné) » : à plusieurs reprises Joyce décrira l'Irlande comme une île très isolée du reste de l'Europe.

4. La scène du repas de Noël qui suivra dans une vingtaine de pages, donnera une idée de l'enthousiasme suscité par cet homme politique, dont l'action et la disparition prématurée et dramatique marquèrent profondément les esprits.

5. Eileer. : il s'agit du nom véritable d'une petite fille qui habitait, comme la famille Joyce, entre 1887 et 1891, Martello Terrace, à Bray, au sud de Dublin. Elle a confirmé l'essentiel des notations fournies par le roman ; il semble bien, en particulier, que « Dante » ait menacé James Joyce de l'enfer s'il jouait avec elle, parce qu'elle était protestante (voir ci-dessous, p. 81 et 90). Stanislaus Joyce, dans *Le Gardien de mon frère*, éd. cit., p. 27, précise : « Elle avait deux ou trois ans de plus que mon frère ; c'était une petite fille pâle, au visage ovale, avec de longs cheveux bruns qu'elle portait souvent en tresses sur chaque épaule, encadrant son visage. Elle se rendait déjà bien compte de leur effet. Elle semblait froide et distante, mais ne l'était absolument pas. Pendant que mon frère était à Clongowes, elle lui écrivit une lettre, heureusement interceptée par ma mère, qui se terminait par ces vers, où se sentait la main de son père :

> *Oh ! Jimmy Joyce, tu es mon chéri*
> *Tu es mon miroir du soir jusqu'au matin*
> *Je te préférerais, même sans un penny,*
> *À Johnnie Jones, son âne et son jardin.* »

6. *Apologise.* Le mot est plus évocateur, surtout si l'on songe au prestige dont jouissait alors, en Irlande particulièrement, le cardinal

Newman et son *Apologia pro vita sua* (voir par exemple *Stephen le Héros*, Pléiade, p. 401 et 477). On rencontrera à nouveau, plus loin, Newman, ou des citations de ses œuvres.

7. Écho du Livre des Proverbes xxx, 17 : « L'œil qui se moque d'un père,/Et qui dédaigne l'obéissance envers une mère,/Les corbeaux du torrent le perceront,/Et les petits de l'aigle le mangeront. » Les armes de Clongowes Wood College, où se déroulent les scènes suivantes, portent quatre aigles (qui ressemblent fort à des corbeaux). Les armes des Joyce portent également un aigle. Voir ci-dessous n. 3, p. 140 et n. 3, p. 295.

8. Reprise de l'épiphanie n° I, où cependant les paroles fatidiques sont prononcées par M. Vance. Voir Pléiade, p. 87.

Page 47.

1. À propos du sport ici mis en scène, Stanislaus Joyce précise, dans *Le Gardien de mon frère*, p. 62 et 61 : « Mon frère détestait le rugby [le sport des écoles de qualité], la boxe et la lutte, qu'il considérait, non comme un exercice de maîtrise de soi, comme l'affirment les Anglais, mais une école de violence et de brutalité [...]. Il se distinguait [néanmoins] dans les sports. Lorsque, après quatre ans il quitta le collège, nous eûmes à la maison une desserte chargée de coupes, d'une théière et d'une cafetière en argent (c'est-à-dire plaquées argent) qu'il avait gagnées dans les épreuves scolaires de marche et de courses de haies. » Voir également ci-dessous p. 88 et le « Portrait de l'artiste » (1904), p. 33.

2. C'est-à-dire la troisième division, à laquelle Stephen appartient en raison de son âge. Voir p. 50, n. 64.

3. Ce nom, comme ceux de Roche, Cantwell, Thunder, Lawton, Wells, Saurin, Fleming, Rath, Magee, l'Espagnol (Jose Araña y Lupardo), Kelly, qui apparaîtront plus loin, a pu être retrouvé dans les listes d'élèves de Clongowes Wood College pour la période où Joyce y séjourna.

4. Rillons : *greaves*. Le mot peut également désigner des jambières.

5. *Dedalus*. Sur la suggestion d'Ezra Pound, semble-t-il, Joyce abandonne dans ce roman la graphie classique « Dædalus », qu'il avait adoptée dans *Stephen le Héros* et pour signer les premières nouvelles de *Dublinois* publiées dans *The Irish Homestead*.

6. Voir p. 57 et n. 1, et p. 105.

Page 48.

1. James Joyce arriva à Clongowes Wood College le 1er septembre 1888.

2. Le bâtiment principal de Clongowes Wood avait jadis été un château.

3. Le nom bien réel de ce recteur, le père John Conmee, 1847-1910, n'est donné que p. 110. Il fut recteur de Clongowes Wood College avant de devenir préfet des études à Belvedere College, où Joyce acheva sa scolarité, puis supérieur de Saint-François-Xavier, la résidence des jésuites de Upper Gardiner Street (voir p. 243), avant de devenir en 1905 provincial des jésuites d'Irlande. James Joyce garda de lui un bon souvenir, à en juger par la biographie de Herbert Gorman, où il est décrit comme « un humaniste affable et courtois » (*James Joyce*, New York, Holt, Rinehart & Wintson, 1948 (1940), p. 22). Le rôle qu'il joue dans la dernière section de ce chapitre, pas plus que le portrait un peu ironique qui en est fait dans *Ulysse*, éd. cit., p. 214-219, ne démentent vraiment cette appréciation.

Page 49.

1. Hamilton Rowan : patriote irlandais, 1751-1834, qui participa en 1794 aux complots de Wolfe Tone. Trahi, Rowan dut s'enfuir. S'étant caché à Clongowes Wood, il y fut poursuivi par des soldats dont les lingots marquent encore certaine porte (voir ci-dessous p. 106) ; mais, jetant son chapeau dans le fossé, près du haha, il fit croire à son évasion et put se cacher quelque temps dans le château avant de passer en France. Joyce donnera le nom de (Richard) Rowan à l'un des héros de sa pièce, *Les Exilés.*

2. *Doctor Cornwell's Spelling Book. Spelling for Beginners, a method of teaching spelling and reading at the same time*, 1870, est le troisième d'une série de douze traités, comportant principalement des géographies, publiée chez Simpkin, Marshall & Co, Hamilton, Adams & Co, Londres, entre 1867 et 1913 : *Dr Cornwell's Educational Works.*

3. Thomas Wolsey, 1473-1530, archevêque d'York, cardinal et lord-chancelier du royaume. Il tomba en disgrâce pour n'avoir pu obtenir du pape Clément XII l'annulation du mariage de Henry VII avec Catherine d'Aragon.

4. *Square ditch*, littéralement « fossé carré ». En fait, en argot d'écolier, du moins à Clongowes Wood College, *the square* désigne « les cabinets »... Selon Richard Ellmann, pareille aventure serait arrivée à Joyce au printemps de 1891.

Page 50.

1. À Clongowes Wood College, James Joyce avait une petite tabatière noire, en forme de cercueil, qui lui avait été donnée par son

parrain Philip McCann. Cette tabatière réapparaîtra dans l'un de ses rêves, au moment où il achevait *Ulysse* : voir Pléiade, p. 1680.

2. À l'époque où ils vivaient à Bray, les Joyce avaient encore une domestique.

3. Stanislaus Joyce semble fondé à dire que Mrs Conway voulut inculquer au jeune James un catholicisme très étroit. Le trait commun des connaissances énumérées ici est le reflet glorieux qu'elles jettent sur les jésuites : le Mozambique fut la première étape du long voyage d'évangélisation de saint François-Xavier en direction de l'Orient ; le P. Marquette descendit le Mississippi en 1673 ; c'est le P. Riccioli, de Bologne, qui en 1651, se fondant sur les observations du P. Grimaldi, donna aux montagnes de la lune le nom de membres de la Compagnie.

4. Le père Arnall : personnage semble-t-il calqué sur le P. William Power, responsable des classes élémentaires.

5. Aigreurs : *heartburn*, littéralement « brûlure du cœur ».

6. La troisième division comprenait les enfants âgés de moins de treize ans (classes élémentaires [*elements*] et grammaire 3), celle des moyens les élèves de treize à quinze ans (grammaire 2 et grammaire 1), la division des grands les élèves de quinze à dix-huit ans (poésie et rhétorique). Voir ci-dessous p. 54 et 58.

7. Simon Moonan : ce personnage, dont le nom ne correspond à aucun ancien élève de cette génération, était, dans le manuscrit et dans la version du roman publiée en livraisons dans la revue anglaise *The Egoist*, appelé Mangan, comme le poète romantique irlandais cher à Joyce, et comme la petite fille de « Arabie » dans *Dublinois*. Le Moonan qui apparaîtra plus tard, p. 280 et 306, est peut-être un personnage différent. On notera en outre que ce nom évoque la lune, *moon*, qui joue dans notre roman un rôle thématique non négligeable.

8. Chou-chou : *suck*, de *to suck*, sucer.

Page 51.

1. Hôtel-restaurant du centre de Dublin, 6-8 Wicklow Street.

2. *Sums* : « sommes », mais aussi « problèmes ».

3. On remarquera que, dans cet exercice à l'image de la Guerre des Deux Roses (1455-1485), Stephen porte la rose blanche de York, choisie par le parti irlandais, tandis que le champion des Lancaster, à la rose rouge, a un nom bien anglais, qui évoque le règne de la loi, *law*. On rapprochera ce passage d'une chanson populaire du temps, « Porterai-je une rose blanche ? », où dans les premiers vers apparaît également la thématique de la couronne (voir p. 62 et n. 6) :

> *Porterai-je une rose blanche ? En porterai-je une rouge ?*
> *Recherchera-t-il des guirlandes ? Quelle couronne aurai-je ?*

Molly Bloom, dans le monologue final d'*Ulysse*, se souvient de l'avoir chantée (éd. cit., p. 684). Rappelons également que la signification symbolique ou mystique de la rose repose en grande partie sur l'opposition des couleurs qui lui sont attribuées, le blanc ou le rouge. C'est ainsi que chez les alchimistes, dont Joyce avait pratiqué les écrits dans sa jeunesse, la rose blanche est associée au but du petit œuvre, la rose rouge à celui du grand œuvre, la rose bleue étant le symbole de l'impossible (cf. n. 2, p. 52) : voir J. Van Lennep, *Art et alchimie*, Bruxelles, 1966, p. 27.

Page 52.

1. *Forge ahead !* « Allez-y ! Foncez ! » Mais le *forge* transitif que l'on rencontre à plusieurs reprises plus bas (p. 253, 266, 362) signifie, comme en français, « forger », et aussi « contrefaire ».

2. Le vert est la couleur nationale de l'Irlande (voir aussi p. 124 la couleur émeraude du cahier de Stephen). Allusion sans doute aussi au livre de Robert Hitchens, *The Green Carnation [L'Œillet vert]*, paru en 1894, satire de l'esthétisme contemporain et en particulier des théories et des gestes d'Oscar Wilde. Voir également ci-dessus n. 4, p. 46.

Page 53.

1. Le père de Michael Saurin, élève du collège de 1887 à 1893, était magistrat. Voir ci-dessous p. 69.

2. Dalkey : petite agglomération au bord de la mer d'Irlande, entre Bray et Dublin.

Page 54.

1. Peut-être un écho d'une vieille chanson irlandaise de l'Ouest, *I know my love [Je reconnais mon amour]*, dont les premiers vers sont :

> *Je reconnais mon amour à sa façon de marcher*
> *Et je reconnais mon amour à sa façon de parler...*

et le refrain :

> *Et si mon amour me quitte, que ferai-je ?*

2. Tullabeg : siège du noviciat jésuite. St Stanislaus College fusionna avec Clongowes en 1885.

Page 55.

1. Saint Louis de Gonzague, l'un des modèles de la Compagnie de Jésus (voir p. 106), était « trop pur » pour embrasser sa mère. Sur ce point, il sera rapproché de Pascal p. 347.

Page 56.

1. C'est l'adresse exacte du collège, situé à une soixantaine de kilomètres à l'ouest de Dublin.

Page 57.

1. Voir *Ulysse*, éd. cit., p. 206, où le même (?) Stephen Dedalus médite sur son nom et sur celui de Shakespeare : « Qu'y a-t-il dans un nom ? C'est ce que nous nous demandons quand nous sommes enfants en écrivant ce nom qu'on nous dit être le nôtre [...]. » On remarquera que Stephen prend comme point de départ une citation de Shakespeare qui constitue, une fois de plus, une interrogation sur le sens de la rose : « Qu'y a-t-il dans un nom ? Ce que nous appelons une rose / Portant tout autre nom sentirait aussi bon », *Roméo et Juliette*, acte II, sc. II, vers 43-44. Voir aussi ci-dessus n. 6, p. 47 et n. 3, p. 51.

2. M. Casey : ce personnage représente assez fidèlement un ami de la famille Joyce, John Kelly, originaire de la ville de Tralee, dans le sud-ouest de l'Irlande. Voir n. 1, p. 72 et n. 1, p. 83.

Page 58.

1. Voir p. 50, n. 6.

Page 59.

1. Les colonnes de cette chapelle sont en réalité en bois, mais peintes en faux marbre.

2. Voir les souvenirs d'enfance de Stanislaus Joyce, dans *Le Gardien de mon frère*, éd. cit., p. 25-26 : « Nous vivions à cette époque à Bray, à deux pas de la mer, sur la terrasse Martello, près des bains. La " terrasse " descendait tout droit jusqu'au bord de l'eau et, en hiver, la mer venait quelquefois se briser sur la digue, inondant la route devant la maison, dont elle atteignait le seuil. » Dans les Actes des Apôtres, x, 6 et 32, il nous est dit que Simon-Pierre, comme Simon Dedalus, habite une maison proche de la mer.

3. Les habitants du village de Clane situé entre Clongowes et

Sallins, n'ayant pas alors d'église paroissiale, assistaient aux offices du collège.

4. Voir *Stephen le Héros*, Pléiade, p. 323.

5. Voir *ibid.*, p. 325.

Page 60.

1. Sensiblement plus jeune que ses condisciples, James Joyce coucha pendant deux ans dans une chambre de l'infirmerie, avant de rejoindre ses camarades dans les dortoirs en 1890-1891.

Page 61.

1. La famille Browne, à laquelle le château avait été acheté en 1813, comptait parmi ses ancêtres un maréchal de l'armée autrichienne (sans doute une de ces « oies sauvages », un de ces Irlandais engagés dans les armées du Continent en raison des persécutions dont ils étaient l'objet en tant que catholiques), qui mourut en 1757 à la bataille de Prague. Son fantôme, disait-on, était souvent apparu aux serviteurs de la maison.

2. Ici est reprise la prière de la page précédente. Mais alors que l'on avait la première fois : *Visit, we beseech thee, O Lord, this habitation, and drive away from it all the snares of the enemy,* la rupture après *all* transforme totalement la phrase, rendant *drive away* intransitif (« s'en aller ») et *from it all* très vague (« quittant tout cela »). Les effets de cette coupure se manifestent dans la logique des paragraphes qui suivent, dans leur organisation interne aussi bien qu'externe.

Page 62.

1. Ces voitures permettaient de rejoindre la gare de Sallins.

2. C'est dans le cimetière de Bodenstown qu'est enterré le grand patriote irlandais Theobald Wolfe Tone, 1763-1789, fondateur du mouvement des Irlandais Unis (voir p. 340 et n. 1).

3. *Half-doors* : portes coupées à mi-hauteur, dont la partie supérieure, ouverte pendant la journée, fait office de fenêtre.

4. Dans *Our Friend James Joyce*, Garden City, N.Y., Doubleday, 1958, p. 28, le poète Padraic Colum, rapportant les bruits qui couraient en 1904 au moment où Joyce écrivait la première version de son roman, signale cette expression qui avait beaucoup frappé leurs amis communs. Il s'agit probablement d'un emprunt fait à Huysmans : voir *À Rebours*, Folio, p. 157.

5. C'est à Allen, au IIIe siècle de notre ère, qu'habitait le légendaire

Finn MacCool, chef des Fianna, héros de nombreux récits traditionnels irlandais.

6. Bon nombre de Noëls anglais du Moyen Âge ont pour thème le débat du houx et du lierre, à entendre souvent comme l'homme et la femme, sur le thème : « qui doit être l'ordonnateur de la fête ? ». Le Noël que nous donnons ici est légèrement différent, mais très proche de ce que Joyce entendit chanter dans son enfance :

LE HOUX ET LE LIERRE

Le houx et le lierre
Maintenant ont bien poussé ;
De tous les arbres du bois
Le houx porte la couronne.
Le soleil se lève,
Le cerf court,
L'orgue joyeux joue
Une douce chanson en chœur

Le houx porte une fleur
Aussi blanche que la fleur du lys ;
Et Marie porta le doux Jésus
Pour qu'il soit notre doux Sauveur.
Le soleil se lève... etc.

Le houx porte une baie,
Aussi rouge qu'est le sang ;
Et Marie porta le doux Jésus
Pour faire le bien aux pauvres pécheurs
Le soleil se lève... etc.

Le houx porte une pointe
Aussi aiguë qu'est une épine ;
Et Marie porta le doux Jésus
Le jour de Noël au matin.
Le soleil se lève... etc.

Le houx porte une écorce
Aussi amère qu'est le fiel
Et Marie porta le doux Jésus
Pour nous racheter tous.
Le soleil se lève... etc.

On retrouve dans cette chanson bon nombre de thèmes qui courent dans notre roman, et même ailleurs dans l'œuvre de Joyce : celui du couronnement, associé par l'étymologie au nom même de Stephen, celui de la fidélité, avec le lierre, emblème de Parnell (voir *Dublinois*, Pléiade, p. 211 et n. 1), le thème marial et la fleur blanche juxtaposés à l'image de Jésus et à la couleur du sang ; on remarquera que dès le début la croissance a départagé les deux plantes. Rappelons enfin que l'on retrouve le houx dans l'énigme que Stephen propose à ses élèves au début d'*Ulysse*, p. 29. Pour le cerf, voir « Portrait de l'artiste » (1904), ci-dessus p. 33 et n. 3 et ci-dessous p. 248 et n. 1.

Page 63.

1. Voir p. 346, n. 13.

Page 64.

1. *He was not foxing.* De *fox*, renard. Voir p. 82 « Mr Fox ! » et p. 243 « Maître Renard ».

Page 65.

1. Le vice-recteur : *the Father Minister.* Le P. T. P. Brown, qui occupait ces fonctions à Clongowes Wood College, était également préfet de santé *[Prefect of Health]* à en juger d'après la lettre qu'il écrivit à la mère de Joyce le 9 mars 1890 : voir *Lettres*, éd. cit., t. II, p. 75.
2. C'est effectivement un frère, John Hanly, S. J., qui avait la charge de l'infirmerie à cette époque.

Page 66.

1. Le frère répond du tac au tac à Athy, qui lui a demandé des *buttered toasts, Butter you up ! Butter up* signifie « cajoler pour obtenir quelque chose, fayoter ».
2. Voir *Ulysse*, éd. cit., p. 595 : « À quelles visions [...] Stephen se prit-il à penser ? / À d'autres qui, ailleurs, en d'autres temps, mettant un genou en terre, avaient allumé le feu pour lui, au frère Michel dans l'infirmerie du collège de la Société de Jésus à Clongowes Wood, Sallins, comté de Kildare... »

Page 67.

1. Voir *Dublinois*, Pléiade, p. 112.
2. C'est là effectivement qu'est enterré « Peter Stanislaus Little,

mort le 10 décembre 1890, à l'âge de seize ans », donc pendant la période où James Joyce fut pensionnaire. Par ailleurs, Richard Ellmann, dans son *James Joyce*, fait état d'une lettre de John Stanislaus Joyce à son fils, qui lui avait, semble-t-il, demandé de s'assurer que les arbres de Clongowes Wood College étaient des hêtres ; cette correspondance est à l'origine d'une correction de Joyce, dont le manuscrit parlait de « châtaigniers ». Le College en réalité a deux grandes avenues, dont l'une seulement est plantée de tilleuls.

Page 68

1. Le nom d'Athy ne figure pas dans les archives du collège

Page 69

1. Athy est effectivement un homophone de *a thigh*, une cuisse. Cette petite ville, la plus importante du comté de Kildare, est située à une soixantaine de kilomètres au sud-ouest de Dublin.

2. Voir *Ulysse*, éd. cit., p. 41 : « Foyers qui s'effritent, le mien, le sien, tous. Tu disais aux fils de famille de Clongowes que tu avais un oncle juge et un oncle général. Lâche tout ça, Stephen, là n'est pas la beauté. »

Page 70

1. L'arrière-grand-oncle de Joyce, qui s'appelait John O'Connell, était le père de William (l'oncle Charles de la p. 46). « Le Libérateur », un parent, est le célèbre Daniel O'Connell, 1775-1847, qui arracha à l'Angleterre le droit de vote pour les catholiques : voir p. 85, n. 2.

2. C'était en effet la tenue numéro un des élèves entre 1816 et 1840. L'uniforme fut supprimé en 1850.

3. On peut encore voir ce livre illustré au petit musée du collège.

Page 71

1. Parnell mourut le 6 octobre 1891. Le dimanche matin 11 octobre, le vapeur *Ireland*, sur lequel se trouvait son cercueil, entra dans le port de Kingstown (aujourd'hui Dun Laoghaire, en anglais Dunleary).

2. Cette apparition n'est pas sans rappeler l'allégorie de l'Église au début du chant XXX du *Purgatoire*. Dans les pages qui vont suivre, l'autre « Dante » apparaîtra en champion de cette Église.

3. *The toasted boss.* Dans une lettre du 31 octobre 1925 à son traducteur Damaso Alonso, Joyce explique qu'il s'agit d'un terme

enfantin et populaire désignant un petit repose-pieds à oreilles, capitonné et sans armature (*Lettres*, éd. cit., t. III, p. 352).

Page 72.

1. John Kelly, qui servit de modèle pour M. Casey, avait été envoyé en prison à plusieurs reprises pour ses activités en faveur de la Ligue Agraire ; c'est là que trois de ses doigts s'étaient atrophiés à force de travailler l'étoupe. Stanislaus Joyce a fait de cet ami de la famille un portrait affectueux : voir *Le Gardien de mon frère*, éd. cit., p. 33-36 et ci-dessous n. 1, p. 83. Voir également *Ulysse*, éd. cit., p. 549, où certaine chanson est donnée comme « le morceau préféré et pas commode à réciter, soit dit en passant, de ce pauvre John Casey ».

2. Cap : *the Head*, c'est-à-dire *Bray Head*, le promontoire de Bray.

Page 74.

1. Cette maison, sise 26 D'Olier Street (rue de la rive droite de la Liffey, au débouché de O' Connell Bridge), était renommée pour ses volailles, son gibier et ses poissons.

2. *That's the real Ally Daly*, expression dublinoise familière.

3. Férule : *pandy bat*, qui vient, semble-t-il, du latin *Pande !*, « Tends [les mains] ! ». Voir ci-dessous p. 97-99. On saisit mal, en effet, le rapport avec *turkey*, dinde.

Page 77.

1. Au moment où fut engagée, précisément la veille de Noël 1889, l'action en divorce mettant Parnell en cause pour adultère, Gladstone et les libéraux anglais furent les premiers à exprimer avec véhémence leur vertueuse indignation. Il faut néanmoins savoir que le capitaine W. H. O'Shea avait pendant dix ans toléré la liaison de sa femme Katherine avec Charles Stewart Parnell, acceptant pour prix de son silence un siège de député de Galway ; le revirement de O'Shea paraît avoir été inspiré par la considération d'un héritage...

2. Évangile selon saint Luc, XVII, 1-2 : « Il est impossible qu'il n'y ait pas de scandales, mais malheur à celui par qui ils arrivent ! Il vaudrait mieux pour lui qu'on lui mît au cou une pierre de moulin et qu'on le jetât dans la mer, que d'être une occasion de chute pour un seul de ces petits. »

Page 78.

1. Repris du « Carnet de Trieste », à la rubrique « Pappie », Pléiade, p. 1669.

2. Billy-le-Lippu : l'archevêque de Dublin, William J. Walsh.

3. Le cardinal Michael Logue, archevêque d'Armagh, primat d'Irlande ; voir le « Carnet de Trieste » à la rubrique « Pappie ».

4. Lord Leitrim, grand propriétaire de triste réputation, fut assassiné en 1877 par un jeune paysan qui vengeait sa sœur ; le cocher de Lord Leitrim, vraisemblablement irlandais lui-même, vint cependant au secours de son maître.

Page 80.

1. Bray se trouve dans le comté de Wicklow, à la limite du comté de Dublin.

2. *O come all you Roman catholics...* le *Come all you* est un certain type de chanson populaire irlandaise. Voir p. 147 et *Dublinois*, Pléiade, p. 129.

Page 81.

1. Voici la version des faits que donne Stanislaus dans *Le Gardien de mon frère*, éd. cit., p. 30-31 :

« Bien des années auparavant, [Dante] était entrée dans un couvent avec l'intention de se faire religieuse, mais, avant de prononcer ses vœux définitifs, elle avait reçu un héritage assez coquet à la mort d'un de ses frères. Elle avait quitté le couvent et s'était bientôt mariée avec un homme dans lequel elle voyait certainement un envoyé du ciel. On m'a dit qu'il était grand, digne et chauve. Il avait une belle situation à la Banque d'Irlande et il laissait toujours au bureau le pantalon qu'il portait, afin de conserver un pli impeccable à celui qu'il mettait lorsqu'il sortait. Quand le jeune couple était invité à dîner, il lisait un livre avant de quitter la maison pour avoir des sujets de conversation. En outre, il avait la louable habitude de se lever la nuit pour prier et, en passant, pour gober des œufs crus. Après quelques années de vie conjugale, il décida qu'il réussirait mieux en Amérique. Il n'avait pas tort. Il partit pour Buenos Aires en emportant presque toute la fortune de sa femme, qui ne revit jamais, ni son mari, ni son argent. Il avait été décidé qu'elle le rejoindrait, mais les rares lettres qu'il lui envoyait s'espacèrent de plus en plus. Sa femme essaya de plaisanter [...] en lui citant dans une lettre une des chansons alors à la mode :

> *Jumbo dit à Alice :*
> *« Je t'aime bien » ;*
> *Alice lui répondit :*
> *« Je n'en crois rien ;*

> *Car si tu m'aimais vraiment*
> *D'un amour fou,*
> *Tu n'irais pas à Yankee Town*
> *En me laissant dans le Zoo.* »

Cette plaisanterie d'éléphant choqua profondément le sens de la bienséance de son mari, qui lui écrivit une dernière lettre indignée et cessa toute correspondance : elle perdit complètement sa trace [...] C'était [...] la personne la plus bigote que j'aie jamais eu le malheur de rencontrer.

On la prenait pour une femme très intelligente et perspicace, et, en effet, elle était loin d'être stupide et jouait un rôle important dans l'éducation des enfants. C'était une époque de familles nombreuses, mais l'on y comprenait peu les enfants. Dante croyait, avec plus de fermeté et de logique que d'autres, que les enfants viennent au monde plongés dans une sombre atmosphère de péché originel. Dans ses meilleurs moments, pendant les vacances de Noël, elle nous menait à Inchicore [quartier de l'ouest de Dublin, situé entre la Liffey et le Grand Canal] voir la crèche et les reproductions en cire de la Sainte Famille, des mages, des bergers, des chevaux, des bœufs et des moutons qui peuplaient la salle de leur poussiéreuse majesté de pacotille. D'une humeur plus sévère, elle nous conduisit à la National Gallery pour nous montrer un tableau intitulé *Le Jour du Jugement Dernier*. Il représentait un épouvantable cataclysme : des nuages noirs s'amassaient, menaçants, de terribles éclairs jaillissaient, des montagnes s'écroulaient et les petites silhouettes nues des Méchants se tordaient de désespoir : " Oh ! Pourquoi ai-je péché ! " demandant grâce, tandis que d'énormes rochers s'écrasaient sur eux. Dans une autre partie du tableau, les Justes étaient catapultés vers le ciel, les bras croisés sur la poitrine. Je ne me souviens plus si Dieu tout-puissant figurait sur le tableau, mais il est évident, en tout cas, que le jour où il faisait de la chair à pâté avec les pécheurs était le plus beau jour de sa vie ou, devrais-je dire, de son éternité. »

2. Voir ci-dessous, p. 90. L'image vient du Cantique des Cantiques, VII, 5.

Page 82.

1. Arklow : petite ville côtière à une quarantaine de kilomètres au sud de Bray.

2. En 1890, on avait perfidement accusé Parnell de s'être approprié les fonds de la Ligue Nationale Irlandaise déposés à Paris.

3. Parnell utilisa parfois ce pseudonyme (« M. Renard ») au cours de sa liaison avec Mrs O'Shea. Voir ci-dessus p. 64, n. 1 et ci-dessous p. 243, n. 1.

Page 83.

1. Voir Stanislaus Joyce, *Le Gardien de mon frère*, éd. cit., p. 33 : « Le plus sincère du petit groupe qui s'intéressait à mon frère était John Kelly, de Tralee, qui s'appelle " M. Casey " dans *Portrait de l'artiste en jeune homme*. Il avait été plusieurs fois en prison pour avoir fait des discours en faveur de la campagne pour la Ligue Agraire, et ce furent ces séjours en prison qui provoquèrent la maladie dont il mourut dix ou onze ans plus tard. Quand il sortit de prison, mon père lui suggéra de venir se reposer au bord de la mer, à Bray. Je me souviens de trois ou quatre de ses séjours à la maison, et du désordre qu'il y eut lorsqu'il s'enfuit vers Dublin pour éviter une nouvelle arrestation, mettant ainsi fin à sa dernière visite à Bray. L'officier de police qui vint à la nuit tombée nous dire qu'un mandat d'arrêt concernant M. Kelly était arrivé mais qu'il en avait remis l'exécution au lendemain matin, était un homme très grand, sec et vigoureux, originaire du Connaught ; mon père et M. Kelly paraissaient petits à côté de lui. Il venait du pays des Joyce [*The Joyce Country*, dans la province de Connaught], s'appelait naturellement " Joyce " et avait pour mon père un dévouement d'homme de clan. »

Page 84.

1. Stanislaus Joyce, *Le Gardien de mon frère*, éd. cit., p. 29-30 : « ... je me souviens du scandale qu'elle provoqua, un beau soir d'été, au moment où l'orchestre militaire qui jouait dans le kiosque derrière l'esplanade terminait son programme [...] lorsque l'orchestre se mit à jouer le *God save the Queen*, elle interrompit l'extase patriotique d'un vieux gentleman qui l'écoutait debout, le chapeau à la main, en lui assenant un coup sec de son ombrelle sur le crâne. »

2. *Condemned to death as a White-boy.* Whiteboys, nom donné aux paysans qui, au cours du règne de George III, 1760-1820, se révoltèrent contre les gros propriétaire terriens, parce qu'ils portaient une chemise par-dessus leurs vêtements en signe de reconnaissance. Le mouvement fut particulièrement important dans la province de Munster, c'est-à-dire dans le sud-ouest de l'Irlande, berceau de la famille de Joyce. Selon Richard Ellmann, les détails donnés ici sont véridiques et tirés de l'histoire familiale de l'auteur.

3. Selon Stanislaus Joyce, *Le Gardien de mon frère*, éd. cit., p. 43, l'explication est moins politique qu'il n'y paraît : le grand-père reprochait aux prêtres d'avoir arrangé son mariage, qui s'était révélé malheureux.

4. Zacharie, ii, 8.

Page 85.

1. Le marquis de Cornwallis fut nommé en juin 1798 lord-lieutenant d'Irlande, et chef du corps expéditionnaire chargé de mater la révolte. Horrifiée par celle-ci et par les relents de Révolution française qu'elle portait, la hiérarchie catholique ne s'opposa pas véritablement à l'union avec la Grande-Bretagne que celle-ci imposa en 1800.

2. Cette émancipation, gagnée de haute lutte par Daniel O'Connell (voir ci-dessus p. 70, n. 1), et qui accordait pratiquement aux catholiques la plénitude de leurs droits civiques, fut assortie de règles censitaires qui réduisirent considérablement l'électorat catholique, en majorité de condition modeste.

3. Le cardinal Paul Cullen, 1803-1878, évêque d'Armagh (1849), archevêque de Dublin (1852), cardinal (1866 : le premier cardinal irlandais de l'histoire), condamnait les mouvements de révolte violente, en particulier la Fenian Society, fondée en 1859 et officiellement connue sous le nom de Irish Revolutionary Brotherhood. Dans sa lettre pastorale du 10 octobre 1865, il mettait les fidèles en garde contre tout serment d'obéissance envers des hommes qui pouvaient être des ennemis de l'Église et de l'ordre social établi (voir *Stephen le Héros*, Pléiade, p. 365, n. 1).

4. C'est en 1861 que le cardinal Cullen refusa d'accueillir à la cathédrale catholique (la « pro-cathédrale ») de Dublin le corps de Terence Bellew MacManus, 1823 ?-1861, héros de la Jeune Irlande qui, après avoir pris part à l'insurrection de 1848, était mort à San Francisco ; voir « Portrait de l'artiste » (1904), p. 34, n. 2. Les obsèques, suivies, dit-on, par cinquante mille Fenians, furent l'occasion d'un acte d'insubordination spectaculaire d'un membre du bas-clergé, le père Lavelle, de Partry, comté de Mayo. Le père Lavelle ne faisait que suivre l'exemple de John MacHale, archevêque de Tuam, en désaccord avec le cardinal Cullen sur la politique à adopter vis-à-vis des Fenians (John MacHale était respecté dans l'opinion populaire irlandaise, comme en témoigne la page de « La Grâce » où son nom est évoqué : voir *Dublinois*, Pléiade, p. 259).

Page 87.

1. Lyons : c'est-à-dire à peu près à mi-chemin de Dublin en ligne droite. Noter l'homonymie qui permet d'associer ce lieu à une pièce de théâtre thématiquement importante, *The Lady of Lyons [La Dame de Lyon]*, p. 159.

Page 88.

1. Pendant sa première année à Clongowes Wood College, James Joyce fut thuriféraire.

2. La saison d'été commence. L'hiver, le sport pratiqué dans ces collèges bourgeois est le rugby. Stanislaus Joyce, *Le Gardien de mon frère*, éd. cit., p. 61 : « [Mon frère] n'aimait pas le [rugby] football, il aimait le cricket, et, bien que trop jeune même pour être dans l'équipe junior, promettait d'être un batsman honorable. Il s'intéressait encore à ce sport à Belvedere et suivait avec passion les exploits de Ranjy et Fry, Trumper et Spofforth. » Le cricket, avec ses règles, ses traditions, ses grands joueurs, figure d'ailleurs en bonne place dans *Finnegans Wake*.

3. *Rounders :* jeu pratiqué avec une balle et une batte de cricket.

4. *Twisters, lobs :* effets particuliers donnés à la balle par le lanceur, *bowler*.

Page 89.

1. *Tusker Boyle.* De *tusk*, défense d'éléphant : voir page suivante.

2. *Smugging.* Ce terme d'argot à valeur sexuelle reste assez vague.

Page 90.

1. Voir p. 46, n. 5, et p. 81.

2. Le souvenir reviendra : voir p. 123.

Page 91.

1. Ce graffiti a peut-être son origine dans un manuel de latin. Des deux auteurs pouvant en être la source au moins indirecte selon Chester Anderson, nous pensons devoir écarter César, *De Bello Gallico*, VIII ; voir néanmoins la note suivante. La référence à Cicéron (*Lettres à Atticus*, XII, 2) est plus directe : *At Balbus aedificat...* (il n'est pas question de *murum*, le verbe est pris absolument). La citation de Cicéron a pu être reprise par Kennedy (Benjamin Hall) à titre d'exemple dans *Child's Latin Primer, or First Latin Lessons extracted, with model questions and answers, from An Elementary Grammar*, Londres, 1848. Peut-être avons-nous ici également une allusion à Notker Balbus ; voir James S. Atherton, *The Books at the Wake*, p. 174, et Jean-Michel Rabaté « La Missa Parodia de *Finnegans Wake* », *Poétique*, n° 17 : Joyce exécute plusieurs variations sur cette phrase dans sa dernière grande œuvre, voir notamment p. 5 et 552.

2. Jules César a utilisé les mémoires de Balbus au livre VIII du *De Bello Gallico*.

3. C'est-à-dire, selon la tradition de Clongowes Wood College, trois coups sur chaque main, suivis de quatre, à nouveau sur chaque main. Le professeur écrivait en latin sur une note le nombre de coups à donner ; et l'élève *sent to the loft* (« envoyé au grenier ») portait cette note au préfet chargé de l'exécution.

Page 92.

1. *He'd be able for two of Gleeson !* La construction est archaïque, mais encore usitée en Irlande.

2. C'était la punition maximale, qui était accompagnée d'une correction sur les fesses, ce qui explique le commentaire d'Athy.

Page 96.

1. *Idle* : paresseux, oisif. Étymologiquement « vide, vain » : voir *Dublinois*, Pléiade, p. 109 et n. 2.

Page 98.

1. La mésaventure qui suit advint à Joyce lui-même, sans doute en 1888, avec un certain P. James Daly. Herbert Gorman (*James Joyce*, éd. cit., p. 29 et 33-34) décrit longuement cet organisateur autoritaire, soucieux avant tout d'améliorer les résultats scolaires (voir *Stephen le Héros*, Pléiade, p. 330 et n. 2). Le P. Dolan réapparaîtra dans *Ulysse*, éd. cit., p. 508.

2. Thomas Furlong, élève de Clongowes Wood College de 1889 à 1894, fut un condisciple de James Joyce en 1890-1891. Ils furent pris *out of bounds*, c'est-à-dire hors des limites autorisées, en train de piller le verger. Il fut dit dans le collège : *Furlong and Joyce will not for long rejoice*, jeu de mots facile que Joyce aimait à répéter.

3. *Macbeth*, acte V, sc. v, v. 19.

Page 99.

1. *Lazy little schemer.* Cette expression évocatrice de l'épisode tout entier est reprise dans *Ulysse*, éd. cit., p. 133 et 508 (« Vilain petit carottier ! ») ; voir aussi *Stephen le Héros*, Pléiade, p. 330 et n. 2. On rapprochera *schemer* de la phrase, passée en proverbe, du poète écossais Robert Burns, 1759-1796 : *The best laid schemes o'mice and men gang aft a-gley (To a Mouse).* [Les combinaisons les mieux étudiées

des souris et des hommes souvent vont de travers (« À une souris »)].
Plus loin, p. 105, Stephen aura le réflexe de se faire tout petit pour
échapper au danger.

   2. Voir p. 45, n. 5.

Page 103.

   1. Richmal Mangnall (Joyce écrit à tort Magnall), 1769-1820, éducatrice anglaise, auteur d'un *Compendium of Geography*, 1815, et de
Historical and Miscellaneous Questions for the Use of Young People,
1800, ouvrage très répandu dans les écoles anglaises au XIXᵉ siècle,
dont un exemplaire, dans l'édition de 1829, se trouvait dans la
bibliothèque de Joyce à Trieste.

   2. Joyce mêle ici les titres de deux recueils de l'Américain Samuel
Griswold Goodrich, 1793-1860 : *Peter Parley's Tales about Ancient and
Modern Greece* (Richardson, Lord and Holbrook, Boston, 1832), et *Peter
Parley's Tales about Ancient Rome* (Carter, Hendee and Co, Boston,
1833). Goodrich, qui déclare dans sa préface écrire « à l'intention des
garçons et des filles de dix ou douze ans », publiait environ un volume
par an, abordant tous les domaines de la connaissance, comme
l'indiquent ses titres : *Peter Parley's Tales about the Sun, Moon and
Stars*, 1845 ; *A Glance at Philosophy, Mental, Moral and Social*, 1849 ;
Peter Parley's Universal History, 1853. Goodrich explique, dans sa
préface aux récits de l'Antiquité, qu'il a volontairement utilisé des
termes familiers et modernes, et fait référence à la société et aux
mœurs modernes, avouant candidement avoir parfois utilisé sans
guillemets des pages de ses prédécesseurs : procédé auquel Joyce eut
quelquefois recours dans *Ulysse* et dans *Finnegans Wake*.

Page 106.

   1. Devise de la Société de Jésus ; voir n. 2, p. 124 et 173.

   2. Lorenzo Ricci, 1703-1775, général des jésuites de 1758 à sa mort,
c'est-à-dire pendant toute la période cruciale que fut pour la Compagnie le pontificat de Clément XIV. Lorsque celui-ci abolit l'ordre en
1773, Ricci fut enfermé au secret dans le château Saint-Ange, où il
mourut. Saint Stanislas Kostka, 1550-1568, canonisé en 1726. Saint
Louis de Gonzague, 1568-1591. Jean Berchmans, 1599-1621, présenté
ici comme bienheureux, fut canonisé en 1888, l'année même où James
Joyce entrait à Clongowes Wood College.

   3. C'est Peter Kenny qui acheta le domaine de Clongowes Wood
pour la Compagnie en 1813.

   4. Détail véridique : voir p. 49 et n. 1.

Page 110.

1. Voir p. 48, note 3 et p. 125, note 3. Voir *Ulysse*, éd. cit., p. 186 :
« Enfant que Conmee sauva de la férule. » Le père Conmee sauva plus
tard Joyce de l'indignité (?) associée aux *Christian Brothers* en le
faisant entrer chez les jésuites de Belvedere College.

2. Voir n. 3, p. 236.

3. Voir p. 88.

Page 111.

1. Voir Stanislaus Joyce, *Le Gardien de mon frère*, éd. cit., p. 36-37 :
« " Oncle Charles " était William O'Connell, oncle de mon père par sa
mère. Aussi loin que vont mes souvenirs, il fit toujours partie de la
famille et resta avec nous jusqu'à notre départ pour Dublin, après que
mon père eut perdu sa situation par la fermeture de ses bureaux. Ma
mère disait qu'avec son oncle mon père avait rendu le bien pour le
mal, car, à la mort de son père, William O'Connell, qui était alors un
riche célibataire avec des affaires à Cork, refusa tout net de s'occuper
en quoi que ce soit de son neveu, orphelin de dix-sept ans. À l'époque
où je l'ai connu, c'était un grand vieillard aux cheveux blancs,
imperturbable, religieux avec discrétion. Tous les matins, il prenait un
tub froid, allait à la messe, et se rendait utile en faisant les courses de
ma mère à Bray, qui était assez éloigné de l'endroit où nous vivions. Il
m'emmenait avec lui dans ses expéditions, mais je le suivais à
contrecœur car il avait des habitudes pénibles. Il faisait des haltes qui
me semblaient durer un siècle, mais ce siècle n'était peut-être qu'une
heure, pour bavarder avec les propriétaires des magasins où il faisait
ses commandes, tandis que j'errais, regardant les étiquettes et les
réclames que je connaissais par cœur ; ou alors, sur le chemin du
retour, il me conduisait dans quelque église pour y dire trois " Je vous
salue, Marie " à son intention. Ce qu'il voulait dire par là était un
mystère qui devait être respecté [voir ci-dessous p. 113].

Il chantait aussi, d'une voix cassée qui n'était pourtant pas désagréa-
ble : " Tresse-moi une tonnelle de chèvrefeuille et de roses " ou
" Moments heureux... ". Tout le monde chantait. La dernière vague du
romantisme, en se retirant, avait laissé dégénérer, Tommy Moore
[Thomas Moore, le poète romantique irlandais] aidant, la poésie et
tout ce qu'elle peut exprimer en un exercice de salon ; ceci expliquait le
succès des ballades sentimentales.

Quoi qu'il arrivât, il ne se démontait jamais et avait pour les
moments difficiles sa formule magique : " Beau fixe, madame, beau
fixe ! " [*All serene !*] », expression qui apparaît non seulement ici, mais
encore dans *Ulysse*, parmi d'autres expressions ou éjaculations singu-

lières (éd. cit., p. 418). Voir le « Carnet de Trieste » à la rubrique
« Oncle William », Pléiade, p. 1671.

Page 112.

1. C'est au début de 1892 que la famille Joyce se rapprocha de
Dublin, quittant Bray pour Blackrock, où elle vécut environ un an.
Pour Stanislaus Joyce, « ce bref intermède entre la prospérité relative
et la véritable pauvreté » est associé à la désagrégation du groupe
familial, dont se séparent assez vite « Dante » et l'oncle William (*Le
Gardien de mon frère*, éd. cit., p. 66-67).

2. Stanislaus Joyce, *Le Gardien de mon frère*, éd. cit., p. 61 : « Pour la
course, [mon frère] était doué à la fois pour les épreuves de vitesse et
d'endurance. Un ami de mon père, Pat Harding, qui était le champion
d'Irlande du 110 yards haies au moment où l'Américain Kranzlein
était champion du monde, proposa d'entraîner mon frère pour cette
épreuve pendant sa deuxième année à Belvedere, mais celui-ci avait
déjà d'autres chats à fouetter. »

3. Voir p. 230, n. 2, où la posture est reprise dans un autre contexte.

Page 113.

1. Cela n'était pas vrai du grand-oncle de Joyce, mais de son grand-
père.

Page 114.

1. Munster : l'une des quatre provinces d'Irlande, qui occupe le sud-
ouest du pays. Le pays d'origine présumé de la famille Joyce, *the Joyce
Country*, se trouve dans la province de Connaught, à l'ouest, mais c'est
à Cork, dans le Munster, qu'avaient vécu les dernières générations.
Voir ci-dessus p. 83, n. 1.

Page 115.

1. L'histoire de Monte-Cristo, pseudonyme d'un héros dépossédé
qui, grâce à un prêtre mourant donateur d'un trésor, revient faire
justice, mais renonce à ce qui n'était que vengeance, est bien propre à
nourrir l'imaginaire de notre héros. De plus, les noms, les signifiants
mêmes, Monte-Cristo et Mercédès (qui évoque la Vierge), ont évidemment pour lui une résonance religieuse. — Cela peut être rapproché de
ce souvenir de Stanislaus Joyce (*Le Gardien de mon frère*, éd. cit., p.
65) : « Je crois que les premières tentatives littéraires de mon frère

datent de " Leoville ", à Blackrock. Il commença à écrire un roman en collaboration avec un jeune protestant, Raynold, son aîné d'un an ou deux, qui était notre voisin. Je n'ai aucune idée des aventures étranges qui devaient former l'intrigue du roman, bientôt abandonné, mais je revois les deux garçons en train de discuter, et mon frère en train d'écrire, l'après-midi jusqu'à l'heure du thé, au grand bureau recouvert de cuir dans un coin de la salle à manger. »

2. Probablement le château Frascati, en face du parc de Blackrock. C'est là qu'habita Lord Edward Fitzgerald, 1763-1798, l'un des héros de la rébellion de 1798, dont la femme, Paméla, était une fille du duc d'Orléans.

3. Stradbrook réapparaîtra plus tard dans le souvenir de Stephen : voir p. 235 et n. 2.

Page 116.

1. Dans *Les Exilés,* Archie demande à être autorisé à sortir le matin avec le laitier (voir Pléiade, p. 832).

Page 117.

1. *Rock Road.* C'est la route qui va de Blackrock à Dublin, parallèle à la côte et à la voie ferrée évoquée p. 53. Elle prend le nom de Merrion Road au moment où, quittant la côte, elle se dirige vers le centre de Dublin.

2. *As he brooded upon her image.* Voir ci-dessous p. 125, n. 1

Page 118.

1. Voir p. 117.

2. Cela devait initialement figurer au début du chapitre VIII de *Stephen le Héros* (voir Pléiade, p. 417). Voir également les notes conjointes au « Portrait de l'artiste » (1904), Pléiade, p. 1580.

Page 119.

1. Voir *Ulysse,* éd. cit., p. 232-233 ; et Stanislaus Joyce, *Le Gardien de mon frère,* éd. cit., p. 70.

2. Cela devait initialement constituer la seconde section du chapitre VIII de *Stephen le Héros :* voir les notes conjointes au « Portrait de l'artiste » (1904).

3. Sans doute Mountjoy Square. La famille Joyce quitta Blackrock

en 1893 pour venir habiter dans Fitzgibbon Street, qui donnait sur
cette place d'un quartier jadis élégant (on y compte encore nombre de
maisons du XVIIIe siècle) mais déjà en net déclin.

4. *A skeleton map of the city.* Cette expression, au demeurant
parfaitement normale, évoque non seulement un squelette (et l'on
remarquera les images de mort qui précèdent et qui suivent), mais
aussi une fausse clé, un passe-partout, *skeleton key.* On se rappellera
d'autre part la remarque, rapportée par Richard Ellmann, de John
Stanislaus sur son fils : « Si cet individu était jeté en plein Sahara, bon
Dieu, il s'assiérait pour en dresser la carte. »

5. C'est-à-dire qu'il descendit Gardiner Street, qui longe Mountjoy
Square, jusqu'à la Liffey, au bord de laquelle se trouve le bâtiment des
Douanes, *the Custom House.*

Page 120.

1. Une tante de Joyce, Josephine Murray, la femme de William
Murray, frère de sa mère, lui servit de modèle pour ce personnage. Le
couple habitait dans le quartier de Drumcondra, à moins de deux
kilomètres au nord de Mountjoy Square. Joyce préférait cette tante à
tous les membres de sa famille, et correspondit longtemps avec elle
après son départ de Dublin.

2. On peut penser qu'il s'agit du *Freeman's Journal,* où le frère de
William Murray, John, surnommé « Red », était comptable : voir
Ulysse, éd. cit., p. 115.

3. Mabel Hunter : actrice qui eut un grand succès à Dublin dans une
pantomime, en 1892 notamment.

4. Peut-être bien « Katsy » (Katherine) Murray, fille de William et
de Josephine, pour laquelle James éprouva de l'intérêt, et Stanislaus
un amour durable.

Page 121.

1. Reprise de l'épiphanie n° V (Pléiade, p. 89).

Page 122.

1. Cela devait sans doute constituer la troisième section du chapitre VIII de *Stephen le Héros* : voir les notes conjointes au « Portrait de
l'artiste » (1904). Harold's Cross est un faubourg sud de Dublin.

2. Reprise de l'épiphanie n° III (Pléiade, p. 88), considérablement
remaniée et développée, dont on retrouve les échos ci-dessous p. 133 et
321. Cet épisode est évoqué dans *Stephen le Héros,* Pléiade, p. 379.

Page 123.

1. Dans l'épiphanie n° III, cette phrase est à la forme négative.

2. Écho de la p. 90 ci-dessus. Cela devait initialement figurer dans le chapitre IX de *Stephen le Héros* (« février-juin 1893 ») : voir les notes conjointes au « Portrait de l'artiste » (1904), Pléiade, p. 1583.

Page 124.

1. Ces cahiers de couleur très patriotique se répandirent pendant les années 1890, au moment où les Irlandais se préparaient à célébrer l'anniversaire de la Rébellion de 1798.

2. *Ad Majorem Dei Gloriam.* Voir p. 106.

3. On peut penser que ces initiales sont celles d'Emma Clery, personnage qui figure en bonne place dans *Stephen le Héros*. Il est remarquable que le premier recueil de Lord Byron, *Hours of Idleness*, contienne, dans ses tout premiers poèmes, *Sur la mort d'une jeune dame [On the Death of a Young Lady]*, cité dans *Dublinois* (Pléiade, p. 178) ; puis deux titres elliptiques, *A E-* et *A D-* ; enfin *À Emma*, poème d'adieu à des amours enfantines. *Hours of Idleness [Heures d'oisiveté]* fait écho aux reproches du P. Dolan à Stephen, « *Lazy idle little schemer !* », (p. 99). Sur Byron, voir n. 4, p. 137 *Stephen le Héros*, Pléiade, p. 341 et n. 2. La bibliothèque de Joyce à Trieste contenait un exemplaire des *Poems* de Lord Byron (London, Routledge, n.d.), estampillé « J. J. ».

4. Stanislaus Joyce, *Le Gardien de mon frère*, éd. cit., p. 65-66, apporte ces précisions : c'est à Blackrock que son frère « écrivit un morceau sur la mort de Parnell qui est mentionné, apparemment avec la permission de mon frère, sous le titre " Et tu, Healy ", titre dont je ne me souviens pas [...]. Les vers que j'ai cités se sont gravés dans ma mémoire, car " la chère vieille demeure ombragée " et " l'aire perchée " étaient des plaisanteries traditionnelles entre nous, encore même pendant notre séjour à Trieste. En outre, dans [...] *Stephen le Héros*, le poème est attribué à l'époque que j'ai indiquée, et mon frère, décrivant un déménagement et un départ précipité de Blackrock, fait allusion au reste des épreuves, dont le jeune Stephen Dedalus avait été si fier, éparses sur le plancher, déchirées et salies par les gros souliers des déménageurs. » Le père de Joyce fit imprimer ce poème (1891) et en fit distribuer des exemplaires autour de lui.

5. *Second moiety notices :* à peu de chose près, des feuilles de « second tiers provisionnel » ; *moiety* est un vieux terme légal, qui signifie « moitié » ou « seconde partie ». Il s'agit sans doute des feuilles que M. Dedalus envoyait aux contribuables en sa qualité de receveur des impôts locaux (voir p. 346, n. 1).

Page 125.

1. *By dint of brooding on the incident.* Voir p. 117, n. 2.

2. *Laus Deo Semper.* Bien entendu, James Joyce observait cette règle dans ses essais : voir Pléiade, p. 894, n. 2.

3. Le contexte le montre, il s'agit du P. Conmee, naguère recteur de Clongowes Wood College ; le « vrai » P. Conmee ne devait devenir provincial que sensiblement « plus tard ». Le collège de Belvedere et la maison des jésuites de Gardiner Street sont très proches de Mountjoy Square et de Fitzgibbon Street, où sont censés habiter les Dedalus. James Joyce entra à Belvedere le 6 avril 1893, en grammaire 3, après avoir passé quelques mois chez les *Christian Brothers* de North Richmond Street (voir *Dublinois*, Pléiade, p. 127), épisode qu'il préféra oublier, pour des raisons que le dialogue suivant éclaire.

Page 126.

1. Cette idée était déjà énoncée dans *Dublinois* (Pléiade, p. 254) et dans *Stephen le Héros* (Pléiade, p. 527). Cet épisode devait initialement figurer en conclusion du chapitre VIII de *Stephen le Héros*.

2. Les phrases qui suivent reflètent assez fidèlement les rapports qui existaient entre M. Joyce et son fils Stanislaus.

Page 127.

1. *One word borrowed another,* littéralement « un mot en emprunta un autre », expression heureuse dans la bouche du parasite qu'est M. Dedalus.

2. M. Dedalus, qui a perdu son emploi, est à l'affût d'autres sinécures, sans pour autant souhaiter parler de ces problèmes devant ses enfants. En 1892, le poste de percepteur des impôts locaux occupé par M. Joyce fut supprimé, le plaçant dans une situation analogue.

3. Voir n. 6, p. 33.

4. La représentation à laquelle James Joyce participa eut lieu les 10-11 janvier 1898.

5. Cette scène se passe dans la cour intérieure de Belvedere.

Page 128.

1. Stanislaus Joyce, *Le Gardien de mon frère,* éd. cit., p. 106 : « La dernière année [à Belvedere, mon frère] prit part aux représentations du collège, jouant le rôle du directeur dans la farce d'Anstey *Vice Versa*. Il fut tout à fait maître de lui-même et de son jeu sur scène, montra un talent d'acteur étonnant et ajouta un intérêt inattendu à son rôle en

improvisant (au grand affolement du metteur en scène) une excellente imitation du supérieur du collège [le P. William Henry, voir n. 1, p. 131], lequel était assis au premier rang des spectateurs et semblait s'en amuser autant que ses élèves. » Cette pièce était tirée du roman de F. Anstey, pseudonyme de Thomas Anstey Guthrie, *Vice Versa, or a Lesson to Fathers*, publié en janvier 1882 (c'est-à-dire à la veille de la naissance de James Joyce). Le livre avait eu un succès considérable. En voici l'argument. Une pierre magique, rapportée des Indes, permet de transformer les êtres selon leurs vœux ; un père va se trouver, par imprudence, transformé en écolier, cependant que son fils, d'écolier devient grande personne. Mais cette transformation ne porte que sur leur apparence, non sur leur psychisme, leur intellect, etc. Joyce jouait le rôle du redoutable directeur, le Dr Grimstone. On retrouve dans le *Portrait de l'artiste en jeune homme* un certain nombre d'échos du roman, notamment de l'argot d'écolier : « en rogne », « en rage », etc. On peut aussi lire dans *Ulysse*, éd. cit., p. 493-494 : « Bloom (tic nerveux de la figure et des mains). C'est Gerald qui m'a convertie au culte du corset quand je jouais un rôle de femme au collège dans la pièce *Vice Versa*. C'est le cher Gerald. » Voir ci-dessous, p. 129, un travestissement du même ordre.

2. En fait, *sergeant-major* correspondrait plutôt à « adjudant ». Les professeurs de gymnastique des collèges et des Public Schools, parfois chargés de la préparation militaire, sont souvent d'anciens sous-officiers.

Page 129.

1. Un certain Daniel Tallon fut Lord-Maire de Dublin en 1899 et 1900. L'obséquiosité qui entoure ici Mme Tallon s'explique à merveille par sa parenté réelle ou imaginaire avec un tel notable.

Page 130.

1. Le personnage de Héron est la synthèse de deux frères, condisciples de James Joyce à Belvedere College : Albrecht Connolly, le dandy, dont il garde la mise, et son frère Vincent, dont il reproduit les traits. L'incident qui l'oppose à Stephen devait initialement figurer dans le chapitre ix de *Stephen le Héros* (« février-juin 1893 ») : voir les notes conjointes au « Portrait de l'artiste » (1904).

Page 131.

1. Voir la n. 1, p. 74.

Page 133.

1. *That eyeglass of his,* où nous retrouvons le *glass* de la p. 45, n. 5.
2. Voir p. 124.

Page 135.

1. Écrivains subversifs : cela reste vague. Il peut s'agir aussi bien de Nietzsche, de Karl Marx ou de Bakounine, que de Giordano Bruno, Leo Taxil ou Johann Most : autant d'auteurs que Joyce lut, c'est bien certain, sans que l'on sache toujours à quel moment, ni avec quels effets.
2. Cela est développé dans *Stephen le Héros,* Pléiade, p. 342.
3. Ce M. Tate apparaît déjà, fugitivement, au début de *Stephen le Héros* (Pléiade, p. 327). Il semble avoir eu pour modèle George Stanislaus Dempsey, professeur d'anglais de James Joyce à Belvedere. Le maître et l'élève devaient reprendre contact bon nombre d'années plus tard.
4. Cf. dans *Stephen le Héros* (Pléiade, p. 506) les propos des « ambassadeurs » de l'Église : « N'était-ce pas la vanité pure et simple qui lui faisait rechercher la couronne d'épines de l'hérétique ? »

Page 136.

1. Le septième domicile de la famille de James Joyce en 1894-1895 fut Millbourne Lane, Drumcondra, dans la banlieue nord de Dublin.

Page 137.

1. Les œuvres de Frederick Marryat, 1792-1848, n'ont guère en effet qu'un intérêt documentaire ; elles ont pour thème essentiel la vie des gens de mer, à l'exception de *Japhet in search of a Father [Japhet à la recherche d'un père],* 1836, autobiographie d'un enfant trouvé, qui est le seul roman signalé dans l'œuvre de James Joyce (*Ulysse,* éd. cit., p. 21). Cependant, dans les lettres à son frère Stanislaus des 15 et 4 avril 1905, James met sa coquetterie à trouver *Peter Simple,* le roman le plus connu de l'auteur, plus captivant que *Confidence* de Henry James.
2. Il est facile de constater, dans notre roman, une authentique admiration pour la prose de John Henry Newman, par exemple p. 246 et 248. Vingt ans plus tard (le 1er mai 1935), dans une lettre adressée à Harriet Shaw Weaver, Joyce écrivait encore : « Personne n'a jamais écrit en anglais une prose comparable à celle d'un petit pasteur anglican fatigant et insignifiant qui est ensuite devenu prince de la seule véritable Église » (*Lettres,* éd. cit., t. I, p. 457).

3. Héron commet naturellement une bourde : un poème comme *The Dream of Gerontius [Le Rêve de Gérontius]*, 1866, ou l'hymne « Lead, kindly light » [Conduis-nous, Lumière bienveillante], dont Joyce glisse un écho p. 160, n° 2, sont célèbres.

4. Avant de suivre Shelley et Blake, il apparaît bien que James Joyce eut une grande admiration pour Byron (Stanislaus Joyce, *Le Gardien de mon frère*, éd. cit., p. 117). Les traces en sont visibles encore dans *Stephen le Héros*, par exemple p. 341 (Pléiade) à propos de scansion. Sa bibliothèque de Trieste contenait d'ailleurs un exemplaire de la biographie du poète par John Cordy Jeafferson, *The Real Lord Byron*, Leipzig, Tauchnitz, 1883. Voir aussi n. 3, p. 124.

Page 138.

1.   *As Tyson was riding into Jerusalem*
                He fell and hurt his Alec Kafoozelum.

Parodie de la chanson humoristique *Ka-Foozle-Um*, dont l'héroïne éponyme, fille du Babah de Jérusalem, est à la fin étranglée par son père, en même temps que son amant.

2. Homme immoral : rappelons que dans le cas de Byron, ce terme recouvre, en même temps que l'adultère, l'inceste : Byron eut une liaison avec sa demi-sœur Augusta Leigh, mariée et mère de trois enfants, dont il eut une fille, Medora. Ce thème reparaît plus loin, sans équivoque, p. 329. Dans des notes plus tardives, dans les années 1920, Joyce fera un rapprochement entre les couples que formèrent Chateaubriand et Lucile, Renan et Henriette.

Page 139.

1. Stanislaus Joyce, *Le Gardien de mon frère*, éd. cit., p. 75 : « Même mon frère, en dépit de son calme et de son tempérament flegmatique, ne pouvait échapper à la jalousie agressive de ses camarades. Il n'a ni inventé, ni exagéré, dans le *Portrait de l'artiste en jeune homme*, la discussion sur Byron et l'hérésie, l'altercation avec trois de ses camarades. On dut le projeter violemment contre des fils de fer barbelés, car ma mère fut obligée de raccommoder ses vêtements déchirés pour qu'il pût aller à l'école le lendemain. Ce fut un des souvenirs désagréables de Millbourne Lane. » Il est significatif que cet incident se soit produit dans cette école dont les exigences culturelles étaient assez modestes.

Page 140.

1. Le docteur Jacques Lacan a fourni une analyse remarquable de ce passage dans la séance du 11 mai 1976 de son séminaire *Le Sinthome*, centré d'ailleurs sur le *Portrait de l'artiste en jeune homme* : voir *Ornicar ?*, nº 11, p. 6-7, et *Joyce avec Lacan*, op. cit.

2. Un jésuite, Charles Doyle, était professeur de grammaire 3 à Belvedere en 1897.

3. Héron, dont le nom fait surgir l'image d'un bec, dit : *Will you tell Doyle with my best compliments that I damned his eyes ?*, ce qui crée un écho avec la scène de la p. 46.

Page 141.

1. Voir n. 3, p. 236.

2. On peut comparer utilement cette phrase avec la p. 417 (Pléiade) de *Stephen le Héros*.

Page 142.

1. *The Lily of Killarney.* Air et opéra de Julius Benedict, 1862, basé sur le mélodrame de Dion Boucicault, *The Colleen Bawn*, 1850, lui-même tiré du roman de Gerald Griffin, *The Collegians*, 1829.

Page 144.

1. Dans *Stephen le Héros* (Pléiade, n. 1, p. 413), mais dans un autre contexte, Stephen cherchait au contraire des silhouettes familières et familiales.

2. Indication (volontairement ?) ambiguë, qui peut correspondre à deux rues différentes et éloignées : Great George's Street, North, qui prend devant Belvedere College, mais est assez courte : c'est celle dans laquelle Stephen s'engage, et qu'il dépasse largement pour aboutir près des quais du fleuve. Great George's Street, South, est beaucoup plus loin, de l'autre côté de la Liffey, près du château, *castle*, de Dublin. Joyce aimait jouer avec cette duplication des rues de Dublin autour de l'axe de la Liffey.

3. *The City Morgue*, 3 Store Street.

Page 145.

1. Lotts : ruelle proche de la Liffey.

2. Voir p. 230, n. 1.

3. Kingsbridge : c'est-à-dire à la gare de Séan Heuston, sur la rive sud de la Liffey, presque en face de Phoenix Park. D'après le premier plan connu, cet épisode devait figurer au début du chapitre x de *Stephen le Héros*, et correspondre à l'été de 1893 : voir les notes conjointes au « Portrait de l'artiste » (1904), Pléiade, p. 1584.

4. *The evoker.* Terme rare : celui qui évoque les esprits, les revenants.

Page 146.

1. *Dispossession.* Le terme est repris du « Portrait de l'artiste » (1904), ci-dessus p. 34. *Dispossessed* se retrouve deux fois dans *Ulysse*, éd. cit., p. 44, « un exproprié » (il s'agit de Stephen Dedalus) et p. 186 « [...] vous êtes le fils dépossédé, je suis le père assassiné ; votre mère est la reine coupable » (Stephen Dedalus expose ses thèses sur *Hamlet*).

2. Maryborough : aujourd'hui Port Laoise, à environ 80 kilomètres de Dublin.

3. Mallow : à environ 30 kilomètres de Cork.

4. *'Tis youth and folly / Makes young men marry.* Dans *Our Friend James Joyce*, éd. cit., p. 35, Padraic Colum signale que cette chanson était un air favori de James Joyce, aussi bien que de son père.

Page 147.

1. M. Dedalus avait donné un échantillon de ce genre de chanson p. 80.

2. Boudin blanc : *drisheens*, spécialité locale bien connue.

Page 148.

1. Collège de la Reine : aujourd'hui University College, Cork. Le père de James Joyce avait commencé là en 1867 des études de médecine, vite abandonnées pour le sport et le théâtre d'amateur : *cf.* ci-dessous p. 346, ainsi que le « Carnet de Trieste » à « Pappie », et que Stanislaus Joyce, *Le Gardien de mon frère*, éd. cit., p. 45-46.

2. Mardyke : promenade située en face de University College, dont elle est séparée par un bras de la Lee.

Page 150.

1. Cela n'est pas absolument clair. Mais un lecteur irlandais de Joyce nous a suggéré que ces noms inscrits étaient ceux des membres

des équipes sportives désignés pour tel ou tel match, qui fêtaient cette distinction à la buvette proche.

2. Cette liste est reprise du « Carnet de Trieste » à la rubrique « Pappie ».

3. L'expression sera reprise p. 236 et n. 2.

Page 152.

1. Queenstown : aujourd'hui Cobh ; c'est l'avant-port de Cork.

2. Tout cela reflète parfaitement les informations que Stanislaus Joyce donne sur son grand-père et sur son père, dans *Le Gardien de mon père*, éd. cit., p. 42-46 notamment.

Page 153.

1. *Slim jim :* sorte de guimauve recouverte de sucre rose et de noix de coco râpée, vendue en bâtons de trente ou quarante centimètres. James Joyce note que cette friandise peut être mangée par deux personnes en même temps : lettre à Damaso Alonso du 31 octobre 1925 (*Lettres*, éd. cit., t. III, p. 352).

Page 154.

1. Probablement Richard Valpy, *Dilectus Sententiarum et Historiarum ad usum tironum accommodatus*, In Aedibus Valpianis, Londres, 1800. Cet ouvrage eut de nombreuses rééditions au cours du XIXᵉ siècle.

2. John Stanislaus Joyce utilise le début de cette citation dans une lettre à James du 5 mai 1914 (*Lettres*, éd. cit., t. II, p. 534). James Atherton a découvert que c'était également le titre d'un poème de Robert Greene, 1560 ?-1592, qui conseille au lecteur d'éviter l'envie et l'ambition, et dont le second vers est : « Le fier Icare tomba, tout haut qu'il fût monté. »

3. Ce trait semble correspondre parfaitement à M. Joyce père : voir Stanislaus Joyce, *Le Gardien de mon frère*, éd. cit., chap. I et en particulier les p. 58-59.

Page 155.

1. *Yerra*, parfois écrit *arrah*. Interjection courante, de l'irlandais *aire*, qui signifie à peu près « Attention ! ».

2. Sunday's Well : quartier bourgeois de Cork.

3. Johnny Trésorier : traduction littérale de Johnny Cashman, probablement suggérée par Joyce.

Page 156.

1. Voir *Stephen le Héros*, Pléiade, p. 394, n. 1.

Page 157.

1. *À la lune*, poème inachevé de 1824, dont le texte est le suivant

I

Es-tu pâle de lassitude
Pour avoir escaladé le ciel et contemplé la terre,
Voyageuse sans compagnon
Parmi les étoiles nées d'une autre naissance,
Sans cesse changeante, pareille à l'œil sans joie
Qui ne trouve point d'objet digne de sa constance

II

Ô toi, Sœur élue de l'Esprit,
Qui te regarde et finit par avoir pitié de toi

Ce poème est cité et longuement commenté dans l'essai de William Butler Yeats « The Philosophy of Shelley's Poetry », 1900, réédité ultérieurement dans *Ideas of Good and Evil*; voir n. 1, p. 324. La bibliothèque de James Joyce à Trieste contenait deux recueils de Shelley : *The Poetical Works*, Londres, Milner & Sowerby, estampillé « J. J. », et *The Complete Poetical Works*, Oxford University Press, 1912, acheté à Trieste.

2. Foster Place : sorte d'impasse située au flanc de la Banque d'Irlande dans le centre de Dublin. Elle doit son nom à John Foster, 1740-1828, chancelier de l'Échiquier du gouvernement irlandais de l'époque, dont la loi protectionniste sur les blés, de 1784, qui resta en vigueur jusqu'en 1846, fit de l'Irlande, pour la première fois de son histoire, un pays d'agriculture prospère.

3. Stanislaus Joyce, *Le Gardien de mon frère*, éd. cit., p. 78 : « Les vingt livres que [mon frère] obtint tout jeune comme bourse dans les classes préparatoires lui furent intégralement remises par son père pour qu'il en fît ce qu'il voulût. »

4. Cela est parfaitement exact. Le Parlement en question fut supprimé par l'Act of Union de 1800 qui rattacha l'Irlande au Royaume-Uni.

Page 158.

1. Députés qui illustrèrent le Parlement irlandais de la fin du XVIIIe siècle, parfois appelé « Parlement de Grattan ». Hely Hutchinson était un spécialiste du libre-échange. Henry Flood, 1732-1791, premier chef de l'opposition parlementaire, le « Parti Patriote », et défenseur de la « Nation Protestante » : les réformes, pour lui, s'arrêtaient au seuil de la question religieuse. Il disparut de la scène politique dès 1785. Henry Grattan, 1746-1820, succéda à Flood dans son rôle de chef politique de la « Nation Protestante ». Plus soucieux de moraliser la vie politique irlandaise que d'obtenir des réformes électorales précises, il était également plus loyaliste et impérialiste que Flood. Charles Kendal Bushe, 1767-1843, Lord Chief Justice et membre du Parlement, dont Grattan disait qu'il parlait « avec les lèvres d'un ange ».

2. Voir *Dublinois*, Pléiade, p. 218 : « [...] un petit aristocrate de ma connaissance [...] » et note.

3. Barnardo & Sons, 108 Grafton Street.

4. *Underdone :* nom facétieux (il signifie « mal cuit ») que Joyce donne à un restaurant réputé de Dublin, l'hôtel et restaurant Burlington, également connu sous le nom de son propriétaire, Thomas *Corless* (voir *Dublinois*, Pléiade, p. 167). Joyce semble y avoir invité ses parents en 1894 (voir la lettre de Nathan Halper, *James Joyce Quarterly*, vol. XIII, n° 2, p. 256).

Page 159.

1. *Ingomar* : mélodrame de Friedrich Hahn, traduction anglaise de Mrs G. W. Lovell, 1851.

2. *The Lady of Lyons, or Love and Pride,* drame romantique (1838) de Bulwer Lytton, 1803-1873. Son héros, Claude Melnotte, apparaît un peu plus loin, p. 161, n. 2. On trouvera une étude comparée des personnages centraux de cette œuvre et de ceux du *Portrait de l'artiste en jeune homme* dans l'ouvrage de Marvin Magalaner et Richard Kain, *Joyce, the Man, the Work, the Reputation,* New York, New York University Press, 1956, p. 115-119. Dans *The Books at the Wake,* éd. cit., p. 109-110, James Atherton montre comment Joyce reprend ce double réseau d'allusions dans *Finnegans Wake,* éd. cit., p. 228-230. Bulwer Lytton est évoqué par le pervers de « Une rencontre » dans *Dublinois,* Pléiade, p. 124, n. 2. Voir également la lettre de James Joyce à son frère Stanislaus en date du 18 [septembre] 1905.

3. Stanislaus Joyce, *Le Gardien de mon frère,* éd. cit., p. 78-79, confirme ce développement : « Il n'avait pas la moindre idée de ce qu'il pouvait faire avec cet argent, car vingt livres, équivalant au moins au double de la somme aujourd'hui, étaient beaucoup trop

d'argent de poche pour qu'un garçon de cet âge sût en disposer. Il acheta des cadeaux pour tout le monde, des cadeaux pratiques : une paire de souliers pour l'un, une robe pour l'autre. Il y eut de fréquentes sorties, auxquelles j'étais parfois invité, aux places les moins chères des théâtres, pour voir Edward Terry dans ses rôles comiques, ou Irving ou Tree, si l'on pouvait obtenir des billets, ou des célébrités moins grandes, Edmund Tearle jouant Othello, ou Olag Nethersole. Tout intelligent qu'il était, mon frère n'était encore qu'un enfant, et il aimait jouer avec l'argent. Il ouvrit une banque pour la famille pour avoir le plaisir de jouer à donner des reçus et à faire des comptes. Il me forçait d'accepter des prêts d'environ six pence, mais mes parents étaient ses clients les plus assidus et les plus importants, et l'argent fondit vite en bagatelles diverses. »

4. *Commonwealth*, littéralement « richesse commune ».

Page 160.

1. *Fosterchild, fosterbrother.* L'adoption, *fosterage*, vieille coutume gaélique, bénéficia d'un regain d'intérêt dans la dernière décennie du siècle, au même titre que d'autres traditions populaires. Voir aussi p. 157, n. 2.

2. *Kindly lights*, expression qui sonne comme une reprise de l'hymne de J. H. Newman signalé p. 137.

Page 161.

1. Ci-dessus, p. 115, n. 1.

2. Claude Melnotte : héros de *The Lady of Lyons* (n. 7, p. 97) : fils de jardinier, il s'est instruit, cultivant les arts, et l'aubergiste du village le qualifie de « génie », c'est-à-dire « un homme qui peut tout faire dans la vie sauf quelque chose d'utile » ; il est surnommé « le Prince ». Amoureux éconduit de Pauline, fille de parvenu, il accepte à la demande de deux autres soupirants malheureux de celle-ci, désireux de se venger, de jouer, avec leur argent, le rôle d'un prince fastueux. Pauline l'agrée comme fiancé, jusqu'au moment où l'imposture est révélée. Claude disparaît mais, au moment où Pauline, qui au fond l'aimait, est sur le point d'épouser son premier amoureux, il revient et l'emporte.

Page 162.

1. Cet épisode se déroule dans le quartier de Mabbot Street, Mecklenburg Street, etc., aujourd'hui en grande partie reconstruit,

devant Amiens Street Station. Ce quartier réservé de Dublin, appelé aussi Nighttown, est le théâtre de l'épisode d'*Ulysse*, « Circé » (éd. cit., p. 422-537).

2. Ces dernières phrases contiennent des échos du « Portrait de l'artiste » (1904) : voir p. 37-38.

Page 165.

1. Sullivan (*Joyce Among the Jesuits*, New York, Columbia University Press, p. 125-126) fait observer que l'on doit être en décembre 1898, année où le 3 décembre, fête de saint François-Xavier, tombe un samedi (voir p. 172-173).

Page 166.

1. *Distant music*, c'est-à-dire exactement le titre donné par Gabriel Conroy au tableau imaginaire dans lequel, sans le savoir, il inscrit sa femme : voir *Dublinois*, « Les Morts », Pléiade, p. 297.

2. Voir p. 156.

Page 167.

1. « La grâce sanctifiante ou habituelle est un don qui est infus dans l'âme et y demeure inhérent, à la manière d'une qualité permanente » (*Dictionnaire de théologie catholique*).

2. « La grâce actuelle est un secours transitoire par lequel l'homme est mû par Dieu à une opération salutaire » (*ibid.*).

Page 168

1. Confrérie de la Sainte Vierge : James Joyce fut admis dans cette confrérie le 7 décembre 1895. Le 25 septembre 1896 il en était nommé préfet, tandis que son ami et rival Albrecht Connolly (« Héron ») devenait préfet en second. Il fut réélu préfet (fait inhabituel) le 17 décembre 1897. Il quitta Belvedere en juin 1898.

2. Le petit office de Notre-Dame.

3. Dans la Vulgate, les psaumes prophétiques sont les psaumes VIII, XVIII, XXIII, XLIV, XLV, LXXXVI, XCV, XCVI et XCVII.

4. *The Glories of Mary* : cette expression évoque deux sermons de J. H. Newman : « The Glories of Mary for the Sake of Her Son » et « On the fitness of the Glories of Mary » (*Discourses addressed to Mixed Congregations*), Londres, New York, Burns and Oates, 1849, Discourses XVII and XVIII. Le premier d'entre eux est cité à deux reprises ci-

dessous et, un peu plus loin, p. 183 et 213. Mais ces titres ne sont que des échos de l'ouvrage de saint Alphonse de Liguori, 1696-1787, publié en 1750, dont il existe une traduction française de 1887 (*Les Gloires de Marie*, Desclée de Brouwer et Cie. T. I. : Explication du Salve Regina. T. II : Discours sur les principales fêtes de dévotion en son honneur). Saint Alphonse de Liguori est mentionné p. 231 à propos des dévotions au Saint-Sacrement.

Page 169.

1. « J'ai grandi comme le cèdre du Liban, comme le cyprès sur le mont Hermon. J'ai grandi comme le palmier d'Engaddi, comme les plants de roses de Jéricho, comme un olivier magnifique dans la plaine, j'ai grandi comme un platane [abreuvée par l'eau des rues]. Comme le cinnamome et l'aspalathe j'ai donné du parfum, comme une myrrhe de choix j'ai embaumé » (Ecclésiastique, XXIV, 17-20 ; traduction Dom Hilaire Duesberg et Paul Auvray, Paris, éd. du Cerf, 1958, p. 112). James Atherton fait observer que le texte latin contient plusieurs fautes d'orthographe : *Libanon* au lieu de *Libano*, *Gades* au lieu de *Cades*, *uliva* au lieu de *oliva* ; il ne devrait pas y avoir *et* devant *quasi myrrha*. Ces erreurs sont curieuses, car elles figurent sur le manuscrit original de la National Library of Ireland, alors que Joyce, qui passait d'ailleurs pour un bon latiniste, prit bien soin de corriger une faute d'impression (*plantanus* pour *platanus*). Ce texte est la troisième *lectio* du petit office. Saint Alphonse de Liguori, fidèle à son habitude, interprète les images : « Le platane a des feuilles qui font bouclier, et montre que Marie défend ceux qui se réfugient près d'elle [...] tout comme les voyageurs prennent refuge sous ses branches contre le soleil et la pluie, de même les hommes se réfugient sous le manteau de Marie. »

2. Épître de saint Jacques, II, 10 : « Quiconque [...] aura observé toute la loi, s'il vient à faillir en un seul point, est coupable de tous. »

Page 170.

1. C'est sur les indications de Michael Healy, oncle de Nora Barnacle, qu'il arrêta le texte que nous pouvons lire : « Je ne sais plus si je vous ai remercié d'avoir vérifié la citation concernant notre excellent ami Bombados. Si je ne l'ai pas fait, acceptez maintenant mes remerciements. Je la corrigerai sur les épreuves — si jamais j'en vois une » (lettre à Michael Healy, 2 novembre 1915, *Lettres*, éd. cit., t. I, p. 87). La source, probablement une pantomime de Dublin, n'a pas été identifiée.

2. Épître de saint Jacques, II, 10 : « Quiconque [...] aura observé toute la loi, s'il vient à faillir en un seul point, est coupable de tous. »

Page 171.

1. Évangile selon saint Matthieu, V, 3 et 4.

Page 172.

1. Ce nom de famille signifie littéralement « Sans loi ».
2. Cela est surtout vrai de l'ascendance maternelle de saint François-Xavier. Il était le fils de Juan de Jasso, conseiller privé de Jean d'Albret, roi de Navarre, et de sa femme Maria de Azpilureta y Xavier ; c'est dans le château de sa mère, à Xavier, au pied des Pyrénées, qu'il naquit en 1506.
3. En 1528-1529.

Page 173.

1. Dans *Ulysse*, éd. cit., p. 595, mais de manière plus allusive, toute cette retraite est signalée comme un repère marquant de la vie de Stephen Dedalus : « À quelles visions du même ordre Stephen se prit-il à penser ? [...] à sa mère Mary, femme de Simon Dedalus, dans la cuisine du numéro douze, North Richmond Street, le matin de la fête de saint François-Xavier en 1898. »
2. Il s'agit de l'Ecclésiastique, et non de l'Ecclésiaste. La référence au verset est celle de la Bible de Douai-Reims.

Page 174.

1. Selon Richard Ellmann, cette retraite fut prêchée par le P. James A. Cullen, de Belvedere. Le plan et le contenu des sermons sont tout naturellement inspirés de la tradition jésuite élaborée depuis le XVIᵉ siècle. James R. Thrane (*James Joyce Miscellany*, Third Series, Southern Illinois University Press, Carbondale, 1962) a montré la ressemblance particulière de ces pages de Joyce avec celles de la traduction anglaise (*Hell Opened to Christians* [l'Enfer ouvert aux chrétiens], 1715) de *L'Inferno aperto al cristiano perché non v'entri : Considerazioni delle pene infernali proposte a meditarsi per evitarle*, Bologne, 1688, du P. Giovanni Pietro Pinamonti, S. J., 1632-1703. On trouvera au début des notes conjointes au « Portrait de l'artiste » (1904) un plan esquissé de cette retraite.

Page 175.

1. Évangile selon saint Marc, VIII, 36. Cette maxime, que saint Ignace aimait à répéter à saint François-Xavier, est utilisée par Stephen Dedalus dans *Stephen le Héros*, Pléiade, p. 333, en réponse à un ami de son oncle, trop bien installé dans une existence de pharisien. On la retrouvera ici même un peu plus loin, p. 196. Développée dans les sermons suivants, elle s'applique à merveille, suggère Stephen p. 275-280, aux jésuites eux-mêmes.

Page 180.

1. Les phrases qui précèdent reprennent avec quelques modifications l'Apocalypse, VI, 12-14.

Page 181.

1. Évangile selon saint Matthieu, XXV, 41. La citation sera reprise p. 194.

2. Voir « Un roman religieux français », compte rendu par James Joyce du roman de Marcelle Tynaire *La Maison du péché*, Pléiade, p. 985.

Page 182.

1. L'anecdote est rapportée par Samuel Johnson dans *Lives of the English Poets [Vies des poètes anglais]*, I, Oxford University Press, 1906, p. 422-423. À Trieste, James Joyce avait cet ouvrage dans l'édition Tauchnitz de 1858. Il est intéressant de savoir qu'Addison était un partisan de Guillaume d'Orange, farouche et cruel adversaire des catholiques irlandais, et qu'il fut secrétaire du marquis de Wharton, Lord-lieutenant d'Irlande : les maîtres de Stephen Dedalus n'hésitent pas à donner en exemple, sur le plan moral, des adversaires politiques (voir également n. 1, p. 237).

2. Première Épître aux Corinthiens, XV, 55. James Joyce a inversé l'ordre des phrases, suivant en cela le poète anglais Alexander Pope, 1688-1744, qui, dans son Ode « Le chrétien mourant, à son âme », 1736, a lui aussi repris, pour en faire deux vers, les apostrophes de saint Paul. Cette présentation de la parole biblique sous le déguisement poétique est un effet voulu.

3. Probablement Mountjoy Square.

Page 184.

1. Reprise un peu plus étoffée d'un fragment de J. H. Newman déjà rencontré p. 169, et dont le texte complet sera donné p. 213.

Page 185.

1. L'opposition entre « comme vous le savez » et « vous vous rappellerez » indique que la deuxième proposition n'exprime peut-être pas la doctrine enseignée au collège, et qu'elle formule une opinion du prédicateur, puisée chez quelque théologien récent ou aux sources anciennes, Honorius d'Autun ou saint Anselme. Elle s'accorde parfaitement avec le dogme élaboré depuis le IVᵉ siècle et exposé de façon systématique par saint Thomas et Suarez, selon lequel la faute et la chute des anges sont antérieures à la création des hommes. Elle est, en revanche, en contradiction avec ce qu'évoque le deuxième vers de la « Villanelle » (ci-dessous p. 315), avec les conceptions des premiers siècles, tirées du Livre d'Énoch, selon lesquelles la chute des anges a résulté de la concupiscence qui les amena à s'unir aux filles des hommes, comme on peut le lire dans la Genèse si l'on considère que « les fils de Dieu » sont les anges et non, comme le décideront les théologiens catholiques, les fils de Seth.

Page 188.

1. Cela ne semble pas être dans saint Anselme, mais se trouve en revanche dans le texte de Pinamonti cité en référence, p. 174, note 1.

Page 190.

1. Cette notion sera reprise de manière plus explicite p. 273, n. 3.

Page 194.

1. Voir le « Carnet de Pola », deuxième série, Pléiade, p. 1591, où James Joyce joue sur le texte de saint Paul : « Fuyez le libertinage [*fornication*]. Quelque autre péché qu'un homme commette, ce péché est hors du corps, tandis que le libertin pèche contre son propre corps. Ne savez-vous pas que votre corps est le temple du Saint-Esprit, qui est en vous et qui vous vient de Dieu ? Que vous ne vous appartenez point à vous-mêmes, car vous avez été achetés à grand prix ? Glorifiez Dieu dans votre corps » (Première Épître aux Corinthiens, VI, 18-20).

2. Citation reprise de la p. 181. Voir n. 1, p. 344.

Page 195.

1. Voir *Stephen le Héros*, Pléiade, p. 368.

2. Chester Anderson rapproche cela de deux autres allusions à une excursion du côté de Malahide : le début du « Portrait de l'artiste » (1904) (n. 1, p. 32) et *Stephen le Héros*, Pléiade, p. 461.

Page 196.

1. *Refugium peccatorum*, écho des litanies de la Sainte Vierge

Page 197.

1. Les références renvoient le lecteur à la traduction dite de « Reims et Douai » (Nouveau Testament, 1582, Ancien Testament, 1609-1610) faite à l'intention des catholiques ; elle contient de nombreux latinismes. Les protestants anglo-saxons se réfèrent traditionnellement à la *King James Bible*, ou *Authorized Version*, 1611, qui a marqué de son empreinte la langue et la culture anglaises ; dans cette Bible, le psaume en question ici serait le trente et unième.

Page 198.

1. *Les Exercices spirituels* de saint Ignace de Loyola ont été approuvés par le pape Paul III en 1548 et traduits de l'espagnol en français en 1619. Les sermons prêchés pendant cette retraite sont, dans une large mesure, fondés sur eux.

2. Voir, ci-dessous p. 209, n. 1.

Page 199.

1. Voir p. 354 les remarques de Cranly à Stephen Dedalus.

Page 200.

1. *The sting of conscience.* C'est la même notion que l'on retrouve, toujours associée à Stephen Dedalus, dans *Ulysse* (éd. cit., p. 19, 20, 186, 194, 203, 238), avec l'expression « morsure de l'en-soi », *Agenbite of inwit*. Celle-ci est la graphie modernisée de *Ayenbite of inwyt*, titre d'un traité moral de Dan Michel de Northgate, lui-même traduction (1340) de *La Somme des vices et des vertus*, écrit en 1279 par le frère Lorens (Laurentius Gallus) à l'usage de Philippe II de France.

Page 207.

1. Isaïe, LXIII, 3 : « J'ai été seul à fouler au pressoir, et nul homme d'entre les peuples n'était avec moi ; je les ai foulés dans ma colère, je les ai écrasés dans ma fureur ; leur sang a jailli sur mes vêtements, et j'ai souillé tous mes habits. » Le P. Arnall enveloppe d'un discours bénin la violence sadique du prophète.

Page 209.

1. Il a été remarqué (Fritz Senn, « Goodness gracious », *Joycenotes*, nº 3, p. 13) que le P. Arnall omet de l'acte de contrition tel qu'il est énoncé ici (c'est-à-dire selon le catéchisme de Maynooth, cité dans *Dublinois*, Pléiade, p. 200) un membre de phrase capital : après *my God*, nous devrions avoir *who, for Thy infinite goodness*, « qui, dans Ton infinie bonté ». À considérer les choses du point de vue du réalisme littéraire, on dira que, une fois de plus, le P. Arnall commet une erreur de fait. Mais cette façon de ne pas savoir ce qu'il dit, ce lapsus, sur un point crucial de théologie qu'il vient de souligner (voir p. 208), donne à penser...

2. Nous retrouvons l'écho de cette phrase p. 233.

Page 211.

1. Écho de la parabole de l'Enfant prodigue (Évangile selon saint Luc, XV, 18-19).

2. *Sic : the senses of his soul.*

3. Reprise et amplification de l'Épiphanie nº VI, également signalée au début des notes conjointes au « Portrait de l'artiste » (1904).

Page 213.

1. Reprise à peu près textuelle de la conclusion des *Gloires de Marie*, Sermon XVII, de Newman, déjà utilisée discrètement p. 169 et 184. Les modifications sans doute involontaires que James Joyce apporte au texte de Newman sont les suivantes : *but with a shrouded majesty and a bedimmed radiance*, au lieu de *except with a shrouded radiance and a bedimmed majesty* ; *O light of the pilgrim* au lieu de *O hope of the pilgrim*. Voir p. 246 une autre citation importante.

Page 216.

1. On remarquera qu'est ici réutilisée par Stephen Dedalus l'expression même du prédicateur, « composition de lieu » (p. 198), empruntée aux *Exercices spirituels*.

2. *Church Street Chapel*. The Franciscan Capuchin Friary, 138-142 Church Street. Selon Richard Ellmann, James Joyce reprend ici un épisode personnel de son adolescence auquel il est fait allusion dans *Stephen le Héros*, Pléiade, p. 480.

Page 217.

1. Dans les pages qui suivent, Joyce utilise indifféremment les termes équivalents en Irlande de *box* et de *confessional*; mais on remarquera que le premier a été utilisé p. 178 pour désigner le cercueil du pécheur (« dans une caisse »). Voir *Dublinois*, Pléiade, p. 117, et *Stephen le Héros*, Pléiade, p. 510, n. 1.

Page 218.

1. Évangile selon saint Matthieu, XI, 30.

Page 222.

1. Pour une autre référence importante à la volonté de Dieu, voir n. 3, p. 345.

Page 223.

1. Si l'on songe à la place que tient l' « âme » dans ce roman, il est frappant de la voir disparaître ici : de la formule du prêtre, Stephen n'entend ni le nom de Jésus-Christ, ni le *custodiat animam tuam*, « garde ton âme », qui du coup prend une résonance ambiguë.

Page 225.

1. Voir *Stephen le Héros*, Pléiade, p. 496, où les catacombes avaient une tout autre valeur.

2. On aura une idée de cette organisation dévote en lisant par exemple les *Gloires de Marie*, de saint Alphonse de Liguori, déjà rencontrées p. 168, notamment le chapitre consacré aux « Pratiques de dévotion ».

3. Par exemple, dans l'ouvrage mentionné ci-dessus : « Cent jours à

l'invocation *Bénie soit la sainte et immaculée Conception de la bienheureuse Vierge Marie*, et, d'après le père Grasset, d'autres indulgences encore applicables aux âmes du purgatoire, lorsque après le mot *immaculée* on ajoute *et très pure* ; deux cents jours aux litanies dites de Lorette ; vingt jours à l'inclination de tête que l'on fait en entendant prononcer les noms de Jésus et de Marie ; dix mille ans, à la récitation de cinq *Pater* et *Ave* en l'honneur de la passion de Jésus et des douleurs de Marie ; [...] trois mille huit cents ans à ceux qui entendent la Sainte Messe ; sept ans et sept quarantaines à ceux qui récitent les actes de foi, d'espérance et de charité, avec l'intention de recevoir les sacrements durant leur vie et à l'heure de la mort ; etc. » Le *Manuel de la confrérie [Sodality Manual]*, en usage à Belvedere College du temps de James Joyce, fournit des indications analogues, en particulier p. 100-110, une liste d'éjaculations assorties du nombre de jours d'indulgence qui s'y attache.

Page 227.

1. C'est-à-dire sagesse, intelligence, conseil, force, science, piété et crainte de l'Éternel. Ces dons, à l'exception de la piété, sont énumérés dans Isaïe, XI, 2-3.

2. On sait l'importance structurelle de ce thème dans *Ulysse*. Voir en particulier l'épisode de la Bibliothèque, et cette remarque de Stephen Dedalus, p. 204 : « Sur ce mystère, et non sur la madone que l'astuce italienne jeta en pâture aux foules d'Occident, l'Église est fondée, et fondée inébranlablement parce que fondée, comme le monde, macro- et microcosme, sur le vide. » Voir ci-dessous, p. 356 et n. 2.

Page 228.

1. Au cours d'une discussion que James Joyce eut avec son frère Stanislaus au sujet de *Musique de chambre*, il lui dit que ses « poèmes d'amour » sonnaient faux à ses propres oreilles, car il n'avait jamais connu l'amour, sauf l'amour de Dieu (Richard Ellmann, *James Joyce*, chap. XVI, « 1907-1909 »). Voir ci-dessous n. 3, p. 345.

Page 229.

1. Ou « ruminé ». James Joyce reprend ici le verbe *brood*, que nous avons traduit p. 125 par « ruminer ». C'est également le verbe utilisé dans certaines traductions de la Genèse, I, 2 (« L'Esprit de Dieu se mouvait au-dessus des eaux »). Voir J. Rickaby, *Of God and His Creatures*, an annotated translation of the *Summa Contra Gentiles*,

Londres, Burns & Oates, 1905, p. 351, note, ouvrage qui se trouvait dans la bibliothèque personnelle de Joyce à Trieste.

Page 230.

1. Voir n. 2, p. 145.
2. Voir n. 3, p. 112.

Page 231.

1. Sans doute *Visits to the Blessed Sacrament and to the Blessed Virgin, to which is added a devout method of hearing Mass*, Dublin, Richard Grace, 1840. On y trouve les échos du Cantique des Cantiques signalés dans l'Épiphanie ci-dessous.

Page 232.

1. Reprise, avec modifications, de l'Épiphanie n° XXIV.
2. *Surrender*, c'est-à-dire, très exactement, « reddition ».

Page 233.

1. Écho de la fin de l'acte de contrition (voir p. 209).
2. Stanislaus Joyce a confirmé ce que l'on pouvait penser : la scène qui suit est fondée sur une expérience directe de son frère (S. Joyce, « Open letter to Dr Oliver Gogarty », *Interim*, IV, [1954], n°s 1 et 2 p. 51).

Page 234.

1. Saint Thomas était dominicain, saint Bonaventure franciscain.

Page 235.

1. Voir dans *Stephen le Héros*, Pléiade, p. 382, une remarque analogue, de caractère réaliste ; ici, au contraire, comme le contexte le montre, la notation a une fonction en quelque sorte analytique.
2. Voir n. 3, p. 115.

Page 236.

1. *A muff :* outre le sens argotique vulgaire que l'on peut imaginer, *muff*, « manchon », désigne une personne maladroite, particulièrement en matière de sport.

2. Cela est un rappel de la p. 150, n. 3, où la nature de l'équivoque est précisée.

3. Reprise textuelle de l'expression utilisée p. 141. Stephen Dedalus s'était donc mis à l'unisson de ses maîtres (on le voit bien p. 110), des jésuites dont l'obéissance devait être le premier souci. Ce principe, dont « Dante » était également l'avocat (p. 76 et 79, est mis en question p. 243-244, 274-275 ; p. 248, c'est à « un instinct rebelle » qu'il « obéit ».

Page 237.

1. Cette dernière précision de casuiste laisse perplexe. Ce qui est acquis, en revanche, c'est que Lord Macaulay, 1800-1859, historien et homme politique, n'eut pas une vie irréprochable ; il était au demeurant hostile au catholicisme romain. Le choix de cet exemple peut s'expliquer soit par l'ignorance, soit, plus vraisemblablement, par l'admiration aveugle pour un « grand homme ». La bibliothèque de James Joyce à Trieste contenait un exemplaire des *Critical and Historical Essays*, Londres, Longmans Green, 1874, de cet auteur.

2. Le lecteur est à même d'apprécier ce jugement. On lui rappellera cependant que les positions de Louis Veuillot, 1813-1883, favorable à l'intervention de l'Église dans les affaires politiques, ne pouvaient qu'être approuvées par la hiérarchie catholique d'Irlande.

Page 239.

1. Évangile selon saint Matthieu, XVI, 19 : « Je te donnerai les clés du royaume des cieux : ce que tu lieras sur la terre sera lié dans les cieux, et ce que tu délieras sur la terre sera délié dans les cieux. »

Page 240.

1. L'histoire de Simon le Magicien se trouve dans les Actes des Apôtres, VIII, 9-24. Elle est instructive ici, après les propos du Supérieur, dans lesquels il était fort question de « pouvoir » : « Il se donnait pour un grand personnage, et tous, petits et grands, s'étaient attachés à lui et disaient : C'est la puissance de Dieu, celle qu'on appelle la Grande Puissance » (v. 9-10) ; « Lorsque Simon vit que le

Saint-Esprit était donné par l'imposition des mains des apôtres, il leur offrit de l'argent en disant : Donnez-moi aussi ce pouvoir, que celui à qui j'imposerai les mains reçoive le Saint-Esprit. » Au tout début de *Dublinois*, James Joyce mentionne explicitement la simonie, en tant que transgression dûment répertoriée et dénoncée par l'Église : voir Pléiade, p. 109, n. 5.

Page 241.

1. Première Épître aux Corinthiens, XI, 28-29 : « Que chacun s'éprouve soi-même, et qu'ainsi il mange du pain et boive de la coupe : celui qui mange et boit sans discerner le corps du Seigneur, mange et boit sa propre condamnation. »

2. Épître aux Hébreux, V. 6-10 : « Christ ne s'est point arrogé la gloire d'être souverain sacrificateur, mais il la tient de celui qui lui a dit : " Tu es mon Fils, je t'ai engendré aujourd'hui ", comme il lui dit encore dans un autre endroit : " Tu es sacrificateur éternellement selon l'ordre de Melchisédech. " C'est lui qui, au jour de sa chair, ayant présenté des prières et des supplications accompagnées de grands cris et de larmes, à celui qui pouvait le sauver de la mort, et ayant été exaucé pour sa piété, a appris, tout Fils qu'il est, l'obéissance par les choses qu'il a souffertes, et qui, exalté, est devenu l'auteur du salut éternel pour tous ceux qui lui obéissent, Dieu l'ayant proclamé " souverain sacrificateur selon l'ordre de Melchisédech ". » Nous retrouvons donc, derrière cette allusion anodine qui pourrait être considérée comme un pur effet de style, l'image du Christ, et le problème du Fils : de son engendrement, de son obéissance et de son pouvoir. Voir les notes conjointes au « Portrait de l'artiste » (1904).

3. « Prêtre pour l'éternité. »

Page 242.

1. Findlater : église presbytérienne située tout en haut de Parnell Square (jadis Rutland Square), c'est-à-dire dans le prolongement de Great Denmark Street, où se trouve Belvedere College. Voir p. 358 et n. 4.

Page 243.

1. *Lantern jaws... Foxy Campbell...* Voir *Ulysse*, p. 42 : « Têtes chevalines. Temple, Buck Mulligan, Foxy Campbell, lames de couteaux. » Un père Richard Campbell, S.J., enseignait à Belvedere College.

Page 244.

1. Voir n. 3, p. 236.
2. Le domicile de la famille Joyce, Millbourne Lane, à Drumcondra, dans le nord de Dublin, était proche de la Tolka.
3. Voir n. 2, p. 264, et *Stephen le Héros*, Pléiade, p. 467.

Page 245.

1. Fallon : le seul élève de Belvedere College identifié. Voir Sheehy, *May It Please the Court*, Dublin, P. J. Fallon, 1951, p. 22.

Page 246.

1.
> *Souvent dans la nuit calme*
> *Avant d'être mis aux fers du sommeil*
> *Le cher souvenir apporte la lumière*
> *D'autres jours autour de moi ;*
> *Les sourires, les larmes des années d'enfance,*
> *Les mots d'amour jadis prononcés,*
> *Les yeux qui brillaient, maintenant éteints et en allés,*
> *Les cœurs joyeux maintenant brisés.*
> *Quand je me souviens des amis de si près liés,*
> *Que j'ai vus autour de moi tomber,*
> *Comme feuilles par temps d'hiver,*
> *Je me sens pareil à celui qui entre*
> *Solitaire dans la salle du banquet déserte,*
> *Aux lumières enfuies, aux guirlandes mortes,*
> *Que tous ses compagnons ont quittée*

(Thomas Moore, qu'on retrouvera p. 267)

L'image finale apparaît dans « Arabie » et dans « Un cas douloureux », *Dublinois*, Pléiade, p. 132-133 et 209-210.
2. Citation tirée de *The Grammar of Assent*, ouvrage auquel James Joyce fait allusion au début du « Portrait de l'artiste » (1904) : voir ci-dessus p. 32, n. 2. James Atherton a fait observer que toutes les citations de Newman données par Joyce dans notre roman se trouvent dans une anthologie, *Characteristics from the Writings of John Henry Newman*, par William S. Lilly, Londres, 1875. Newman y fait l'éloge des écrivains classiques, dont les passages reviennent à l'esprit du lecteur après des années, et s'imposent à lui : « Il en vient à comprendre comment il se fait que des vers, la naissance de quelque matinée ou soirée, dans le décor d'une fête ionienne, ou parmi les collines Sabines,

ont duré génération après génération, pendant des milliers d'années, exerçant un pouvoir sur l'esprit, et un charme, avec lesquels la littérature courante de son temps, en dépit de tous ses avantages évidents, est absolument incapable de rivaliser. Peut-être est-ce pourquoi le Moyen Âge a vu en Virgile un poète et un magicien ; ses expressions et ses mots isolés, ses semi-vers pathétiques, exprimant, comme la voix de la Nature elle-même, cette souffrance et cette lassitude, mais aussi l'espoir de choses meilleures, que ses enfants de tout temps ont éprouvé. » Il est curieux de constater que ce passage, et les dix lignes qui le précèdent, est cité, et *scandé*, dans l'ouvrage de George Saintsbury, *A History of English Prose Rhythm*, Macmillan & Co, Londres, 1912, p. 388-389, qui donne Newman pour l'un des plus grands maîtres en prose que le monde ait jamais connus · le livre de Saintsbury se trouvait dans la bibliothèque de James Joyce à Trieste et fut utilisé dans la composition d'*Ulysse*.

Page 247.

1. Patrick Byron, family grocer, wine and spirit merchant, 43-44 Ballybough Road, près de Fairview Park.

2. Clontarf Chapel, 11 Fairview Strand.

3. Joyce termina ses études secondaires à Belvedere College en juin 1898 et entra à University College, Dublin, en septembre de la même année.

4. North Bull Island, île située au nord de l'embouchure de la Liffey Sa partie sud se trouve en face du quartier de Clontarf, dont le nom signifie « le champ du taureau » (*bull* signifie également « taureau », en anglais). Dans *Stephen le Héros*, Pléiade, p. 456 et 530, c'est le lieu de baignade favori de Stephen et Maurice Dedalus. Il faut aussi se souvenir que Clontarf est un haut lieu de l'histoire d'Irlande : c'est là que le roi Brian Boru, en battant les Scandinaves en 1014, mit fin à leur domination sur le pays

5. Dans *Stephen le Héros*, Pléiade, p. 441-442, cette hostilité n'est pas silencieuse.

6 *Guardian*, le mot employé ici signifie également « tuteur » (d'un orphelin).

Page 248.

1. J. H. Newman, *The Idea of a University* (Longmans, Green & Co 1902 ; la première édition est de 1873, mais elle-même rassemble des conférences prononcées antérieurement), p. 14. Contre ceux qui restent réservés devant l'idée d'une Université catholique qu'il s'efforce de défendre, Newman avance la décision qu'a prise le Saint-Siège et

évoque en conclusion l'image de l'Apôtre, dont la sagesse a traversé les siècles : « Quels cheveux y a-t-il sur la tête de Judah, dont la jeunesse est renouvelée comme celle de l'aigle, dont les pieds sont semblables aux pieds des biches, et au-dessous des bras Éternels [Deutéronome, XXIII, 27] ? » Newman avait été, en 1854, le premier recteur de l'Université catholique de Dublin. On peut rapprocher l'image des biches de celle du cerf dans le « Portrait de l'artiste » (1904), ci-dessus n. 3, p. 33.

2. Dollymount : quartier situé légèrement au nord-est de Clontarf, le long de la côte.

Page 250.

1. On trouvera dans *Stephen le Héros*, Pléiade, p. 345 et 378, des éclaircissements sur ce *thesaurus*, et sur la manière dont il le constituait. Voir également ci-dessous p. 262, n. 10.

2 J. Atherton a découvert qu'il s'agit d'une citation empruntée au livre de Hugh Miller, *The Testimony of the Rocks [Le Témoignage des rochers]*, Édimbourg, 1869, p. 237. Miller y joue avec l'idée d'une épopée qui réconcilierait les deux récits, biblique et géologique, de la Création ; il décrit ici l'apparition du premier homme, par « un jour de nuages pommelés flottant sur la brise [Miller a *breezeborne* là où Joyce a *seaborne*] [...] lorsque les vagues altières de l'Océan eurent été apaisées » et que le démon vint s'adresser au « trait le plus noble de cette créature formée depuis peu », son désir de connaissance. Miller oppose cet homme à la « créature dégénérée que sont devenus plus tard certains hommes comme les descendants des Irlandais expulsés d'Armagh et de Down [...et] exposés aux pires effets de la faim et de l'ignorance, ces deux grands facteurs d'abrutissement de la race humaine ». Il semblerait que la phrase de Miller soit revenue à l'esprit de Stephen lorsqu'il a croisé la troupe des Frères...

3. Voir Huysmans, *À rebours*, Folio, p. 124, et plus généralement le chap. III.

4. *Fabric :* aussi bien « structure » ou' « édifice » ou « tissu ».

5. La septième ville de la Chrétienté : cette expression fut appliquée à Dublin pendant le Moyen Âge.

Page 251.

1. Thingmote : le Conseil politique des conquérants danois de Dublin. De *thing*, « assemblée ». Il est curieux de constater que, bon nombre d'années plus tard, Joyce lui-même parodiera ces lignes dans *Finnegans Wake* (éd. cit., p. 53, lignes '-6) : *It scenes like a landescape*

from Wildu Picturescu or some seem on some dimb Arras, dumb as Mum's mutyness, this mimage of the seventyseventh kusin of kristansen is odable to os across the wineless Ere no oedor nor mere eerie nor liss potent of suggestion than in the tales of the tingmount (Prigged!).

2. Le Dédale : cette tournure (article défini avec majuscule à l'initiale, suivi du patronyme) est l'appellation traditionnelle et encore en usage aujourd'hui des chefs de clan irlandais.

3. *I'll give you a stuff in the kisser for yourself.* Tournure populaire irlandaise. *Stuff* et *kisser* ont des connotations sexuelles.

4. Expression reprise dans *Ulysse*, p. 206 et 409. Comme l'expression suivante, elle désigne le bœuf couronné (en vue du sacrifice) ; si l'on considère les emplois divers qui sont faits de ces termes chez les auteurs classiques, on constate que *stephanephoros* est plutôt du côté de l'institution, du sacerdoce, de la pédagogie, du rite, et *stephanoumenos* du côté de la poésie, du plaisir, du chant.

Page 253.

1. Voir n. 1, p. 52.

Page 254.

1. Le promontoire de Howth commande, au nord, l'entrée de la baie de Dublin. La scène qui suit a été brièvement évoquée dans le « Portrait de l'artiste » (1904), p. 36, et dans *Stephen le Héros*, Pléiade, p. 530.

Page 255.

1. Cf. *Ulysse*, éd. cit., p. 52, où Stephen Dedalus se promène sur la plage de Sandymount : « Du lac de Cock l'eau fluait à force en longs lassos, recouvrait l'or vert des îlots de sable, s'enflait et fluait. Mon bâton va être emporté par le flot. Attendons. Non, le flot passe, passe en se courrouçant contre les roches basses, tourbillonne et passe [...] / Sous l'influence du flux il voyait les algues convulsées s'élever avec langueur, balancer les bras qui éludent quand leurs cotillons elles troussent, balancer dans l'eau chuchotante, et lever de timides frondes d'argent. Jour après jour, nuit après nuit [...]. »

2. *Crane*, mot que Skeat, dans son *Etymological Dictionary of the English Language* (voir *Stephen le Héros*, Pléiade, p. 341, n. 6), nous dit être de la même famille que « grue ». À ce sujet, voir le *De occulta philosophia* de Cornelius Agrippa (voir p. 324 et n. 2), où la signification bénéfique d'une apparition d'oiseau, et plus particulièrement

d'une grue, est longuement exposée : p. LXV : *Grues a gruere antiquo verbo quasi congruer dicti, semper adferunt quod expedit atque inimicorum insidias cavere faciunt.* Et p. LXIV, dans l'énumération des douze genres d'augures définis par Michel Scott, la formule *vel homo vel avis* revient chaque fois, rappelant l'ambiguïté de la jeune fille sur la plage. Plusieurs fois un présage favorable est tiré de l'immobilité et du regard, par exemple : *Si videris post te hominem vel avem, sed antequam perveniat ad te vel tu ad eam, pauset in loco te vidente : signum est tibi bonum.*

Rappelons en outre que selon une tradition antique, remise en honneur par Gongora (*Soledades*, I, 609), les grues forment des lettres ailées sur le papier transparent du ciel : voir Ernst-Robert Curtius, *La littérature et le Moyen Âge Latin*, Presses Universitaires de France, 1956, p. 423. Dans la mythologie irlandaise, c'est la grue qui aurait apporté l'alphabet aux hommes dans un sac.

Page 256.

1. On rapprochera toute cette page d'un passage essentiel du « Portrait de l'artiste » (1904), p. 36, observant que le tableau se réduit ensuite, dans *Stephen le Héros*, à une brève allusion : voir Pléiade, p. 530.

Page 257.

1. J. S. Atherton rapproche cette vision de l'apparition de Béatrice au début de la *Vita Nova*, chap. II.

2. Expression reprise du « Portrait de l'artiste » (1904), p. 38.

3. C'est une certaine ressemblance avec cette jeune fille qui devait, en 1918, attirer et retenir un temps l'attention de James Joyce sur Martha Fleischmann ; voir la correspondance avec celle-ci, *Lettres*, éd. cit. t. III, p. 117-127.

Page 258.

1. J. S. Atherton rapproche très justement ce paragraphe de la vision finale de *La Divine Comédie*, « Paradis », chap. XXXIII

2. Selon Stanislaus Joyce, *Le Gardien de mon frère*, éd. cit., p. 216-217, James Joyce, dans toute cette fin de chapitre, comme dans le « Portrait de l'artiste » (1904), imiterait le romancier George Meredith.

Page 260.

1. La biographie de Richard Ellmann nous apprend que James Joyce, même lorsqu'il était étudiant, ne se lavait qu'à contrecœur, et cite plusieurs anecdotes à ce sujet. Eva Joyce s'en souvient, son frère se vantait que les poux ne voulaient pas vivre sur lui.

Page 261.

1. Le douzième domicile de la famille Joyce fut, de mai 1900 à 1901, le 8 Royal Terrace, Fairview ; tout à côté se trouvait l'asile d'un couvent de sœurs de la Charité *[Sisters of Charity]*, Saint Vincent's Lunatic Asylum, 3 Convent Avenue, Fairview.

2. Pendant l'été de 1901, que James Joyce passa avec son père à Mullingar, dans le comté de Westmeath (voir les dernières pages de *Stephen le Héros*), il traduisit *Michael Kramer* et *Vor Sonnenaufgang* *[Avant le lever du soleil]*, avant de saluer en Hauptmann le successeur d'Ibsen, dans son pamphlet *Le Triomphe de la canaille*. Ici, l'allusion est sans doute à Hélène, innocente et pure victime mise en scène dans *Avant le lever du soleil*, à Rose et à sa patronne au grand cœur, personnages de *Rosa Berndt*, qu'il lut à Trieste au début d'octobre 1906. L'admiration de Joyce pour Hauptmann persista, et en 1926 encore il demandait à Jacques Benoist-Méchin si sa pièce *Les Exilés* valait du Hauptmann.

Page 262.

1. Aujourd'hui Fairview Park, à l'embouchure de la Tolka, tout juste au nord du port de Dublin.

2. Voir ci-dessus, p. 246 et 248.

3. Sans doute Joyce pense-t-il aux poèmes de Cavalcanti, qu'il lut en 1898, mais peut-être également à l'anecdote du *Décaméron* qu'il a relevée dans le « Carnet de Trieste », à la rubrique « Cavalcanti ».

4. Très exactement, Baird and Todd, The Talbot Engineering Works, 20-25 Talbot Place (dans le prolongement de Earl Street). La notation est reprise dans *Ulysse*, éd. cit., p. 539 : « Entre cet endroit et les hauts magasins, maintenant obscurs de Beresford Place, Stephen pensa à penser à Ibsen, associé à Baird, le tailleur de pierre, dans son esprit de quelque manière dans Talbot Place » (traduction revue).

5. Ces associations d'images et de sensations semblent tourner particulièrement autour des personnages et du décor de *Quand nous nous réveillerons d'entre les morts*, que Joyce présenta sous le titre « Le Nouveau Drame d'Ibsen » (Pléiade, p. 926-947).

6. Boutique d'articles pour marins : Verdon, McCann and Co, 2 Burgh Quay, 2 and 13 City Quay. Philip McCann, parrain de James Joyce, et parent éloigné, était propriétaire, ou copropriétaire de cet établissement.

7. Chanson tirée de l'épilogue du « masque » de Ben Jonson (1572-1637), *The Vision of Delight [La Vision de délices]*, 1617 :

[AURORE]

Je n'étais pas plus las sur ma couche
Ce soir près de Tithon tout glacé,
Que je ne suis prêt maintenant à rester
Et prendre part à votre délice.
Mais le jour me presse
Contre mon gré, de vous dire de partir.

LE CHŒUR

Ils cèdent au temps, comme tous le doivent.
Le jour appelle à l'action, comme la nuit au déduit,
Et ils lui obéiront d'autant mieux
Que l'aube de roses jonche le chemin.

Lors de son séjour à Paris en 1903, James Joyce avait relevé la chanson d'Aurore dans un carnet qui ne nous est pas parvenu, mais que son premier biographe, Herbert Gorman, eut entre les mains ; il contenait également des extraits d'autres œuvres de Ben Jonson : *Cynthia's Revels, The Poetaster, Volpone, or The Fox, Epicœne, or The Silent Woman, The Devil is an Ass, The Staple of News,* et *The New Inn* (Herbert Gorman, *James Joyce*, Londres, 1941, p. 95). Cependant, l'université de Cornell conserve deux poèmes de Ben Jonson recopiés par James Joyce sur des fiches en provenance de la National Library, Dublin : la troisième chanson de *The Metamorphos'd Gypsies,* et « Give end unto thy pastimes, Love », extrait de *Love Restored* (Robert Scholes, *The Cronell Joyce Collection,* éd. cit., n° 19).

8. Ribaudes : *waistcoateers :* ce mot du vocabulaire élisabéthain et jacobéen s'est conservé en Irlande jusqu'à l'époque moderne.

9. *Chambering,* « libertinage ». Même remarque.

10. Une partie, sinon la totalité, de ces notes nous est parvenue. On en trouvera une transcription pages 1837-1841 de l'édition de la Pléiade, et un commentaire dans notre étude *The Aesthetics of James Joyce,* The Johns Hopkins University Press, 1992.

Page 263.

1. Parisiis, apud A. Roger & F. Chernoviz, 1892. Il s'agit d'un aide-mémoire à l'usage des séminaristes du diocèse de Beauvais, que Joyce a pu lire à Paris en 1902-1903.

2. Cette phrase contient deux échos du « Portrait de l'artiste » (1904) : voir p. 34.

3. Le personnage de Mac Cann apparaît à plusieurs reprises dans *Stephen le Héros*, notamment p. 352, 357 et 533 (Pléiade). Il a été composé sur le modèle d'un condisciple de James Joyce à University College, Francis J. C. Skeffington, 1878-1916, qui prit le nom de Sheehy-Skeffington lors de son mariage avec Hannah Sheehy ; lorsque son article féministe « A Forgotten Aspect of the University Question » rencontra le même veto que « Le Triomphe de la canaille » de Joyce, il s'associa à celui-ci pour publier les deux essais en un même pamphlet. James Joyce le considérait comme le garçon le plus intelligent de University College, après lui-même.

Page 264.

1. Voici deux témoignages de condisciples de James Joyce à University College. Felix Hackett : « L'atmosphère universitaire dans laquelle baignait le 26, Saint Stephen's Green [University College] était péripatétique [...] au sens philosophique du terme, comme le montre bien la description qu'en donne Joyce dans *Portrait de l'artiste en jeune homme* » (*The Centenary History of the Literary and Historical Society of University College 1855-1955*, éd. James Meenan, Tralee, The Kerryman Ltd). Et Constantine Curran, à propos de la première conférence de littérature anglaise : « Le conférencier était le père Darlington, et ses premiers mots étaient tirés de la *Poétique* d'Aristote » (« Memories of University College, Dublin — The Jesuit Tenure, 1883-1908 », in *Struggle With Fortune : A Miscellany for the Centenary of the Catholic University of Ireland 1854-1954*, éd. Michael Tierney, Dublin, Browne and Nolan).

2. Voir p. 244 et n. 3.

Page 265.

1. À propos de Cranly, voir p. 45, n. 6, et p. 281, n. 1. C'est la première notation du « Carnet de Trieste » à la rubrique « Byrne ».

2. Voir p. 285 et 351 (yeux de Cranly) et p. 319 (yeux de la jeune fille). Voir *Stephen le Héros*, Pléiade, p. 416 et n. 4.

3. Belladone : en anglais *nightshade*, littéralement « ombre de nuit ».

4. Voir *Stephen le Héros*, Pléiade, p. 345.
5. *Le lierre... :* reprise d'un thème rencontré p. 62, n. 6.

Page 266.

1. « L'Inde envoie l'ivoire. »
2. Voir ci-dessus p. 131 et n. 1, et *Stephen le Héros*, Pléiade, p. 340.
3. Il s'agit d'Emmanuel Alvarez, S. J., 1526-1583, professeur de langue et littérature latines aux universités de Lisbonne et de Coimbra ; voir le « Carnet de Trieste » à la rubrique « Jésuites ». Il a écrit un *De mensuris, ponderibus et numeris*, mais il est avant tout connu pour son *De Institutione Grammatica*, Lisbonne, 1572, qui, adopté dans les écoles de la Compagnie de Jésus, fut l'objet pendant plusieurs siècles d'innombrables éditions, traductions et résumés. C'est ainsi que l'on a affaire ici à sa seule prosodie. La dernière édition semble être la suivante : *The Complete Latin Prosody of E. Alvarez*, A New Translation, James Duffy, Dublin, 1859. Cet ouvrage est l'une des nombreuses éditions à l'usage des écoles imprimées au cours du XIXe siècle. Voici le passage auquel James Joyce emprunte sa citation : « Si, *if*, una brevis, *one short vowel*, præivit, *hath gone before*, Mutam, *a mute* ; que, *and*, liquidam, *a liquid* ; simul, *at the same time*, Orator, *the prose writer*, contrahit, *makes it short*, vates, *the Poets*, variant, *make it common*, in carmine, *in verse* » ; c'est-à-dire, mot à mot : « Si une voyelle brève a précédé une muette et une liquide en même temps, l'orateur (le prosateur) la fait brève, les poètes selon leurs chants varient. »
4. « L'orateur concentre, les poètes dans leurs chants exécutent des variations » : tel est du moins le sens que l'on peut donner à cette phrase, isolée de son contexte.
5. « Dans une situation aussi critique. »
6. Repris du « Carnet de Trieste » à la rubrique « Henry (Father William) ».
7. Rappelons que Joyce a donné une traduction de *O Fons Bandusiæ*.

Page 267.

1. Trinity College, Dublin, avait été fondé par Élisabeth Ire dans le dessein exprès de répandre l'esprit de la Réforme en Irlande.
2. Il s'agit du poète Thomas Moore, 1779-1852, dont la statue se dresse devant Trinity College, où il fut étudiant. Leopold Bloom, dans *Ulysse*, éd. cit., p. 159, tire également de ce spectacle quelques fortes pensées.
3. Moore est effectivement représenté revêtu d'une sorte de toge.

4. Firbolg, Milésien : ces deux races légendaires, la première de petite taille, et relativement primitive, la seconde au contraire très grande, auraient habité l'Irlande en des temps reculés.

5. Davin : ce personnage, nommé Madden dans *Stephen le Héros* (voir Pléiade, p. 340 et n. 2), eut pour modèle George Clancy, qui figure en bonne place dans le « Carnet de Trieste » ; voir John Francis Byrne, *Silent Years*, éd. cit., p. 54-55. Le choix du nom de Davin a peut-être un double rapport avec l'étymologie (ce nom vient de l'irlandais *daimhin*, de *damh*, bœuf, ou cerf, à ne pas confondre (?!) avec *dàmh*, poète) et avec la thématique du livre.

6. Ce trait caractérisait également James Joyce.

7. Il ne s'agit pas du vieil-anglais, mais de la langue que l'envahisseur anglais imposa *de facto* après l'écrasement des derniers rois irlandais sous Élisabeth Ire et Jacques Ier.

Page 268.

1. Michael Cusack : ce personnage coloré est mis en scène dans *Stephen le Héros*, Pléiade, p. 372.

2. Pat et Maurice Davin furent effectivement des athlètes bien connus : le premier détint les records mondiaux du saut en hauteur, du saut en longueur et du lancer de poids ; le second collabora avec Michael Cusack à la fondation de la Gaelic Athletic Assocation.

3. *Upon which no individual mind had ever drawn out a line of beauty :* le concept de *line of beauty* a sa source dans *The Analysis of Beauty*, 1753, du peintre et graveur anglais William Hogarth, 1697-1764 ; il fut très vite repris par ses successeurs, à commencer par l'Irlandais Edmund Burke, 1729-1797, dans *A Philosophical Inquiry into the Sublime and the Beautiful*, 1756. Il était devenu monnaie courante à la fin du XIXe siècle ; c'est ainsi, par exemple, qu'Arthur O'Shaughnessy, 1844-1881, le prend pour titre de l'un de ses poèmes, dans son recueil *Songs of a Worker*, Londres, 1881.

4. Écho de la conférence de James Joyce « James Clarence Mangan », 1902.

5. Après les deux défaites de la Boyne, 1690, et de Limerick, 1691, de nombreux soldats irlandais, et après eux plusieurs générations de jeunes Irlandais, que l'on devait appeler *wild geese*, « oies sauvages », se mirent au service d'armées du Continent : armée française, où ces contingents s'illustrèrent par exemple à la bataille de Fontenoy, ou autrichienne (voir ci-dessus p. 61, n. 1). C'est la Légion Étrangère qui, dans la seconde moitié du XIXe siècle, bénéficia de cette tradition prestigieuse. Selon Stanislaus Joyce, *Le Gardien de mon frère*, éd. cit., p. 46, John Stanislaus, leur père, avait fait une vague tentative pour

s'engager dans l'armée française (c'est-à-dire certainement la Légion) à l'âge de vingt et un ans.

6. Par opposition aux « oies sauvages » décrites ci-dessus.

Page 269.

1. *I disremember :* exemple de parler dialectal dont le récit de Davin constitue une véritable anthologie. À défaut d'en analyser tous les termes, nous en commenterons les tournures les plus frappantes.

2. J. F. Byrne, dont nous savons par le « Carnet de Trieste » qu'il servit de modèle pour le personnage de Cranly, assure dans son autobiographie *Silent Years*, p. 55, que le récit de Davin coïncide à peu près exactement avec celui que faisait leur ami George Clancy.

3. Buttevant : petite ville située à une cinquantaine de kilomètres au nord de Cork.

4. *A hurling match :* le *hurling*, ou *hurley*, est un sport assez proche du hockey. Il remonterait à une haute antiquité, si l'on en croit des textes anciens décrivant les préliminaires de la bataille de Moytura, qui opposa les Firbolgs et les Tuatha Dé Danann en 1272 avant Jésus-Christ. Il s'est toujours identifié à l'ancienne culture irlandaise, au point que les Anglais ne réussirent jamais à le supprimer en dépit des interdictions dont ils le frappèrent dès le Moyen Âge (*Statutes of Kilkenny*, 1367) et la Renaissance (*Statutes of Galway*, 1527) et jusqu'à l'époque moderne. La Gaelic Athletic Association contribua de manière décisive à sa renaissance.

5. Haut lieu du sport irlandais : c'est à Thurles, dans le comté de Tipperary, que la Gaelic Athletic Association fut fondée en 1884, un 1er novembre, date qui dans l'ancien calendrier irlandais correspond au début de l'année.

6. *Stripped to his buff,* c'est-à-dire « nu », ou, dans la province de Munster, « torse nu ».

7. *Minding cool* (ou *standing cool*), autre expression typique du Munster ; *cool* signifie ici « arrière », et vient de l'irlandais *cul*, même sens.

8. *A woeful wipe. Wipe* évoque un coup qui balaie l'espace. *Woeful* ajoute une note épique de terreur.

9. Crosse : *Camán*, nom donné à la crosse de hurling. Joyce a écrit *camann*, à tort.

10. *Within an aim's ace.* Expression locale, de la province de Munster, déformation de l'anglais élisabéthain *ambs-ace*, qui signifie « deux as », « deux points » au jeu de dés, c'est-à-dire le plus petit total possible, d'où l'idée « de justesse ».

11. *Leastways,* forme dialectale.

Page 270.

1. *Any kind of yoke. Yoke* ici ne signifie pas « joug », comme c'est le cas en anglais usuel : c'est un terme général, désignant un dispositif, un appareil, etc.

2. Castletownroche : il s'agit, selon toute vraisemblance, d'une grande réunion de caractère politique, comme il y en eut beaucoup en Irlande tout au long du xixᵉ siècle. Le nom de la bourgade a été rajouté, tant bien que mal, après coup, par James Joyce, dans un blanc du manuscrit.

3. Ballyhoura : au nord-est de Buttevant, à mi-chemin de Kilmallock. Le nom, là encore, a été rajouté après coup dans un blanc du manuscrit.

4. Kilmallock : bourgade du comté de Limerick d'où était originaire George Clancy : voir n. 5, p. 267.

5. *And only for the dews was thick...*

6. *She asked me was I tired.*

7. Voir p. 152 et n. 1.

Page 271.

1. *You have no call to be frightened.*

2. *There is no one in it.*

3. Écho des pages 59 et 62, et de *Stephen le Héros,* Pléiade, p. 325.

4. Voir n. 4, p. 319, et aussi « Irlande, île des saints et des sages », Pléiade, p. 1014, n. 1.

Page 272.

1. Cette cérémonie eut lieu le 15 août 1898, l'année du centenaire de la rébellion où s'illustra Wolfe Tone (voir p. 62, n. 2). La dalle a été depuis placée le long de Stephen's Green.

2. L'insurrection de 1798 échoua en partie par suite de l'insuffisance et des retards du corps expéditionnaire français qui devait l'appuyer. Voir *Dublinois,* « Après la course », Pléiade, n. 5, p. 140.

3. Buck Egan : avocat et homme politique (vers 1750-1820) ; député de Tallagh, il s'opposa vivement à l'Union avec la Grande-Bretagne (1800), qui lui fit perdre la prébende qui était son seul moyen d'existence, et le fit mourir dans l'indigence. Sa brutalité et ses duels l'avaient fait surnommer *Bully,* la Brute, et non pas *Buck,* le Gandin. Ce lapsus signifie peut-être que Joyce l'associait au type représenté par « Buck » Mulligan dans *Ulysse.* La tradition veut qu'il ait participé à des messes noires avec « Burnchapel » Whaley.

4. Grand propriétaire protestant, Whaley acquit son surnom de « Burnchapel » en 1798, année de la rébellion, en brûlant un grand nombre d'églises catholiques (*chapels* en Irlande).

5. Thomas Whaley, 1766-1800, fils de « Burnchapel » Whaley, fut surnommé « Buck » et aussi « Jérusalem ». Il est moins connu comme homme politique (ce fut un député parfaitement vénal, acheté successivement par les partisans, puis par les adversaires de l'Union) que comme joueur et excentrique : après divers exploits à Paris, Londres et Dublin, il gagna le pari d'aller jouer à la balle contre les murs de Jérusalem. Il fit et tint également le pari de sauter de la fenêtre de son salon (il habitait 86 Stephen's Green, qui devait devenir University College) dans la première calèche qui passerait, et d'embrasser son occupante.

Page 273.

1. Écho du « Carnet de Trieste » à « Jésuites ».

2. Le doyen des études : ce personnage figure déjà dans *Stephen le Héros* (voir Pléiade, p. 340, n. 4, 343, 344 et 526). Sur les sources de cette scène, voir *Stephen le Héros*, Pléiade, p. 343 et n. 2. Voir également *Ulysse*, éd. cit., p. 595 : « À quelles visions [...] Stephen se prit-il à penser ? [...] au préfet des études, le père Butt, dans l'amphithéâtre de physique de l'Université, 16 Stephen's Green North » ; curieusement, James Joyce donne ici l'adresse de l'archevêque de Dublin, celle de University College (Newman House) étant 82-86 Saint Stephen's Green South.

3. Voir ci-dessus p. 190 et n. 1, et *Stephen le Héros*, Pléiade, p. 343.

4. *Ephod*, en anglais, a également un sens figuré, « le clergé », en particulier lorsqu'il est opposé à *sword*, « épée » : « le sabre et le goupillon ». Noter également que « éphode », en rhétorique, est un autre nom de l'insinuation.

Page 274.

1. Plus précisément, *Pulchra enim dicuntur ea quæ visa placent* (*Summa Theologica*, I, *q* 5, *a* 4). Voir *Stephen le Héros*, Pléiade, p. 404 et n. 2. Cela est développé dans le « Carnet de Pola » (Pléiade, p. 1003). Repris et développé ci-dessous n. 2, p. 302.

2. *Summa Contra Gentiles*, chap. III. Cela est développé dans le premier fragment du « Carnet de Pola » (Esthétique) : voir Pléiade, p. 1003.

Page 275.

1. Devise de l'ordre, *Ad Majorem Dei Gloriam* : voir ci-dessus p. 106, 124 et 173.

2. Expression tirée des *Constitutions* de la Compagnie.

Page 276.

1. Les falaises de Moher, qui dominent la mer de plus de deux cents mètres sur environ huit kilomètres, sont situées dans le comté de Clare, presque en face des célèbres îles d'Aran, à une vingtaine de kilomètres de Galway. Stanislaus Joyce, dans *Le Gardien de mon frère*, éd. cit., p. 201, rapporte qu'à l'occasion d'un voyage dans l'Ouest, le P. Darlington écrivit à son frère une lettre pour lui dire que « du haut des falaises de Moher il avait contemplé l'abîme à ses pieds en se demandant combien de ceux qui avaient osé s'y aventurer en étaient revenus. Seul le plongeur entraîné pouvait y réussir ».

2. Voir *Stephen le Héros*, Pléiade, p. 488.

3. Chester Anderson fait observer qu'Épictète, comme saint Ignace et le doyen, était boiteux. Notons aussi que Joyce semble avoir lu les *Entretiens* avec une certaine attention, ainsi que l'indiquent, dans la suite du dialogue, non seulement les références précises à une image et à une anecdote, mais encore la manière dont Épictète se voit (n. 7, ci-dessous). Peut-être a-t-il été sensible aux remarques d'Épictète sur la puissance des représentations, sans lesquelles « il n'y aurait pas eu d'*Iliade*, ni même d'*Odyssée* » (I xxvii, 12-13) ou sur la grandeur d'Ulysse (III, xxvi, 33-34).

4. Le fait est rapporté par Lucien dans le texte connu surtout sous son titre latin, *Adversus indoctum et libros multos ementem*, § 13 (Loeb Classical Library, III, 192) : un homme aurait payé cette lampe trois mille drachmes. L'anecdote fait suite à l'histoire du jeune imbécile qui avait voulu utiliser la lyre d'Orphée après sa mort et n'avait réussi qu'à faire hurler les chiens ; au paragraphe suivant Lucien ajoute : « Il y a encore un jour ou deux un autre homme a payé un talent le bâton que Protée le Cynique a déposé avant de sauter dans le feu. »

5. Dans les *Entretiens*, Épictète se présente souvent comme un vieil homme

6. *Entretiens*, III, iii, 20-22 : « L'âme est comme une cuvette pleine d'eau et les représentations comme un rayon lumineux qui tombe sur elle. Lorsque l'eau est en mouvement, le rayon paraît, lui aussi, se mouvoir, mais il ne se meut pas réellement. Et lorsque l'on est aveuglé, ce ne sont pas les arts et les vertus qui se brouillent, c'est l'esprit en qui

elles sont ; s'il retrouve son calme, ils se calmeront eux aussi » (*Les Stoïciens*, Pléiade, p. 969).

7. *Entretiens*, I, xviii, 15 (*Les Stoïciens*, Pléiade, p. 851).

Page 277.

1. *I took root in an honourable people, and in the glorious company of the saints was I detained*, J. H. Newman, « The Glories of Mary for the sake of her Son », *Discourses to Mixed Congregations*, Londres, New York, Burns and Oates, 1849, p. 358. Ce dialogue est repris de *Stephen le Héros*, Pléiade, p. 343 (voir n. 1 renvoyant à l'Ecclésiastique, XXIV, 16).

Page 278.

1. *Is that called a funnel ? Is it not a tundish ?* Voir p. 360 la note du « 13 avril », et n. 1.

2. Drumcondra : comme on l'a vu p. 136 et n. 1, c'est là que la de James Joyce habita quelque temps.

3. Le P. Darlington, modèle de ce personnage, s'était converti après avoir été ministre de l'Église anglicane.

4. C'est-à-dire les conversions à l'Église de Rome qui suivirent celle de Newman en 1845, elle-même point culminant du Mouvement d'Oxford.

5. Dissidents : *dissenters*, c'est-à-dire, au sens religieux du terme, ceux des Réformés qui refusent d'adhérer aux articles de foi de l'Église établie (anglicane), trop proche à leurs yeux du catholicisme romain.

6. « Croire explicitement n'est rien d'autre que croire une chose en elle-même, de façon qu'elle soit l'objet prochain sur lequel porte l'assentiment de la foi ; croire implicitement. par contre, c'est croire seulement autre chose ; car on ne connaît pas véritablement ce qu'on croit et l'intellect ne forme pas le concept propre de la proposition dont on dit qu'elle est crue seulement implicitement mais d'une autre qui la contient » (Suarez, *Traité de la foi théologique*, traité I, discussion II, section VI). Aussi : « Une certaine opinion antique enseigne que, pour les chrétiens d'esprit simple ou appartenant au peuple ordinaire, il n'est pas nécessaire de rien croire " explicitement " mais seulement de croire en général ce que l'Église tient pour vrai [" explicite " s'oppose alors à " en général "] parce qu'ils croient tout ce que la Sainte Église de Dieu croit » (*ibid.*, traité II, discussion I, section III).

7. « The Ancient Order of the Six Principles of the Doctrine of Christ and his Apostles », plus couramment . « Six Principles Baptists ».

C'est la plus ancienne des sectes baptistes américaines, qui affirme descendre de la fondation de Roger Williams, à Providence, Rhode Island, en 1630. Les six principes en question sont énoncés dans les trois premiers versets du chapitre VI de l'Épître aux Hébreux. La secte recrute ses membres essentiellement dans les classes rurales incultes.

8. Exclusivistes : *peculiar People*, secte fondée en 1839, à Plumstead, en Angleterre, et qui emprunte son nom au Deutéronome, XIV, 2. En cas de maladie, ses membres s'en remettent exclusivement à la prière, en application de l'Épître de saint Jacques, V, 14.

9. Baptistes de la semence et du serpent : cela n'est pas absolument clair. Peut-être s'agit-il de disciples de John Chapman, 1775-1847, dit « Johnny Appleseed », sorte de saint de la frontière américaine, qui faisait des lectures publiques de la Bible et de Swedenborg, mais s'est rendu célèbre en répandant les semences de plantes qu'il considérait comme bénéfiques.

10. Les calvinistes supralapsaires enseignent que « Dieu, sans avoir égard aux bonnes et aux mauvaises œuvres des hommes, a résolu, par un décret éternel et par conséquent antérieur à la chute d'Adam, de sauver les uns et de damner les autres ».

Page 279.

1. Matthieu, dans l'Évangile selon saint Matthieu, IX, 9 ; Lévi, fils d'Alphée, dans l'Évangile selon saint Marc, II, 14 ; Lévi, dans l'Évangile selon saint Luc, V, 27.

2. Idée reprise plus bas, p. 301 On la trouve déjà dans le « Portrait de l'artiste » (1904), p. 31.

Page 280.

1. Repris de *Stephen le Héros*, Pléiade, p. 527 et n. 1.

2. Ce Moonan ne peut guère être le condisciple de Stephen qui apparaît au chapitre I ; mais la réplique de Stephen suggère qu'il en a l'habileté équivoque. Cela est confirmé, s'il en est besoin, par Stanislaus (*Le Gardien de mon frère*, éd. cit., p. 201) : « Le doyen lui fit valoir la nécessité pratique d'une occupation moins hasardeuse et lui cita l'exemple d'une des célébrités du barreau de Dublin, nommé dans " Éole " [épisode du journal dans *Ulysse*], qui avait pu continuer ses études de droit grâce à ses activités de journaliste. Comme la rumeur publique à Dublin disait que le jeune étudiant en droit avait précocement prouvé son intelligence en écrivant à la fois les éditoriaux de deux journaux d'opinions politiques opposées, mon frère dit sèchement : " Peut-être n'ai-je pas les talents de ce monsieur ! " Mais le

doyen ne saisit pas le sarcasme : " On ne sait jamais, répondit-il, on ne sait jamais, avant d'avoir essayé. " »

3. Voir *Dublinois*, « La Grâce », et la rubrique « jésuites » du « Carnet de Trieste ».

4. Un ban : *a few rounds of Kentish fire*, expression que James Joyce utilise peut-être avec une certaine ironie : ce terme fut forgé en 1828-1829, à la suite de réunions tenues dans le comté de Kent contre le projet d'émancipation politique des catholiques.

Page 281.

1. Cranly : le « Carnet de Trieste » confirme que ce personnage fut conçu à l'image de J. F. Byrne, ami de Joyce (voir p. 269, n. 2). C'est certainement par jeu, selon une méthode de confusion systématique entre réalité et fiction utilisée plus tard couramment dans *Ulysse* et *Finnegans Wake*, que ce nom est immédiatement précédé par celui de (Peter) Byrne. J. F. Byrne était entré à University College en 1895 ; en 1898-1899, il y était encore, comme répétiteur. Joyce le surnomma Cranly en mémoire d'un archevêque « blanc », c'est-à-dire carmélite (Byrne avait été élève des carmélites) de Dublin (1397-1417), dont on fêtait alors l'anniversaire. Voir le « Carnet de Pola », Pléiade, p. 1592-1593, et le « Carnet de Trieste », Pléiade, p. 1654-1655. Une nurse de James Joyce avait également porté ce nom (voir n. 6, p. 45).

2. Leopardstown : champ de courses situé au sud-est de Dublin. D'après *Ulysse*, éd. cit., p. 35, où elle est reprise, c'est là que se situe l'épiphanie n° XXXII, dont on ne trouve trace ni dans *Stephen le Héros*, ni dans notre roman.

3. Au sujet du personnage de Moynihan, voir *Stephen le Héros*, Pléiade, p. 454.

4. Formule traditionnelle du catéchisme concernant le sacrement du baptême.

Page 282.

1. W. S. Gilbert, 1836-1911, est l'auteur, avec Sir Arthur Sullivan 1842-1900, d'opéras-comiques extrêmement populaires.

2. Chanson de l'opéra de Gilbert et Sullivan, *Le Mikado* (1885), acte II.

3. Richard Ellmann nous apprend que cette remarque fut réellement faite par Kinahan au cours de l'une des deux conférences données à un mois d'intervalle, l'une sur l'électricité, l'autre sur la mécanique, que Joyce utilise ici

4. Dans *Stephen le Héros*, Pléiade, p. 339, une plus large place est accordée à ce personnage.

5. Dans *Stephen le Héros*, le président sert d'interlocuteur à Stephen pendant près de dix pages (Pléiade, p. 398-407).

Page 283.

1. *The young professor of mental science.*

2. À propos du professeur d'italien, voir ci-dessous p. 356 et n. 4.

3. Probablement F. Martin, auteur d'articles sur la chimie du platine.

4. *[This boy is] after saying [a bad word]*, expression dialectale signifiant exactement : « ce garçon vient de dire un gros mot ».

Page 284.

1. Allusion au *Marchand de Venise*.

Page 285.

1. Scène reprise, avec des modifications, de *Stephen le Héros*. Pléiade, p. 420 et suiv.

2. Il s'agit de Nicolas II, 1868-1918, instigateur des Conférences pour la Paix de La Haye de 1899 (18 mai-29 juillet). James Joyce fut étudiant de University College de 1898 à 1902.

Page 286.

1. « Je crois que tu es un fameux menteur... parce que ton visage montre que tu es de sacrément mauvaise humeur. »

2. *A sugar.* Euphémisme pour *shit*. Repris du « Carnet de Trieste ». Voir la lettre à Damaso Alonso du 31 octobre 1925 : « Euphémisme employé par Cranley [*sic*] parce qu'il commence par la même lettre qu'un produit de déchet du corps dont le mot anglais d'une syllabe est parfois employé comme exclamation et parfois pour décrire quelqu'un qu'on n'aime pas. En France, il est associé au maréchal Cambronne et les Français (au moins les femmes) se servent parfois d'un euphémisme analogue, *miel,* au lieu de l'exclamation du maréchal » (*Lettres*, éd. cit., t. III, p. 352).

3. « Qui est de mauvaise humeur... toi ou moi ? »

Page 287.

1. Repris du « Carnet de Trieste », avec quelques variantes stylistiques. Byrne s'est flatté dans son autobiographie (*Silent Years*, éd. cit.
p. 149) d'avoir le pur accent de Dublin.

Page 288.

1. Repris de *Stephen le Héros* (Pléiade, p. 484), où cet échange a lieu
au sujet de la participation de Stephen à la revue de l'université.
2. William Thomas Stead, 1849-1912, rédacteur en chef de la *Pall
Mall Gazette* (1883-1889) et fondateur de la *Review of Reviews*, dont le
McCann de *Stephen le Héros* est un fidèle lecteur (Pléiade, p. 352).
C'était un pacifiste convaincu. Il est connu d'autre part pour ses
initiatives en matière d'édition : dans les dernières années du siècle, il
lança ses *Penny Novelists*, volumes de trente à quarante mille mots où
se trouvaient abrégés des romans six ou huit fois plus longs, et tout
particulièrement les *three-deckers*, romans en trois volumes souvent
indûment gonflés. À cette collection, qui tira six millions et demi de
volumes en quelques années, il adjoignit des *Penny Poets*, qui atteigni-
rent très vite cinq millions d'exemplaires. Sur le même sujet, voir
Dublinois, « Une rencontre », Pléiade, p. 119. On remarquera que *stead*
est le dernier mot de notre roman (p. 362) : *Old father, old artificer,
stand me now and ever in good stead.* Voir *Stephen le Héros*, Pléiade,
p. 420 et n. 3.
3. Temple : personnage repris de *Stephen le Héros* (Pléiade, p. 413 et
n. 2), et calqué sur John Elwood, étudiant en médecine que James
Joyce fréquentait en 1903, à son retour de Paris.

Page 289.

1. On voit mal ce qui fonde cette affirmation. Sans doute James
Joyce veut-il donner un spécimen de chauvinisme irlandais.
2. Anthony Collins, 1676-1729, déiste et libre penseur, était anglais
et ne s'appelait pas John. Son *Discourse of Free-thinking*, 1713, fut dès
l'année suivante traduit en français *(Discours sur la liberté de penser).*
On lui doit également *L'Esprit du judaïsme* (traduction française,
Londres, 1770) et *Examen des prophètes qui servent de fondement à la
religion chrétienne* (traduction française, Londres, 1768).
3. Lottie Collins : chanteuse de music-hall, qui eut un immense
succès dans les années 1890 avec « Ta-Ra-Ra-Boom-De-Ay », air tiré de
Dick Whittington. Moynihan cite une version de cette chanson qui

incorpore son nom ; les galopins de cette époque la chantaient au passage des filles.

4. Repris du « Carnet de Trieste » à la rubrique « Skeffington » (*cf.* p. 263, n. 3).

Page 290.

1. *Pax super totum sanguinarium globum,* traduction littérale de *Peace on the whole bloody world,* Paix sur toute la foutue terre.

2. Voir *Stephen le Héros,* Pléiade, p. 415.

3. « Allons jouer au handball. »

Page 291.

1. Chester Anderson voit ici une contradiction avec la page 285, où le doyen des études converse avec « un jeune professeur » ; mais les deux interlocuteurs ont bien pu se succéder.

2. Un certain Felix Hackett, que nous avons d'ailleurs cité p. 264, n. 2, était un condisciple de James Joyce à University College.

Page 292.

1. Voir le « Carnet de Pola », Pléiade, p. 1593, n. 2.

2. Cette vision du président se trouve déjà dans *Stephen le Héros* (Pléiade, p. 398-399), en prélude à son entretien avec Stephen Dedalus.

Page 293.

1. Nous apprenons dans *Stephen le Héros* (Pléiade, p. 354 et n. 1) que Joyce avait lu une biographie de Rousseau, et sans doute *Les Confessions.*

2. « *Super spottum* », traduction en latin de cuisine de *on the spot* : sur place, sur-le-champ.

Page 294.

1. Expression que Byrne semble avoir appliquée à W. B. Yeats : voir le « Carnet de Trieste » à « Byrne ».

2. Ce Lynch fut composé à l'image de Vincent Cosgrave. Dans le « Carnet de Trieste », à la rubrique « Cosgrave », Joyce a relevé un certain nombre de traits que l'on retrouve dans *Stephen le Héros* (Pléiade, p. 442 et 493), puis ici. Oisif, aigri, Cosgrave se suicida plus tard en se jetant dans la Tamise. James Joyce ne lui pardonna pas sa

désertion lors d'une bagarre, incident qu'il commémore dans *Ulysse*, éd. cit., p. 532. Il ne lui pardonna pas, surtout, d'avoir insinué devant lui, en août 1909, à Dublin, qu'en 1904, avant le départ pour Trieste, Nora avait accepté ses avances. Pour ces diverses trahisons, Joyce le stigmatisa du nom de Lynch, ce maire de Galway qui pendit son fils de ses propres mains et dont il raconta l'histoire dans un article de 1912 (Pléiade, p. 1101).

3. Voir le « Carnet de Pola », et *Stephen le Héros*, Pléiade, p. 442 et n. 2.

Page 295.

1. *Fianna*, en irlandais, « fenian ». Stephen Dedalus cite le manuel de formation militaire des Fenians.

2. *The Office of Arms.* Au château de Dublin, où le Roi d'Armes d'Ulster est chargé des questions de généalogie et d'héraldique.

3. Richard Ellmann au premier chapitre de sa biographie nous apprend que John Stanislaus Joyce, à défaut de son arbre généalogique, exhibait, dûment encadrées, les armes des Joyce de Galway : « Aigle de gueule sur champ d'argent, le corps traversé de deux bandeaux. L'écu surmonté d'un chien au cou traversé d'une couronne ducale. » Voir *Ulysse*, éd. cit., p. 514, ainsi que la lettre à Harriet Shaw Weaver du 1er mai 1935 : « La devise de mes armoiries est [...] : *Mors, aut honorabilis vita...* » (*Lettres*, éd. cit., t. I, p. 458).

4. Père Moran : personnage mis en scène dans *Stephen le Héros*, Pléiade, p. 376, et ci-dessous p. 318.

5. Repris de *Stephen le Héros*, Pléiade, p. 340, n. 1.

Page 296.

1. Harcourt Street : rue située dans le prolongement de Stephen's Green West, en direction du sud.

2. C'est-à-dire de la fin du XVIIIe à la fin du XIXe siècle.

Page 297.

1. Voir n. 2, p. 318.

2. Repris du « Carnet de Trieste » à « Irlande ».

3. *Your soul!* Apocope de *Damn our soul!*, « Au diable ton âme ! »

4. Voir *Stephen le Héros*, Pléiade, p. 516, n. 2.

Page 298.

1. *Ibid.*, p. 442, n. 3 : « Il se mit à jurer en jaune pour protester contre l'adjectif sanguin [*bloody*], d'une étymologie incertaine. » Le jaune était à la mode depuis la vogue du *Yellow Book* des esthètes et décadents.

2. James Joyce fait erreur : au second livre de la *Rhétorique*, la terreur est définie au chapitre v, la pitié au chapitre viii.

3. Goggins : nom donné à Oliver St John Gogarty dans *Stephen le Héros* : il sera Buck Mulligan dans *Ulysse*.

4. Repris du « Carnet de Paris ».

Page 299.

1. Comparer ce paragraphe avec le début du « Carnet de Paris », (Pléiade, p. 999), dont il reprend les principaux éléments.

2. Écho des préoccupations de Léopold Bloom dans *Ulysse* : voir par exemple p. 173, 412, 463, etc.

3. Repris du « Carnet de Trieste » à la rubrique « Cosgrave ». Cette remarque, venant après des considérations sur le désir, doit être rapprochée de ce passage du *Contra Jovinianum* (I, 7), où saint Jérôme, commentant la Première Épître aux Corinthiens, VII, compare la virginité à la consommation du pain de froment, le mariage à celle du pain d'orge et la fornication à celle de la bouse de vache. Il reprend cette triple comparaison sous une forme abrégée dans sa lettre XLVIII à Pammachius.

Page 300.

1. Repris du « Carnet de Trieste » à la rubrique « Cosgrave ».

2. Voir le « Carnet de Trieste » à la rubrique « Esthétique », et le « Carnet de Paris ».

3. James Joyce reprend ici à peu près les termes d'Edwin Wallace, *Aristotle's Psychology*, in Greek and English, Cambridge University Press, 1882, p. lix.

Page 301.

1. Repris du « Carnet de Paris », où cependant le qualificatif « esthétique » n'est pas utilisé.

2. Voir Platon, *Phédon*, 62b, et *Cratyle*, 400c.

3. Voir n. 2, p. 279.

4. Le pont qui, dans Lower Leeson Street, enjambe le Grand Canal.

Page 302.

1. Repris littéralement de *Stephen le Héros* (Pléiade, p. 386 et n. 2) et du « Carnet de Paris ».

2. « Sont belles les choses qui plaisent à la vue. » Voir ci-dessus n. 1, p. 274. La même formule est invoquée dans *Stephen le Héros*, Pléiade, p. 404, n. 2.

3. Repris de *Stephen le Héros* (Pléiade, p. 389 et n. 2) et de la conférence de 1902 « James Clarence Mangan ». Richard Ellmann pense que James Joyce découvrit cette sentence, certes peu originale, dans la lettre de Gustave Flaubert à Mlle Leroyer de Chantepie du 18 mars 1857, à laquelle il aurait également emprunté la comparaison de l'artiste avec le Dieu de la Création (voir ci-dessous p. 312).

Page 303.

1. Repris de *Stephen le Héros*, Pléiade, p. 475 et n. 1, où Stephen Dedalus débat avec son professeur d'italien, le P. Artifoni.

2. Voir Oscar Wilde, *Intentions* (1891), « Pen, Pencil and Poison », Methuen, Londres, p. 70 : « Le premier pas de la critique esthétique consiste certainement à comprendre [Wilde utilise *realise* là où Joyce écrit *understand*] ses propres impressions. »

3. Tout ce passage est repris de *Stephen le Héros*, Pléiade, p. 512-513, et développé. La source en est Hegel, *Introduction à l'esthétique* (traduction française, Aubier-Flammarion, I, p. 101). Voir ci-dessous p. 312 et n. 2.

Page 304.

1. La publication de *L'Origine des espèces* de Charles Darwin en 1859 fut suivie de longues controverses dans les milieux religieux, en particulier ceux qui lisaient la Bible littéralement.

2. Sir Patrick Dun's Hospital se trouve dans Grand Canal Street : Stephen et Lynch ont pris la direction du nord-est, celle du port de Dublin.

Page 305.

1. Dans *Stephen le Héros*, Pléiade, p. 386 et n. 1, c'est Stephen Dedalus lui-même qui utilise l'expression, avec une certaine satisfaction.

2. Le *Pange lingua* de saint Thomas d'Aquin est effectivement chanté pendant la procession qui précède les vêpres du Jeudi Saint ; le *Missel*

romain place cette hymne liturgique aux deuxièmes vêpres de la Fête-Dieu. C'est à la demande d'Urbain IV, en 1263, que saint Thomas composa un office du Saint-Sacrement qui le contient, parmi d'autres ; ses deux dernières strophes forment le *Tantum ergo*, chanté dans l'office « paraliturgique » du « Salut du Saint-Sacrement ». On signalera que ce premier distique, *Pange lingua gloriosi, Corporis mysterium* [Chante, ô ma langue, Le mystère du corps glorieux], a été emprunté par Thomas d'Aquin à une hymne de Fortunatus sur le mystère de la Croix, de même sujet et de même inspiration que le *Vexilla Regis [prodeunt]* [Les étendards du Roi s'avancent].

3. Venantius Honorius Clementianus Fortunatus, né vers 530, mort au début du VIIe siècle, évêque de Poitiers. Dans le *Missel romain*, on trouve deux versions du *Vexilla Regis* : pour le Vendredi Saint (messe des Présanctifiés) la *versio antiqua* ; pour les vêpres du dimanche de la Passion, un texte légèrement différent. Mais ces deux textes eux-mêmes s'écartent notablement du poème de Fortunatus, la seconde strophe est supprimée, et les strophes six et sept complètement différentes (elles parlent de la Passion et de la Trinité). Par ailleurs, on peut se demander si James Joyce n'a pas été intéressé par les extraordinaires calligrammes-énigmes que l'on trouve dans l'œuvre de Fortunatus.

4. Strophe quatre du *Vexilla Regis* de Fortunatus, c'est-à-dire la strophe trois de la *versio antiqua* : « Voici donc accompli ce que chanta David en ses vues prophétiques : " Sur les nations, Dieu, par le bois, a régné ". »

Page 306.

1. Littéralement « la rue Basse du Mont », où certains ont vu une allusion au Golgotha.

2. Il s'agit probablement de *nationalistes* irlandais, les habitués de la boutique de journaux et de tabac tenue par Thomas J. Clarke dans Great Britain Street (voir *Stephen le Héros*, Pléiade, p. 372). Clarke, premier signataire de la proclamation d'indépendance du gouvernement provisoire en 1916, fut exécuté par les Anglais.

3. Glenmalure : au sud de Dublin, dans le comté de Wicklow.

4. Selon Richard Ellmann, le personnage de Donovan ressemble beaucoup à Constantine Curran, 1883-1972, qui a laissé d'intéressants souvenirs sur James Joyce et University College, notamment dans son *James Joyce Remembered*.

Page 307.

1. Dans *Stephen le Héros* (Pléiade, p. 347), Stephen Dedalus explique ce qui le sépare du *Laocoon* (1766) de Lessing. Ses dénégations ne signifient pas qu'il n'ait pas été intéressé par l'application par Lessing des catégories d'Aristote à l'esthétique, projet en un sens proche du sien. Voir également ci-dessous p. 311 et n. 2.

2. Plus exactement : *Ad pulchritudinem tria requiruntur. Primo quidem integritas, sive perfectio (quæ enim diminuta sunt, hoc ipso turpa sunt), et debita proportio, sive consonantia ; et iterum claritas ; unde quæ habent colorem nitidum, pulchra esse dicuntur (Summa theologica,* I *q* 39, *a* 8, corp.). Il s'agit de savoir si l'on peut appliquer à l'une des Personnes de la Trinité un attribut commun aux trois ; pourquoi, demande saint Thomas, saint Hilaire attribue-t-il *æternitas,* l'éternité, au Père, *species,* l'image, au Fils, et *usus,* la jouissance, au Saint-Esprit ? Cette question est d'une très grande importance structurelle pour saisir les enjeux de l'écriture de James Joyce. À un premier niveau, on pourra utilement comparer l'analyse qui suit aux pages 513-514 (Pléiade) de *Stephen le Héros.*

Page 309.

1. James Joyce a recouru à cette image dès 1902 dans sa conférence sur « James Clarence Mangan » (Pléiade, p. 956). Dans *Défense de la poésie [Defence of Poetry],* Shelley avait écrit : « Un homme ne peut dire : " Je veux écrire un poème ", le plus grand des poètes ne peut le dire, car l'esprit à l'instant de la création est pareil au charbon sur le point de s'éteindre, auquel une influence invisible, tel un vent inconstant, redonne un éclat éphémère : cette puissance surgit du dedans, comme la couleur d'une fleur qui change et passe à mesure qu'elle se développe, et la part consciente de notre nature ne peut annoncer ni son arrivée ni son départ. [...] Lorsque le poète se met à composer, l'inspiration est déjà sur son déclin. » Voir également *Ulysse,* éd. cit., p. 191 : « Dans l'intense instant de la création, quand l'esprit, dit Shelley, est une braise près de s'éteindre, ce que j'étais est ce que je suis et ce qu'en puissance il peut m'advenir d'être. Ainsi dans l'avenir frère du passé, peut-être me verrai-je tel que je suis actuellement, assis là, mais par réflexion de ce qu'alors je serai. » Stephen vient de parler du spectre du père et de l'image du fils.

Page 310.

1. Selon Atherton, ce mot, *incantesimo,* est « utilisé par Galvani pour décrire l'arrêt temporaire des battements du cœur produit par

l'insertion d'une aiguille dans la moelle épinière d'une grenouille ». L'expression est reprise ci-dessous p. 314 (voir n. 3). On la trouve dès le « Carnet de Trieste », à la rubrique « Esthétique ».

2. Comparer cette formulation avec celle de *Stephen le Héros*, Pléiade, p. 386, n. 2.

3. Cela est repris de *Stephen le Héros* (Pléiade, p. 386, n. 3), avec quelques variantes stylistiques.

4. Il s'agit du « Carnet de Paris », dans lequel on trouve la seconde question et sa réponse.

5. Question connexe à la dernière question du « Carnet de Paris ».

6. Cette question n'est pas dans le « Carnet de Paris »; elle est néanmoins, à sa manière, un écho de préoccupations esthétiques, et même « esthétisantes », en raison de la place tenue par la figure de Mona Lisa chez Walter Pater et ses successeurs.

7. Cette question, qui ne figure pas dans le « Carnet de Paris », a une valeur humoristique. Le buste de Sir Philip Crampton, chirurgien bien connu, 1777-1858, érigé sur un monument en forme d'artichaut, fut la risée de plusieurs générations de Dublinois. Il était situé dans College Street, à l'extrémité de Great Brunswick Street. On pouvait lire sur le socle l'inscription suivante, dont les quatre derniers vers seront plus tard cités par James Joyce dans *Finnegans Wake* :

> *Cette fontaine ici a été élevée*
> *En exemple salutaire et utile*
> *Par les amis et admirateurs de Sir Philip Crampton.*
> *Elle ne représente que faiblement*
> *La vivacité de son esprit étincelant,*
> *La profondeur de sa calme sagacité,*
> *La transparence de son honneur immaculé,*
> *Le flot de son intarissable bienfaisance.*

Page 311.

1. Cette question, suivie d'une réponse, se trouve dans le « Carnet de Paris ».

2. Voir n. 1, p. 307, et surtout *Stephen le Héros*, Pléiade, p. 347.

3. Comparer le passage qui suit à *Stephen le Héros*, Pléiade, p. 386.

4. *Turpin Hero* : ballade que James Joyce aimait chanter, selon les témoignages recueillis par Ellmann. Turpin était un brigand, qui fut pendu en 1739.

Page 312.

1. *Mood*. Il s'agit d'un des maîtres mots de W. B. Yeats dans les années 1890 ; voir par exemple l'essai « Moods » de 1895, réédité plus tard dans *Ideas of Good and Evil* ; ou encore sa grande étude, écrite en collaboration avec Ellis, *William Blake*, p. 250 notamment.

2. Voir la lettre de Flaubert à Mlle Leroyer de Chantepie du 18 mars 1857 : « *Madame Bovary* n'a rien de vrai. C'est une histoire *totalement inventée* [...] l'illusion [...] vient au contraire de l'*impersonnalité* de l'œuvre. C'est un de mes principes qu'il ne faut pas s'écrire. L'artiste doit être dans son œuvre comme Dieu dans la création, invisible et tout-puissant, qu'on le sente partout, mais qu'on ne le voie pas. » Voir aussi Hegel, *Introduction à l'esthétique* (Aubier-Montaigne, I, p. 132) : « Cette virtuosité d'une vie artistique ironique a reçu le nom de *divine génialité*, pour laquelle tout et tous ne sont que des choses dépourvues de substance, auxquelles le libre créateur, détaché de tout, ne saurait s'attacher, puisqu'il peut aussi bien les détruire que les créer. » Joyce avait à peu près certainement lu ce texte dans la traduction de Bernard Bosanquet, *The Introduction to Hegel's Philosophy of Fine Art*, Londres, Kegan Paul, Trench, Trübner & Co, 1886. Voir ci-dessus, p. 303 et n. 3.

3. Fritz Senn (*James Joyce Quarterly*, hiver 1976) fait observer que l'on trouve dans *The Countess Cathleen* de W. B. Yeats, 1892, l'expression « aussi inutile que de se rogner les ongles ».

4. C'est la pelouse qui borde l'ancienne demeure du duc de Leinster (Leinster House) et donne sur Merrion Square (côté ouest), c'est-à-dire à l'arrière de Kildare House, qui abrite la National Library et le National Museum.

5. L'entrée de la bibliothèque est un porche à colonnes en demi-cercle.

Page 313.

1. Voir *Stephen le Héros*, Pléiade, p. 417 et n. 2.

2. Ce passage reprend en partie l'épiphanie n° XXV, utilisée à peu près intégralement dans *Stephen le Héros* (Pléiade, p. 486).

Page 314.

1. Logique surprenante : les séraphins, comme leur nom l'indique, sont associés à l'idée d'un amour ardent, et non à l'impassibilité (*passionlessly*) : la suite du texte le montre.

2. Récrit à partir d'une note du « Carnet de Trieste » à la rubrique « Esthétique ».

3. Voir n. 1, p. 310.

4. Allusion directe à la spiritualité franciscaine, évoquée dans le « Portrait de l'artiste » (1904), p. 35, et *Stephen le Héros*, Pléiade, p. 480-481.

Page 315.

1. Les trois phrases qui précèdent sont reprises du « Carnet de Trieste » à la rubrique « Esthétique », avec quelques variantes stylistiques.

2. Cette image s'explique si l'on se souvient que pour certains théologiens, comme Suarez, Lucifer était de l'ordre des Séraphins (cependant moins élevé que Michel dans cet ordre); l'idée se trouve déjà chez Pierre de Poitiers. D'ailleurs, si l'on admet la hiérarchie du Pseudo-Denys (et l'on sait que James Joyce s'était intéressé à cet auteur), à savoir : Séraphins, Chérubins, Trônes, Dominations, Vertus, Puissances, Principautés, Archanges, Anges, l'opinion répandue parmi les théologiens que Lucifer était le plus haut, ou de l'ordre le plus élevé, des anges, implique qu'il était un Séraphin.

3. Villanelle : cette forme fut souvent pratiquée par un poète presque contemporain de James Joyce, le décadent Ernest Dowson, 1867-1900. Il s'agit, et nous en aurons confirmation plus bas p. 322 et n. 5, du poème associé dans *Stephen le Héros* (Pléiade, p. 511) à la notion d'épiphanie et à son histoire.

Page 316.

1. Écho pour le moins curieux de la p. 282 et n. 2

Page 317

1. Notation reprise de *Stephen le Héros*, Pléiade, p. 356.

2. Notation reprise de *Stephen le Héros*, Pléiade, p. 358 et 460.

3. Voir *Stephen le Héros*, Pléiade, p. 356, variante *b*.

4. *The victory chant of Agincourt*. Ode en quinze strophes de Michael Drayton, 1563-1631, écrite en 1605 en souvenir de la victoire de Henri V sur les Français.

5. *Greensleeves*, air traditionnel anglais.

6. Repris de *Stephen le Héros*, Pléiade, p. 357 et n. 2.

7. Les lignes qui suivent se fondent sur l'épiphanie n° XXVI ; seul le dialogue a été modifié, de manière décisive.

Page 318.

1. Celui qui introduisit James Joyce à la pensée joachimite fut très
vraisemblablement W. B. Yeats (voir *Stephen le Héros*, Pléiade, p. 480-
481). Mais pour Gherardino, comme pour Joachim de Flore, Joyce s'est
sans doute renseigné également dans J. I. Döllinger, *Prophecies and the
Prophetic Spirit in the Christian Era* (voir *Dublinois*, Pléiade, p. 259).
C'est Gherardino da Borgo-San-Donnino (mort en 1276) qui rassembla
les écrits de Joachim de Flore sous le titre de *L'Évangile éternel* et lui
ajouta une introduction qui, bien que d'inspiration joachimite, parut
néanmoins à la majorité des fidèles trahir la vraie doctrine. La
papauté intervint et le synode d'Arles, en 1260, condamna la théorie
des trois époques et celle d'une seconde effusion du Saint-Esprit. En
effet, dans son Introduction, Gherardino avait annoncé, pour 1260
précisément, le début de la troisième période de l'histoire du monde :
le Nouveau Testament, « époque et économie du Fils », serait clos et
abrogé, de même que l'Ancien Testament avait été abrogé par le
Nouveau ; personne n'était conduit jusqu'à la perfection par l'Évangile
du Christ. Sous l'égide des ordres mineurs, qui se développeraient
pleinement, *toutes les métaphores et les énigmes s'évanouiraient dans le
soleil de la Nouvelle Église du Saint-Esprit*. Et tout de même qu'au début
de la Nouvelle Alliance brillaient trois personnages, Zacharie, Jean
Baptiste et « l'homme Jésus » (voir infra, p. 356), de même dans la
troisième ère, celle de l'Esprit, l'édifice aurait trois piliers, Joachim,
Dominique et François

2. Voir p. 297, n. 1.

3. Voir p. 295, n 4 et *Stephen le Héros*, Pléiade, p. 376, n. 5.

Page 319.

1. *By Killarney's Lakes and Fells.*

2. 28-30 Bishop Street.

3. Cette phrase rassemble une série de notations diverses du
« Carnet de Trieste » à la rubrique « Dedalus (Stephen) ». Voir également *Stephen le Héros*, Pléiade, p. 451 et n. 1.

4. *Cf.* n. 4, p 271

Page 320.

1. Au début du « Carnet de Pola », Joyce avait noté « Pouvoir
spirituel et temporel/Prêtres et police en Irlande » ; l'idée avait été
reprise dans *Stephen le Héros*, Pléiade, p. 375 et 451. Ici, à la place de
« Moycullen », Joyce avait tout d'abord écrit « Athenry » ; les deux

agglomérations sont dans le comté de Galway, mais la première est beaucoup plus modeste.

Page 321.

1. Voir *Dublinois*, Pléiade, p. 111.
2. Voir ci-dessus, p. 122.

Page 322.

1. Joyce est toujours ironique devant les jugements qui portent exclusivement sur la « forme » littéraire. Voir par exemple *Stephen le Héros*, Pléiade, p. 390, et *Dublinois*, ibid., p. 227.
2. Voir les notes préparatoires aux *Exilés*, Pléiade, p. 1772.
3. Repris avec quelques variantes stylistiques du « Carnet de Trieste » à la rubrique « Dedalus (Stephen) ».
4. Ce type de télépathie est évoqué dans les lettres de Joyce à Nora de 1909.
5. La tentatrice de la villanelle : dans *Stephen le Héros* (Pléiade, p. 511, n. 4), c'est le titre d'un poème composé paraît-il dans des conditions tout à fait différentes.

Page 323.

1. D'après Stanislaus Joyce (*Le Gardien de mon frère*, éd. cit., p. 103-104), ce poème aurait fait partie du premier recueil de son frère, *Shine and Dark*.
2. Molesworth Street : rue qui aboutit dans Kildare Street, perpendiculairement, entre la bibliothèque et le musée.

Page 324.

1. *For an augury of good or evil?* Cf. le recueil de W. B. Yeats, *Ideas of Good and Evil*, 1896-1903, qui marqua sensiblement le jeune Joyce : voir par exemple p. 157 et n. 1, et p. 312 et n. 1. Voir également Pléiade, p. 1191 et n. 7.
2. Il est difficile de déterminer avec certitude quelle est cette phrase (ou cette locution : Joyce a en effet écrit *phrase*, qui a surtout ce sens). Elle est vraisemblablement tirée du *De occulta philosophia*, 1531, aux chapitres LIIII à LVI, qui traitent de la divination et des augures. L'imagination ici a tendance à se donner libre cours, découvrant par exemple la phrase *aquila supervolans contulit victoriam Hieroni* (p.

LXV), qui évoque à la fois l'aigle volant de la famille Dedalus (voir p. 295 et n. 3) et le conflit de Stephen avec son condisciple Héron (p. 134-141). Mais le passage ici le plus pertinent est cette phrase du chapitre LIII : « Écoute donc attentivement ce que dit la corneille, observe tout avec diligence : le site où elle s'est posée ou vole, à droite ou à gauche, parlant, criant ou se taisant, te précédant ou te suivant, attendant ou fuyant ton passage, et vers où s'éloignant. » Cette longue phrase a le rythme même des paragraphes précédents de Joyce ; elle évoque les multiples mouvements de l'oiseau, elle suit les articulations de son langage et dit la nécessité de l'écoute. De plus, corneille, *cornix*, contient le nom de l'auteur, *Cornelius*, de même que Stephen porte le nom d'un homme-oiseau ; la racine *corn-* contribuerait également à rendre compte, au paragraphe suivant, de la présence de Thoth, portant sur sa tête « le croissant cornu » *(the horned moon).* Voir également p. 336 et n. 2, 255 et n. 2, et surtout p. 497 et n. 2, où il apparaît que c'est un Docteur Cornwell qui introduisit Stephen à la lecture et à l'écriture en même temps. Voir enfin dans *Ulysse* (épisode d' « Éole ») la figure cornue de Moïse, porteur de la Loi.

Page 325.

1. Ces « pensées informes » se trouvent dans *Le Ciel et la terre*, § 108, où Swedenborg commence par donner en exemple les abeilles, les chenilles et les papillons, avant de passer à « toutes les créatures qui volent dans l'air », et qui savent si bien faire leur nid, pondre, couver, reconnaître amis et ennemis. Joyce a repris plusieurs termes de Swedenborg : « Les animaux sont dans l'ordre de leur vie et n'ont pu détruire ce qui en eux vient du monde spirituel, parce qu'ils n'ont pas de faculté rationnelle. L'homme, d'un autre côté, qui pense à partir du monde spirituel, ayant perverti ce qui en lui vient de ce monde par une vie contraire à l'ordre, ce que sa faculté rationnelle a favorisé, doit forcément naître dans la simple ignorance et ensuite être reconduit par des moyens divins dans l'ordre des cieux. »

2. La source ultime de cette image est bien sûr le *Phèdre*, 274*b*. Notons cependant que le savoir de Joyce est peut-être de seconde main, puisé par exemple dans l'ouvrage de H. N. Humphreys, *The Origin and Progress of the Art of Writing*, a connected narrative, Londres, Ingram, Cooke & Co, 1853, où ce passage de Platon est cité et où l'on trouve p. 173 la figure d'un scribe égyptien qui coïncide avec la description de Thoth par James Joyce. Voir *Ulysse*, éd. cit., p. 190 : « Thoth, dieu des bibliothèques, un dieu-oiseau, à couronne lunaire. Et j'entendais la voix de ce grand prêtre égyptien. *Dans des chambres peintes aux murs de briques qui sont des livres.* »

Page 326.

1. Début du dernier monologue de la Comtesse Cathleen sur son lit de mort dans *The Countess Cathleen*, pièce en un acte de W. B. Yeats, 1892 ; Oona est la mère adoptive de la Comtesse et Aleel un poète. Le dernier vers cité par Joyce est : *He wander the loud waters* ; le texte de Yeats a *She...* Les vers suivants sont : « Ne pleurez pas / Un trop long temps, car il est plus d'un cierge / Sur le Maître-Autel, même si l'un d'eux vient à tomber » ; cette dernière sentence est citée par Joyce sans autre référence dans sa conférence de 1900 sur « Le Drame et la vie ».

2. Le 8 mai 1899, soir de la première de la *Comtesse Cathleen*. Les nationalistes qui manifestèrent ce jour-là reprochaient à l'auteur d'avoir présenté une héroïne irlandaise, la Comtesse, prête à vendre son âme pour sauver les siens ; ils négligeaient délibérément l'Ange de la vision finale, et sa déclaration, selon laquelle grâce à la Vierge la Comtesse serait jugée sur son intention et non sur son acte. Le lendemain de la représentation, Skeffington rédigeait une lettre de protestation destinée au *Freeman's Journal* et la proposait à la signature des étudiants de University College ; Joyce refusa de signer. Des incidents analogues se produisirent lors de la première de *The Playboy of the Western World [Le Baladin du monde occidental]* de J. M. Synge, en 1907.

Page 327.

1. Cet épisode illustre deux notations de *Stephen Le Héros*, Pléiade p. 429 et 485. *The Tablet* est un hebdomadaire catholique.

2. J. F. Byrne, dans *Silent Years*, éd. cit., p. 58-59, confirme l'anecdote mais déclare que ce n'était là qu'un titre de chapitre, et non celui d'un livre. Il existe pourtant à la National Library le titre suivant, entré le 25 octobre 1899 : John H. Steel, *A Treatise on the Diseases of the Ox, being a manual of bovine pathology*, Longmans, Green & Co, 1895, p. XXIII-518. Voir *Stephen le Héros*, Pléiade, p. 430, n. 3.

Page 328.

1. Stephen Dedalus prononce la même phrase dans *Stephen le Héros*, Pléiade, p. 443, n. 1, où le dialogue s'engage immédiatement. On voit qu'il en va tout autrement ici, puisque Stephen doit répéter sa question p. 341.

Page 329.

1. Ce n'était pas du tout le cas de James Joyce, si l'on en croit son frère (*Le Gardien de mon frère*, éd. cit., p. 97) ; mais c'est celui du pervers d' « Une rencontre ». On notera cependant que la bibliothèque de Joyce à Trieste contenait un exemplaire de *The Bride of Lammermoor* (Leipzig, Tauchnitz, 1858).

2. Sur ce thème, voir ci-dessus, n. 2, p. 138.

Page 330.

1. Il s'agit d'une clique de politiciens, adversaires de Parnell, originaires de la ville de Bantry, dans le comté de Cork. Voir *Ulysse*, éd. cit., p. 292 : « Martin Murphy, le bosseur de Bantry » ; le mot employé ici, *jobber*, est plus péjoratif que « bosseur ».

2. *Your intellectual soul*, pédantisme délibéré renvoyant aux distinctions aristotéliciennes.

Page 331.

1. Notation du « Carnet de Trieste » à « Byrne (John Francis) », reprise également p. 336.

2. Nous n'avons pu trouver la source de ces considérations généalogiques.

3. C'est-à-dire « Tête chauve » : Cranly joue sur le nom de Baudoin (Baldwin).

4. Giraldus Cambrensis, ou Giraud de Galles, vers 1146-vers 1220, chapelain de Henry II, conseiller du roi pour l'Irlande. Il est l'auteur d'une *Topographia Hibernica* et d'une *Historia vaticinalis de expugnatione Hiberniæ*. On cherchera en vain dans ces ouvrages le nom de Dedalus, ou celui de Joyce, ou même la formule latine donnée ci-dessous. On rencontre en revanche dans le second (liv. I, chap. III) un certain Robert Fitz-Stephen, présenté comme de naissance noble ; c'est lui qui, avec son demi-frère Maurice (prénom du frère de Stephen Dedalus dans ce roman comme dans *Stephen le Héros*), entreprend de conquérir l'Irlande en 1169.

5. On notera que l'adjectif *pervetusto* est attribué à Giraldus lui même par son commentateur Richard Stanihurst.

Page 332.

1. On notera le caractère blasphématoire de cette remarque, évocatrice de l'Annonciation.

2. « Futur immédiat ». La forme habituelle, en anglais du XIXe siècle, est *paulo-post-future* ; ou bien encore *third future, future perfect, futurum perfectum.*

3. De quel livre s'agit-il ? Tenant compte de l'intérêt manifesté par Joyce pour les thèses d'Aristote, et bien que nous n'ayons pas trouvé d'écho de cette phrase dans *L'Histoire des animaux, les Parties des animaux, La Génération des animaux*, etc., nous estimons pouvoir la rapprocher de ce passage d'une œuvre qui traite bel et bien du devenir sublunaire : « La perpétuité de la succession ne devient-elle pas nécessaire par cela seul que la destruction d'une chose est la production d'une autre, et que, réciproquement, la production de celle-ci est la mort et la destruction de celle-là ? », *Traité de la production et de la destruction des choses,* traduction Barthélemy Saint-Hilaire, Paris, de Ladrange et Durand, 1866, liv. I, chap. III, 8, p. 32-33 [318 *a* 20-24]. Il est clair que ceci s'inscrit dans la ligne d'une méditation sur la mortalité, la sexualité et la corruption, qui traverse les premières œuvres de James Joyce.

Page 333.

1 Il s'agit du mot *ballocks,* ici traduit « couillon », qui effectivement désigne deux objets...

Page 334.

1. Dans *Stephen le Héros,* Pléiade, p. 516, cet incident est présenté de manière très neutre.

2. Incident repris du « Portrait de l'artiste » (1904) et de *Stephen le Héros,* Pléiade, p. 461 et n. 1. Voir également ci-dessus p. 195 et n. 2

Page 335.

1. *Darkness falls from the air,* vers dont Stephen va remarquer l'inexactitude, tiré de la pièce de Thomas Nashe (ou Nash), 1567-1601, *Summer's Last Will and Testament,* 1600, vers 1574-1615. La chanson comporte six strophes, dont le refrain est « Je suis malade, je dois mourir : / Seigneur, ayez pitié de nous. » Les strophes 2 et 5 dénoncent respectivement la vanité de la richesse, de la force et de l'esprit, la strophe 3 celle de la beauté :

> *Beauté n'est qu'une fleur,*
> *Que les rides vont dévorant,*
> *La clarté tombe de l'air,*

> *Des reines sont mortes, jeunes et belles,*
> *La poussière a fermé les yeux d'Hélène,*
> *Je suis malade, etc.*

Dans « Le Symbolisme de la poésie », 1900, Yeats cite les vers 3 à 5, en même temps que des fragments de Burns, Blake et Shakespeare, et ajoute : « Prenez quelque vers tout à fait simple, qui doit sa beauté à la place qu'il occupe dans une histoire, et voyez comme il fait scintiller la lumière de nombreux symboles qui ont donné à l'histoire sa beauté, tout de même qu'une lame d'épée peut scintiller à la lumière de tours embrasées. » Il donnera à nouveau ces vers en exemple l'année suivante dans un autre essai, « Qu'est-ce que la " poésie populaire " ? ».

2. John Dowland, 1563 ?-1626, luthiste et compositeur de la Renaissance, auteur de plusieurs recueils. L'admiration que lui portait James Joyce ne se démentit jamais. Voir la lettre à Harriet Shaw Weaver du 5 mars 1926 : « Merci beaucoup pour les chansons de Dowland. Elles, au moins, sont indiscutables. Je serais incapable de les chanter, mais je pourrais passer la journée à les écouter. Je veux dire que j'ai la voix, mais pas le style. J'espère qu'une chose écrite par moi peut supporter la comparaison avec *Come silent night* par exemple » (*Lettres*, éd. cit., t. III, p. 363). Voir *Ulysse*, éd. cit., p. 587 : « Stephen [...] se lança dans le panégyrique des chansons de Shakespeare, du moins de celles de cette époque ou à peu près, du luthaniste Dowland qui logeait dans Fetter Lane près de Gérard le botaniste, qui *anno ludendo hausi*, *Doulandus*, instrument qu'il méditait d'acheter à M. Arnold Dolmetsch, dont Bloom ne se souvenait pas très exactement, encore que le nom ne lui fût pas tout à fait inconnu, pour le prix de soixante-cinq guinées, et Farnaby et fils avec leur *dux* et *comes* concetti et de Byrd (William), qui jouait de l'épinette, dit-il, à la chapelle de la Reine... etc. » Voir la lettre à Oliver St John Gogarty du 3 juin 1904.

3. William Byrd, 1543 ?-1623, organiste. C'est en 1588 qu'il composa les premiers madrigaux anglais ; entre 1588 et 1611, il publia divers recueils de psaumes, chansons et sonnets. Il avait reçu en 1575 le monopole du papier de musique et de l'impression de la musique.

4. Telle était l'impression que faisait sur ses visiteurs le roi Jacques [James] Ier, successeur d'Élisabeth Ire. On remarquera que *James* Joyce ne désigne pas le souverain par son nom.

Page 336.

1. Voir ci-dessus p. 331.
2. Cornelius a Lapide, S. J., 1567-1637, est également connu sous les noms de Van den Steen ou de Corneille de la Pierre. Ce théologien

belge, professeur d'hébreu au Collège de Louvain, donna des cours sur l'Écriture Sainte à Rome : il est en effet avant tout l'auteur d'un monumental commentaire des Écritures, dont Stephen Dedalus a en tête le passage suivant (il s'agit de savoir si toutes les espèces d'animaux ont été créées le sixième jour) : *Dico* tertio, *minuta animalia quæ ex sudore, exhalatione aut putrefactione nascuntur, uti pulices, mures aliique vermiculi, non fuerunt hoc sexto die creata formaliter, sed potentialiter, et quasi in seminali ratione ; quia scilicet illa animalia hoc die creata sunt, ex quorum certa affectione, hæc naturaliter erant exoritura : ita S. Augustinus, lib. III de Genes. ad. litt., cap. XIV, licet contrarium docere videatur S. Basilius hic hom. 7. Certe pulices et similes vermes, qui jam in hominibus sunt, tunc creari contrarium fuisset felicissimo innocentiæ statui.* On le voit, ce que Stephen a en tête implicitement, c'est la Chute et ses rapports avec la Création. Sur le sujet de la vermine, voir *Stephen le Héros*, Pléiade, p. 496 et n. 3, et *Ulysse*, éd. cit., p. 78 : « Peau qui fabrique des poux ou autre vermine. » À propos du nom *Cornelius*, voir ci-dessus p. 324 et n. 2.

Page 337.

1. Voir *Stephen le Héros*, Pléiade, p. 425, n. 1.

Page 338.

1. *Adelphi Hotel*, 20-22 South Anne Street, rue qui va de Grafton Street à Dawson Street. Voir n. 3, p. 341.

Page 340.

1. *On that point Ireland is united.* Allusion aux conflits internes du parti nationaliste depuis l'affaire Parnell, mais également aux Sociétés de *United Irishmen*, organisations fondées en 1791 par Theobald Wolfe Tone et Napper Tandy et influencées par les idées révolutionnaires françaises. L'appellation eut une valeur symbolique pour les générations qui suivirent. Le titre *The United Irishman* fut porté par deux journaux nationalistes : celui de John Mitchell, fondé en 1848 pour prêcher l'insurrection (qui devait avorter), et celui de John Griffith (mars 1899). L'ironie de Joyce porte à la fois sur la possibilité de l'union entre les Irlandais, et sur celle du recours à une action efficace, sans cesse promise par les journaux. Voir *Ulysse*, éd. cit., p. 580 : « *L'Irlande unie* (un nom propre, soit dit en passant, bien impropre)... », et les conférences et articles italiens sur l'Irlande.

Page 341.

1. Voir n. 1, p. 328.

2. Au second acte de *Siegfried*, le héros ne peut comprendre le langage de l'oiseau qu'après avoir tué le dragon Fafner et porté à ses lèvres son doigt taché du sang de la bête ; l'allusion prend place ici dans la série des oiseaux porte-signes.

3. Voir n. 1 p. 338, *Stephen le Héros*, Pléiade, p. 508.

4. *Maple* signifie « érable » ou « sycomore ».

Page 342.

1. *Their skintight accents.*

Page 343.

1. On peut comparer la conversation qui suit avec celle de *Stephen le Héros*, Pléiade, p. 443 et suiv.

2. Voir *Stephen le Héros*, Pléiade, p. 437 et n. 1, et ci-dessous p. 356.

3. *My dear man*. Expression relevée dans le « Carnet de Trieste » à la rubrique « Byrne (John Francis) ».

Page 344.

1. Évangile selon saint Matthieu, XXV, 41. Voir n. 2, p. 194.

2. Voir *Dublinois*, Pléiade, p. 109, n. 2.

3. Repris de *Stephen le Héros*, Pléiade, p. 447

Page 345.

1. Dans *Stephen le Héros* (Pléiade, p. 440, n. 1), cette question es posée par la mère de Stephen.

2. On sait que James Joyce a dit, à propos de *Musique de chambre*, qu'il n'avait jamais éprouvé d'amour, sinon l'amour de Dieu. Voir ci-dessus n. 1, p. 228.

3. Voir n. 1, p. 222.

4. Ce fut également le cas dans la famille de Joyce. Voir « chronologie ».

Page 346.

1. Ce résumé de la carrière de Mr Dedalus correspond de près à la biographie de Mr Joyce par son fils Stanislaus (*Le Gardien de mon frère*,

éd. cit., p. 42 et suiv.). Voir ci-dessus p. 156 et n. 1 ; dans *Stephen le Héros*, Pléiade, p. 394 et n. 1, nous avons le point de vue de Mrs Dedalus.

2. Repris de *Stephen le Héros*, Pléiade, p. 430, n. 4.

Page 347.

1. Voir p. 54 la première formulation de ce problème. Il apparaît que Stephen se trompe. Il semble qu'il mêle deux témoignages. L'un est de la sœur de Pascal, Mme Périer, dans sa *Vie de M. Pascal* : « Je n'oserais dire qu'il ne pouvait même souffrir les caresses que je recevais de mes enfants ; il prétendait que cela ne pouvait que leur nuire, qu'on leur pouvait témoigner de la tendresse en mille autres manières. » Le second témoignage est celui de sa nièce, Mlle Marguerite Périer, dans son *Mémoire sur la vie de M. Pascal* : « Lorsque mon oncle eut un an, il lui arriva une chose fort extraordinaire [...]. Dans ce temps-là il arriva que le petit Pascal tomba dans une langueur semblable à ce qu'on appelle à Paris *tomber en chartre* ; mais cette langueur était accompagnée de deux circonstances qui ne sont pas ordinaires, l'une qu'il ne pouvait souffrir de voir de l'eau sans tomber dans des transports d'emportement très grands ; et l'autre bien plus étonnante, c'est qu'il ne pouvait souffrir de voir son père et sa mère s'approcher l'un de l'autre : il souffrait les caresses de l'un et de l'autre en particulier avec plaisir, mais aussitôt qu'ils s'approchaient ensemble, il criait, se débattait avec une violence excessive ; tout cela dura plus d'un an durant lequel le mal s'augmentait ; il tomba dans une telle extrémité qu'on le croyait prêt à mourir » (Pascal, *Œuvres complètes*, Pléiade, p. 24 et 35). James Joyce, semble-t-il, a lu avec son inconscient cette histoire passablement œdipienne, et l'a dûment récrite.

2. Saint Louis de Gonzague était l'un des saints patrons de James Joyce.

Page 348.

1. Il s'agit du « Femme, qu'y a-t-il entre toi et moi ? » [*Woman, what have I to do with thee ?*, littéralement. « Qu'ai-je à faire avec toi ? »], rapporté par saint Jean (II, 3-4). Des commentateurs ont estimé que ce « femme », en araméen, n'est pas discourtois. Il reste que l'apostrophe, vive, peut être interprétée comme une accusation déguisée de ce que l'Église devait plus tard qualifier de simonie. Voici ce que dit Suarez à ce sujet : « On objecte à la Bienheureuse Vierge qu'elle aurait demandé

un miracle à son fils par ambition humaine et qu'il l'en aurait réprimandée (Jean, II, 4, 22) comme Chrysostome (*Homélies*, 4) et Théophylacte ainsi qu'Euthyme semblent l'exposer et Athanase (*Sermons contre les Aryens*, 4) l'admettre dans la mesure où il dit que le Christ a gourmandé sa mère, et Irénée aussi quand il écrit (*Contre les hérésies*, liv. III, chap. xviii) que Notre Seigneur a dit " Qu'y a-t-il entre toi et moi, femme ? " pour contenir sa hâte intempestive.

On répond qu'on trouve dans cette demande de la Vierge non pas la marque de l'ambition, mais celle d'une foi et d'une charité exemplaires, comme le prouve le résultat ; en effet, le Christ a exaucé la prière de sa mère parce qu'il n'y a aucune raison de croire qu'elle fut proférée par vaine gloire. En partant de ce principe, Cyrille (*Commentaire sur saint Jean*, II, 22) dit que la Vierge a bien montré par cette demande qu'elle a cru tout possible à son fils quoiqu'il n'eût pas encore produit de miracle ; et (chap. 24) : " Cette mère, dit-il, n'a pas ignoré que le Seigneur lui conférait une grande autorité, une grande dignité, elle qui, son fils persuadé comme de juste, prépare les serviteurs à recevoir les ordres. " Et Eusèbe (*Sermon donné le deuxième dimanche après l'Épiphanie*) dit que la Vierge, remplie de l'Esprit Saint, a prévu ce grand miracle que son fils allait faire. Et Bernard (*Sermon sur le Cantique des Cantiques*, 44) apprécie la prudence des paroles de Marie : " Parce qu'elle ne prie pas, ne commande pas, mais indique seulement que le vin manque, parce que, à l'égard des êtres bienfaisants et portés à la libéralité, il ne faut pas demander une grâce avec violence mais seulement en proposer l'occasion. " Il est donc constant que ces paroles du Christ [...] ne contiennent aucun reproche. Comme le dit, en effet, Justin martyr (*Questions proposées aux païens avec leurs réponses*, 136) : " on ne blâme pas sa mère en parole quand on l'honore en fait " ; et Cyrille (*op. cit.*, II, 23) : " Tout l'honneur qu'on doit à ses parents, il l'a aisément montré en passant immédiatement à l'acte par égard pour sa mère " » (Suarez, *Opera omnia*, Parisiis, apud Ludovicum Vivès, Bibliopolam editorem, 1860, t. XIX, p. 64 : Quæstio XXVII, art. VI, disputatio, IV, sectio IV). On comprend que Stephen ait pesé ses mots, tant les implications de Suarez le touchent : cette Vierge Mère, « remplie de l'Esprit Saint », a prévu le miracle et en « propose l'occasion » ; cet exemple de méthode jésuite et de discours jésuite fait revivre pour lui des fantasmes de complicité perverse entre la Femme et le Père, et les détournements du symbolique, toujours imaginables

2. Cf. *Stephen le Héros*, Pléiade, p. 447, n 2.

3. *Are you trying to make a convert of me or a pervert of yourself?* *Pervert*, en anglais, signifie à la fois « pervers » et « apostat ».

Page 349.

1. Stanislaus Joyce, *Le Gardien de mon frère*, éd. cit., p. 26 : « La préférence de mon frère pour les chats — et sa peur des chiens — date du jour où il fut cruellement mordu par un terrier irlandais que nous avions excité en lui lançant des pierres dans la mer, près de l'établissement de bains [...]. Ses blessures furent soignées par le docteur Vance, un ami de mon père qui tenait une pharmacie sur la corniche. »

2. Voir le « Carnet de Pola », Pléiade, p. 1594, et Stanislaus Joyce, *op. cit.*, p. 39-40.

3. C'est-à-dire les lois qui, à partir de la fin du XVIIᵉ siècle, visèrent à écraser et éliminer les catholiques irlandais.

4. Joyce dit à peu près textuellement la même chose dans sa conférence de 1907 : « L'Irlande, île des saints et des sages », Pléiade, p. 1021.

5. Pembroke : banlieue sud-est de Dublin, correspondant à peu près, aujourd'hui, aux quartiers de Ballsbridge et de Donnybrook.

Page 350.

1. Évangile selon saint Matthieu, XXVI, 69 : « Et toi aussi, tu étais avec Jésus le Galiléen. »

Page 352.

1. Doherty : personnage inspiré, comme Goggins (voir p. 298, n. 3), de Oliver St John Gogarty et qui, comme lui, disparut à peu près complètement de la version finale du roman, pour mieux réapparaître dans *Ulysse* sous le nom de « Buck Mulligan ».

2. Sally Gap et Larras, ou Laragh, deux villages du comté de Wicklow, au sud de Dublin.

Page 353.

1 Juan Mariana de Talavera, S. J., né en 1537, donne ces explications dans le *De rege et regis institutione*, publié à Tolède en 1599 et dédié à Philippe III d'Espagne, au chapitre VI intitulé « Est-il juste de faire périr le tyran ? ». Après avoir parlé en termes élogieux de Jacques Clément, assassin de Henri III, Mariana donne les opinions opposées concernant le meurtre du monarque. Le ton éloquent qui caractérise la défense du régicide ne laisse aucun doute sur son opinion personnelle. On peut légitimement tuer le tyran qui a pris le pouvoir par la violence et, « se conduisant comme une bête féroce », devient un danger pour la

nation (le tuer, c'est défendre sa mère, la patrie). On peut même tuer un prince légitime qui refuse de s'amender s'il « pousse trop loin le vice et ruine son peuple [...] si l'on ne peut protéger autrement la patrie » : c'est en effet un cas de légitime défense ; le prince est devenu un ennemi public.

2. Mariana traite cette question au chapitre VI, intitulé « Est-il licite de tuer le tyran par le poison ? ». Mariana professe qu'il n'est pas licite de verser du poison dans la boisson du tyran ou de la mêler à ses aliments, non pas en raison de la fourberie (le tyran, fourbe lui-même, mérite d'être trompé) mais parce qu'on l'amènerait ainsi à être l'artisan de sa propre mort au moment où « il introduirait de sa main le poison dans son corps ». (On peut se demander si James Joyce n'avait pas cette analyse à l'esprit lorsque, dans le « Carnet de Trieste », à la rubrique « Pappie », il parle à propos de son père de « suicide à l'irlandaise ».) Il n'en est pas de même si l'assassin répand le poison sur la selle ou dans les vêtements (comme cela s'est fait dans des cas historiques rapportés par l'auteur) : alors on évite que la victime se donne la mort (même sans le savoir) et cet emploi du poison est légitime. Joyce avait recopié le texte de cette analyse (voir Pléiade, p. 1891). On observe ici le lien imaginaire entre main et culpabilité, qui réapparaîtra dans *Finnegans Wake*.

3. Repris du « Carnet de Trieste » à la rubrique « Byrne (John Francis).

4. Stuart Gilbert a attiré l'attention de R. Ellmann sur ces mots de Lucien de Rubempré dans *Splendeurs et misères des courtisanes* (Folio, p. 47) : « J'ai mis en pratique un axiome avec lequel on est sûr de vivre tranquille : *Fuge, late, tace !* » Rappelons que le suicide final de ce poète est lié à la question de la paternité de l' « abbé Herrera ».

Page 354.

1. Dans *Ulysse*, éd. cit., p. 51-52, cette phrase du monologue intérieur de Stephen Dedalus : « Ami solide, âme fraternelle : amour à la Wilde qui n'ose pas dire son nom », était à l'origine suivie de : « Son bras. Le bras de Cranly. »

2. Voir *Stephen le Héros*, Pléiade, p. 520, n. 2.

3. Voir *Stephen le Héros*, Pléiade, p. 449.

Page 355.

1. Le père de Byrne, mort alors que son fils n'avait que trois ans, était fermier dans le Wicklow, où John Francis allait encore souvent, comme le Cranly de *Stephen le Héros*. Voir également ci-dessous p. 358.

2. Dans le « Carnet de Trieste », c'est Byrne lui-même qui est présenté comme « épuisé ».

3. Évangile selon saint Matthieu, III, 4. Rappelons que l'on trouve ce genre de correspondance typologique dans *L'Évangile Éternel* de Joachim de Flore (voir ci-dessus, n. 1, p. 318, et *Stephen le Héros*, Pléiade, p. 480 et n. 7). Voir la lettre en latin datée du 19 août 1904, dans laquelle J. F. Byrne exprime à Joyce ses regrets de ne pouvoir lui prêter de l'argent ; elle s'achève ainsi : *Sum, sicut dicunt populi, vester S. S. Joannes* (*Lettres*, éd. cit., t. II, p. 136).

4. *San Giovanni a Porta Latina*, église stationale du samedi des Rameaux, à Rome, dédiée initialement au Sauveur, le fut ensuite à saint Jean Baptiste et à saint Jean l'Évangéliste conjointement : d'où la plaisanterie de James Joyce.

5. Évangile selon saint Matthieu, VIII, 21-22 : « Un autre des disciples lui dit : " Seigneur, permets que j'aille auparavant ensevelir mon père. " Mais Jésus lui dit : " Suis-moi, et laisse les morts ensevelir leurs morts. " »

Page 356.

1. Dans *Stephen le Héros*, Pléiade, p. 455, la scène se passe en compagnie de Moynihan, et Stephen ne réagit pas de la même manière.

2. La Bienheureuse Vierge Marie, *Blessed Virgin Mary*.

3. Comparer cette formule avec celle du « Carnet de Trieste » à « Dedalus (Stephen) » : ici « lucarne » (*skylight*, littéralement « lumière du ciel ») remplace « guichet » (*wicket*).

4. Ghezzi : il est remarquable que Joyce ait ici redonné son vrai nom à son professeur d'italien baptisé Artifoni dans *Stephen le Héros* (Pléiade, p. 474 et suiv.). Cette modification ne peut être mise au compte de préoccupations purement réalistes. Le nom de Ghezzi porte une charge symbolique incontestable : James Joyce n'ignorait certainement pas que c'était celui de deux théologiens d'orientations passablement contradictoires. L'un est dominicain, le P. François Ghezzi, qui vécut au XVIIe siècle ; thomiste, spécialiste de théologie morale, il fut consulteur du tribunal de l'Inquisition. Au contraire, le P. Nicolas Ghezzi, S. J., 1683-1766, « acquit un grand renom par ses travaux sur l'histoire du probabilisme dont saint Alphonse de Liguori (voir p. 231 et 168, n. 4) avait été le théoricien, qui lui valurent aussi de très vives attaques et de sérieux ennuis » (*Dictionnaire de théologie catholique*) ; dans *Stephen le Héros*, Pléiade, p. 474, Artifoni est qualifié de « piètre inquisiteur » et paraît prêt à l'indulgence. Ici, à travers un nom propre de Père parfaitement authentique, mais ambivalent,

s'introduit toute une problématique du fondement de l'ordre symbolique.

5. Ce dialogue se trouve dans *Stephen le Héros*, Pléiade, p. 474, n. 2.
On y entend les échos d'une controverse récente. Dans un article
intitulé « Was Giordano Bruno Really Burned ? », *Macmillan's Maga-
zine*, octobre 1885, Richard Copley Christie avait réfuté de manière
circonstanciée la thèse d'un Français, Desdouit, selon lequel la mort de
Bruno, brûlé vif à Rome en 1600, avait été montée de toutes pièces par
des protestants ; il remarquait au passage que romains, luthériens,
calvinistes et anglicans étaient tous d'accord sur le devoir de chrétien
qu'il y avait à brûler les athées et les hérétiques... En 1902, au moment
où James Joyce achève ses études à University College, l'article en
question fut publié à nouveau dans le recueil de Christie, *Selected
Essays and Papers*, Longmans, Green & Co. L'ouvrage est entré à la
National Library de Dublin le 21 février 1902, et l'on sait que les
bibliothécaires de cette maison, en particulier Lyster, attiraient
l'attention de leurs jeunes lecteurs sur les nouvelles acquisitions.
Bruno fut réhabilité à la fin du XIXe siècle, sa statue érigée sur le
Campo de' Fiori à Rome, où une procession se déroulait chaque année
le jour anniversaire de sa mort ; James Joyce assista à celle de 1907
(*Lettres*, éd. cit., t. II, lettres des 16 février et [? 1er] mars 1907).

6. Voir *Ulysse*, éd. cit., p. 204 (citée ci-dessus p. 227, n. 2).

Page 357.

1. Évangile selon saint Jean, XIX, 23-24 (c'est le seul évangile qui
parle de *quatre* soldats). Saint Jean ajoute : « C'était afin que cette
parole de l'Écriture fût accomplie : " Ils ont partagé mes vêtements
entre eux et ils ont tiré ma robe au sort. " » Joyce a remplacé *coat* par
overcoat, d'où le « pardessus » de la traduction.

2. « William Bond », poème de William Blake, dont voici la première strophe :

> *Je me demande si les filles sont folles,*
> *Et je me demande si elles entendent tuer,*
> *Et je me demande si William Bond va mourir*
> *Car assurément il est très malade.*

et la strophe finale :

> *Cherche l'amour en ayant pitié de la peine de l'autre,*
> *En soulageant avec douceur les soucis d'un autre,*
> *C'est dans l'obscurité de la nuit et la neige de l'hiver,*

Chez celui qui est nu et proscrit
Que tu dois chercher l'amour !

3. La Rotonde : théâtre situé en haut de O'Connell Street, transformé plus tard en cinéma.

4. James Joyce a souvent dit le mépris dans lequel il tenait Gladstone, premier responsable de « l'assassinat moral de Parnell » : voir ses articles « Le Home Rule atteint sa majorité » et « L'Ombre de Parnell », le « Portrait de l'artiste » (1904) et *Stephen le Héros*, Pléiade, p. 384 et 461.

5. Reprise à peu près littérale de l'Épiphanie n° XXIX. Voir également *Ulysse*, éd. cit., p. 31 : « C'est mon enfance qui près de moi se penche. Trop loin pour que ma main l'atteigne même du bout des doigts. La mienne est loin et la sienne est secrète comme nos yeux. Secrets silencieux, qui règnent rigides dans les palais sombres de nos deux cœurs ; secrets las de leur tyrannie ; tyrans désireux qu'on les détrône. »

Page 358.

1. Variation sur une aporie stoïcienne attribuée à Chrysippe par Lucien de Samosate, dans *Les Sectes à l'encan*, 22.

2. *Antoine et Cléopâtre*, acte II, sc. VII, v. 29-31 : « Lépidus : Votre serpent d'Égypte naît de votre boue par l'opération de votre soleil ; ainsi en va-t-il de votre crocodile. » Voir Ovide, *Métamorphoses*, I, 416-451.

3. Johnston, Mooney et O'Brien : pâtisserie de Dublin à succursales multiples : il y en avait plusieurs dans le quartier de l'Université : dans Leinster Street, et une autre, maintenant disparue, au 38 de Saint Stephen's Green.

4. Voir p. 242, n. 1.

5. La Colline de Tara (en irlandais *Teamhair na Riogh*, l'Acropole royale), dans le comté de Meath, fut dans les temps anciens la capitale politique et culturelle de l'Irlande. Tous les trois ans s'y tenait une grande assemblée (*feis*) nationale au cours de laquelle des lois étaient édictées, des différends tribaux réglés, etc. Tara perdit de l'importance avec la christianisation de l'Irlande, mais son prestige se maintint jusqu'à l'époque des derniers rois païens au VIe siècle. Ce fut également la résidence royale de Malachie II (mort en 1022). C'est à Tara que se trouve la pierre du couronnement des anciens rois.

6. Petite ville du Pays de Galles qui est le port de débarquement le plus proche de toutes les lignes faisant le service de l'Irlande.

7. *How he broke Pennyfeather's heart*. Dans sa lettre à Damaso Alonso

du 31 octobre 1925, James Joyce explique que c'est à l'occasion d'une course d'aviron. « Bien sûr, ajoute-t-il, l'expression évoque une déception amoureuse, mais les hommes l'utilisent sans explication, avec quelque coquetterie, semble-t-il. »

Page 359.

1. Allusion au poème de W. B. Yeats, « He remembers Forgotten Beauty » in *The Wind Among the Reeds*, 1899, qui commence ainsi :

> *Lorsque mes bras vous enveloppent, je presse*
> *Mon cœur sur la beauté*
> *Depuis longtemps évanouie du monde...*

Michael Robartes est le héros du récit en prose « Rosa Alchemica » ; il est évoqué brièvement dans *Stephen le Héros*, Pléiade, p. 482 et n. 3.
2. Épiphanie n° XXVII, reprise à peu près littéralement.

Page 360.

1. Le mot se rencontre effectivement dans Shakespeare : *Mesure pour mesure*, III, II, 182, *filling a bottle with a tundish*. Noter que Shakespeare décrit ici une opération à peu près impossible, le *tundish* étant un gros entonnoir pour les tonneaux.
2. L'anecdote se trouve sous une forme plus complète, et d'ailleurs différente, dans *Stephen le Héros*, Pléiade, p. 329.

Page 361.

1. *Away! Away!* C'est ainsi que James Joyce traduit le premier vers de la dernière strophe des « sanglots longs » de Verlaine : « Et je m'en vais... », Pléiade, p. 1316.
2. Épiphanie n° XXX, reprise à peu près textuellement (seul *people*, « peuple », a été remplacé par *kinsman*, « de ton sang »). Elle avait déjà été utilisé dans *Stephen le Héros* (Pléiade, p. 323). Voici ce que dit James Joyce à ce sujet dans sa lettre à Stanislaus du 7 février 1905 : « L'effet du fragment " Sortilège des bras " est de marquer le point précis qui sépare l'enfance (*pueritia*) et l'adolescence (*adulescentia*) — dix-sept ans. »
3. Voir la lettre à Nora Barnacle du 22 août 1912.

Page 362.

1. Nous avons déjà rencontré Siegfried ci-dessus p. 341. Rappelons qu'il avait pour tâche de forger à nouveau ensemble les morceaux brisés du glaive de son père Siegmund. Voir *Musique de chambre*, poème nº XXXVI, v. 8., Pléiade, p. 33. Voir aussi Huysmans, *À rebours*, Folio, p. 118, à propos de Claudien : « ... un poète forgeant un hexamètre éclatant et sonore, frappant, dans des gerbes d'étincelles, l'épithète d'un coup sec. » Voir *Stephen le Héros*, Pléiade, p. 345, et les Notes préparatoires aux *Exilés*, Pléiade, p. 1777.

2. ... *stand me now and ever in good stead.* Voir n. 2, p. 288.

Impression Bussière Camedan Imprimeries
à Saint-Amand (Cher),
le 24 novembre 2000.
Dépôt légal : novembre 2000.
1er dépôt légal dans la collection : octobre 1992.
Numéro d'imprimeur : 005335/1.

ISBN 2-07-038569-8./Imprimé en France.